APOKALYPSE

Wilhelm-Hack-Museum
Ludwigshafen am Rhein

Die Herausgabe des Kataloges wurde durch Zuschüsse
des Förderkreises für das Wilhelm-Hack-Museum e.V. und
des Kultusministeriums des Landes Rheinland-Pfalz unterstützt.

APOKALYPSE
Ein Prinzip Hoffnung?

Ernst Bloch zum 100. Geburtstag

Wilhelm-Hack-Museum   Ludwigshafen am Rhein
8. September bis 17. November 1985

Herausgegeben von
Richard W. Gassen und Bernhard Holeczek

Edition Braus
Heidelberg

Ausstellungsleitung:
Bernhard Holeczek

Ausstellungskonzeption und Katalogredaktion:
Richard W. Gassen

Mitarbeit:
Andreas Bee
Gabriele Gassen
Thomas Jakob
Susanne Pfleger

Autoren der Textbeiträge im Kapitel »Der Untergang der
Titanic – Chiliasmus und Weltenende im 20. Jahrhundert«:
Andreas Bee (Kat.-Nrn. 113, 126, 140–142, 150, 151,
156–161, 165, 166, 172, 176–178, 180, 183);
Richard W. Gassen (Kat.-Nrn. 109, 110, 122–125, 127–131,
133–138, 143, 148, 152, 153, 162–164, 167–171, 173–175,
179, 181, 182);
Thomas Jakob (Kat.-Nrn. 111, 116, 119–121, 145–147, 149,
155);
Barbara Karpf (Kat.-Nrn. 112–114)

Der Abdruck von Ernst Blochs »Biblische Auferstehung und
Apokalypse« erfolgt mit freundlicher Genehmigung des
Suhrkamp Verlags, Frankfurt am Main

Ausstellungsaufbau:
Andreas Bee
Thomas Jakob
Ernst Kuhn
Helmut Priefer
Bernd Werz

Sekretariat:
Petra Diemer
Anita Lang
Sabine Reinhardt

Umschlagabbildung:
Pieter Brueghel, *Die dulle Griet* (Detail) (Kat.-Nr. 37)

Kataloggestaltung:
Horst Becker, ggmbH

Gesamtherstellung:
Brausdruck GmbH Heidelberg

© 1985
Wilhelm-Hack-Museum Ludwigshafen am Rhein,
Künstler und Autoren

Verlag: Edition Braus, Heidelberg
ISBN 3-921524-42-3

Inhalt

Vorwort

Zentenarien als »runde« Künstlergeburtstage werden von den Ausstellungsinstituten gern zum Anlaß für großangelegte Retrospektiven gewählt. Wenn jedoch ein Museum mit einer Kunstausstellung an den hundertsten Geburtstag eines Philosophen erinnert, hat dies seine besondere Bewandtnis, indem sie sich auf Biographie und Geographie gründet: In Ludwigshafen wurde 1885 Ernst Bloch geboren, gewiß eine der bedeutendsten Persönlichkeiten der Philosophie unseres Jahrhunderts. Wollte auch das Wilhelm-Hack-Museum des berühmten Sohnes der Stadt gedenken, dann bot sich eine thematische Ausstellung unter einem aus Blochs Werk gezogenen Titel von selbst an. Was hätte nun näher gelegen, als »Spuren«, »Verfremdung« oder »Erbschaft dieser Zeit« zum Ausstellungsthema zu machen? (Das Hauptwerk vom »Prinzip Hoffnung«, verbunden mit dem »Geist der Utopie«, war bereits seit 1983 für die Eröffnungsausstellung des Museums Bochum verbraucht.) Doch die Wahl der Inhalte, die solchen Themen als Exponate zu entsprechen hätten, wäre sehr willkürlich und vor allem allzu beliebig ausgefallen. Nein, es sollte keine Ernst Bloch (fehl-)interpretierende, keine das Werk illustrierende, sondern – im besten Falle – eine aus der Lehre des Philosophen entstandene, seiner Welterklärung verpflichtete Ausstellung werden.

Von »Karl Marx, der Tod und die Apokalypse« aus dem Frühwerk »Geist der Utopie« bis zu »Biblischer Auferstehung und Apokalpyse« aus dem »Prinzip Hoffnung« widmete Bloch dem »furchtbaren Erntefest der Apokalypse« seine Aufmerksamkeit, wies dieser kathartischen Vernichtungs-, Rache- und Endzeitvorstellung einen zentralen Platz in seinem Denken zu. Der Begriff Apokalypse und das davon abgeleitete Adjektiv sind in den letzten Jahren im allgemeinen Sprachgebrauch geradezu inflationär geworden. Die Ursache hierfür ist unschwer im Bewußtsein der atomaren Bedrohung, dem Wahnsinn eines hundertfachen Overkills, ebenso zu finden wie im Schrecken über die vielfältigen Arten selbstmörderischer Umweltzerstörung. Neben borniere Ignoranz und fatalistische Resignation stellt sich verzweifelter, meist ohnmächtiger Protest. Solche Endzeitstimmung – ob als Warnung oder als Lebensgefühl – sucht von sich aus den Vergleich zur neutestamentlichen Prophetie. Doch während die biblische Apokalypse mit der Niederlage des Antichrist und dem Triumph der Erwählten eine letzte Seligkeit verheißt, richtet sich der säkularisierte Sinn in des Wortes heutiger Verwendung häufig auf die totale Zerstörung allen Lebens, auf das Ende aller Zeiten und allen Seins. Aus dieser Polarität bezieht das Thema der Ausstellung seine Spannung, und hierin liegt auch der direkte Hinweis auf Ernst Bloch, den zu Ehrenden, indem der Ausstellung die Frage vorangestellt ist, ob Apokalypse ein Teil des »Prinzips Hoffnung« sein könne oder ein solches enthalten müsse.

Es liegt jedoch fern, mit besserwisserisch erhobenem Zeigefinger des Sprachpuristen den durch seine Benutzer gewandelten Begriff auf seine ursprüngliche Bedeutung zurückzwingen zu wollen. Dennoch könnte vielleicht der Nebeneffekt erreicht werden, den allzu unbeschwerten Umgang mit dem Wort (und den damit verbundenen Vorstellungen) ein wenig bedachter werden zu lassen. Die kunsthistorische Einbindung des Terminus mag vielleicht seine Relativierung bewirken, da die Aktualität des Themas auch in der bildenden Kunst nicht nur ihren Niederschlag gefunden hat, sondern auch zu deutlicher Konturierung führte. Bereits bei der ersten Konzeption waren Ausgangs- und Schwerpunkt für das Projekt die Kunst des 20. Jahrhunderts und hierin vor allem die der Gegenwart. Bei einem nicht nur äußerlich ikonographisch ausgerichteten Thema ließ sich eine Bewältigung des komplexen Phänomens nicht ohne Rückblicke und Bezüge auf und zur Kunstgeschichte bewerkstelligen, zumal der umfassende Anspruch des Vorhabens bislang noch ohne Vorbild war. Die Recherchen zeitigten eine Überfülle an vorhandenem Material, die eine Beschränkung auf exemplarische Stücke notwendig machte, um die räumlichen Kapazitäten nicht zu sprengen und die Aufnahmefähigkeit des Besuchers nicht zu überfordern. Keinesfalls sollte auch nur annähernd eine positivistische Vollständigkeit angestrebt werden, weder in Ausstellung noch Katalog. Allein in unserem Jahrhundert lassen sich mehr als achtzig graphische Zyklen und Folgen zur Apokalypse nachweisen.

Siegfried J. Schmidt: Beitrag zur Postkartenserie *1984 – Grüße zum Untergang*, Eggemann & Olbrich, Kassel 1983

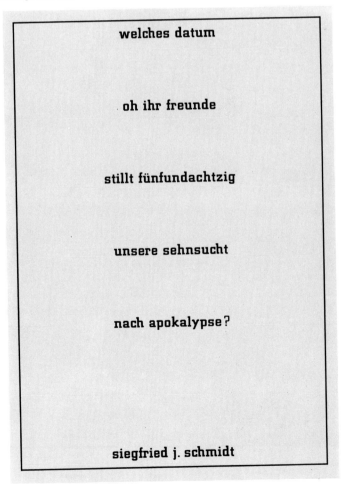

welches datum

oh ihr freunde

stillt fünfundachtzig

unsere sehnsucht

nach apokalypse?

siegfried j. schmidt

Einige prominente und sehr gewünschte Beispiele müssen fehlen, da sie – wie etwa mittelalterliche Handschriften und Gemälde auf Holz – konservatorischer Rücksichten wegen nicht ausleihbar waren. Nicht ohne Bitterkeit sei vermerkt, daß aus (verständlicher) Leihunwilligkeit das eine oder andere Werk aus magazinierten Depotbeständen von den Kollegen nicht für eine Ausleihe freigegeben wurde. Natürlich soll auch nicht ausgeschlossen sein, daß die Ursache für manche der sicher vorhandenen Lücken darin liegt, daß die betreffende Arbeit bei den Vorbereitungen auch dem aufmerksamsten Auge entgangen war. Und schließlich sei nicht verhohlen, daß auf manche Leihgabe wegen der nicht mehr aufzubringenden hohen Transportkosten verzichtet werden mußte. Das eingegrenzte Thema sowie praktische Erwägungen machten weitere Beschränkungen notwendig. So ist etwa die moderne christlich-kirchliche Kunst in der Ausstellung nicht darstellbar, abgesehen von möglichen Bedenken bezüglich ihrer künstlerischen Qualität. Ebenso mußten weitere benachbarte oder verwandte Themenbereiche ausgeklammert werden, zu denen die Schrecknisse des Krieges gehören, sofern sie nicht in den Apokalyptischen Reitern als Allegorie aufgefaßt sind. Als abgeschlossene Randgebiete fehlen Totentanz und Tod, gleich ob allegorisch oder individuell, die Hölle, falls nicht als Teil eines Jüngsten Gerichts aufgezeigt, und die unterschiedlichsten Formen von Naturkatastrophen. Unberücksichtigt bleiben mußten weiterhin, den Zwängen des begrenzten Raumes gehorchend, die gewiß vielversprechenden Aspekte der künstlerischen Photographie, der Karikatur und das sehr ergiebige Feld der bildnerischen Gestaltung von Geisteskranken.

Die konzentrierte Form der Apokalypse-Ikonographie beginnt in der mittelalterlichen Bildwelt in illuminierten Handschriften – etwa der Trierer Apokalypse – als zyklische Darstellung zur interpretierenden Illustration der Johannes-Offenbarung. Die Tradition setzt sich bis zum Butts-Zyklus von William Blake fort, nachdem sie ihre Höhepunkte in der Reformationszeit gefunden hatte, namentlich in den allbekannten Holzschnitten Albrecht Dürers. Die druckgraphischen Folgen sind auch hier das bevorzugte Medium für die wegen der moralischen Erziehung auf Verbreitung angelegten Bild-Traktate. Die Renaissance und das Barock der Gegenreformation verursachen aus einsichtigen Gründen einen deutlichen Rückgang der künstlerischen Behandlung der Apokalypse-Thematik. Dieser Umstand ermöglicht es auch, verschiedene Gemälde, die entweder nicht mehr existieren oder nicht transportierbar sind, als zeitgenössische Umsetzungen in Reproduktionsgraphik in der Ausstellung zeigen zu können. Mit dem 19. Jahrhundert beginnt sich eine Profanierung der einst biblischen Thematik herauszubilden. Die Zeitstimmung im Wandel der Gesellschaft läßt den Einfluß von Religion und Kirche zurücktreten. Die abgeleiteten Motive richten sich auf Weltende und Weltuntergang, auf das Chaos und die Weltkatastrophe. Daneben bestehen jedoch immer – und das versucht die Ausstellung vertikal nachzuzeichnen – die Kernthemen der Apokalypse: die Apokalyptischen Reiter, Weltgericht und Auferstehung, das Himmlische Jerusalem als ideale Stadt, der Hl. Michael, das Öffnen der Siegel, Antichrist und tausendjähriges Reich.

Zwar eine weitgehende Säkularisierung, doch kein Nachlassen, eher eine Steigerung in der Fülle künstlerischer Behandlung der Apokalypse-Thematik bildet sich im 20. Jahrhundert heraus. Das kaum ermeßliche Grauen zweier Weltkriege findet seinen Niederschlag in Schreckensvisionen von Vernichtung und Untergang. Weiterhin ist der Zyklus die bevorzugte Ausdrucksform, wieder dominiert die Graphik. Als Erweiterung bildet sich der Topos einer apokalyptischen Landschaft heraus: Von Ludwig Meidner, Max Ernst und Yves Tanguy bis hin zu Rolf Iseli und zahlreichen weiteren zeitgenössischen Künstlern werden ekstatisches Chaos, totale Verwüstung oder ausgebrannte Öde zum Bildinhalt. Verfall, Verwesung, Verbrennung stellen sich durch sich selbst dar. Die Einbeziehung kunstungewohnter Materialien und die Ausformung zum Objekt erscheinen unter diesem Aspekt auf eigene Weise schlüssig. Daß sich seit Ende der siebziger Jahre das Bedürfnis der Künstler, sich solcher Thematik zuzuwenden, deutlich steigert, bedarf kaum einer Erklärung. Einen festen Platz in der Ikonographie des Untergangs nimmt seit einigen Jahrzehnten die charakteristische, jedem deutlich als solche erkennbare Wolkenformation des Explosionspilzes der Atombombe ein. Kunstwerke wollen so zur Mahnung, zur Warnung werden, sind ein Sichtbarmachen, das wirken will und das gewiß nur selten in die Nachbarschaft einer modischen Apokalypse-Koketterie gerät.

Das Datum unserer Ausstellung zum hunderten Geburtstag von Ernst Bloch fällt in die Zeit der Vierzigjahr-»Feiern« zum Ende des Zweiten Weltkrieges und des Abwurfes der ersten Atombombe auf Hiroshima. Am weitesten fern liegen soll es der Ausstellung, sich in den Dienst einer Ästhetisierung des Grauens oder einer »Verfeierlichung des Entsetzlichen« (Günter Anders) zu stellen.

Für eine Ausstellung, die Werke von annähernd hundertzwanzig Künstlern vereint und Kunstwerke von fast hundert Leihgebern zusammenträgt, muß komplizierteste organisatorische Arbeit geleistet werden. Das Verdienst, nicht nur die Konzeption erarbeitet, sondern auch Planung und Durchführung des Projektes koordiniert und bewältigt zu haben, gebührt Dr. Richard W. Gassen; er hat auch dem begleitenden Katalog seinen Charakter gegeben und hat ihn redaktionell betreut. Dabei waren ihm namentlich Andreas Bee, Gabriele Gassen, Thomas Jakob und Susanne Pfleger unentbehrliche Mitarbeiter. Ohne die weitergehende Unterstützung von Fachkollegen, auch aus benachbarten Bereichen, hätte der Katalog nicht als das Handbuch für die Apokalypse gestaltet werden können, als welches er jetzt vorliegt: Allen Autoren der Katalogtexte sei hiermit für ihre profunden Beiträge herzlicher Dank gesagt. Die Ausstellung selbst wäre ohne Leihgaben aus öffentlichen und privaten Sammlungen undenkbar. Jeder weiß, daß es immer schwieriger wird, gerade für thematische Ausstellungen die dafür notwendigen Kunstwerke vorübergehend ausgeliehen zu bekommen. Um so dankbarer sind wir den Kollegen von befreundeten Museen ebenso wie den entgegenkommenden Privatsammlern, den genannten wie den ungenannten, und natürlich den Künstlern für ihre Bereitschaft, unser Unternehmen dadurch zu unterstützen, daß sie sich für längere Zeit von ihren Kunstwerken trennen. Natürlich hat eine Ausstellung auch ihre ökonomischen Seiten. Thematische Ausstellungen sind stets besonders teuer. Und diesem Umstand hat die Stadt Ludwigshafen, die ihren Ehrenbürger auch durch eine große Museumsveranstaltung würdigen will, bereits in den Haushaltsansätzen Rechnung getragen. Dennoch hätte vor allem der Katalog sehr viel bescheidener ausfallen müssen, wenn nicht der Förderkreis für das Wilhelm-Hack-Museum sowie das Kultusministerium des Landes Rheinland-Pfalz unser Anliegen durch namhafte Zuschüsse unterstützt hätten.

Bernhard Holeczek

Jean Duvet, *Der Engel bindet Satan auf 1000 Jahre* (Kat.-Nr. 32.4)

Apokalypse als Hoffnungstheologie

Pinchas Lapide

Ein dreifach Gescheiterter ringt sich aus dem Morast seiner Mißerfolge zum Hoffnungselan seiner Vorväter empor – so könnte die Kurzbiographie von Ernst Bloch, diesem streitbaren Denker des hebräischen Humanismus, lauten.

Denn in der Tat, als Jude im Deutschland der dreißiger Jahre, als Emigrant in den USA der vierziger Jahre und als Marxist im Leipzig der fünfziger Jahre war ihm jene Werk- und Wirkungsstätte verwehrt geblieben, die ihm erst die Universität Tübingen in seinen Herbstjahren zu bieten vermochte.

In seiner rastlosen Suche nach dem großen Noch-Nicht, das seinen Schatten in die Gegenwart vorauswirft, schrumpfte für ihn zwar der biblische Gott der Hoffnung zum A-Theisten-Gott Hoffnung, aber dennoch blieb der »Prophet mit Marx- und Engelszungen« seinen jüdischen Wurzeln treu – auch und gerade in seinem Aufbegehren gegen die Religion.

Sein apokalyptischer Traum vom besseren Leben, seine Sehnsucht nach einer heilen Welt, sein Respekt vor dem Mosaischen Bilderverbot, seine »Dämmerung nach vorn«, die Forderung nach aufrechtem Gang und menschlicher Würde, sein gebieterisches Pochen auf den steten Exodus aus jedwedem Status quo – der ungeborenen Zukunft zuliebe, sein Glaube an die Perfektibilität der Gesellschaft und, nicht zuletzt, sein Mut zur unentwegten Sinnsuche – woher strömt all dies dem unverbesserlich Hoffenden zu, wenn nicht aus den mystischen und kabbalistischen Quellen seiner jüdischen Tradition?

In den ersten beiden Auflagen seines Meisterwerkes *Geist der Utopie* (1918 und 1923) spricht davon noch ganz unverhohlen das leidenschaftlich jüdische Kapitel über *Das Gewissen des Unbedingten und das Bewußtsein des Unsichtbaren,* das in der neuen Auflage von 1964 stillschweigend gestrichen wurde. Dort aber hieß es ursprünglich:

»Immer noch sind die Juden nicht müde. Sie werden nicht aussetzen, sie sind die Herzzellen und lassen sich nicht entspannen . . . Vor einem großen Juden sind so die großen Männer aller übrigen Völker gleichsam nur bürgerliche Genies. Denn diese können fast nur für sich selbst sprechen, und wenn auch die Seele ihres Volkes darin widerklingt, so hat doch keine Rasse die gleiche, alles überdauernde Intensität und vor allem: Die Geschichte keines Volkes brauchte nur niedergeschrieben zu werden, um als Heilige Geschichte zu scheinen und als kanonisch-mystische Anthropogenie.«

In Marx sieht Bloch noch anno 1965 eine »prophetische Gestalt« wie die biblischen Künder, die die im Christentum auf den Himmel bezogene Hoffnung in die ursprüngliche Horizontale eines diesseitigen Reiches der sozialen Gerechtigkeit zurückverwandeln wollen. Im *Prinzip Hoffnung* jedoch wird Marx nur noch vom a-theistisch-soziologischen Vulgärmarxismus her gedeutet, in dem Sinne, daß der Mensch – wie es auf der letzten der 1628 Seiten seines magnum Opus heißt – »noch überall in der Vorgeschichte« lebe; »Ja, alles und jedes steht noch vor der Erschaffung der Welt, als einer rechten. Die wirkliche Genesis steht nicht am Anfang, sondern am Ende.«

Da ist der junge und nicht der alte Bloch der redlichere Zeuge seiner großen Botschaft. Diese Welt mag noch so wenig »die rechte Welt« sein, sie ist trotzdem schon geschaffen, auch wenn die Schöpfung weitergeht.

Und auch die Vorgeschichte liegt bereits hinter uns, das Werden ist im Gange, und die große Wende zur Zukunft hin ist von der Bibel längst schon in die Wege geleitet.

Abb. 1 Ernst Bloch

Deshalb gelten ja solch großartige Seiten im *Prinzip Hoffnung* der Gestalt des Moses, dem Auszug Israels aus der Knechtschaft und dem immergrünen Aufbruch zum Gottesreich hin.

Hier wird der Messianismus, als jüdischer Beitrag zum Prinzip Zukunft, zum »Salz der Erde« erhoben und schließlich sogar die Religion als Religion gefordert – unter der Voraussetzung einer »neuen Anthropologie, neuen Eschatologie«.

Werden die »Voraussetzungen« aber nicht auch von der Religion selbst gefordert, der sie ja sinnverwandt sind, keineswegs wesensfremd?

Der späte Bloch jedoch beharrt darauf, daß alles Bisherige ohne jede Ausnahme zu verwerfen sei, Ziel und Hoffnung seien nach wie vor »verdeckt«, die Hoffnung noch immer »ungefunden«, denn der Mensch »ist etwas, was erst noch entdeckt werden muß.«

Der 80jährige, so scheint es in der Rückschau, der einst ausgezogen war, »das große Hoffen zu lehren«, beugt sich letztlich der Diktatur der Fakten und dem Fetischismus der vollendeten Tatsachen. Er denkt nicht mehr »nach vorne«, sondern verliert sich im Jahrmarkt der haltlosen Tagträumereien. Hier gilt es zurückzukehren zum frühen Bloch, für den das Sichabfinden mit dem Leiden der Erde die zweite, allein wirkliche Erbsünde war; jener gärende, vorwärtstreibende Bloch, der im »Geist der Utopie« das Thema seines Lebens fand. Ein Buch getragen vom Geist des aktiven jüdischen Messianismus, dessen Ziel das Reich Gottes auf Erden bleibt und der auch in der Apokalyptik »den Akt des Erwachens« erkennt, der selbst aus dem Grauen neues Vertrauen nach oben und nach vorne zu schöpfen vermag. So kann Bloch dann abschließend sagen:

»Nichts ist fertig, nichts ist bereits geschlossen . . . Es gilt die abgesprengten unteren Teile zu sammeln . . . und zuletzt das Korn der Selbst-Begegnung zum Erntefest der Apokalypse zu bringen«, denn in die Hände dieser Apokalyptiker »ist Gottes Ernennung selbst gegeben, der in uns rührt und treibt, geahntes Tor, dunkelste Frage, überschwengliches Innen – Ein Gott, der kein Faktum ist, sondern ein Problem.«

Im *Prinzip Hoffnung* jedoch, wo auch viel Weltverneinung und Realitätsflucht zum Ausdruck kommen, erhält der Begriff Apokalyptik wiederum seinen falschen, wenn auch landläufigen Sinn:

»Wie könnte die Welt vollendet werden«, so heißt es dort, »ohne daß diese Welt, wie im christlich-religiösen Vorschein, gesprengt wird und apokalyptisch verschwindet.«[1]

Apokalyptisch wird hier als furchterregendes Synonym für »katastrophal« verwendet, eine Verbal-Inflation, die beim späten Bloch zum Alptraum des Unheils geworden ist – im Widerspruch zu jener seltsamen Literatur aus den Jahren der Zeitenwende, der man, mangels einer passenden Benennung, den Namen Apokalyptik gegeben hat. »Denn eben wo Begriffe fehlen«, wie Mephistopheles den Faust belehrt, »da stellt ein Wort zur rechten Zeit sich ein.«

Wer den Begriff Apokalyptik verwendet, sollte sich der Tatsache bewußt bleiben, daß es bisher noch nicht gelungen ist, ihn auf eine befriedigende Weise zu definieren. Dennoch wollen wir eine Antwort auf die Grundfrage wagen: Was ist Apokalyptik eigentlich?

Zutiefst gesehen ist sie ein Sproß jener unbezähmbaren Glaubenskraft, die die Göttlichen Verheißungen gerade im tiefsten Leid zu bewahren und bewähren weiß. Dieser Hunger nach dem Gottesreich, dieser urjüdische Durst nach Erlösung ist eine alte Leidenschaft, die häufig Leiden schafft, aber auch Berge zu versetzen vermag. Die Apokalyptik bringt eine neue Gattung jüdischer Literatur während den letzten zwei vorchristlichen Jahrhunderten hervor, die

als eine Spätform der Prophetie gelten kann, obwohl man ihr deutlich anmerkt, daß ihr die Heilsgeduld geplatzt ist. Ihr Name stammt aus der Überschrift der Offenbarung des Johannes von Patmos und besagt auf griechisch: Enthüllung, noch besser: Entschleierung, was genau dem visionären Charakter dieses Schrifttums entspricht, das letzten Endes trösten will – auch wenn es sich häufig der Umwege des Entsetzens und des Schauderns bedient.

Als Wendepunkt zwischen der prophetischen und der apokalyptischen Literatur können wir die Rückkehr der Verbannten aus dem Babylonischen Exil erachten – eine Zeit, die sowohl erneute Hoffnung auf die Erfüllung der alten Verheißungen als auch Enttäuschung über die immer erbärmlichere Gegenwart, über den zunehmenden Druck fremder Herrscher und die inneren Spaltungen im alten Israel mit sich bringt. Psalm 74 könnte als Motto für alle Apokalyptiker dienen.

Dort heißt es: »Zeichen für uns sehen wir nicht, kein Prophet ist mehr da, und keiner ist bei uns, der weiß, bis wann. Bis wann, Oh, Gott, soll höhnen der Bedränger, soll der Feind Deinen Namen verachten immerfort? Warum ziehst Du Deine Hand und Deine Rechte zurück? Zieh sie hervor aus Deinem Busen, mach doch ein Ende!« (Ps 74, 9–11)

Dieses »Bedrängen der Endzeit«, wie es auf hebräisch heißt, findet seinen Niederschlag in Vorstellungen eines kosmischen Endkampfes zwischen Gut und Böse innerhalb einer begrenzten Zeit, zu Ende einer periodischen Einteilung der restlichen Weltgeschichte mittels einer überirdischen Erlösergestalt, die zu guter Letzt die absolute, endgültige Gottesherrschaft vom Himmel herabbringen wird. Sowohl die jüdischen wie auch die späteren judenchristlichen »Endzeitler« sind wahlverwandt mit Johannes von Patmos, »euer Bruder in der Bedrängnis, im Ausharren und in der Hoffnung aufs Reich«, wie er sich nennt. (Apk 1, 9)

Soweit sie eine Lehre haben, beruht sie auf einem Ernstmachen mit der biblischen Rede vom nahenden Heil, »denn Meine Gerechtigkeit ist nahe und Mein Heil tritt hervor, und Meine Arme werden die Völker richten« (Jes 51, 5; 46, 12; 56, 1 etc.).

Das Weizenkorn, das von oben fällt, muß untergehen und zerfallen, so klingt es in ihren Worten immer wieder an, es muß tief in die Erde hineinsterben, auf daß die neue Ähre in »heilsamer« Pracht ersprießen kann.

Höllenangst und Himmelssehnsucht wuchsen dabei zu einer sonderbaren Synthese zusammen, die den Deutern der Übergangszeit »zwischen den Äonen«, in der sie zu leben meinten, zu einer ekstatischen Katharsis verhalf, für die alles Leid und alle Drangsal nichts anderes als Bestätigung ihrer Heilsschau war.

Drei sind also die wesentlichen Merkmale dieser Schriften der Bedrängnis. Erstens die Erwartung des Unterganges der gegenwärtigen Welt, zweitens die Absolutsetzung der messianischen Heilszeit und, nicht zuletzt, die Überwindung von Krieg, Tod und Satan durch die Entstehung einer neuen idealen Welt auf Erden.

Wenn man dem allem die Pseudonymität der Verfasser, die Universalität des Geschichtsverständnisses und eine schier unerschöpfliche Fülle von Bildern, Symbolen und Schreckensvisionen sowie eine synkretistische Uneinheitlichkeit hinzufügt, die wie ein Sammelbecken für die verschiedensten Einflüsse aus Nachbarkulturen anmutet, so ist es leicht verständlich, daß nur je eine Apokalypse Eingang in die beiden Testamente der Bibel gefunden hat: das Buch Daniel in die Hebräischen Bibel und die Offenbarung des Johannes in das Neue Testament. Daß der Kanonisierung beider Visionen ein langer, bitterer Kampf innerhalb der Establishments beider Religionen vorangegangen ist, versteht sich wohl von selbst.

Der Zweck dieser Literatur ist zweifach: Trost zu spenden über das Elend des Volkes heute – mittels der Belehrung über das Unheil von morgen, dem das übermorgige Heil unverzüglich folgen muß. Was dabei vergessen wurde oder nicht bewerkstelligt werden konnte, ist der Bau einer tragfähigen Brücke vom Heute zum Übermorgen. Das hat keiner der Apokalyptiker fertiggebracht.

Das Verdienst der Apokalyptik war es hingegen, die messianische Idee aus dem Halbdunkel der prophetischen Ahnung über das Licht des volkstümlichen Glaubens hinein in den Brennpunkt der verklärenden Vision zu rücken. Anders gesagt: Der Prophet hat geweissagt, das Volk hat geglaubt, und der Apokalyptiker hat es gesehen – womit diese Spätstufe der großen Künder in Israel an ihren ursprünglichen Anfang anknüpft. Denn als Seher traten ja die ersten der Propheten in Israel auf, wie es schon im ersten Samuelbuche heißt:

»Vor Zeiten sagte man in Israel, wenn man ging, um Gott zu befragen: Laßt uns zu dem Seher gehen, den man jetzt Propheten nennt.« (I Sam 9, 9 ff)

Es bedurfte eines mächtigen Anstoßes, eines Aufrüttelns der inneren Gärung, als Reaktion auf die Flut seleukidischer Greueltaten im zweiten vorchristlichen Jahrhundert, um dieses Neue zu gebären.

Zeiten der Verfolgung im alten Israel waren immer auch Zeiten der Begeisterung, die Männer hervorbrachten, deren Elan und Geist dem Volk neue Hoffnung einzuflößen vermochten.

Es war, als ob eine geheimnisvolle Glaubensmacht letzte Verzweiflung in letztgültige Heilsgewißheit gewandelt habe, wobei es gerade die bitterste Not war, aus deren Schoß die neue Zuversicht entsprang.

Katastrophen-Theologie! So mögen viele nun abschätzig einwerfen. Zugegeben – aber ist nicht letztlich alle profunde, inbrünstige Gottessuche eine Art von Katastrophen-Theologie, die eine Antwort vom stummen Himmel herabbringen und herunterbeten will; eine Antwort auf das drohende Unheil, das immer wieder aufkommt, auf das Böse auf Erden, das immer wieder zu siegen droht, und auf die ewige Angst vor dem Tod? Was dieser Apokalyptik ihre Unvergänglichkeit und ihre heutige Relevanz verleiht, ist die Tatsache, daß gläubige Menschen überall im Grunde immer dasselbe erwartet haben: daß nämlich der Himmel die Erde nicht im Stich läßt, sondern »eingreift«, um Erlösung zu schenken. Und je dunkler die Zukunft erscheint, um so deutlicher zeichnet sich ein silberner Streifen am fernen Horizont ab, der in beiden Bibelreligionen den Namen des Messias trägt.

Diese Hoffnung, handfest und greifbar, in den Mittelpunkt des jüdischen Denkens gestellt zu haben, ist der jüdischen Apokalyptik zu verdanken. Man könnte sie auch als »Messianitis« bezeichnen, eine endemische Krankheit, oder besser gesagt, eine akute Entzündung der jüdischen Hoffnungsorgane, die in den letzten 22 Jahrhunderten nur allzu häufig in einem Strohfeuer fieberhafter Naherwartung ausgemündet ist. So akut, daß der Patient kaum mehr zwischen ersehnter Zukunft und erlebter Gegenwart zu unterscheiden weiß. So fieberhaft, daß sie sogar die ärgsten Ängste und schlimmsten Todesbedrohungen in Hoffnungsbilder und Heilsvisionen zu verwandeln wußte.

Eine wahre Kunst des Weiterhoffens, die immer wieder den Schlüssel herbeizaubert, um den Ausweg nach oben zu öffnen, gerade dann, wenn alle Wege nach vorne versperrt zu sein scheinen.

Doch was steckt eigentlich hinter diesem Begriff der Messianität? Drei Dinge beinhaltet er als jüdische Grundidee:

1. Daß sein Kommen als Erlöser für notwendig, oder besser, für Not-wendend gehalten wird, spiegelt die realistische Einschätzung wider, die im Judentum seit jeher hinsichtlich der Verderbtheit aller politischen Kräfte und ihrer sehr beschränkten Fähigkeit, Gottes Welt in Gott gefälliger Weise zu regieren, vorgeherrscht hat. Anthropologischer Pessimismus ist also der erste Eckstein der Messiasvorstellung.

2. Die Gewißheit seiner schließlichen Ankunft ist ein Glaubensartikel an Gottes fortwährende Fürsorge für Seine Schöpfung – auch wenn diese sich dessen nicht als würdig erwiesen hat.

Theologischer Optimismus gesellt sich also zum anthropologischen Pessimismus und hält ihm die Waage.

3. Die Standfestigkeit der Erwartung dieses endgültigen Wiedereintritts der Geisteswelt in die Angelegenheit der Menschheit, die seine Ankunft bringen soll – das ist der Eckstein aller jüdischen Hoffnungskraft, der klassische Beitrag des Judentums zum Prinzip Zukunft in unserer Welt.

Kurzum: Realismus, Gottvertrauen und Weltbejahung – auf diesen drei Säulen steht der jüdische Messiasglaube seit über zwei Jahrtausenden.

Vorausgeschickt muß hier jedoch werden, daß »der Messias« etliche Wandlungen im Hoffnungsgut des Judentums erfahren hat – wobei die des Mittlers zwischen Gott und Menschheit sowie die des leidenden Gottesknechtes zu den Umgestaltungen der babylonischen Verbannung gehören.

Mit der Rückkehr aus dem Exil und dem II. Tempelbau kommen wir zu Esra und Nehemia sowie ihren Satrapen und Nachfolgern, die nach vielversprechenden Anfängen der Machtgier zum Opfer fallen. Mit anderen Worten: Die Gesalbten entweihen ihre Göttliche Salbung, dem ungerechten König tritt der machtlose Prophet entgegen, der zur Verantwortung ruft. Hie und da wirkt die Mahnung. Der Hasmonäerkönig kehrt öffentlich um und tut Buße vor Dem Herrn, jedoch die Spannungen zwischen Volk und Thron, zwischen Altar und Krone wachsen ständig an.

Statt einer Revolution kommt es im alten Israel nun zum eigentlichen Messianismus. Versagen die lebendigen Könige, so wird die Erwartung auf jene Glanzzeit zurückprojiziert, als das Volk unter David Frieden genoß, das Königreich noch vereint war und, wie es im I. Buch der Könige in sehnsüchtiger Wehmut zu lesen ist: »Sie alle hatten Frieden mit all ihren Nachbarn ringsum, so daß Judah und Israel sicher wohnten, jeder unter seinem Weinstock und seinem Feigenbaum von Dan bis hinab nach Beerscheba.« (I. Kö 5, 5)

Diese nur allzu kurze Ära der Friedensherrschaft – insgesamt knappe 40 Jahre – wird zum historischen Prototyp erhoben. Ihre Restauration »in unseren Tagen«, wie es immer wieder heißt, wird zum theopolitischen Leitstern eines unterdrückten und ausgebeuteten Volkes von rund vier Millionen unverbesserlichen Optimisten. Man hofft auf die Rückkehr Davids oder eines Sohnes Davids, einen Sproß aus seinem Hause, dem im Laufe der Zeit all jene idealen Züge angedichtet werden, die den Schwächlingen auf dem Thron in Jerusalem nur allzu offensichtlich fehlen. Doch in all diesen fast-utopischen Entwürfen der Messianität überwiegt immer wieder die Gottesebenbildlichkeit des menschlichen Erlösers, der seinem Schöpfer nur so nahe kommen darf, wie wir es alle dürfen, und keinen Schritt mehr.

Erst unter der syrischen Bedrohung und der grausamen Unterjochung von Antiochus Epiphanes IV. beginnt sich wahre Verzweiflung breit zu machen – Verzweiflung an der Fähigkeit der Könige, ihr Volk zu erhalten, und später Verzweiflung am Menschen überhaupt und seiner Fähigkeit, sich selbst von der Unmenschlichkeit zu befreien. Es scheint immer eindringlicher klar, als ob die Erde von der Erde aus nicht mehr erlösbar sei. Diese Wandlung von der besonnenen Messiashoffnung auf einen Gesalbten, der im Laufe einer normal-historischen Entwicklung, aus organisch-menschlicher Entstammung erwartet wird, hin zu einer akuten apokalyptischen Vorstellung eines direkten Eingreifens Der Gottheit, Die aus dem Himmel Ihren Mittler herabschickt, um ihn unverzüglich mit Abschluß seiner Sendung in den Himmel zurückzuholen – diese Wandlung vollzieht sich im Buche Daniel, als Zeichen der Not und des schleichenden Pessimismus, gegen den die Rabbinen nicht müde werden anzukämpfen.

So erscheint also der vollentwickelte Messiasgedanke in der jüdischen Glaubenswelt in engster Verbindung mit der Apokalyptik.

Wenn bislang im Judentum konservative Kräfte, die den Status quo verteidigten, neben restaurativen Strömungen wirkten, die auf die Wiederherstellung einer vor-exilischen Vergangenheit erpicht waren, so gewinnt jetzt als drittes Element die utopische Inspiration die Oberhand: Die Hoffnung gegen alle Hoffnung wird von einer unüberbietbaren Vision der Zukunft genährt, die noch niemals da war. Im Spannungsfeld dieser drei Kräfte, die bis heute weiter gären und vorwärtstreiben, erscheint das Problem der Apokalyptik als akuter Messianismus, dem gemäß die Endzeit unmittelbar bevorsteht, als etwas, das jäh »wie ein Dieb in der Nacht« einbrechen wird.

Die Erlösergestalt dieser Übergangszeit heißt »der Menschensohn«, eigentlich »wie ein Mensch« oder »der Menschenähnliche«, wie er im Buche Daniel heißt, der zwar als sterblicher Sendling Gottes beginnt, jedoch bald der Schwerkraft der Erde entrissen wird, um schrittweise übermenschliche Dimensionen anzunehmen.

Wie kommt es zu dieser veränderten Sicht? Als das hellenistische Heidentum zum Frontalangriff gegen das Judentum übergeht, führt der Sieg der Makkabäer zu einer kurzlebigen Erleichterung, aber bald erweist es sich, daß die Hasmonäer-Dynastie unfähig ist, mit den geistigen und politischen Herausforderungen ihrer Krisenzeit fertigzuwerden. Schließlich kommt Rom, entweiht unter Pompeius den heiligen Tempel, und der nationale Untergang scheint den Frommen im Lande klar in Sicht. Eine alt und müde gewordene Welt verzweifelt an sich selbst. »Es wäre besser, wir wären niemals geboren worden«, so seufzt der Verfasser des IV. Esrabuches. Alles Alte wird nun in der Verzweiflung hinweggefegt, alles Bestehende als heillos aufgegeben, und nur die Sucht nach dem völlig Neuen befriedigt die ungeduldigen Apokalyptiker, für die diese Welt zu einem Riesen-Sodom und Gomorrha herabgesunken ist.

So nennt sich die Qumran-Gemeinde um 150 vor der Zeitrechnung »die Gemeinde vom Neuen Bund«. Sie erwartet zusammen mit einem Dutzend ähnlicher Kreise »die neue Welt«, den »neuen Äon«, die »neue Schöpfung«, wobei die Grenzen zwischen Urzeit und Endzeit häufig verschwimmen. Das, was war, soll wieder sein. Die Unschuld des Paradieses wird zum Traum der Endzeit erhoben.

Der erste Adam und sein Sündenfall wird durch die Sündenlosigkeit des letzten Adams kompensiert. Die nostalgische Erinnerung an die Gottesnähe der Wüstenwanderung, der heilige Eifer der Rückkehrer aus Babylon, die Ehrfurcht der Erzväter – all diese Erinnerungen werden nun zu Vorbildern einer sehnlich erwarteten Zukunft. Trotz all ihrer schillernden Vielgestaltigkeit lassen sich fast alle Vorstellungen des Erlösers in zwei Hauptgruppierungen einteilen: die prophetischen und apokalyptischen Messiaskonzepte.

Das erstere läßt sich als »horizontal«, das andere als »vertikal« bezeichnen. Erdgebunden, innerweltlich und irdisch ist die Erlösungsschau der Propheten – im Unterschied zum apokalyptischen Messias, der unmittelbar und vertikal vom Himmel herabsteigt, Erlösung bringt und rasch zu Gott zurückkehrt, als wolle er den Kontakt mit dieser sündigen Erde so bald wie möglich beenden und der Menschheit, die er rettet, schnellstens entfliehen.

Er neigt sowohl zum messianischen Extremismus als auch zu Utopie, und letztlich zur Ver-Göttlichung.

Warum?

Extremismus, da er binnen kurzen Tagen die Welt erlösen soll, was von keinem seiner prophetischen Vorgänger erwartet wurde.

Utopisch, weil er die Menschheit von allen Sünden befreien soll, um die Welt nicht nur zu verbessern, wie es bislang gut realistisch hieß, sondern zu heilen – und das heißt: alles Leid von der Erde verbannen, allen Krieg aus der Welt schaffen und alle Tränen abwischen, wie der späte Jesaia und nach ihm Johannes von Patmos es versprechen. Und da solch eine ungeschichtliche, völlig übermenschliche Aufgabe von keinem »Menschensohn« – auch unter Gottes Führung – bewerkstelligt werden kann, so wird dieser Messias stufenweise himmlischer – bis er im Christentum zur zweiten Person der Trinität aufrückt.

Wir sehen einen eindeutigen Zusammenhang zwischen der Tiefe der Not und der Höhe der Erlösergestalt sowie der von ihr erwarteten Leistungen.

Wir können zusammenfassen:
Der apokalyptische Messiasgedanke ist ein Kind jüdischen Leids und jüdischen Glaubens, er wuchs heran unter dem Druck jüdischer Enttäuschungen und gewann seine Reife im kreativen Streitgespräch mit der jüdischen Hoffnungskraft.

Wie eng Not und Apokalyptik sinnverwandt sind, mögen drei Ausdrücke bezeugen. »Die Wehen des Messias«, ein Begriff, der schon zu Jesu Lebzeiten landläufig war (Mt 24, 8), und der jüdische Gedanke, daß der Geburtstag des Messias am 9. Tag des Monats Ab datiert wird – der Tag, an dem einst beide Tempel zerstört wurden. Diese Katastrophalität, ohne die sich die Apokalyptiker die Erlösung nicht vorstellen können, spricht auch deutlich aus dem Munde dreier Talmudmeister, die einstimmig bezeugen:
»Möge der Messias doch kommen, aber wir wollen ihn nicht erleben.« (Sanhedrin 98 a)

Der evangelische Neutestamentler Ernst Käsemann war es, der die jüdische Apokalyptik als »Mutter der christlichen Theologie« bezeichnet hat. Er tat dies, indem er Jesu Anfänge bei der glühenden Naherwartung Johannes des Täufers sieht, der, gut apokalyptisch, vor dem drohenden »Zorngericht Gottes« warnt, um den »heiligen Rest« des Gottesvolkes durch die Taufe der Umkehr zu retten. In den Worten Käsemanns: »Christus ist der Platzhalter Gottes gegenüber einer Welt, welche Gott noch nicht völlig unterworfen ist, obgleich ihre eschatologische Unterwerfung seit Ostern in Gang gekommen und ihr Ende abzusehen ist. Apokalyptischer kann keine Perspektive sein.«[2]

Und dennoch wäre es verfehlt zu meinen, daß alle jüdisch-apokalyptischen Strömungen im Christentum ausmündeten und hiermit ihre heilsgeschichtliche Rolle als Wegbereiter der Kirche beendet hätten. Gleichzeitig mit der Entfaltung der Frühkirche ergießt sich innerhalb der jüdischen Tradition ein intensiver Strom von Apokalyptik, die sich teils in der Talmudischen, teils in der Aggadischen Literatur niedergeschlagen hat. Wie Gerschom Scholem, der Forscher der jüdischen Mystik, bewiesen hat, besteht eine unverkennbare Kontinuität zwischen jenen alten Apokalypsen aus vorchristlicher Zeit und jener Spät-Apokalyptik, die nach der zweiten Tempelzerstörung anno 70 in die Gedankenwelt der Rabbinen eingewandert ist.

Wie Rabbinische Heilsgeduld und apokalyptische Naherwartung ihre Synthese finden können, als Ausgleich zweier Widersprüche, die letzten Endes dieselbe Erlösung erhoffen, möge ein Beispiel, stellvertretend für viele, erhellen. Die ständig gegenwärtige Chance seiner plötzlichen Ankunft entspricht der Vorstellung des in der Verborgenheit wartenden Messias, die in der rabbinischen Literatur viele Formen angenommen hat – freilich keine großartigere als jene, welche in einer monumentalen Vorwegnahme den Messias unter die Aussätzigen und die Bettler an den Toren Roms in die ewige Stadt versetzt hat. Dieser gewaltige Midrasch stammt aus dem zweiten Jahrhundert, lange bevor dieses Rom, das gerade den Tempel zerstört und Israel ins Exil gejagt hatte, nun selbst der Sitz des Vikars Christi und der mit dem Herrschaftsanspruch messianischer Erfüllung auftretenden Kirche geworden ist. Diese symbolische Antithese des vor den Toren Roms sitzenden wahren Messias, der seine Wunden mit Salbe bestreicht und sie nicht auf einmal verbindet, sondern nur die Hälfte, denn wenn er abgerufen werden sollte zur Erlösung der Welt, will er ja seinen Schöpfer auch nicht eine einzige Minute warten lassen, auch wenn die andere Hälfte seiner Wunden unverbunden bleibt – dieses symbolische Junktim von Naherwartung und Heilsgeduld begleitet die jüdische Messianologie durch die Jahrhunderte.

So vereinen sich letzten Endes apokalyptischer Sturm und Drang mit dem prophetischen Aufruf zur Umkehr und dem rabbinischen Gespür für die Unberechenbarkeit der Erlösungszeit zu einer gewaltigen messianischen Synthese, die, wie einst die Feuersäule auf dem Wüstenweg, die jüdische Hoffnungsgeschichte bis auf den heutigen Tag mit ihrem ewigen Licht erhellt.

Was Ernst Bloch betrifft, den großen Mutmacher der ersten Nachkriegsjahrzehnte, so hat er so gut wie alle Phasen der schöpferischen Spannung zwischen Gegenwart und Zukunft durchlaufen, die im Messianismus und der Apokalyptik ihre beiden Höhepunkte erreichen: vom Ausverkauf des Heute, dem Morgen zuliebe, über die Vorwegnahme der Zukunft, die bereits ins Heute hineinragt und jeden Status quo mit geliehenem Glorienschein verklärt, bis hin zur Verteufelung alles »Hier-und-Jetzt«, das als heillos abgeschrieben wird – nur um mit Paulus seine Heimat im Himmel des letztlich Unerreichbaren zu suchen. Nicht von ungefähr ist daher »Heimat« das allerletzte Wort des *Prinzips Hoffnung* – aber mit negativen Vorzeichen. Heimat, so sagt Bloch mit einem unüberhörbaren Seufzer der Resignation, sei noch von keinem Menschen jemals besessen oder in Besitz genommen worden. Aber wo denn sonst hat Bloch in seinem Innersten gewohnt, gelitten, gehofft und geschaffen während der 92 Jahre seines streitbaren Lebens, als auf dem heimatlichen Mutterboden des Judentums, von dem aus die gläubige Hoffnung zur Menschheit ausgegangen ist?

Was ihm jedoch entgangen zu sein scheint, ist jener goldene Mittelweg der jüdischen Propheten, die zwischen Weltflüchtigkeit und Weltsüchtigkeit die Welttüchtigkeit zum Leitstern ihrer Hoffnung erheben konnten: ein klares, kreatives Ja zu dieser mangelhaften, noch unfertigen Welt – als Gottes anfängliche Schöpfung, als Heimat alles Vorläufigen, und als Raststätte zum steten, unverzagten Aufbruch in die ewig neue Zukunft.

1 Ernst Bloch, Das Prinzip Hoffnung
(suhrkamp taschenbuch wissenschaft 3, 1. Aufl. 1963), Bd. I., S. 248
2 Ernst Käsemann; Exegetische Versuche und Besinnungen, Göttingen
1964, Bd. II, S. 127 f.

Am Ende der Tage wird es geschehen

Theologische Hinführung zur Apokalyptik

Friedhelm Mennekes

Apokalypsen sind Schriften, die sich in Visionen, Träumen, Abschiedsreden oder Weissagungen mit einem kommenden Weltende befassen. Die Gesamtheit dieser Schriften, welche ungefähr in der Zeit zwischen 200 v.Chr. und 800 n. Chr. entstanden sind, bezeichnet man als Apokalyptik. Zugleich dient dieses Wort als Bezeichnung für die Bewegung und Denkrichtung ihrer Verfasser. Man unterscheidet die 17 jüdischen von den 11 christlichen Apokalypsen.

Geistesgeschichtlich sind die Apokalypsen zu den mythischen Erzählungen der Völker zu rechnen, d.h. zu den bildhaften und aus alter Vorzeit tradierten Texten, die sich mit den Grundfragen des menschlichen Lebens und der Völker befassen und zur Beantwortung eine visionäre Perspektive entwerfen, in deren Licht sich die letzten Sinnkomplexe erklären und legitimieren. Zumeist sind es Göttergeschichten, oder sie erzählen von Handlungen der Götter mit den Menschen, umfassen aber neben diesen Göttermythen auch Kosmologien, Anthropogonien, Ursprungs- oder Transformationsmythen, Kultur- und Heilsbringermythen sowie eschatologische Mythen. Letztere verkünden das Ende der Welt, ihren Untergang in kosmischen Katastrophen und ihre Erneuerung und erzählen von einer neuen Lebensperspektive des Menschen nach dem Tod. Vor allem dem letztgenannten Bereich sind die Apokalypsen zuzuordnen, wenngleich sie immer auch von der Gesamtvorstellung der Kultur, in der sie entstehen, geprägt sind.[1]

Die jüdische Apokalyptik

Die Herkunft der jüdischen Apokalyptik liegt in der jahwistischen Hinwendung zu einer zusammenfassenden Geschichtsschreibung und in der Erwartung einer letzten großen Wende der Dinge[2]. Aus dieser Krisis soll das zukünftige Heil nicht nur für Israel, sondern für die ganze Menschheit hervorgehen. In dieser Sicht ist das Heil der Zukunft dem der Gegenwart weit überlegen. Der Entwurf einer linearen Entfaltung der Geschichte wurde schon um das Jahr 1000 begonnen. Danach ist die Geschichte der Menschheit eine Geschichte des wachsenden Fluches[3]. Er ist eine Folge der Sünde, die gleich am Anfang auftrat. Als Sünde und Fluch sich ausbreiteten, erwählte Gott sich Abraham und setzte in ihm den Samen seines Segens in die Geschichte ein. Im Volk Israel sollte dieser Segen wachsen und Frucht über die Völker bringen. Diese erreicht ihre höchste Plastizität in der Zukunftsvision einer neuen Stadt, dem Himmlischen Jerusalem, dem Inbegriff einer erneuten Welt, zu der sich alle Völker aufmachen werden:

Am Ende der Tage wird es geschehen:
Der Berg mit dem Haus des Herrn
steht festgegründet als höchster Berg;

er überragt alle Übel.
Alle Völker strömen zu ihm.
Viele Nationen machen sich auf den Weg und sagen:
Kommt, wir ziehen hinauf auf den Berg des Herrn
und zum Haus des Gottes Jakobs. Er soll uns seine Wege zeigen,
auf seinen Pfaden wollen wir gehen.
Denn von Zion kommt die Belehrung,
aus Jerusalem kommt das Wort des Herrn.
Er spricht Recht im Streit der Völker,
er weist viele Nationen in die Schranken.
Dann schmieden sie Pflugscharen aus ihren Schwertern
und Winzermesser aus ihren Lanzen.
Man zieht nicht mehr das Schwert Volk gegen Volk,
und übt sich nicht mehr für den Krieg.
(Jes.2, 2–4; vgl. Micha 4, 1–3)

Abb. 2 Die Höhle der Apokalypse auf Patmos, einer Insel des Dodekanes. Nach der Überlieferung soll Johannes um 96 in dieser Grotte die Offenbarung niedergeschrieben haben.

Es ist interessant, die Entwicklung dieser Heilserwartung im frühen Israel bis hin zur jüdischen Apokalyptik näher zu verfolgen[4]. Doch sei hier nur eine Station kurz vor der Wende der Umkehrprophetie zur Apokalyptik herausgegriffen: die Botschaft des Propheten Joel. Die Zeit, in der dieser Prophet gelebt und gewirkt hat, war die erste Hälfte des 4. Jahrhundert v. Chr.[5]

In dieser Zeit sind die großen geschichtlichen Umbrüche, wie sie durch die Überwindung der mesopotamischen

Oberherrschaft im Vorderen Orient erfolgten, längst durch eine persische Übermacht wieder eingefroren worden. Die Zustände scheinen statisch und unbeweglich. Die Eroberung Jerusalems durch die Babylonier im Jahre 587, die Zerstörung der Stadt und des Tempels samt der Exilierung großer Bevölkerungskreise liegen weit zurück. Längst schon gehört Jerusalem zu einer persischen Provinz. Freilich, der Tempel war seit 515 wiederhergestellt, und die Führung der Jerusalemer Gemeinde lag fest in den Händen der »Ältesten« und der Priester. Doch unwiederbringlich waren die alten staatlichen und gesellschaftlichen Einrichtungen dahin. Die Juden waren und blieben darüber hinaus in viele Länder zerstreut. Die Zeit einer einheitlichen nationalen und volkshaften Zusammenführung in ein politisches Gebilde war für immer vorbei. So konnte auch der neugegründete Tempel die notwendige gesellschaftliche wie religiöse Integration der vielen verstreut lebenden Juden nicht leisten. Dazu bedurfte es einer Umstrukturierung der jüdischen Religion.

Stand bisher in der Jahwe-Religion das Bundesdenken als Klammer und Zentrum an oberster Stelle, verstand sich also Israel als eine ethnisch-nationale und kultische Einheit, war es ein heiliger Bund von Stämmen mit einer eigenen Tradition, eigenem Kult, eigenem Glaubensgut, und war »Israel« die sichtbare Gemeinde aller der Bürger, die ihrem nationalen Gott Treue gelobt hatten, an seinem Kult teilnahmen und auf seine Verheißungen bauten, so brach dieses schier unerschütterliche Selbstverständnis nach dem Niedergang Judas und der Exilierung samt deren Folgen zusammen. Das nationale Element trennte sich vom religiösen. Der Glaube allein überlebte. Doch er mußte sich Anpassungen und Änderungen gefallen lassen.

Entscheidend waren bei diesen Reformen die des Esras, der aus Babylonien das Gesetzbuch mitgebracht hatte und es mit Unterstützung der Perser seiner Gemeinde in einem feierlichen Bunde auferlegte. Das Gesetz war es, das nun das alte Bundesdenken von der ersten Stelle des religiösen Bewußtseins verdrängte. In ihm wurde der Kult geregelt, und auf der Basis dieses Gesetzes wurde weiterhin auf die Zukunft gehofft. Die alten Vorstellungen vom Retter aus dem Hause Davids, vom »Rest« Israels, vom Gottesknecht usw. verblaßten mehr und mehr. Ihnen trat ein neues Motiv gegenüber, das des »Tages Jahwe«. Dieser Begriff bezeichnet den Zeitpunkt des bevorstehenden geschichtlichen Eingreifens Jahwes, das eine Scheidung und Entscheidung zwischen Israel und den übrigen Völkern heraufführen wird. Doch diese Scheidung ist ambivalent. Sie kann im gerichtsprophetischen Sinne ein Völkerheer zur Vernichtung Israels herbeiführen, sie kann aber auch in heilsprophetischer Sicht Israel von diesem Ansturm der Völker retten und dagegen die Völker vernichten. Indem Joel beide Positionen behandelt und entfaltet, steht er an der Schwelle von der prophetischen zur apokalyptischen Eschatologie.

Auf dem Zion stoßt in das Horn,
schlagt Lärm auf meinem Berg!
Alle Bewohner des Landes sollen zittern;
denn es komt der Tag des Herrn,
ja, er ist nahe
der Tag des Dunkels und der Finsternis,
der Tag der Wolken und Wettern.
Wie das Morgenrot, das sich über die Berge hinbreitet,
kommt ein Volk, groß und gewaltig,
wie es vor ihm noch nie eines gab
und nach ihm keines mehr geben wird
bis zu den fernsten Geschlechtern.
Vor ihm her verheerendes Feuer,
hinter ihm lodernde Flammen;

Abb. 3 Die Apokalypse von Saint-Sever, Südfrankreich, 1076 (Bibliothèque Nationale, Paris)

vor ihm ist das Land wie der Garten Eden,
hinter ihm schaurige Wüste;
nichts kann ihm entrinnen.
Wie Rosse sehen sie aus,
wie Reiter stürmen sie dahin.
Wie rasselnde Streitwagen
springen sie über die Kuppen der Berge,
wie eine prasselnde Feuerflamme, die die Stoppeln frißt,
wie ein mächtiges Heer, gerüstet zur Schlacht.
Bei ihrem Anblick winden sich Völker,
alle Gesichter glühen vor Angt.
Wie Helden stürmen sie dahin,
wie Krieger erklettern sie die Mauern.
Jeder verfolgt seinen Weg,
keiner von ihnen biegt ab.
Keiner stößt den anderen;
Mann für Mann ziehen sie ihre Bahn.
Mitten durch die Wurfspeere stürmen sie vor,
ihre Reihen nehmen kein Ende.
Sie überfallen die Stadt, erstürmen die Mauern,
klettern an den Häusern empor,
steigen durch die Fenster ein wie ein Dieb.
Die Erde zittert vor ihnen, der Himmel erbebt;
Sonne und Mond verfinstern sich,
die Sterne halten ihr Licht zurück.
Und der Herr läßt vor seinem Heer seine Stimme dröhnen;
sein Heer ist gewaltig,
mächtig ist der Vollstrecker seines Befehls.
Ja, groß ist der Tag des Herrn und voll Schrecken.
Wer kann ihn ertragen?
(Joel 2, 1–11)

Mit solchen und ähnlichen Visionen wird das nahe Ende beschworen. Angesichts dieser Bedrohung zur Umkehr zu rufen – ist prophetisch; den drohenden Untergang aber in ein weltweites Geschick zu weiten und den Tag Jahwes über die ganze Völkerwelt auszurufen – ist apokalyptisch. Darstellungsweisen im letzteren Sinn finden sich u.a. in den Büchern der Propheten Ezechiel, Jesaja und Sacharja und vor allem im Danielbuch. Es sind szenarische Ausschmükkungen und zugleich eine dramatische Engführung des alten Grundgedanken, daß Jahwe durch ein gewaltsames Eingreifen einen neuen Äon in der Geschichte verwirklichen werde. Dieser göttliche Plan wird in seinen Grundzügen enthüllt und unter Aufnahme von iranischen, alten orientalischen und anderen außer-israelitischen Mythen illustriert. Da ist die Rede von der Erschaffung der Geister, vom Abfall der Engel, von der Herkunft des Bösen, vom Kampf der schlechten Geister gegen Gott. Gerade dieser Kampf wird am Ende die Welt in eine gewaltsame Auseinandersetzung stoßen, aus der erschütternde Katastrophen erwachsen. Sie werden so übermächtig, daß in ihnen die Welt untergeht und das große Gericht Gottes ausgerufen wird. Dabei werden die Auserwählten gerechtfertigt und ihre Seligkeit in einem neuen, von Gott beherrschten Zeitalter finden. Mythische Vorstellungen anderer Kulturen stehen Pate bei der Vorstellung von Gott als dem »Hochbetagten« (Dan 7, 9; 13, 22), beim Dualismus Licht-Finsternis, bei der Aufzählung der Weltzeiten (Dan 2 und 7), bei der Menschensohn-Vorstellung (Dan 7) sowie bei den Ideen von der Auferstehung (Dan 12, 2), des Höllenfeuers u.a. Doch werden diese mythischen Elemente anderer Kulturen nicht kritiklos aufgenommen, sondern in den Zusammenhang der eschatologischen Theologie eingebaut und dabei umgeformt.

Die christliche Apokalypse des Johannes

Dann –
sah ich einen neuen Himmel und eine neue Erde; denn der erste Himmel und die erste Erde sind vergangen, auch das Meer ist nicht mehr. Ich sah die heilige Stadt, das neue Jerusalem, von Gott her aus dem Himmel herabkommen; sie war bereit wie eine Braut, die sich für ihren Mann geschmückt hat. Da hörte ich eine laute Stimme vom Thron her rufen: Seht, die Wohnung Gottes unter den Menschen! Er wird in ihrer Mitte wohnen, und sie werden sein Volk sein; und er, Gott, wird bei ihnen sein. Er wird alle Tränen von ihren Augen abwischen: Der Tod wird nicht mehr sein, keine Trauer, keine Klage, keine Mühsal. Denn was früher war, ist vergangen. Er, der auf dem Thron saß, sprach: Seht, ich mache alles neu. Und er sagte: Schreib es auf, denn diese Worte sind zuverlässig und wahr. Er sagte zu mir: Sie sind in Erfüllung gegangen. Ich bin das Alpha und das Omega, der Anfang und das Ende. Wer durstig ist, den werde ich umsonst aus der Quelle trinken lassen, aus der das Wasser des Lebens strömt. Wer siegt, wird dies als Anteil erhalten: Ich werde sein Gott sein, und er wird mein Sohn sein. Aber die Feiglinge und Treulosen, die Befleckten, die Mörder und Unzüchtigen, die Zauberer, Götzendiener, und alle Lügner – ihr Los wird der See von brennendem Schwefel sein. Dies ist der zweite Tod.
Und es kam einer von den sieben Engeln, die die sieben Schalen mit den sieben letzten Plagen getragen hatten. Er sagte zu mir: Komm, ich will dir die Braut zeigen, die Frau des Lammes. Da entrückte er mich in der Verzückung auf einen großen, hohen Berg und zeigte mir die heilige Stadt Jerusalem, wie sie von Gott her aus dem Himmel herabkam, erfüllt von der Herrlichkeit Gottes. Sie glänzte wie ein kostbarer Edelstein, wie ein kristallklarer Jaspis. Die Stadt hat eine große und hohe Mauer mit zwölf Toren und zwölf Engeln darauf. Auf die Tore sind Namen geschrieben: die Namen der zwölf Stämme der Söhne Israels. Im Osten hat die Stadt drei Tore und im Norden drei Tore und im Süden drei Tore und im Westen drei Tore. Die Mauer der Stadt hat zwölf Grundsteine; auf ihnen stehen die zwölf Namen der zwölf Apostel des Lammes. (Apk 21, 1–14)

Eine neue Phase in der Apokalyptik leitet die christliche Variante dieser Endzeitgeschichten ein. Von ihnen ist die Apokalypse des Johannes die bekannteste, und diese allein fand Aufnahme in den Kanon der neutestamentlichen Schriften. Wie die jüdischen Apokalypsen enthält sie eine bunte Folge von Bildern, Geschichten und dramatischen Zuspitzungen. Als Quelle dieser Bilder werden Träume und Visionen angegeben, denen Ekstasen und Entrückungen zugrundeliegen. Auch der christliche Seher Johannes benutzte die uralten Motive und Stoffe, fügt sie aber zu einer christlichen Aussagereihe zusammen, indem er sie mit dem Bekenntnis der jungen Gemeinde zum gekreuzigten, auferstandenen und erhöhten Herrn verbindet.

Unterschieden von den jüdischen Apokalypsen sind die christlichen durch einen höheren Grad an Aufklärung. Die Seher nennen ihren Namen und wenden sich unmittelbar an einen Adressaten. Es sind Schriften zum Lesen und zum Hören; sie sollen die Menschen unmittelbar ansprechen. Im Unterschied dazu wurden die jüdischen Apokalypsen gerne versiegelt und verschlossen, damit sie erst in der Zeit der Not geöffnet und dann gelesen würden. Außerdem wird innerhalb des Buches immer wieder auf die Situation der christlichen Gemeinde Bezug genommen: »Die himmlische Kirche ist mit den auf Erden leidenden Gemeinden verbunden, indem der Lobpreis auf Gott und das Lamm angestimmt wird.«[6]

Bevor es zu der eingangs zitierten Neugeburt der neuen Welt und der neuen Erde kommt, läuft ein überaus brutales und erschreckendes Szenarium ab. Das Buch geht von der Erwartung aus, daß die Endzeit angebrochen ist, und will den Ablauf der Ereignisse im Zusammenhang schildern. Der Verfasser beruft sich in seinen Erwartungen sehr stark auf die Weissagungen der alttestamentlichen Prophetie, die er dann mit seinen eigenen Vorstellungen vom Endgericht verbindet. Die einzelnen Elemente von Bildern und Erzählungen entstammen z.T. unterschiedlichen Traditionen und sind nicht immer miteinander verbunden und ausgeglichen.

Forscher der Apokalypse wie Heinrich Kraft sehen in der Siegelvision den ursprünglichen Entwurf des ganzen Werkes.[7] Die Ereignisse am Ende der Welt sollten als Folge der Öffnung der Siegel dargestellt werden. Dabei war das siebte Siegel dazu bestimmt, die Erscheinung Gottes selbst und die Auferweckung der Toten anzukündigen. Diesen einfachen Gedanken hat dann der Verfasser durch Erweiterung dieser Siegelvision ausgestattet. Das siebte Siegel bedeutet nicht das Ende, sondern den Anfang von zwei Mal weiteren sieben Visionen: die der sieben Posaunen und die der sieben Schalen.

Dann sah ich: Das Lamm öffnet das erste der sieben Siegel; und ich hörte das erste der vier Lebewesen wie mit Donnerstimme rufen: Komm! Da sah ich ein weißes Pferd; und der, der auf ihm saß, hatte einen Bogen. Ein Kranz wurde ihm gegeben, und als Sieger zog er aus, um zu siegen.

Als das Lamm das zweite Siegel öffnete, hörte ich das zweite Lebewesen rufen: Komm! Da erschien ein anderes Pferd; das war feuerrot. Und der, der auf ihm saß, wurde ermächtigt, der Erde den Frieden zu nehmen, damit die Menschen sich gegenseitig abschlachteten. Und es wurde ihm ein großes Schwert gegeben. Als das Lamm das dritte Siegel öffnete, hörte ich das dritte Lebewesen rufen: Komm! Da sah ich ein schwarzes Pferd; und der, der auf ihm saß, hielt in der Hand eine Waage. Inmitten der vier Lebewesen hörte ich etwas wie eine Stimme sagen: ein Maß Weizen für einen Denar und drei Maß Gerste für einen Denar. Aber dem Öl und dem Wein füge keinen Schaden zu!

Als das Lamm das vierte Siegel öffnete, hörte ich die Stimme des vierten Lebenwesens rufen: Komm! Da sah ich ein fahles Pferd; und der, der auf ihm saß, heißt »der Tod«; und die Unterwelt zog hinter ihm her. Und ihnen wurde die Macht gegeben über ein Viertel der Erde, Macht, zu töten durch Schwert, Hunger und Tod und durch die Tiere der Erde.«

(Apk 6, 1–8)

Soweit die Erzählung der ersten vier Siegel. Die beiden darauffolgenden enthielten kosmische Erschütterungen, unter denen die alte Welt zusammenbrach und sich der Druchbruch der neuen anbahnte. Aus diesen Schilderungen ergibt sich die Aufforderung an die Menschen, umzukehren und von ihren verstockten Wegen abzusehen. Nach der sechsten Posaune trat der neuzeitliche Prophet auf, und zwar in Form der beiden Zeugen. Schließlich kam die Rede auf die große, eschatologische Versuchung. Der Verfasser erkannte in der domitianischen Christenverfolgung die große eschatologische Versuchung wieder und mußte daraufhin das römische Kaisertum als die Darstellung, in der sich der Satan, der Gegenspieler Gottes auf Erden, manifestierte, erkennen.[8]

Das ganze Buch läßt sich in sieben Hauptteile gliedern. Danach folgen auf das einleitende Kapitel mit dem briefartigen Eingang und der Berufungsvision des Sehers im ersten Teil die sieben Sendschreiben an die Gemeinden in Kleinasien (2, 1–3 bis 3, 20). Danach schließen sich die sieben Siegelvisionen an (4, 1–8, 1). Es folgt das Bild der sieben Posaunen (8, 2–11, 19), die in drastischer Darstellung die unerhörte Steigerung der Katastrophen schildern.

Das Bild vom Drachen und dem Lamm macht das Kernstück des Buches aus (12–14). In mythischen Bildern wird

Abb. 4 Holzschnitt aus dem ältesten Blockbuch mit der Apokalypse, nördliche Niederlande, um 1420–35 (British Museum, London)

beschrieben, wie das Kind dem drohenden Drachen entzogen wird, die Frau aber seiner Feindschaft ausgesetzt ist. Michael besiegt den Drachen und stürzt ihn vom Himmel auf die Erde hinunter. So wird am Ende der Sieg Christi gewiß, und das Lamm und die 140 000 werden auf dem Zion Zuflucht finden. Schließlich wird das Gericht angekündigt.

Im fünften Hauptteil kommt es wiederum zu sieben Visionen: die Zornesschalen, die von sieben Engeln über die Erde ausgegossen werden (Kap. 15, 1–16, 21).

Babylons Fall macht den sechsten Hauptteil aus (17, 1–19, 10). Die Hure Babylons wird gerichtet, und ein großer Chor ruft die Klage über Babylons Untergang aus.

Der letzte Abschnitt beschreibt die Wiederkunft Christi und die Vollendung des neuen Himmels und der neuen Erde (19, 11–22, 5). Mit einer Beglaubigung der Erzählung durch den Seher endet das Buch (22, 6–21).

Die Fremdheit der Sprache und der Bilder hat im Laufe der Geschichte sowohl anziehend wie befremdend auf die Menschen gewirkt. Vor allem in tiefgreifenden Notzeiten sprach man von »apokalyptischen Zeitaltern« und suchte Rat und Weisung in den Verrätselungen dieses Buches. Immer wieder hat die bildende Kunst die reiche Bilderwelt dieser Geschichte aufgegriffen und zu gestalten versucht. Auf vielfältige Weise sind Gemälde, Plastiken, Mosaiken und Glasfenster entstanden, die die Themen der johanneischen Apokalypse darzustellen versuchten. Seltsamerweise ging mit dieser in Regelmäßigkeit aufbrechenden Aktualisierung der Apokalypse außerhalb des Kirchlichen eine erstaunliche Vernachlässigung in der christlichen Verkündigung einher. Dies mag seinen Grund in der jahrhundertelangen Herausforderung der Theologie und der Kirche durch die modernen Wissenschaften und der vorherrschenden Mentalität des Rationalen gehabt haben. Grundsätzlich lassen sich drei theologische Deutungsweisen der Apokalypse voneinander unterscheiden: die eschatologische, die zeitgeschichtliche und die traditionsgeschichtliche. Die erstere sieht als Kern dieser Erzählung die verderbliche Wirkung des »Antichristen«, der nach biblischer Offenbarung vor der Wiederkunft Christi auftreten wird (2 Thess 2, 3–12; 1 Jo 2, 18). Danach werden Leiden, Drangsale und Prüfungen , wie sie am Ende der Weltzeit über die Kirche hereinbrechen, als eine Ankündigung der unmittelbaren Wiederkunft Christi gedeutet.

Von dieser Perspektive unterscheidet sich eine zeitgeschichtliche Interpretation, die in jeweils aktuellen Zuständen und Ereignissen ihrer Gegenwart die Anzeichen des bevorstehenden Endes erkennen will. Man hat sie anfangs im Ende des römischen Imperiums gesehen oder aber in vielen anderen Inkarnationen »teuflischer Mächte«. Nach der traditionsgeschichtlichen Interpretation werden die vielen visionären Bilder, Gestalten und dramatischen Erzählungen untersucht und auf alte mythologische Quellen anderer Kulturen rückgeführt. Doch für sich genommen greift jede Deutungsmethode zu kurz. Eine angemessene Interpretation wird nur in einer Zusammenschau verschiedener Aspekte zu suchen sein.

Generell gesehen handelt es sich bei den Apokalypsen um eine besondere Form der theologischen Reflexion, die den Lauf der Geschichte und vor allem ihr Ende mit einem reichen Bezug zum religionsgeschichtlichen Material zu deuten sucht. Wenn die Offenbarung des Johannes beispielsweise den Titel »Menschensohn« aufgreift, so dient er ihr dazu, in der Gestalt Jesu eine besondere Tiefendimension aufleuchten zu lassen. Von seinem Ursprung her bezeichnet der Titel etwas Zweiwertiges. Er ist einmal ein

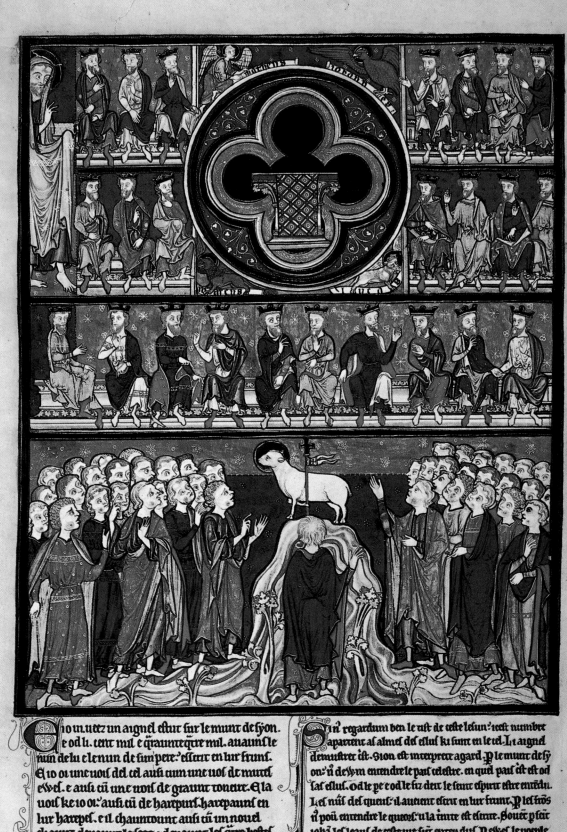

Ausdruck der Niedrigkeit, der auf die ganze Hinfälligkeit des menschlichen Lebens abhebt (z.B. Jes 51, 12); zum anderen aber deutet er auf ein Wesen, das im Danielbuch die verheißungsvolle Verkörperung des Guten darstellt. Er ist in schlechthinniger Transzendenz die Gestalt der Endzeit, die die Guten rettet. Jesus dient er, um sein inneres Wesen zu offenbaren. Es ist ein Hoheitstitel, in dem sich die ganze Fremdheit wie das Geheimnis seiner unwiderstehlich menschlichen Nähe ausdrückt. Diesen Aspekt der Zweiheit von Hoheit und Niedrigkeit binden die neutestamentlichen Schriftsteller zusammen und interpretieren diesen Titel über seine apokalyptische Herkunft hinaus (Phil 2, 6–11).

Die reiche Bilderwelt und die ekstatische »Beschwörung« lotete noch ein anderes Geheimnis aus, nämlich das des Lebens. Wie andere erste Spuren bei den Propheten (Jes 53) oder in den Psalmen (Ps 73) bereitet die apokalyptische Vorstellung von der Aufstehung der Toten das Geschehen vor, indem sich der jungen Gemeinde Jesu Auferstehung als ein Geheimnis erschloß, das sie im Glauben »ergriff«.

In seiner Methodik ist das apokalyptische Denken als eine Variation des Mythischen anzusehen, wenngleich es auf einer spezifischen Ebene, nämlich der jüdisch-christlichen Religion, arbeitet. Der prophetischen Tendenz entgegen, die Vielfalt religiösen Wissens auf einen einheitlichen Begriff zu bringen und daraus gegebenenfalls die Mahnung zur Umkehr des Lebenswandels zu erheben, läuft die apokalyptische Interpretation des Materials auf das Gegenteil hinaus: auf eine Verschlüsselung, Verrätselung und Verzweigung. In dem Bemühen, den Geheimnissen der Geschichte von religiösen Vorstellungen her auf die Spur zu kommen, laden sie gewissermaßen einzelne Bilder kultisch auf und lassen deren Bedeutung nicht nur für den Verstand transparent werden, sondern für alle Formen der Weltbewegung. Sie beziehen den ganzen Menschen in die Erfahrung ein, vor allem seine Gemütsstimmungen und Ahnungen. Darin besteht zugleich die Chance wie die Grenze apokalyptischen Denkens. Es ist angemessen, solche Gedanken zu würdigen als ein Bedenken der Grenzen des Denkens selbst, also ein An-denken der Bereiche, die rationalem Zugriff nicht zugänglich sind. Gerade als ein solches Denken besitzt es auch für eine vernunftsbezogene Durchdringung der Geschichte eine große innovatorische Kraft. In ihrer Wirkung und in ihrer für viele Zeitgenossen zwar unverständlichen, gleichwohl aber beständigen Aktualität erweist es sich als ein Gefäß des Geistes, der sich dem berufenen »Seher« zum Verstehen und zur Begegnung mitteilt. Dadurch besitzt das apokalyptische Denken seine eigene Weisheit und seine eigene Wahrheit. Darin weiß es inmitten aller Verzweiflung und Untergangsstimmung ein Hoffnungslicht aufscheinen zu lassen.

1 Zur Analyse des Verhältnisses zwischen Mythologie, Religion und Gegenwartskunst verweise ich auf den soeben erschienenen Band: Franz Joseph van der Grinten und Friedhelm Mennekes, Mythos und Bibel. Auseinandersetzung mit einem Thema der Gegenwartskunst, Stuttgart 1985.
2 Martin Noth, Geschichte Israels, Göttingen 1959, S. 356
3 Vgl. dazu Norbert Lohfink, Eschatologie im Alten Testament, in: Ders., Bibelauslegung im Wandel. Ein Exeget ortet seine Wissenschaft, Frankfurt/M. 1967, S. 158–184
4 Vgl. den ausgezeichneten Überblick über den Stand der Forschung und die Literatur in dem Artikel »Apokalyptik/Apokalypse« in der »Theologischen Realenzyklopädie«, hrsg. von Gerhard Krause und Gerhard Müller, Bd. 3, Berlin 1979
5 Vgl. dazu Hans-Walther Wolff, Dodekapropheton 2. Joel und Amos (Biblischer Kommentar zum Alten Testament, Bd. XIV/2), Neukirchen-Vluyn 1969
6 Eduard Lohse, Entstehung des Neuen Testaments, Stuttgart 1972, S. 1412; Vgl. dazu vom gleichen Verfasser: Die Offenbarung des Johannes, Göttingen 1976
7 Heinrich Kraft, Die Offenbarung des Johannes, Tübingen 1974, S. 14
8 Ebd. S. 13

Mittelalterliche Apokalypsedarstellungen

Friedhelm Hofmann

Die ersten drei Jahrhunderte nach Christus haben keine Darstellungen aus der Apokalypse hinterlassen. Diese Zeit ist vielmehr geprägt von der Auseinandersetzung mit der vermeintlichen Parusie-Verzögerung, auf die die Apokalypse des Johannes eine Antwort geben will, und der paulinischen Transponierung der Reichserwartung in den geistigen Bereich[1].

Die Offenbarung des Johannes stieß – wie schon vorher der »Hirt des Hermas« und die »Petrusapokalypse« – auf erhebliche Kritik[2]. Der Kampf gegen die enthusiastische Sekte der Montanisten, die, um das Jahr 170 entstanden, das Reich Gottes auf Erden unmittelbar erwartete, und das in den Christenverfolgungen als schmerzlich empfundene Ausbleiben der Parusie, markieren den Spannungsbereich der Konfliktsituation. Schließlich wurde gegen Ende des vierten Jahrhunderts zunächst von Tyconius und dann von Augustinus das Tausendjährige Reich Christi gleichgesetzt mit der Zeit der Kirche vom ersten Kommen Christi bis zu seiner Wiederkunft[3]. Hierdurch wurde die Sehnsucht nach der verheißenen Gottesherrschaft bereits zur Erfüllung und jeder bis dahin noch umstrittene Chiliasmus als Irrtum verworfen. Das Konzil von Ephesus verurteilt im Jahre 431 endgültig jeden Chiliasmus.

Trotz mancherlei Zweifel an der Echtheit der Apokalypse – sowohl hinsichtlich der Inspiration als auch der Apostolizität – verfestigte sich zunächst im Westen, dann aber auch in der Ostkirche die Anerkennung der Kanonizität[4]. Die Überwindung dieser theologischen Spannungen und die für das Christentum günstige politische Entwicklung ebneten den Weg zur Übernahme apokalyptischer Bildmotive. Nachdem das Christentum unter Konstantin den heidnischen Kult abgelöst hatte, wurden apokalyptische Motive zunächst zum Zeugnis des christlichen Sieges[5]. Das Ende der Christenverfolgungen und die Aufgabe der Naherwartung der Parusie waren im Einklang mit dem Sieg über das Heidentum Anlaß, triumphale Theophanien darzustellen. Die ersten uns erhaltenen Bildwerke sind der von den vier apokalyptischen Wesen umgebene thronende Christus in der Apsis von S. Pudenziana in Rom (Ende des vierten oder Anfang des fünften Jahrhunderts)[6] und das thronende Lamm auf dem theodosianischen Sarkophag von S. Ambrogio in Mailand (Ende des vierten Jahrhunderts)[7]. Es folgen Darstellungen von Theophanien auf Apsiden und Triumphbögen in den römischen Basiliken des fünften bis siebten Jahrhunderts. Sie beschränkten sich zumeist auf die Wiedergabe der Gestalt Christi als Majestas Domini mit den vier apokalyptischen Wesen oder der christologisch interpretierten Bildsymbole aus dem Text der Apokalypse[8]. Möglicherweise wird in dieser Zeit den Schrecknissen der Völkerwan-

derungszeit der thronende Christus als Trostsymbol entgegengestellt. Die Hetoimasia (=Thronmotiv)[9] auf dem Triumphbogen von S. Maria Maggiore (Rom 432–440)[10], Christus über den vierundzwanzig Ältesten auf dem Triumphbogen von S. Paolo fuori le mura (Rom 5. Jh., in der Kopie des 19. Jh. erhalten)[11] und das Lamm auf dem Berge Zion in den Mosaiken von SS. Cosma e Damiano (Rom 6. Jh.) sind Eindrucksvolle Bildzeugnisse[12].

Byzanz beschränkt sich während dieser Zeit nur auf die Zeichen A und Ω, die allgemein schon als Symbol der Gottheit Christi im dritten Jahrhundert zu finden sind, denn immer noch wurde im Osten um die kanonische Anerkennung der Apokalypse gerungen. Das in den Apsidenprogrammen Ostroms gestaltete Thema des thronenden Christus kann – im Gegensatz zu den westlichen – nicht

Abb. 5 *Der Reiter auf dem weißen Pferd mit dem eisernen Stab.* Gewölbefresko in der Krypta der Kathedrale von Auxerre, um 1100

Trierer Apokalypse. *Das Apokalyptische Weib und der Drachen* (Kat.-Nr. 1)

Abb. 6 *Das zwölftorige Jerusalem.* Radleuchter in St. Michael zu Hildesheim, entstanden zwischen 1054 und 1079

ohne weiteres im Zusammenhang der Apokalypse gesehen werden, da es von der imperialen Bildkunst bestimmt ist[13].

Während der karolingischen Renaissance wurde im Rückgriff auf spätantike, römische Themen in S. Prassede (erstes Viertel des neunten Jahrhunderts) das Programm der Apsis und des Triumphbogens von SS. Cosma e Damiano übernommen[14]. Auf der Triumphbogenwand von S. Prassede ist zusätzlich das Himmlische Jerusalem dargestellt, bestehend aus einer goldenen, edelsteingeschmückten Stadtmauer, in deren Zentrum Christus, umgeben von Engeln, Aposteln und anderen Heiligen, steht. Zu beiden Seiten der Stadttore ist eine Gruppe von Märtyrern angeordnet, darunter – links und rechts von der Bogenwölbung – je eine Gruppe von Bekennern[15].

Während die Majestas Christi zentrales Motiv bis in die Zeit des frühen Mittelalters bleibt und als solches auch nachgewiesen werden kann, liegt uns vom möglicherweise ersten Monumentalzyklus in Wearmouth-Yarrow (England um 685) nur eine schriftliche Nachricht vor[16].

Ein weiteres Motiv, das Weltgerichtsbild, wurde im achten und neunten Jahrhundert im Westen ausgeformt[17]. Die erste vollständige Ausprägung ist an der Westwand von St. Johann in Müstair (um 800) zu sehen[18]. An dieser auf spätere westliche Weltgerichtsdarstellungen ausstrahlenden Müstairer Westwand wird der Wandel von der symbolischen zur narrativen Darstellungsweise deutlich. »Die Eschata rücken dem karolingischen Menschen in bedrohliche Nähe, und zwar in dem Sinne, daß die Polarität von gut und böse im Vordergrund steht. Das Böse erhält seine Formen. Es erwacht ein Interesse für das Häßliche und Böse aus didaktisch-moralischen Gründen«[19]. Stand bei den frühen Gerichtsdarstellungen mehr das Schicksal der Einzelseele im

Vordergrund – und das auch nur in der Ausformung der Rettung[20] –, so jetzt der ganze Ernst des kommenden Weltgerichtes.

Apokalypse-Illustrationen sind während des Früh- und Hochmittelalters vorwiegend in der Buchmalerei verbreitet. Sie sind gekennzeichnet durch die Nähe zum Text, durch bevorzugte Einzeldarstellungen, aneinandergereihte Episoden und zurückhaltende Katastrophenschilderung[21].

Wilhelm Neuß sieht ihre Wurzeln in der nicht mehr vorhandenen nordafrikanischen Buchmalerei des fünften und sechsten Jahrhunderts[22]. Die zahlreichen Bilderhandschriften werden von Neuß in drei voneinander unabhängige Gruppen eingeteilt: in eine spanisch-nordafrikanische, in eine italische und eine (mit großer Wahrscheinlichkeit) gallische[23]. Réau dagegen spricht von einer spanischen, französischen und anglo-normannischen Entwicklung[24], während Chadraba die Apokalypsezyklen – ohne sich nur auf Bilderhandschriften zu beschränken – in einen altchristlichen, spanischen, franko-anglo-normannischen und deutschen Bilderkreis einordnet[25].

Um 770 setzt eine überwältigende Fülle von Darstellungen apokalyptischen Inhaltes ein, die erst die Problematik der verschiedenen Einteilungsmöglichkeiten mit sich bringt. Besondere Erwähnung verdienen folgende Bilderhandschriften wegen ihrer starken Aussagekraft und Einflußnahme auf spätere Gestaltungen:

Der illustrierte Text des Apokalypsekommentars des Priesters Beatus von Liebana (776)[26], in dessen Nachfolge zahlreiche Beatus-Handschriften zu sehen sind (Kat.-Nr. 2) – etwa die Beatus-Handschrift der Pierpont Morgan Library aus der Mitte des 10. Jahrhunderts[27], die Apokalypse von Gerona (975)[28], und die Beatus-Handschrift aus San Millán de la Cogolla (um 1000)[29]. Diese Handschriften verraten durch ihre Größe und Ausstattung – »der prachtvollste Kodex ist der von Gerona mit 160 Miniaturen, verteilt auf 284 Blätter im Format 260 × 400 mm«[30] – besondere Bedeutung. Ausnahmslos auf Pergament geschrieben, hielt sich bis zum Ende des elften Jahrhunderts die westgotische Schrift. Nur die Saint-Sever-Handschrift, die wohl verschiedene romanische Skulpturen beeinfußt hat (vgl. z.B. das Portal von Moissac), wurde – da von Kopisten in der Gascogne angefertigt – in karolingischer Schrift verfaßt (Abb. 3).

In der Gruppe der karolingischen Handschriften muß zunächst die *Trierer Apokalypse* erwähnt werden, in deren Nachfolge die spätkarolingischen Handschriften von Cambrai (9./10 Jh.) und – wenn auch zugleich von angelsächsischen Quellen abhängig – von Valenciennes (9. Jh.) zu sehen sind[32]. Bei der Trierer Handschrift (Kat.-Nr. 1) sind antike Züge sowohl in der Gesamtkomposition, in den Typen und Gewändern, als auch in den verschiedenen Attributen unverkennbar. Erzählen die Beatus-Handschriften mit einer Fülle an Einzelheiten das Geschehen der Apokalypse dramatisch, so verbleibt das Geschehen in der Trierer Handschrift geradezu in statischer Ruhe.

Zu den frühen, schwer datierbaren Einzelhandschiften gehören das *Evangeliar von St. Médard de Soissons* (Paris) und der *Codex aureus* von St. Emmeran (München). Von großer eigenständiger Bedeutung und nachhaltiger Wirkung ist die vor 1020 auf der Insel Reichenau entstandene *Bamberger Apokalypse*[33]. Die aus 106 Pergamentblättern (Größe 295 × 204 mm) bestehende Handschrift enthält 50 Miniaturen, die teilweise ganze Seiten füllen (Kat.-Nr. 3). Sie sind fast alle in eine Zweistufigkeit aufgeteilt und in ihrer zur

Symmetrie drängenden Anlage von überzeugender ruhiger Monumentalität.

Von einer allgemeinen Weltuntergangsfurcht gegen Ende des 1. Jahrtausends kann nicht ohne weiteres gesprochen werden, wenngleich für einzelne Gebiete (z.B. England und Nordfrankreich) solche Erwartungen belegt werden können. Für Deutschland und Italien fehlen klärende Hinweise. In Spanien ist die reiche Beschäftigung mit der Apokalypse aus dem hohen Ansehen zu erklären, das sie in der spanischen Kirche – und da zumal in der Liturgie – genoß[34], dann aber auch aus der besonderen Situation der spanischen Kirche, die sich dogmatisch mit dem Islam auseinanderzusetzen hatte und in der Apokalypse eine hoffnungsvolle Kampfschrift fand[35]. Die vorhandenen Darstellungen aus der Apokalypse – soweit sie uns erhalten sind – rechtfertigen auch nicht die Feststellung einer Kulmination von Weltuntergangserwartung und künstlerischer Auseinandersetzung mit der Apokalypse gegen Ende des ersten Jahrtausends. Dennoch ist es wahrscheinlich, daß gegen Ende des ersten Milleniums die Stelle der Apokalypse an Aktualität gewann, die von der Entsiegelung Satans nach 1000 Jahren spricht[36], zumal Augustinus geschrieben hat, daß die 1000 Jahre mit der Ankunft Christi auf Erden begännen[37].

Wenn auch zahlreiche nüchterne Menschen schon damals die Berechnungen des Weltendes verurteilten und sich gegen solche Strömungen stellten, so blieb doch teilweise – trotz des ausgebliebenen Weltuntergangs – auch nach dem Jahre 1000 die Naherwartung der Parusie zurück. Zunächst richtete sich das Augenmerk auf das Jahr 1033, da nicht mehr das Geburts-, sondern das Todesjahr Christi den Berechnungen zugrunde gelegt wurde[38]. Eine Sonnenfinsternis am 29. Juni 1033 steigerte die Weltuntergangs-

erwartung und wurde als Vorzeichen des Untergangs gedeutet[39].

Monumentale Werke des elften Jahrhunderts mit Szenen aus der Apokalypse sind nur aus Italien erhalten, so in der Basilica St. Anastasio in Castel S. Elia bei Nepi (in der Apsis: Christus zwischen Aposteln und anderen Heiligen, darunter Lämmerfries; beiderseits der Apsis an der Ostwand: vierundzwanzig Älteste der Apokalypse; an der Nord- und Südwand des Querhauses unterhalb der Propheten: ein Apokalypsezyklus)[40], in S. Pietro al Monte, Civate (auf dem Gewölbe der Eingangshalle: thronender Christus im Himmlischen Jerusalem; auf den Gewölben vor dem Eingangsraum: vier posauneblasende Engel, vier Paradiesesflüsse, vier apokalyptische Wesen [Evangelistensymbole?]; auf der Westwand des Kirchenschiffes: thronende Gottheit inmitten des Kampfes der Engel mit dem Drachen)[41] und in S. Angelo in Formis (in der Apsiskalotte: thronender Christus zwischen den Evangelistensymbolen; auf der Westwand: das Jüngste Gericht)[42]. In den Fresken von Castel S. Elia di Nepi wirkt noch das Mosaik von SS. Cosma e Damiano (6.Jh.) nach[43], und in den Fresken der Eingangshalle von S. Pietro al Monte bei Civate sowie S. Angelo in Formis sind stilistische byzantinische Elemente eingeflossen[44].

Aus dem zwölften Jahrhundert sind in Frankreich das zweigeschossige – in seiner Art einzigartige – apokalyptische Fassadenprogramm der Kirche St.-Michel-d'Auguilhe in Le Puy (thronender Christus, anbetende Älteste und apokalyptisches Lamm)[45] sowie der Zyklus in der Vorhalle der Abteikirche St.-Savin-sur-Gartempe im Poitou (über der Tür: thronender Christus, umgeben von Engeln mit Leidenswerkzeugen; in der linken und rechten Bogenhälfte sechs weitere Apokalypsemotive)[46] als überragende Bilderzeugnisse zu nennen. In Deutschland haben sich aus dieser Zeit unter anderem der Freskenzyklus der Allerheiligenkapelle am Kreuzgang des Regensburger Domes[47] und der Freskenzyklus der Doppelkirche Schwarzrheindorf bei Bonn erhalten.

In dieser Zeit wird Geschichte immer als Heilgeschichte verstanden, und darum wird das Ende der Welt mit der Wiederkehr Christi zum Jüngsten Gericht und der Vollendung der Gottesherrschaft als dominierende Wirklichkeit begriffen, der alle irdische Wirklichkeit unterstellt wird. »In ihrer überpersönlichen Haltung wendet sich die mittelalterliche Kunst über den einzelnen hinaus an die Gemeinde. Den Gemeindestätten Kirche, Kloster und Palast gilt ihr höchstes Bemühen. In diesem Rahmen ist augenfällig, daß die Malerei der Frühzeit nicht das Einzelgemälde an beliebiger Stelle, sondern den Gemäldezyklus bevorzugt. Im Zyklus ist jedes Bild nach seinem Bedeutungsgehalt, getreu einer langen Überlieferung, an seinen bestimmten Platz gebunden[49]«.

Bevorzugte Themen aus der Apokalypse sind das Bild des thronenden Christus in der Apsis und des Jüngsten Gerichtes in den Bogenfeldern über den Portalen. Die bildnerische Gestaltung der Majestas Domini ist ein zentrales Thema der Romanik[50]. Der ihr angemessene Ort ist die Apsis. Nahm in den heidnischen Tempeln das Götterbild und in den römischen Basiliken das Kaiserbild diese Stelle ein, so konnte hier erst recht die Majestät des ständig gegenwärtigen Herrn bezeugt werden. »Die Frage nach dem präzisen Sinn der romanischen Majestasdarstellung ist dadurch kompliziert, daß sich im ostchristlichen Gebiet (Mosaik in Hosios David, Thessalonike; Apsisfresken in Bawik, Sakkarah usw.) anscheinend sehr verwandte Vorformen finden, die aber theologisch nicht ohne weiteres mit der reifen liturgischen Majestas identifiziert werden dürfen.«[51]

Sancti Beati a Liebana in Apokalypsin. *Die Engel halten die vier Winde auf* (Kat.-Nr. 2)

INCIPIT STORIA QVAT
TVOR ILIS VENTRVM

Ecaudi alium angelum ascen
den centem ab ortu solis hubencem
signum de in ucheis :·
Ex clamauit uoce magna quae
cuor angelis quibus datu est ea
po est aut ledere ecrum & mare
dicens : Ne leseriatis ecrum
neque mare nec arbores
donec signamus ecruus di
nci infroncibus eorum :·

EXPLICIT STORIA :

X, a posta hec in di quae cuor
angelos teunctes Inquia
cuor angelos esse ostendrate quar
tuor uentapes esse nescie
ma In ceitu nec que Inmute nec que
In nullum arbo rem :·

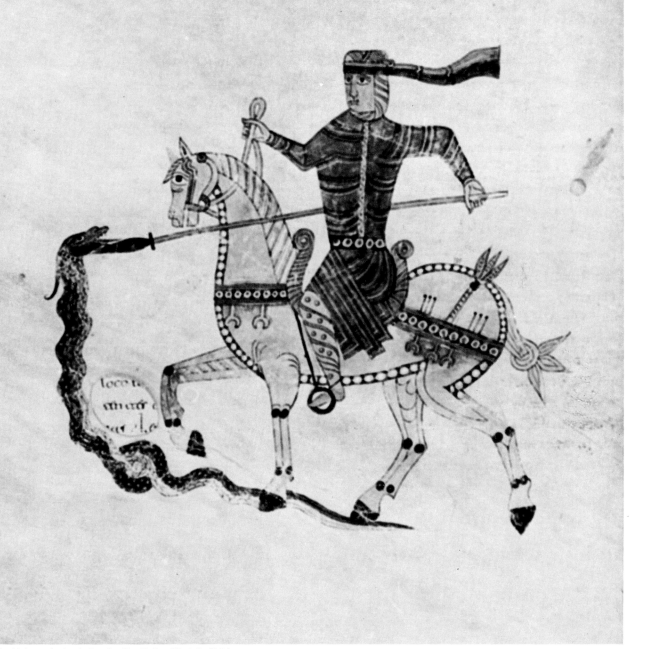

Sancti Beati a Liebana in Apokalypsin. *Der Reiter tötet die Schlange*
(Kat.-Nr. 2)

Den überaus zahlreichen romanischen Apsidenfresken mit dem thronenden Christus kann man – Otto Demus folgend[52] – drei Grundformen entnehmen: erstens, die Erscheinung des ›stehenden Christus‹ als römische Prägung in Weiterführung des Apsismosaiks aus SS. Cosma e Damiano (vgl. z.B. in Nepi)[53]; zweitens, die Darstellung des ›thronenden Pantokrators‹ aus den byzantinischen Apsidendarstellungen (vgl. besonders die daraus abgeleiteten italienischen Kompositionen wie z.B. S. Angelo in Formis (hier aber eigenständig weiterentwickelt)[54]; drittens, den »von der Mandorla umschlossenen, auf dem Regenbogen thronenden Christus«[55]. Als eine Sonderform der bis in das hohe Mittelalter ausstrahlenden, in Rom entstandenen »Aktualisierung der Majestas zur Schlüsselübergabe an Petrus«[56] müssen viele romanische Majestasdarstellungen gesehen werden (vgl. z.B. das Fresko der Westapsis des Klosters Knechtsteden)[57].

Neben dem zentralen Bildthema der Majestas Domini in den Apsiden kommt den Tympanaszenen des thronenden und zu Gericht sitzenden Christus besondere Bedeutung zu. Das erhaltene Fresko des Tympanons von Saint-Savin, das ebenso – wenn auch bedeutungsvoller – den thronenden Christus zeigt wie das Gewölbe über dem Altar in der Krypta oder wie das ehemalige Fresko der Westwand, leitet über zu den Reliefs in den Bogenfeldern über den Portalen[58].

Jan Koblasa, *Der Engel wirft einen Stein wie einen Mühlstein* (Kat.-Nr. 78.18)

In der ersten Hälfte des zwölften Jahrhunderts entstehen die romanischen Gerichtstympana von Perse, Moissac und Arles[59]. Sie erfahren eine gesteigerte Ausdruckskraft in den Tympana von Conques, Beaulieu und von St. Denis[60].

Der Eintretende wie der Fortgehende wird unter das Gericht Gottes gestellt. Auffallend ist in diesem Zusammenhang die fortschreitende Dämonisierung der Darstellungen, ihre Verzerrung bis ins Gespenstische und die Aufnahme von dämonischen Tieren und Chimären in das Figurenprogramm bis in den Kirchenraum hinein. Fragen wir nach den inneren Triebkräften dieser Kunst, die sich über die Wiedergabe apokalyptischer Motive hinaus bis ins Dämonische steigerte, so muß vor allem auf die eschatologische Spannung hingewiesen werden, unter der dieses Zeitalter stand. Ein Mann wie Bernhard von Clairvaux, der die Wiedergabe von Ungeheuern und Fabelwesen in strenger Reformgesinnung verurteilte, glaubte in der Endzeit zu leben und betrachtete Zeitereignisse wie Papstschisma und Kreuzzüge aus dieser Sicht[61]. Bernhards Einfluß ist ebenso auf dem Gebiet zisterziensischer Klosterreform nachzuweisen wie in dem Entstehen des neuen Stils der Frühgotik. Auf sein Drängen hin reformierte nicht nur der mit ihm befreundete Abt Suger von St. Denis bei Paris sein Kloster, sondern ließ sich auch im Kirchenbau seiner Abtei von Bernhards Ideen leiten[62]. Dies ist um so bedeutsamer, als der Chor von St. Denis (1144 geweiht) zum Prototyp der gotischen Kathedralarchitektur wurde[63].

»Der Kirchenbau ist sinnbildlich und liturgisch ein Abbild des Himmels. Mittelalterliche Theologen haben diesen Bezug unzählige Male betont. Die maßgeblichen Formeln des Weiherituals einer Kirche weisen ausdrücklich auf die Verwandtschaft zwischen der Vision der Himmelsstadt, wie sie in der Apokalypse geschildert wird, und dem Gebäude hin, das errichtet werden soll«[64]. Schon im romanischen Sakralbau lassen die Wandgemälde oder Mosaiken in der Apsis mit Darstellungen des thronenden Christus[65] oder der Himmelsstadt[66] diesen Sachverhalt erkennen. Als eindrucksvolles Beispiel veranschaulichen auch die schon mehrfach erwähnten Fresken in der Doppelkirche von Schwarzrheindorf den mystischen Abbildcharakter des Himmlischen Jerusalems[67]. Aber im gotischen Kirchenbau übernimmt die Architektur die sinnbildliche Bedeutung, die Himmelsstadt darzustellen[68]. Versuchten die Künstler in der Romanik durch Bilder im Menschen das mystische Erlebnis der Himmelsstadt zu vermitteln, so übertragen sie diese Aufgabe in der Gotik der gesamten Architektur im Zusammenspiel der ausgewogenen architektonischen Proportionen auf der Grundlage der Geometrie. Günter Bandmann spricht davon, daß der Kirchenbau nun »Typus und Sinnbild der Himmelsstadt«[69] sei. Die Kirche sei aber nicht nur Abbild, sondern Wirklichkeit des Himmlischen Jerusalems, indem die Einzelglieder das als Wirklichkeit gegebene Sakrament und die Reliquien ausdeuten, zur Anschauung bringen«[70].
Otto von Simson betont eindringlich, daß es sich dabei keineswegs um eine illusionistische Abbildung handle, wie Hans Sedlmayr geschlossen habe, sondern um eine sinnbildliche[71]. Die Wiedergabe der biblischen Schilderungen des Himmlischen Jerusalems entziehe sich der Sichtbarmachung durch architektonische Mittel. Es sei auch keine illusionistische Sichtbarmachung angestrebt worden, sondern nur eine sinnenfällige, das heißt die Übersetzung der geschilderten Himmelsstadt in die der gotischen Architektur immanenten Gesetzmäßigkeiten. Ferner verweist er darauf, »daß die gotische Architektur aus einer Anschauung erwächst, die das Verhältnis von Sinnbild und Wirklichkeit sehr viel feiner und vergeistigter faßt als die vorausgehende Zeit, nämlich als Vergleichbarkeit von Strukturen. Daher die Bedeutung der Geometrie in der gotischen Architektur...«[72].

Neben dem Chor der gotischen Kirche mit seinen mystischen, transparenten Glaswänden, die geradezu den Glanz des Himmlischen Jerusalem visualisieren[73], kommt auch der Eingangsfassade besondere Bedeutung zu. »St. Denis ist die erste Kirche, deren Fassade entsprechend den Worten der Liturgie als Tor des Himmels entworfen ist. Dieses Motiv ist in den späteren Kathedralen weiterentwik-

Bamberger Apokalypse. *Der Engel mit dem Mühlstein* (Kat.-Nr. 3)

Bamberger Apokalypse. *Jüngstes Gericht* (Kat.-Nr. 3)

kelt worden.«[74] Die Fassade wird ebenfalls im ikonographischen Programm des Skulpturenschmuckes der »porta caeli« als Schwelle vom diesseitigen zum jenseitigen Leben ausgewiesen[75]. Außer den Darstellungen des Jüngsten Gerichtes, der klugen und törichten Jungfrauen (Mt 25, 1–13), wird offensichtlich auch das Himmlische Jerusalem als Bauwerk wiedergegeben[76].

An der Christusgestalt im mittleren Tympanon der Chartreser Kathedrale (Königsportal) wird der Wandel vom ehrfurchtgebietenden Weltenherrscher zum »milden« Christus der Gotik besonders deutlich. Umgeben von den vier apokalyptischen Wesen thront die Majestas Domini inmitten der hierarchisch geordneten Engel und Heiligen. Die Verlegung der Darstellung des Jüngsten Gerichtes in das Tympanon der südlichen Vorhalle von Chartres mag darin begründet sein, daß dort möglicherweise der Bischof Recht sprach, wie dies ähnlich in Straßburg während des 13. Jahrhunderts der Fall war[77]. Gemäß der Tradition erscheint in der Westrose von Chartres das Weltgericht, in der Südrose die Majestas Domini und in der Nordrose die Muttergottes inmitten der Vorfahren Jesu und der zwölf Kleinen Propheten[78].

Die im Kathedralbau von St. Denis begonnene und in Notre-Dame de Chartres ausformulierte Idee der Widerspiegelung einer höheren Wirklichkeit (und in diesem Sinne: Bild oder Symbol des Himmlischen Jerusalem) erfuhr in Reims, Amiens und Beauvais eine sich steigernde Ausdruckskraft, die außerhalb Frankreichs im gotischen Kölner Dom (Baubeginn: 1248) ihren abschließenden Höhepunkt fand. »Vollendung in der Idee, das ist das Wesen des Kölner Domes unter allen Kathedralen. Vollendung, hier durchaus als Perfektion verstanden. Die Genauigkeit der Bauausführung ist unübertroffen, die Schärfe und Maßhaltigkeit der Profile nur mit der moderner Industrieerzeugnisse vergleich-

bar, die Logik des Gewölbe- und Pfeilersystems ohne jede Lücke«[79]. Während der Kölner Dombaumeister Arnold Wolff besonders exakte Planung und Ausführung als symbolimmanente Bestandteile dieser Kathedrale als »Sinnbild des Himmels« eruiert, legt Herbert Rode erneut weiteres Gewicht auf realisierte Bildvorstellungen des Himmlischen Jerusalem im Kölner Dom, wie z.B. auf die Entsprechung der zwölf Tore (Apk 21, 12) in den Eingangsportalen und der Grundsteine (Apk 21, 14) in den Chorpfeileraposteln, der vierundzwanzig Ältesten (Apk 4, 4) in den Königen der Chorobergadenfenstern und des Lammes auf dem Berge Zion (Apk 14, 1) im vergoldeten Kupferkreuz auf dem Ostende des Dachfirstes[80]. Die Wächterengel über den Chorkapellendächern stehen in der ikonographischen Nachfolge der Wächterengel von Reims[81].

Während der Kölner Dom das Urbild des Himmlischen Jerusalems sowohl in der geometrischen Zahlenharmonie und den eingeflossenen Bildvorstellungen als auch in der »als intellektuell erlebbare(n) Durchgeistigung von Materie«[82] in unübertroffener Weise wiederzugeben vermag, erscheint uns der Weltgerichtspfeiler (nach 1230) der Kathedrale von Straßburg als ein in seiner Zeit einzigartiges Monument einfallsreicher Gestaltungskraft. Der Ecclesia-Meister wählte im Bündelpfeiler des südlichen Querhauses den Ort seiner Weltgerichtsdarstellung , weil er an der Außenfassade keinen Platz mehr für dieses im mittelalterlichen Denken unverzichtbare Thema fand[83]. Dieser Pfeiler, der in drei Geschossen eine »raumhaltige Komposition«[84] wagt, schildert wortgetreu die Aussendung der Engel in alle Himmelsrichtungen, schildert den Augenblick vor dem eigentlichen Gericht als raumgreifendes Erleben[85]. Im untersten Geschoß stehen die vier Evangelisten auf Sockeln, die ihre Symbole tragen. Im mittleren umstehen vier Gerichtsengel mit Tuben in den Händen den Pfeilerkern. Zuoberst thront der Weltenrichter umgeben von drei Engeln mit Leidenswerkzeugen, den arma regis gloriae.

Ebenfalls raumgreifend, aber ganz vom Gedanken der Vollendung bestimmt, erscheint das Himmlische Jerusalem in den großen Leuchtern des 12. Jahrhunderts. Der Aachener Leuchter, ein Geschenk des Kaisers Friedrich Barbarossa (nach 1165), trägt die Weiheinschrift: »Hier erscheinst du im Bild, Jerusalem, himmlisches Sion, Zelt des Friedens für uns und Hoffnung seliger Ruhe«[86]. Wie schon beim verlorengegangenen Leuchter von St. Pantaleon in Köln aus der Zeit des Abtes Hermann (gest. 1122) die erhaltene Inschrift die Lichtkrone als das von oben herabsteigende Abbild des Himmlischen Jerusalem deutete[87], so geschieht es auch in Aachen und Hildesheim (Abb. 6).

Sind aus dem 12. Jahrhundert nur vereinzelt Handschriften zu benennen wie die des Mönches Rudolfus (Oxford) und der oft kopierte *Hortus deliciarum* (Kat.-Nr. 4) so scheint das 13. Jahrhundert eine Blütezeit gewesen zu sein. Neben der oft gepriesenen *Trinity College Apocalypse* (Kat.-Nr. 5) sind die Handschrift fr. 403 der Pariser Nationalbibliothek – sie wurde allein bis zum 15. Jahrhundert über sechzigmal kopiert – und die *Douce Apocalypse* (Kat.-Nr. 6) herausragende Zeugnisse.

Während innerhalb des 13. Jahrhunderts die illustrierten Handschriften die Darstellung der Gesamtapokalypse zu hoher Vollendung führten, beschränken sich die plastischen Kunstwerke auf eine Gestaltung des Weltendes, die mehr nach dem an Gleichnissen reichen Matthäustext (Kap. 25) ausgerichtet war[88].

In der italienischen Malerei hatte sich die Nachwirkung des altchristlich-frühmittelalterlichen Apokalypsezyklus bis in

Abb. 7 *Jüngstes Gericht.* Tympanon des Westportals der Kathedrale von Autun, um 1130

das 13. Jahrhundert hinein erhalten[89]. Dieser Tradition zugehörig sind auch die Fresken Cimabues im linken Querschnitt der Oberkirche von Assisi[90]. In ihrem Programm auf den Kirchenpatron Franz von Assisi (1181/82–1226) bezogen, schildern sie die Anbetung des Lammes durch die vierundzwanzig Ältesten, verschiedene Engelszenen und den Fall Babylons[91].

Die Aufnahme apokalyptischer Szenen in den Gesamtzyklus mag ihre Wurzeln in dem stark endzeitlich geprägten Selbstverständnis des Franziskanerordens haben. Die Franziskanerspiritualen adaptierten und interpretierten nämlich ihre Ordensgründung im Zusammenhang mit der Lehre von den »Weltzuständen« Joachims von Fiore, so daß sie sich an der

Schwelle zur Endzeit verstanden[92]. Zwar läßt sich ein direkter Einfluß Joachims von Fiore (um 1130–1202), eines der bedeutendsten Geistesmänner des Mittelalters, bei dem die lange verschollene Reichserwartung plötzlich wieder hervortritt[93], auf die apokalyptische Themengestaltung nicht nachweisen. Seine Verkündigung des dritten Reiches aber, das auf das erste Zeitalter des Vaters und die zweite Epoche des Sohnes als das Reich des Heiligen Geistes folgen sollte, spielte für die chiliastische Erwartung des Mittelalters eine nicht zu unterschätzende Rolle[94]. Stellte sich nun mit Giotto (1266–1337) – einem Zeitgenossen Dantes – eine gegen die unterschwellig revolutionär ausgerichteten spiritualistischen Kreise Joachims gerichtete, bei aller Frömmigkeit dennoch vom Menschen erfüllte

29

Kunst entgegen? Mit der Ausmalung der Arenakapelle zu Padua (1305–1307) begann jedenfalls die Hinwendung zur Renaissance. Enrico Scrovegni, ein vornehmer Bürger Paduas, ließ 1303 an die Reste eines römischen Amphitheaters eine Kapelle anbauen und übertrug Giotto die Ausmalung des einschiffigen Raumes. Die Fresken der dem Patronat Mariens unterstellten Kapelle schildern als »Armenbibel« Szenen von der Geburt Mariens bis zum Jüngsten Gericht, wobei Rintelen dem Jüngsten Gericht der Eingangswand eine Sonderstellung einräumt[95] (Abb. 24).

Unterhalb einer dreiteiligen Fensterzone thront Christus als Weltenrichter in einer Aureole inmitten der Apostel, während zu seinen Füßen die Seligen durch die Vermittlung Mariens in den Himmel aufsteigen und die Verdammten in einem Feuerstrom in die Hölle hinabgeschleudert werden. Obwohl diese Westwand in der großen abendländischen Tradition der Weltgerichtsdarstellungen steht, sprengte Giotto die »fachartigen Schranken der älteren Gerichtsbilder«[96] und gestaltete die riesige Wandfläche ohne geometrische Hilfsmittel. Während er den Erlösten größeres Gewicht beimaß als den Verdammten[97], gab er Maria innerhalb der Erlösten noch eine akzentuierte Sonderstellung als Mittlerin[98]. Insgesamt ist nicht der eigentliche Augenblick des Jüngsten Gerichtes wiedergegeben, sondern vielmehr die Schilderung der himmlischen Macht.

Dante Alighieri (1265–1321) – wie Giotto durchaus ein Künstler des christlichen Mittelalters, aber ebenso wie jener ein Wegbereiter der Renaissance – gewann zumal mit seiner Höllenschilderung in der *Göttlichen Komödie* Einfluß auf die Weltgerichtsdarstellung, etwa bei Nardo di Cione in Santa Maria Novella (Florenz)[99], bei Andrea da Firenze in der *Spanischen Kapelle* (so genannt seit 1540, ausgemalt um 1365) neben dieser Kirche[100] und in den Gemälden eines unbekannten Meisters im Camposanto von Pisa[101].

Abb. 8 *Das Weltgericht*. Mosaik in der Basilika von Torcello, 12./13. Jahrhundert

Auf italienische Einflüsse verweisen zahlreiche Details der *Doppeltafel von Stuttgart* (Abb. 10A und 10B). Obwohl ihre Urheberschaft nicht eindeutig zu verifizieren ist[102], verrät die Komposition mit ihrem über die blauschwarze Gesamtfläche lebendig eingestreuten Einzelszenen die Handschrift eines großen Künstlers.

Hortus deliciarum. *Die Fesselung Satans* (Kat.-Nr. 4)

Einen durchaus originellen apokalyptischen Freskenzyklus schuf ein als »Karlsteiner Meister« bezeichneter Künstler 1357 in der Kapitelkirche der Burg Karlstein (von Kaiser Karl IV. erbaut)[103]. Aufbauend auf neapolitanischen Handschriften, die die trecentesken Apokalypse-Illustrationen fortführten, löste er die in der Gotik gebräuchliche allegorische Darstellungsweise der Vision durch eine illusionistische ab, unterschied aber zwischen unveränderlicher Ewigkeitssphäre der himmlischen und bewegter Kampfsituation der irdischen Kirche[104].

Der Einbruch der Renaissance mit der fortschreitenden Entdeckung eigenständiger irdischer Schönheit ließ zunächst das Interesse an Darstellungen apokalyptischer Motive zurückgehen. Das in der lebendigen Anbindung an die transzendentale Welt verbliebene Mittelalter tritt den Weg in die Neuzeit an.

Hortus deliciarum. *Das Apokalyptische Weib* (Kat.-Nr. 4)

Abb. 9 Meister Bertram, Der Apokalypse-Altar (rechter Flügel), 1400–1410
(Victoria and Albert Museum, London)

1 Nach Paulus hat das Reich Gottes mit der Auferstehung bereits begonnen. »...damit ihr mit Freude dem Vater danket, der uns befähigt hat zur Teilnahme am Erbe der Heiligen im Lichte. Er hat uns aus der Gewalt der Finsternis gerettet und in das Reich des Sohnes seiner Liebe versetzt« (Kol 1, 12 f.). Josef Ernst kommentiert diese Stelle im Regensburger NT: »Die Gemeinde weiß sich jetzt bereits in die himmlischen Bereiche versetzt, wo das Hoffnungsgut für sie bereitliegt (1,5). Die futuristisch-eschatologischen Vorstellungen werden nicht verdrängt, aber doch überdeckt durch die Erfahrung der Heilsgegenwart« (Die Briefe an die Philiper, an Philemon, an die Kolosser, an die Epheser. Regensburg: Pustet 1974. S. 164).
2 Vgl. Walter Nigg: Das ewige Reich. Geschichte e. Hoffnung 2., überarb. Aufl. Zürich: Artemis 1954. S. 70 ff. Neben griechischen Gegnern, die mit dem Spottnamen »Aloger« bezeichnet wurden, sind vor allem die Skepsis Eusebius' und der Kampf des Christen Cajus gegen die Anerkennung der Apokalypse zu erwähnen (Vgl. Theodor Zahn: Das Neue Testament von Origenes. Erlangen: Deichert 1888 [Geschichte des Neutestamentlichen Kanons. Bd. 1], S. 220 ff.).
3 Ac per hoc ubi utrumque genus est, Ecclesia est qualis nunc est: ubi autem illud solum erit, Ecclesia est qualis tunc erit, quando malus in ea non erit. Ergo Ecclesia et nunc est regnum Christi, regnumque coelorum. Regnant itaque cum illo etiam nunc sancti ejus, aliter quidem, quam tunc regnabunt (S. Augustini Episcopi: De civitate Dei. Liber XX, caput IX. In: Patrologia Latina. Ser. 1. Ed. J. P. Migne. Tom. 41. Paris 1845. Sp. 673).
4 Erst auf der II. Trullanischen Synode (Quinisextum) im Jahre 691 wurde die Authentizität der Apokalypse von der gesamten Ostkirche anerkannt. Allerdings hat diese Synode im zweiten Kanon neben den beiden Kanonverzeichnissen, die die Apokalypse beinhalten, auch drei Verzeichnisse ohne sie approbiert. Vgl. Johannes Mansi: Amplissima Collectio Conciliorum. Bd. 11. Florentiae: Zatta 1765. S. 939 f. Vgl. Johannes Leipoldt: Geschichte des neutestamentlichen Kanons. Teil I. Leipzig: Hinrichs 1907. S. 98 f. (Im Kanon 82 wird allerdings gefordert, daß auf den Bildern statt des Lammes Christus dargestellt werden soll).
5 Vgl. Karl Baus: Von der Urgemeinde zur frühchristlichen Großkirche. 3. durchges. u. veränd. Aufl. Freiburg, Basel, Wien: Herder 1965. (Handbuch der Kirchengeschichte. Bd. 1) S. 476.

6 Vgl. Wilhelm Neuß: Die Apokalypse des hl. Johannes in der altspanischen und altchristlichen Bibelillustration. (Das Problem der Beatus-Handschriften). Bd. 1. Münster: Aschendorff 1931. (Span. Forschungen der Görresgesellschaft 2. R. 2. Bd.) S. 271 f. Vgl. Abb. 130 in Volbach: Frühchristliche Kunst; vgl. Abb. Taf. 20-22 (Text S. 306) in Joseph Wilpert u. Walter N. Schuhmacher: Die römischen Mosaiken der kirchlichen Bauten vom IX.-XIII. Jahrhundert. Freiburg, Basel, Wien: Herder 1976. Vgl. dieses Apsismosaik unter philosophischen, imperialen und theologischen Aspekten bei Ernst Dassmann: Das Apsismosaik von S. Pudenziana in Rom. In: Römische Quartalschrift. Rom, Freiburg, Wien: Herder 65 (1970). 67-81.
7 Abb. in: Guiseppe Wilpert: I Sarcofagi cristiani antichi. Vol. 1-3. Rom: Pont. Ist. di Archeologia crist. 1929-1936. Taf. 188,2.
8 Vgl. Walter Oakeshott: Die Mosaiken von Rom vom dritten bis vierzehnten Jahrhundert. Wien, München: Schroll & Co. 1967. Vgl. Christa Ihm: Die Programme der christlichen Apsismalerei vom vierten Jahrhundert bis zur Mitte des achten Jahrhunderts. Wiesbaden: Steiner 1960. (Forschungen zur Kunstgeschichte und christlichen Archäologie. Bd 4) Vgl. Guglielmo Matthiae: Mosaici Medievali delle Chiese di Roma. (1.2.) Roma: Insituto poliografico dello stato (1967).
9 Vgl. Beat Brenk: Tradition und Neuerung in der christlichen Kunst des ersten Jahrtausends. Studien zur Geschichte des Weltgerichtsbildes. Graz, Wien, Köln: Böhlau in Komm. 1966. (Wiener Byzantinische Studien. Bd. 3). S. 71-73. Vgl. Gertrud Schiller: Die Auferstehung und Erhöhung Christi. Gütersloh: Mohn 1971. (Ikonographie der christlichen Kunst. Bd. 3) S. 193-202; vgl. Ihm: Die Programme. S. 91. f.
10 Vgl. Beat Brenk: Die frühchristlichen Mosaiken in S. Maria Maggiore zu Rom. Wiesbaden: Steiner 1975. S. 14-19. Vgl. Wilpert: Die römischen Mosaiken. S. 318. Ebd. Taf. 68-72.
11 Vgl. Wilpert: Die römischen Mosaiken, S. 87 f; vgl. Oakeshott: Die Mosaiken von Rom. S. 82, Abb. 185 f.
12 Vgl. Wilpert: Die römischen Mosaiken, S. 329, Abb. 101; vgl. Oakeshott: Die Mosaiken von Rom. S. 194; vgl. Ihm: Die Programme. S. 137 f.
13 Vgl. edb. S. 40f. Ihm unterscheidet in diesem Zusammenhang eine imperiale, baptismale und apokalyptische Symbolik. (Vgl. ebd. S. 122). Otto Demus nimmt allerdings auch für die ostchristliche Majestasgruppe den apokalyptischen Hintergrund von Apk 4,2-10 und visionäre Charakterzüge aus Jes 4,1-3; 66,1; Ez 1,4-28 an (vgl. Romanische Wandmalerei. Aufnahmen v. Max Hirmer. München: Hirmer 1968. S. 13).
14 Vgl. Ihm: Die Programme. S. 138. Oakeshott vertritt die Meinung, daß S. Cecilia unmittelbar S. Pressede zum Vorbild habe (vgl. Die Mosaiken von Rom. S. 218).
15 Vgl. Abb. in Oakeshott: Die Mosaiken von Rom. Taf. 121; vgl. Abb. 31 in Van der Meer: Apokalypse.
16 Nachricht Bedas in den Vita SS. Abbatum. In: Pl. Tom. 94. Sp. 718.
17 Beat Brenk unterscheidet bei den Weltgerichtsbildern verschiedene Gruppen, die verbildlicht wurden: die Parabel der Scheidung der Schafe von den Ziegenböcken (Mt 25,31-36) und der klugen und törichten Jungfrauen (Mt 25,1-12). (Vgl. Tradition. S. 36-54). Diese kommen selbstverständlich für unseren Aufriß nicht in Betracht, da sie nicht dem Bereich der Apokalypse angehören. (Während die Parabel von den Schafen und Böcken in frühchristlicher Zeit im Zusammenhang der Weltgerichtsdarstellungen am häufigsten vorkommt (vgl. ebd. S. 38 ff.), erfreut sich die Jungfrauenparabel zunehmend im Mittelalter großer Beliebtheit (vgl. ebd. S. 53 f.). Neben den dominierenden Matthäus-Parabeln als Bildquellen für die frühchristlichen Weltgerichtsdarstellungen hatten aber auch die entsprechenden apokalyptischen Themata Einfluß auf die Gerichtsgestaltung. So finden wir im Rahmen der eschatologischen Themen die Verbildlichung der Wiederkunft Christi als Richter und Hetoimasia (Apk 4,2) (vgl. ebd. S. 65). Den Triumphbogenmosaiken von SS. Cosma e Damiano und dem Apsismosaik von S. Pudenzianz im thematischen Verknüpfung von Theophanie und Wiederkunft des Herrn auch in den Weltgerichtsdarstellungen besondere bildprägende Bedeutung zu. Einzelelemente wie die posauneblasenden Engel (Apk 8,2) und das gläserne Meer (Apk 4,6) – etwa auf dem Apsisstirnwandmosaik von S. Michele in Affricisco in Ravenna (6.Jh.) (vgl. ebd. S 65 ff.; vgl. Ihm: Die Programme. S. 30 f.) – finden sich darüber hinaus. So werden in dieser Arbeit die Weltgerichtsdarstellungen mitberücksichtigt, die apokalyptische Einzelmotive verwenden, wenngleich sie stärker von der Synoptischen Apokalypse (Mt 24, 29-31; 25, 31 u. 32; Mk 13 Parr) bestimmt sein mögen. Verschiedene Aussagen über das Gericht sind in den biblischen Texten kongruent und eben deshalb in ihrer Austauschbarkeit bildprägendes Allgemeingut.
18 Vgl. zur Gesamtausmalung Hubert Schrade: Vor- und frühromanische Malerei. Die karolingische, ottonische und frühsalische Zeit. Köln: DuMont Schauberg 1958. S. 21-25; vgl. Brenk: Tradition. S. 107 ff. Ebd. Abb. Fig. 7
19 Ebd. S. 130
20 Vgl. ebd. S. 74 f.
21 Vgl. Aurenhammer: Ikonographie. S. 182; Chadraba: Apokalypse. Lchl. Bd. 1. Sp. 127.
22 Vgl. Neuß: Die Apokalypse. S. 243.
23 Vgl. Ebd. D. 247.
24 Vgl. Louis Réau: Iconographie de l'art chrétien. 2. Nouveau Testament. Tom. 2: Iconographie de la Bible. Paris: Presses univers. de France 1957. S. 671 ff.
25 Vgl. Chadraba: Apokalypse: Lchl. Bd 1. Sp. 127 ff.
26 Vgl. die Zusammenstellung d. Hss. bei Brütsch: Züricher Bibelkommentar. S. 203; vgl. John Williams: Frühe spanische Buchmalerei. München:

t lozs uint uns des·vij·
 aingles qui auoient les
·vij·fioles z plait amoi z dit
uenes ie uos mosterai la
dampnation de celle gent
luxeliexe qui seoit sus mai
tes eawes auos la quell li
rois de terre ont fait loz foz
nication·Et cil qui abitet
en tre sont enniutes douui
de sa luxelene·Lozs me pozt
tait en espnt en delers·et ie
ui une feme sarant sus u
ne beste rouge plaïnes de
nons de blaistanges·qui a
uoit·vij·testes·z·x·cornes·
et la feme que delus seoit

estoit afluee dun matel de
propre aomee doz et de piexs
preciouses et de gemes·et a
uoit en sa main vn hanaip
doz plain des abominatios
de tix·

¶eque li aingles mostr
a·s·iehan la dampuati
on de la grant luxelene·sig
nefie que mre sires faita sa
uoir as boins prelais q la
dampnation de ces disciples
serait p ydolatrie z auarice
et luxure·car par la luxelene
que seoit sus maintes eau
ues·est signufies autecrist
qui raineroit sus mout de

Lothringische Apokalypse. *Der Engel zeigt Johannes das Tier und die Hure* (Kat.-Nr. 7)

Abb. 10A Linke Hälfte der im 14. Jahrhundert in Italien entstandenen Doppeltafel mit Szenen aus der Apokalypse (Staatsgalerie Stuttgart)

Prestel 1977. S. 12, 25-28. Vgl. Stierlin, Henri: Die Visionen der Apokalypse. Mozarabische Kunst in Spanien. Zürich, Freiburg i.Br.: Atlantis 1978.

27 Vgl. Williams: Frühe spanische Buchmalerei. S. 64-83 (mit Abb.).

28 Vgl. ebd. S. 92 (mit Abb. 27); vgl. Sancti Beati a Liebana in Apocalypsin Codex Gerundensis (Textbd: Totius codicis similitudinem prelo expressam. Prolegomenis auxerunt Jaime Marqués Casanovas, Cesar E. Dubler, Wilhelm Neuss) Text – [u.] Tafelbd. Olten & Lausanne: Graf 1962.

29 Vgl. Williams: Frühe spanische Buchmalerei. S. 84-87 (mit Abb.).

30 Stierlin: Die Visionen der Apokalypse. S. 164.

31 Vgl. Trierer Apokalypse. Vollständige Faksimile-Ausgabe des Codex 31 der Stadtbibliothek Trier. I: Faksimile. II. Kommentar v. Richard Laufner u. Peter Klein. Graz: Akadem. Druck- u. Verl.Anst. 1974/75. (Codices selecti. Vol. 48); Florentine Mütherich u. Joachim E. Gaehde: Karolingische Buchmalerei. München: Prestel 1976. S. 30 f.

32 Vgl. ebd. S. 30 f.

33 Vgl. Die Bamberger Apokalypse. 16 farb. Miniaturen auf Tafeln. Mit e. Essay v. Reinhold Schneider. Nachw. u. Bilderl. v. Alois Fauser, Frankfurt a.M.: Insel 1962. (Insel-Bücherei. Nr. 775).

34 Vgl. Williams: Frühe spanische Buchmalerei. S. 25.

35 Die Assoziation der Muselmanen mit den antichristlichen Mächten der Apokalypse war naheliegend (vgl. ebd. S. 28).

36 »Und ich sah einen Engel vom Himmel herabsteigen, der hatte den Schlüssel des Abgrunds, und eine große Kette (lag) auf seiner Hand. Und er ergriff den Drachen, die alte Schlange, die der Teufel und der Satan ist, und legte ihm Fesseln für tausend Jahre und warf ihn in den Abgrund und schloß über ihm zu und legte ein Siegel an, damit er die Völker nicht mehr verführe, bis die tausend Jahre vollendet wären. Danach muß er auf kurze Zeit losgelassen werden« (Apk 20,1-3).

37 »Intera dum mille annis ligatus est diabolus, sancti regnant cum Christo etiam ipsis mille annis eisdem sine dubio, et eodem modo intelligendis, id est, isto jam tempore prioris ejus adventus« (S. Augustini Episcopi: De civitate Dei. Liber XX, caput IX. In: PL. Tom. 41. Sp. 672). Vgl. auch Bernhard Philberth: Christliche Prophetie und Nuklearenergie. 4. Aufl. Wuppertal: Brockhaus 1966. (R. Brockhaus Taschenbücher. Bd. 75). S. 23.

38 Vgl. Sackur: Die Cluniacenser. S. 227

39 Vgl. ebd. S. 227, Anm. 5.

40 Vgl. Demus: Romanische Wandmalerei. S. 118 f. Abb. Taf. XIII, XIV, 37; vgl. Schrade: Vor- und frühromanische Malerei. S. 286 ff. Abb.: Farbtaf. 14-16.

41 Vgl. Demus: Romanische Wandmalerei. S. 112 ff.; 156 f. Abb.: Taf. I-III, 11-15; vgl. Hubert Schrade: Die romanische Malerei. Ihre Maiestas. Köln: DuMont Schauberg 1963. S. 78 ff. Abb. 127-130.

42 Vgl. Demus: Romanische Wandmalerei. S. 54 u. 114 ff. Abb.: Taf.. V, 16-18; vgl. Schrade: Die romanische Malerei. S. 16 ff.

43 Vgl. Demus: Romanische Wandmalerei. S. 118 f

44 Vgl. ebd. S 114 u. 117.

45 Vgl. Günther Bandmann: Ein Fassadenprogramm des 12. Jahrhunderts und seine Stellung in der christlichen Ikonographie. In: Das Münster 5 (1952). 1–21.

46 Vgl. Demus: Romanische Wandmalerei. S. 143. Abb: Taf. 98, 99, XLVI.

47 Vgl. ebd. Abb. 206 (Engel des Gerichts); vgl. J. A. Endres: Die Wandgemälde der Allerheiligenkapelle zu Regensburg. In: Zeitschrift für christliche Kunst (Hrsg. v. Alexander Schnütgen) 25 (1912). 43-52. Die Darstellungen wurzeln in den liturgischen Texten des Allerheiligenfestes und Apk 5,5; 7,1-8.

48 Vgl. Albert Verbeek: Schwarzrheindorf. Die Doppelkirche und ihre Wandgemälde. Düsseldorf: Schwann 1953. S. XXXVI ff. (Unterkirche, Ezechiel-Zyklus), S. LV ff. (Oberkirche, vornehmlich Apokalypse); vgl. Albert Verbeek: Die Doppelkirche in Bonn-Schwarzrheindorf. 9. veränd. Aufl. Neuss: Ges. f. Buchdruckerei 1976 (Rhein. Kunststätten). S. 4, 5, 13; vgl. Schrade: Die romanische Malerei. S. 59-63, 66-71; vgl. Karl Königs in: Achthundertfünfundzwanzig Jahre Doppelkirche Schwarzrheindorf. 1151-1976. Mit Beitr. von Heinrich Neu u. a. Hrsg. zum 24. April 1976 v. d. kath. Kirchengemeinde zum heiligen Klemens. Bonn 1976. S. 62-66. Vor allem ist in den Ausführungen Königs' die gedankliche Rückbindung an Otto von Freising (gest. 1158) und Rupert von Deutz (gest. 1129) wichtig: »Doch muß noch eingegangen werden auf die Theologie des Rupert von Deutz, da er bei dem Ezechielzyklus wie auch bei den neutestamentlichen Bildern Pate gestanden hat... Rupert von Deutz hat zum ersten Mal wieder, nachdem Montanus im 2. Jh. damit in der Häresie endete, da dieser ein neues Zeitalter des Geistes verkündete, die Weltgeschichte trinitarisch gedeutet...« (Ebd. S. 61).

49 Wilhelm Jung: Deutsche Malerei der Frühzeit. Königstein i. T.: Langewiesche 1967. S. 5.

50 Vgl. Demus: Romanische Wandmalerei. S. 12; vgl. Schrade: Die romanische Malerei. S. 9.

51 Vgl. Demus: Romanische Wandmalerei. S. 13.

52 Vgl. Romanische Wandmalerei. S. 12 f.

53 Vgl. Schrade: Frühromanische Malerei. S. 286.

54 Vgl. vorhergehender Text

55 Demus: Romanische Wandmalerei. S. 13.

56 Ebd. S. 14; vgl. von Alt-Sankt-Peter (in einer Nachzeichnung) in: Schrade: Die romanische Malerei. S. 100.

57 Vgl. Abb. ebd. S. 112; Text S. 59.

58 · Vgl. Schrade: Die romanische Malerei. S. 47 ff.

59 Vgl. Karl Künstle: Ikonographie der christlichen Kunst. Bd. 1. Freiburg i. Br.: Herder 1928. S. 540. Spricht Künstle ebd. dieser Gruppe nur einen anfänglichen und primitiv erfaßten Gerichtsgedanken zu, so ist dem zumindest für St.-Pierre in Moissac zu widersprechen. In einer ausgereiften Komposition thront der apokalyptische Christus im Zentrum, umgeben von den Evangelistensymbolen, zwei Engeln und den vierundzwanzig Ältesten. (Vgl. Erich Kubach u. Peter Bloch: Früh- und Hochromanik. Baden-Baden: Holle 1964. (Kunst der Welt). Abb. S. 179). Emile Mâle verweist gerade bei diesem Relief auf die Miniaturen der Beatus-Handschrift, die im nahegelegenen Saint-Sever entstanden, dem Bildhauer als Modell gedient haben. (L'art religieux du XIIe siècle en France. S. 4 ff.); vgl. ebd. Abb. S. 3 u. 5.

60 Vgl. Abb. der drei letztgenannten Tympana in: Schrade: Die romanische Malerei. S. 262.

61 Vgl. Nigg: Das ewige Reich. S. 111. Ebd.: »Diese Enderwartung war im zwölften Jahrhundert keineswegs eine individuelle Eigenheit von Bernhard. Als führende Persönlichkeit war er auch hierhin nur deren Sprachrohr. Man kann die gleiche endgeschichtliche Einstellung bei Norbert Xanten aufzeigen, dem zweiten großen Heiligen jener Zeit, der sogar mit Bernhard in einen Disput über die Nähe des Jüngsten Tages verwickelt war«. Vgl. auch Sedlmayr: Verlust der Mitte. S. 182 f.

62 Vgl. Otto von Simson: Die gotische Kathedrale. Beiträge zu ihrer Entstehung u. Bedeutung. Darmstadt: Wiss. Buchges. 1968. S. 86 ff u. 158 ff.

63 Vgl. ebd. S. 3.

64 Simson: Die gotische Kathedrale. S. 21; vgl. Titus Burckhardt: Chartres

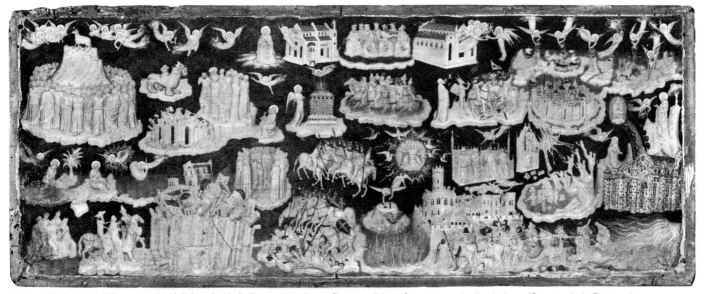

Abb. 10B Rechte Hälfte der im 14. Jahrhundert in Italien entstandenen Doppeltafel mit Szenen aus der Apokalypse (Staatsgalerie Stuttgart)

und die Geburt der Kathedrale. Olten, Lausanne, Freiburg i. Br.: Graf-Verl. 1962. (Stätten des Geistes). S. 21.

65 Vgl. S. 16. Hier sind auch die von byzantinischen Künstlern geschaffenen Mosaiken von Cefalu und Monreale (beide 12. Jh.) zu nennen. Vgl. Abb. von den Apsiden in Cefalu u. Monreale in Otto Demus: Byzantine Art and The West. New York: New York University Press 1970. Fig. 127 u. 128. Text: S. 131 u. 146 ff.

66 Vgl. z. B. San Pietro bei Civate (Como). Abb. 14 in Heinrich Decker: Italia Romanica. Die hohe Kunst der romanischen Epoche in Italien. Wien, München: Schroll 1958; vgl. ebd. Text S. 296 f.

67 Vgl. Simson: Die gotische Kathedrale. S. 22. Vgl. auch Paul Clemen: Die romanische Monumentalmalerei in den Rheinlanden. Düsseldorf: Schwann 1916. (Publikationen der Gesellschaft für Rheinische Geschichtskunde. 32). S. 271 ff.

68 Otto von Simson verweist auf Didron, der als erster die symbolische Beziehung zwischen der gotischen Kathedrale und dem Himmlischen Jerusalem erkannt habe. Vgl. Simson: Die gotische Kathedrale. S. 21. »Chacune des portes est gardée par un ange aux ailes étendues, comme ceux qui dominent les contre-forts de la Cathédrale de Reims, et qui assimilent cet édifice à la Jérusalem divine bâtie sur terre« (Adolphe-Napoléon Didron: Manuel d'iconographie chrétienne. Greque et latine. (Nachdr. d. Ausg. Paris 1845). New York: Franklin 1963. S. 261).

69 Günter Bandmann: Mittelalterliche Architektur als Bedeutungsträger. 5. Aufl. Berlin: 1978. S. 62.

70 Ebd. S. 66

71 Simson: Die gotische Kathedrale. S. 7 u. 23 ff.; vgl. Hans Sedlmayr: Die Entstehung der Kathedrale. (Um e. Nachw. verm. Aufl. d. 1950 ersch. Ausg.) (Photomech. Nachdr.). Graz: Akad. Druck- u. Verl.Anst. 1976 S. 95-134 u. S. 131 ff. »Das gotische Kirchengebäude kann jetzt unter Absehen von seiner symbolischen Bedeutung, als sinnlich nahe Darstellung des Himmels aufgefaßt werden. Es stellt uns den Himmelsbau – den kein Auge gesehen – so vor Augen, als könnten wir ihn mit *leiblichen* Augen sehen, mit allen Sinnen erleben, etwa mit dem Realitätscharakter, mit dem man eine sinnengesättigte ‚Vision' oder einen höchst lebhaften Traum »sieht« (Ebd. S. 132).

72 Simson: Die gotische Kathedrale. S. 26.
Herbert Rode hat in seiner eindrucksvollen Studie »Der Kölner Dom als Abbild des Himmlischen Jerusalem« das ausgewogene Verhältnis von Maß und Zahl am Beispiel des Kölner Domes nachgewiesen. (In: Almanach für das Erzbistum Köln 1 [1974/75]. 78-92).

73 »Das Glas bedeutet das Licht in der obersten Schicht des Kosmos. Gott wohnt im unzugänglichen Licht (1 Tim 6, 16), und damit ist das Licht der Himmelsbereich Gottes und seiner Heiligen. Johannes spricht von ihm als dem gläsernen Meer, das bei uns im Oberchor seine Stelle hat... Die Vision des hl. Johannes ist das literarische Urbild, das im Oberbereich einer Kirche, hier im Chor des Domes, seine bildhafte Nachbildung erfährt«. (Joseph Hoster: Der Dom zu Köln: Greven 1965. S. 23).

74 Simson: Die gotische Kathedrale. S. 155.

75 Marcel Pobé u. Jean Roubier: Das gotische Frankreich. Wien, München: Schroll 1960. S. 28 ff.

76 Vgl. Simson: Die gotische Kathedrale. S. 162.

77 Vgl. Simson: Die gotische Kathedrale. S. 255. Pobé vertritt allerdings die Ansicht, daß die Verlegung des Gerichtstympanons in die südliche Vorhalle von Chartres durch das schon vorhandene ältere Königsportal bedingt sei; vgl. Pobé u. Roubier: Das gotische Frankreich. S. 29. Vgl. zu

Stil- und Chronologiefragen der Skulpturen im Chartreser Südportal: Peter Cornelius Claussen: Chartres-Studien zu Vorgeschichte, Funktion und Skulptur der Vorhallen. Wiesbaden: Steiner 1975. (Forschungen zur Kunstgeschichte und christlichen Archäologie. Bd. 9). S. 104 ff. Vgl. zur Rechtsprechung vor dem Südportal des Straßburger Münsters: Adalbert Erler: Das Straßburger Münster im Rechtsleben des Mittelalters. S. 1-32.

78 »Die drei genannten Bildgedanken der Rosen von Chartres erhalten durch deren Gestalt nicht nur eine schöne künstlerische Form, sondern überhaupt erst ihre geistige Bedeutung. Im Sinne der Platoniker von Chartres offenbart die Geometrie dieser Rosen die Diesseits wie Jenseits durchwaltende ewige Ordnung, die auch die drei verschiedenen Themen verbindet. So gesehen erscheint die bildgeschichtlich so merkwürdige, plötzliche Umsetzung der antiken und frühmittelalterlichen Kosmosbilder in die Monumentalität architektonischer Struktur folgerichtig, ja unausweichlich«. (Simson: Die gotische Kathedrale. S. 311). Sedlmayr spricht in diesem Zusammenhang von der Umwandlung des Fortunarades in ein ruhendes Sonnensymbol Christi. Vgl. Sedlmayr: Verlust der Mitte. S. 183.

79 Arnold Wolff: Der Kölner Dom. Stuttgart: Müller u. Schindler 1974. (Große Bauten Europas. Bd. 6). S. 96.

80 Rode: Der Kölner Dom. S. 86-92.

81 Vgl. ebd. S. 92; vgl. Didron: Manuel d'iconographie chrétienne. S. 261.

82 Wolff: Der Kölner Dom. S. 98.

83 Vgl. Harald Keller. In: Der Engelspfeifer im Staßburger Münster. 2. Aufl. Stuttgart: Reclam 1965. (Reclams Universal-Bibliothek. Nr B 9015). S. 5. Vgl. Adalbert Erler: Das Straßburger Münster im Rechtsleben des Mittelalters. S. 32 ff.

84 Keller: Der Engelspfeifer. S. 6.

85 Vgl. Hans Weigert. In: Das Straßburger Münster und seine Bildwerke. Hrsg. v. Richard Hamann. Berlin: Dt. Kunstverl. 1928. S. 52-60 Abb. Taf. 40-49; Hans Weigert. In: Gotische Plastik in Europa. Hrsg. v. Harald Busch u. Bernd Lohse. Frankfurt a. M.: Umschau 1962. (Monumente des Abendlandes). S. XIV u. XV. Abb. 15-17, 19; Alexander Frhr. von Reitzenstein: Deutsche Plastik der Früh- und Hochgotik. In: Deutsche Plastik von der Frühzeit bis zur Gegenwart. Mit Beitr. v. Theodor Müller u. a. Aufn. v. Helga Schmitd-Glaßner. Königstein i. T.: Langewiesche 1969. S. 4 u. 7; Keller. In: Der Engelspfeifer. S. 5-15.
Bei aller Betonung der Originalität dieses Engelspfeilers – wie er auch genannt wird – darf er doch nicht als *Freimonument,* das sich erst ganz im Umgehen erschließt, hingestellt werden. Vgl. dazu Keller. In: Der Engelspfeifer. S. 9.

86 Stephany: Der Dom zu Aachen. S. 12. Hier ist auch der gesamte Weihetext wiedergegeben.

87 Vgl. Bergmann: St. Pantaleon in Köln. S. 18. Vgl. zu den ottonischen und romanischen Lichtkronen Sedlmayr: Die Entstehung der Kathedrale. S. 125-130; Stange Basiliken. S. 52 f. Vgl. zur Lichtkrone in Hildesheim (1055-1066) Victor H. Elbern: Die künstlerische Ausstattung. In: Der Hildesheimer Dom. Architektur, Ausstattung, Patrozinien von Victor H. Elbern, Hermann Engfer, Hans Reuther. Hrsg. im Auftr. d. Domkapitels. Hildesheim: Bernhard-Verl. 1974 (Alte und Neue Kunst. Bd. 21/22, 1973/74) S. 44-50.

88 Brütsch gibt im Zürcher Bibelkommentar S. 206 das Matthäus-Evangelium als Quelle für die Portalskulpturen der Kathedralen von Conques, Laon, Amiens, Paris und Bourges an.

89 Vgl. Aurenhammer: Ikonographie. S. 201.

90 Vgl. ebd. S. 201; Dino Formaggio: Die Kirchen von Assisi. München:

Cloisters-Apokalypse. *Der Sternenregen* (Kat.-Nr. 8)

Goldmann 1959. (Galerien und Kunstdenkmäler Europas). S. 12; vgl. Eugenio Battisti: Cimabue. Milano: Istituto editionale Italiano 1963. Taf. 12-25.
91 Aurenhammer sieht den Grund für die Übernahme apokalyptischer Bildmotive in den Franziskus-Zyklus in der frühen Identifizierung des hl. Franziskus mit dem im 7. Kap. der Apokalypse angekündigten Drachenbezwinger. (Vgl. Aurenhammer: Ikonographie. S. 201). Mir ist es allerdings nicht möglich, im 7. Kap. eine Ankündigung des Drachenbezwingers zu eruieren. Erst im 12. Kap. ist vom Kampf Michaels mit dem Drachen die Rede. Vgl. Hans Belting: Die Oberkirche von San Francesco in Assisi. Ihre Dekoration als Aufgabe und die Genese einer neuen Wandmalerei. Berlin: Gerbr. Mann 1977; vgl. ebd. Taf. 44-48. Belting verweist auf den Zusammenhang von Altarweihen und Ausmalung der Teilräume (vgl. ebd. S. 53 ff.) Außerdem sieht er einen inneren Zusammenhang zwischen den ‚früh'-christlichen Apostelszenen im anderen Querarm und den ‚end'-kirchlichen Apokalypse-Szenen (vgl. ebd. S. 54).
92 Vgl. Herbert Grundmann: Neue Forschungen über Joachim von Fiore. Marburg: Simons 1950. (Münstersche Forschungen. 1). S. 78-84; vgl. Wilhelm Kamlah: Apokalypse und Geschichtstheologie. Die mittelalterliche Auslegung der Apokalypse vor Joachim von Fiore. Berlin: Ebering 1935. (Historische Studien. 285). S. 115-124.
93 Vgl. Joachim von Fiore: Das Reich des Heiligen Geistes. Bearb. v. Alfons Rosenberg. München: Barth 1955. (Dokumente religiöser Erfahrung). S. 7 ff.
94 Vgl. ebd. s 82 ff.; vgl. Nigg: Das ewige Reich. S. 115-131. Vor diesem geistesgeschichtlichen Hintergrund sieht auch Chadraba die Entwicklung des Deutschen Bilderkreises mit den illustrierten Kommentarhandschriften zur Apokalypse ab Alexander Minorita v. Bremen (um 1242). Vgl. Apokalypse: Lchl. Bd. 1. Sp. 133 f.
95 Vgl. Friedrich Rintelen: Giotto und die Giotto-Apokryphen. München: G. Müller 1912. S. 105. »...nirgends ist soviel von der straffen Logik des kirchlichen Systems des Mittelalters in ein Werk der bildenden Kunst eingedrungen, wie in Giottos Jüngstes Gericht« (ebd. S. 105).
Da Oertel, ein profunder Kenner der italienischen Malerei, die Giotto-Monographie Rintelens immer noch als »die gehaltvollste und künstlerisch adaequateste« bezeichnet (vgl. Robert Oertel: Die Frühzeit der italienischen Malerei. Zweite neu bearb. u. verm. Aufl. Stuttgart, Berlin, Köln, Mainz: Kohlhammer 1966. S. 225) und auch Martin Gosebruch in seinem Artikel »Der Giotto der Arenakapelle – ‚adhuc satis juvenis'« (in: Giotto di Bondone. Mit Beiträgen v. Martin Gosebruch u. a. Würzburg: Leonhardt o. J. [Persönlichkeit und Werk. Bd. 3]. S. 61-73) ausschließlich Rintelen zitiert, scheint mit eine Beschränkung auf Rintelen-Zitate durchaus gerechtfertigt. Vgl. zur Gesamtproblematik der Arenakapelle z. B. Oertel: Die Frühzeit. S. 85 ff.; Otto von Simson: Das Mittelalter II: Das hohe Mittelalter. [Mit Beitr. v. Thomas S. R. Boase u. a.] Berlin: Propyläen 1972. (Propyläen Kunstgeschichte. Bd. 6) S. 19, 35-38.
96 Rintelen: Giotto. S. 108. Vgl. dazu das älteste vollständig erhaltene monumentale byzantinische Gerichtsbild (gegen Zwölfhundert) auf der Eingangswand im Dom zu Torcello. Die Wand ist in sechs horizontalen Register gegliedert. In den vier unteren Registern wird die Gerichtsdarstellung entfaltet, während in den beiden oberen die Höllenfahrt Christi (mit maßstäblich größeren Figuren) geschildert wird. Vgl. Künstle: Ikonographie.

S. 545-547; vgl. Giovanni Musolino: Torcello. The Jewel of Lagoon, Venezia: Ist. Tip. Ed. o. J. Abb. 25,27-30; vgl. Philipp Schweinfurt: die byzantinische Form 2. erw. Aufl. Mainz: Kupferberg 1954, S. 183 ikonographische Herleitung des byzantinischen Weltgerichtsbildes, S. 202 f. ausführliche Bildbeschreibung.
97 »Es besteht kein vollkommener Ausgleich zwischen den beiden Bildhälften, und stets wird das Auge den Sinn der Komposition auf der Seite des Himmelszuges suchen«. (Rintelen: Giotto. S. 113).
98 Vgl. ebd. S. 110; vgl. Walter Euler: Giotto-Fresken. Die Scrovegnikapelle in Padua. Bern, Stuttgart: Hallwag 1968. (Orbis Pictus. Bd. 50). Begleittext zu Tafel 19.
99 Vgl. Walter u. Elisabeth Paatz: Die Kirchen von Florenz. Ein kunstgeschichtliches Handbuch. Bd III. Frankfurt a.M.: Klostermann 1952. S. 663-731. Die von Nardo di Cione um 1357 ausgemalte Strozzi-Kapelle (vor der Westwand des westlichen Querarms von Santa Maria Novella) gilt als eines seiner Hauptwerke (vgl. ebd. S. 712). Auf der rechten Wand ist die Hölle, auf der Altarwand das Jüngste Gericht und auf der linken Wand das Paradies gemalt.
100 Ursprünglich war die von Fra Jacopo Talenti um 1344 erbaute Kapelle Kapitelsaal und Fronleichnamskapelle (vgl. Paatz: Die Kirchen von Florenz. S. 720 f.). Vgl. ebd. S. 721 die Anmerkungen zum Freskenzyklus; vgl. Abb. des Freskos in: Richard Hamann: Geschichte der Kunst. Von der altchristlichen Zeit bis zur Gegenwart. München, Zürich: Knaur 1959. Abb. 447, S. 370; vgl. Eckart Peterich: Italien. Ein Führer 2. Aufl. Bd. 1 München: Prestel 1965. S. 509 und 684 f. Hingewiesen sei vor allem auf die vergleichende Beschreibung von Giotto und Dante ebd. S. 315. Die ideengeschichtlichen Verflechtungen der durch die Apokalypse gespeisten Reichserwartung sind bei den einzelnen Künstlern weit verzweigt. Da sie in ihren Arbeiten aufschimmern, initiieren sie neue Auseinandersetzungen in den Werken anderer Künstler. Z.B. berichtet Rosenberg, daß Dante, »den man seiner geistigen Grundstruktur nach einen Joachiten nennen kann« (Joachim: Das Reich. S. 11), in seiner *Göttlichen Komödie* Gedankengut Joachims verarbeitet habe. Dante wiederum gewann durch eben diese *Göttliche Komödie* Einfluß auf die Schilderung der Weltgerichtsdarstellungen (vgl. ebd. S. 19; vgl. Paatz: Die Kirchen von Florenz. S. 712). Auch Giotto malte für den König Robert den Weisen von Neapel in S. Chiara in Neapel u.a. Szenen aus der Apokalypse, »die Dante erfunden hatte«. (Aurenhammer: Ikonographie. S. 201). Goethe schließlich, der die von Dante inspirierten Pisaner Bilder durch die im Jahre 1822 erschienenen Stiche von Lasinio kennenlernte, ließ sich in seiner vorletzten Szene des Faust von »dem Triumph des Todes, dem Jüngsten Gericht und der Hölle entscheidend anregen« (Peterich: Italien. Bd 1. S. 685).
101 Vgl. Abb. des Weltgerichtes vom Camposanto zu Pisa in: Albert Kuhn: Geschichte der Malerei. I. Halbbd. Von der Malerei der Ägypter bis zur Malerei der deutschen Hochrenaissance, Einsiedeln, Waldshut, Köln: Benziger 1909. (Allgemeine Kunstgeschichte). Abb. als Beilage zwischen S. 396 u. 397.
102 Vgl. van der Meer: Apokalypse. S. 197 f.
103 Vgl. die Aufzählung der aneinandergereihten Themen in: Chadraba: Lchl. Bd 1. Sp. 134; Brütsch: Zürcher Bibelkommentar. S. 204; Aurenhammer: Ikonographie. S. 202. Vgl. die ausführliche Einbindung der Karlsteiner Apokalypse in die ikonographische Tradition in Joachim M. Plotzek: Bilder zur Apokalypse. In: Die Parler und der schöne Stil 1350-1400. Europäische Kunst unter den Luxemburgern. Hrsg. v. Anton Legner. Köln 1978. (Ein Handbuch zur Ausstellung des Schnütgen-Museums in der Kunsthalle Köln. Bd. 3). S. 195-210.
104 Vgl. Chadraba: Apokalypse: Lchl. Bd 1. Sp. 134; Aurenhammer: Ikonographie. S. 202.

Cloisters-Apokalypse. *Michaels Kampf mit dem Drachen* (Kat.-Nr. 8)

Trierer Apokalypse

1

Das Apokalyptische Weib und der Drachen

Malerei auf Pergament, 16,5 × 18,5 cm
Schreibschule von Tours, um 800
Stadtbibliothek Trier, Cod. 31
(Faksimile der Universitätsbibliothek Heidelberg)

Sancti Beati a Liebana in Apocalypsin

2

Der Reiter tötet die Schlange

Malerei auf Pergament, 25,5 × 40 cm

Die Engel halten die vier Winde auf

Malerei auf Pergament, 25,5 × 40 cm

Kloster San Salvador in Zamora, um 975
Bibliothek der Kathedrale von Gerona, Ms. 7 Sanctus Beatis de Liebana
(Faksimile der Universitätsbibliothek Heidelberg)

Bamberger Apokalypse

3

Der Engel mit dem Mühlstein

Malerei auf Pergament, 18 × 14,5 cm

Jüngstes Gericht

Malerei auf Pergament, 19,5 × 14,5 cm

Schule von Reichenau, um 1007
Stadtbibliothek Bamberg, Ms. bibl. 140
(Faksimile der Universitätsbibliothek Heidelberg)

Hortus deliciarum

4

Das Apokalyptische Weib

Malerei auf Pergament, 42 × 30 cm

Die Fesselung Satans

Malerei auf Pergament, 21 × 16,5 cm

Elsaß, letztes Viertel 12. Jahrhundert
Nachzeichnungen des 1870 verbrannten Originals
(Faksimile der Universitätsbibliothek Heidelberg)

Apokalypse der Königin Eleonore

5

Die Anbetung des Lammes

Malerei auf Pergament, 28 × 22,5 cm

Englisch, etwa 1240
Trinity College Library, Ms. R. 16,2
(Faksimile der Universitätsbibliothek Heidelberg)

Apokalypse Edwards I.

6

Das Apokalyptische Weib und das Siebenköpfige Ungeheuer

Malerei auf Pergament, 11 × 14 cm

Die Weissagung von der Zerstörung Babylons

Malerei auf Pergament, 11 × 14 cm

Englisch, um 1270
Bodleian Library Oxford, Ms. Douce 180
(Faksimile der Universitätsbibliothek Heidelberg)

Lothringische Apokalypse

7

Der Engel zeigt Johannes das Tier und die Hure

Malerei auf Pergament, 5,5 × 11,6 cm
Lothringen, ca. 1310–1325
Sächsische Landesbilbliothek Dresden, Ms. Oc. 50
(Faksimile der Universitätsbibliothek Heidelberg)

Cloisters-Apokalypse

8

Der Sternenregen

Malerei auf Pergament, 18 × 16,5 cm

Michaels Kampf mit dem Drachen

Malerei auf Pergament, 18 × 16,5 cm

Englisch (?), frühes 14. Jahrhundert
Metropolitan Museum, New York
(Faksimile der Universitätsbibliothek Heidelberg)

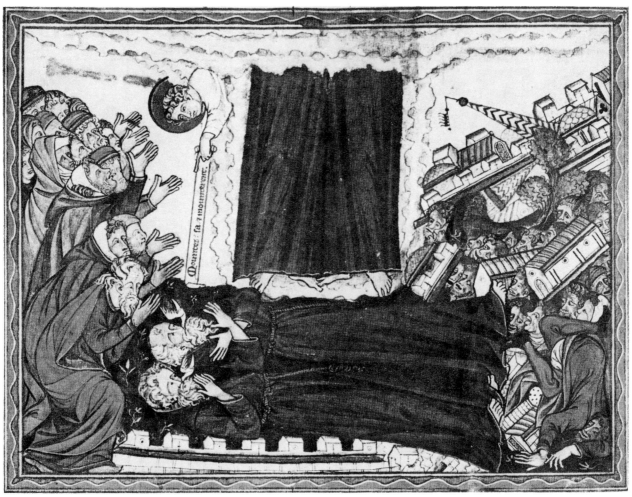

Apokalypse Edwards I. *Die Weissagung von der Zerstörung Babylons* (Kat.-Nr. 6)

Apokalypse Edwards I. *Das Apokalyptische Weib und das Siebenköpfige Ungeheuer* (Kat.-Nr. 6)

Ein Himmlisches Jerusalem in Böhmen

Die Schatzkammer Karls IV. auf Burg Karlstein

Ilka Kloten

In der religiösen Unterweisung der meist Schriftunkundigen spielten Bilder im Mittelalter eine große Rolle. Wie der damalige Betracher die vornehmlich christlichen Kunstwerke sah und die dargestellten Glaubensinhalte rezipierte, hat Umberto Eco in seinem Roman *Der Name der Rose*[1] in eindrucksvollen Impressionen und visionären Bildbeschreibungen nachgezeichnet.

Einer der Protagonisten des Romans, William von Baskerville, erklärt sich die profunde Kenntnis des Apokalypsentextes, mit der sein Gegenspieler Jorge von Burgos brilliert, aus dessen Vertrautheit mit illuminierten Handschriften: »Heutzutage sind alle vom Buch des Johannes besessen, aber du schienst mit derjenige zu sein, der sich am meisten damit beschäftigte, nicht so sehr wegen deiner Spekulationen über den Antichrist als vielmehr, weil du aus dem Lande stammst, das die schönsten Apokalypsen-Codizes hervorgebracht hat.«[2] William, eine Art Sherlock Holmes des 14. Jahrhunderts, hatte erfahren, daß der spanische Mönch Jorge einst prächtige Apokalypsenhandschriften in die Bibliothek der Abtei, den geheimnisvollen Ort der Handlung, gebracht hatte. Dort hatte sie der Meisterdetektiv bei seinen nächtlichen Inspektionen selbst kennengelernt.

Umberto Eco muß bei der Beschreibung dieser Codizes die farbenprächtigen Miniaturen vor Augen gehabt haben, die den Apokalypsenkommentar des Spaniers Beatus von Liébana illustrieren. Das visuelle Erlebnis, das diese Bilder bereithalten, läßt Eco in einer Predigt Jorges lebendig werden, die allen Zuhörern unter die Haut geht und die den Fortgang der Handlung entscheidend mitbestimmt. Der Mönch prophezeit das Kommen der Bestia immunda, des Antichristen, der sich der Klostergemeinschaft in einer Mordserie ankündigt, wie Jorge seine Mitbrüder glauben machen will: »Vielleicht wollt ihr jetzt sagen: Nein, der ist noch nicht gekommen, wo sind die Vorzeichen seiner Ankunft? Toren, seid ihr mit Blindheit geschlagen? Wir haben sie doch tagtäglich vor Augen, die unheilverkündenden Katastrophen, im großen Amphitheater der Welt wie in ihrem verkleinerten Spiegelbild dieser Abtei....«[3] Damit schürt Jorge die Befürchtung, die Morde in der Abtei ereigneten sich gemäß dem Rhythmus der sieben Posaunen der Apokalypse, einem göttlichen Plan folgend. Allen, auch William, erscheint die Deutung nach dem apokalyptischen Muster zunächst einleuchtend. Am Schluß des Romans entpuppt sie sich jedoch als falsche Fährte.

Heute mag der Text der Offenbarung als Handlungsstruktur eines Romans schwer verständlich, vielleicht sogar abstrus erscheinen. Dem mittelalterlichen Menschen dagegen war die Apokalypse eine geläufige und überaus vertraute Vorstellung, die sein Handeln Tag für Tag beeinflußte. Sie spielte besonders im Weltbild des 14. Jahrhunderts eine zentrale Rolle: einem Jahrhundert verheerender Epidemien wie dem Schwarzen Tod und großer Verunsicherung infolge politischer und geistiger Umbrüche. Die mit Joachim von Fiore schon gegen Ende des 12. Jahrhunderts einsetzenden Versuche, den Verlauf der Apokalypse direkt auf den Gang der Weltgeschichte zu beziehen, schienen gerechtfertigt, die Prophetien zutreffender denn je. Man sah die Geschichte der Kirche in der Apokalypse vorweggenommen und meinte sie anhand des Offenbarungstextes interpretieren und voraussagen zu können.

Wenn Eco in seinem Roman die Mordfälle von Jorge als apokalyptische Zeichen deuten läßt, so reflektiert er die gerade im 14. Jahrhundert (Zeit der Romanhandlung) weitverbreitete Auffassung, die Wechselfälle der Zeitgeschichte im Sinne der Offenbarung verstehen zu können. In der Realität erwiesen sich die apokalyptischen Prophezeiungen jedoch immer wieder als unzutreffend. Deshalb mußten sie beständig erneuert und der jeweiligen Situation entsprechend aktualisiert werden.

Mit der Wirkung derartiger Prophetien mußten besonders die Mächtigen der Zeit rechnen, Kaiser wie Päpste. Karl IV., König von Böhmen und ab 1355 auch Römischer Kaiser, hatte das Buch des Johannes zu seiner Lieblingslektüre erkoren. Es bestimmte in hohem Maße sein Selbst- und Herrschaftsverständnis, wie die bildnerische Ausstattung der von ihm gestifteten und nach ihm benannten Burg Karlstein bezeugt. Der Gründungsurkunde vom 27. März 1357 zufolge hat der Kaiser das Ausstattungsprogramm weitgehend selbst vorgegeben. Heils- und Weltgeschichte sind in ihm untrennbar miteinander verflochten.

Karl IV. hat die wehrhafte Burg unweit von Prag als sicheren Aufbewahrungsort für die Reichsinsignien und für den kostbaren Reliquienschatz errichten lassen. Das Glanzstück dieser Sammlung von Heiligtümern, die Karl IV. mit unermüdlicher, fast besessener Leidenschaft zusammengetragen hatte, ein 1357 von ihm gestiftetes Reichskreuz, barg Partikel der Passionswerkzeuge Christi. Der wertvolle Schatz wurde am höchsten Punkt der Burg im Obergeschoß des Hauptturmes aufbewahrt: in der Heiligkreuzkapelle (Abb. 11)[4].

Die prachtvolle Ausstattung dieser Kapelle, die wegen ihres unvergleichlichen Gold- und Edelsteinglanzes eine geradezu magische Atmosphäre hat, regte immer wieder zu begeisterten Beschreibungen an. In der Romantik schrieb der Kunstsammler Sulpiz Boisserée an einen Freund: »Du glaubst Dich in eine Zauberwelt versetzt und allen bunten

Abb. 11 Heiligkreuzkapelle, Karlstein

Abb. 12 *Himmlisches Jerusalem*. Welislaw-Bibel (Universitätsbibliothek Prag)

von außen oder eine von innen, d.h. eine Art Stadtplan wiedergeben. Ein detaillierter und genau beschrifteter Plan dieser Art zeigt eine Miniatur aus der Welislaw-Bibel (Abb. 12), die um 1350 am Hofe Karls IV. entstand[6]. Im Zentrum der Himmelsstadt steht das Lamm Gottes inmitten konzentrischer Kreise, die mit den Bezeichnungen der zwölf Edelsteine und den zwölf Apostelnamen versehen sind. Nach dem Offenbarungstext verkörpern die Edelsteine und die Apostel die Grundmauern der Stadt. In einem weiteren Ring sind die zwölf Stadttore angeordnet, welche die Namen der Patriarchen tragen. Zwischen den Toren personifizieren Figuren verschiedene Tageszeiten, Himmelsrichtungen etc. und verweisen damit auf die Aufhebung von Ort und Zeit im Himmlischen Jerusalem. Die Zinnen sind – der Stadtbeschreibung der Offenbarung ebenfalls folgend – mit Engeln bekrönt (Apk 21, 12–14).

In der Heiligkreuzkapelle gipfelt der reiche Gebrauch an Gold und Edelsteinen, wie man ihn sonst nur von der Schatzkunst her kennt und wie er im Bereich der Monumentalkunst am Hofe Karls IV. einzigartig ist. Der Kaiser hatte sich selbst eingehend mit der Sprache der Edelsteine, d.h. ihrer allegorischen Bedeutung im Rahmen der christlichen Heilslehre, beschäftigt. In seiner Autobiographie (um 1370 entstanden) bezieht er die Perle als das allerreinste Juwel, das klar von Farbe und makellos ist, auf das göttliche Gesetz: »Wer nach dem Gesetz Gottes lebt, wird« – so die Worte des Kaisers – »beglückt, makellos und rein durch die Pforte des Himmelreiches einziehen, durch jene Pforte, welche eine von köstlichen Perlen ist und welche durch die Kraft jener Perle, des göttlichen Gesetzes nämlich, sich ihm sogleich öffnen wird. Dann wird er die Macht jener Perle erkennen, welche zu den Toren der heiligen Stadt Jerusalem gehört, wenn er durch sie in eben jene heilige Stadt einziehen wird,...«[7]. Die Eigenschaften der Perle werden von Karl auf die Tugenden einer christlichen Lebensführung hin ausgelegt. Als Herrscher war er selbst darum bemüht, seinem Volk ein Tugendvorbild zu sein und sich damit in seiner Position zu legitimieren. Die Stiftung Karlstein zeugt in anschaulicher Weise von diesem Bemühen.

Der architektonischen Höhenstaffelung der Festungsanlage entspricht eine Bedeutungssteigerung im Ausstattungsprogramm. Im Wohngebäude befand sich ein heute nur mehr aus Nachzeichnungen bekannter Stammbaum Karls IV. Er zeigt den Kaiser am Ende einer prominenten Ahnenreihe von biblischen und historischen Vorfahren, die über Karl d.Gr. bis zu Noah, dem Stammvater der gesamten Menschheit zurückreichte. Karl stellte sich damit in eine Herrscherkontinuität, die seine Machtansprüche rechtfertigen konnte. In dem höher gelegenen ersten Turm der Burg ist der Kaiser als Sammler und Hüter der kostbaren Passionsreliquien dargestellt. Wandmalereien zeigen historische Ereignisse: Der Kaiser erhält die Reliquien von anderen Herrschern und deponiert sie in dem eigens angefertigten Reliquienkreuz. Diesen Szenen ist ein großer Apokalypsenzyklus gegenübergestellt, der jedoch nur noch zum Teil erhalten ist (Abb. 13). In der antithetischen Gegenüberstellung von historischem und apokalyptischem Geschehen klingt die Hoffnung Karls IV. an, durch die Verehrung des Kreuzes als dem Zeichen des Sieges den Antichrist bekämpfen und als Vertreter Christi auf Erden die Herrschaft Gottes am Ende der Zeiten vorbereiten zu können. Den Weltuntergangsprophezeiungen der Zeit wurden damit Erlösungshoffnungen entgegengesetzt, die sich mit der Herrschaft und Person Karls IV. verbanden.
Der Kaiser verstand sich als Wegbereiter des endzeitlichen Triumphes der Kirche im Himmlischen Jerusalem.
Auf der höchsten Stufe der Burg, in der Heiligkreuzkapelle, hat er symbolisch die Himmelsstadt auf die Erde geholt,

goldenen Wahn der Kinderjahre um Dich herum verwirklicht,... Man sieht in allem einen eigenen, persönlichen Geist, der große Achtung für den poetischen Sinn Karls IV. einflößt, dieser Herr scheint wirklich seine Poesie auf die Pracht gesetzt zu haben.«[5]

Wie mit einer kostbaren Folie ist der Raum mit einer durchgehenden Wand- und Gewölbedekoration verkleidet. Einem aufgeblähten Zeltdach gleich erscheint das Gewölbe als strahlend goldenes Himmelszelt. Sonne und Mond sind eingebettet in ein Sternenmeer, das mit unzähligen goldunterlegten Konvexgläsern glitzernde Lichteffekte erzeugt. Auf den Wandflächen reiht sich Bild an Bild. Mit insgesamt 130 Heiligenbildnissen sind sie vollkommen vertäfelt. Wie in einer Ahnengalerie blicken Heilige von allen Seiten in den Raum. Vertreten sind alle Heiligenstände: Patriarchen, Propheten, Einsiedler, Märtyrer, Bekenner, heilige Jungfrauen und Witwen, heilige Könige und andere mehr. Sie schließen sich in der Ecclesia zusammen und verkörpern die überzeitliche Gemeinschaft aller Gläubigen, die am Ende der Zeiten das Himmlische Jerusalem bevölkern wird.

Die Bildnisgalerie sitzt auf einem breiten Sockel goldgefaßter Edelsteine. Platten von poliertem Japsis, Chalzedon, Karneol, Chrysopas, Achat und Amethyst ordnen sich zu einem fortlaufenden Band von Steinkreuzen. Sie verweisen auf die Weihe der Kapelle zu Ehren des heiligen Kreuzes und somit auf die Passion Christi und auf die Passionsreliquien, die hier aufbewahrt wurden. Selbst die Fenster waren ursprünglich aus transluziden Edelsteinplatten. Große Edelsteine hingen einst auch von dem goldenen Gitter herab, das wie ein Lettner den Altarraum abtrennt.

Wie man sich das Himmlische Jerusalem vorstellte, zeigen zahlreiche Darstellungen, die entweder eine Stadtansicht

indem er ein irdisches Abbild von ihr errichten ließ. Die visionäre Stadtbeschreibung der Offenbarung scheint hier in reale Materie umgesetzt. In diesem Raum erfüllte sich der Sinn und Zweck der gesamten Burganlage, die Karl – wie es in der Gründungsurkunde heißt – zu Ehren des dreieinigen Gottes, des auferstandenen Christus und im Zeichen der Passion sowie zu Ehren der Himmlischen Heerschar (»totius militia celestis«) weihte. Die Passionsreliquien, die in einer Nische direkt über dem Altar eingelassen waren, standen im Zentrum der Himmlischen Heerschar. Die Heiligenbildnisse umgeben die Darstellung der Passion, die mit einem Kreuzigungs- und einem Schmerzensmannbild den Angelpunkt des Austattungsprogramms bildet[8]. Die mächtigen Heiligengestalten überlagern vielfach den Bildrahmen, scheinen ihn mit ihren ausgreifenden Körperhaltungen zu sprengen und in den realen Raum einzutreten. Der schon fast aufdringlichen Wirklichkeitsnähe dieser Figuren kann sich der Betrachter kaum entziehen (Abb. 14). Einst waren in den Bildern selbst oder aber in den Rahmen Knochensplitter der dargestellten Heiligen eingelassen. Die Präsenz der Figuren steigerte sich mit ihrer physischen Anwesenheit in Form zahlreicher Reliquienpartikel. Der Bildvertäfelung schließen sich in den Gewölbekappen der Fenster Wandmalereien an. Sie komplettieren das Gesamtprogramm des Raumes mit zentralen Ereignissen aus der Heilsgeschichte. Menschwerdung und Wiederkehr Christi am Jüngsten Tag stehen sich hier gegenüber. Der menschgewordene Gottessohn wird von den Heiligen Drei Königen, das apokalyptische Lamm von den 24 Ältesten angebetet. Die beiden Anbetungsszenen ergänzen Darstellungen des apokalyptischen Gottes und des auferstandenen Christus, dessen irdisches Dasein noch in weiteren Szenen illustriert wird. Die Erfüllung des Heilsgeschehens im Himmlischen Jerusalem manifestiert sich im Gesamtraum. Der Mittelpunkt der Himmelsstadt, das Lamm Gottes, ist in dem Meßopfer gegenwärtig, das den Opfertod Christi nachvollzieht und am Altar der Kapelle in einem kontinuierlichen Kultzeremoniell zelebriert wurde.

Abb. 13 *Maske des Gewitterdämons und die vom Erdbeben vernichtete Stadt.* Detail aus dem Apokalypsezyklus, Marienkapelle, Karlstein

Die Edelsteininkrustationen imitieren die edelsteinbesetzten Mauern der Gottesstadt. Ihre Grundsteine aus Jaspis, Saphir, Chalzedon, Smaragd, Sardonyx etc. – es sind zwölf an der Zahl – werden nach der Offenbarung die Namen der zwölf Apostel tragen. Mit den einst am goldenen Eingangsgitter aufgehängten Edelsteinen können die zwölf Perlen, aus denen die Tore der Stadt sind, gemeint gewesen sein. Ihre allegorische Bedeutung hat Karl IV. in den bereits zitierten Worten selbst dargelegt. Das Gold, das sich von

Abb. 14 *Hl. Hieronymus,* Heiligkreuzkapelle, Karlstein

den Goldbändern der Inkrustation über die vergoldeten Bildgründe und -rahmen (heute allerdings nicht mehr so lückenlos und in frischem Glanz wie einst) in das Gewölbe zieht, scheint die Vision des Johannes von einer Stadt aus reinem Gold zu spiegeln (Apk 21, 14–18).

Ihres reichen Reliquienbestandes wegen wurde die Heiligkreuzkapelle auch als monumentales oder begehbares Reliquiar angesprochen. Es diente dem Schutz der Reliquien, und diese dienten wiederum dem Schutz des Kaisers und seiner Untertanen. Welche Bedeutung Reliquien in Herrscherhand hatten, konnte Karl IV. schon während seiner Erziehung am französischen Hof (1323 – 1330) erfahren. Aus der Hand des Dauphin sollte er später ein Partikel aus der Dornenkrone Christi erhalten, die man in Paris als kostbarstes Unterpfand der königlichen Macht in der Palastkapelle, in der Sainte-Chapelle, aufbewahrte.

Mit diesem Vorgängerbau und auch anderen Palastkapellen hat die Heiligkreuzkapelle außer der Funktion auch Teile des Ausstattungsprogrammes gemein. Allerdings unterscheidet sich die visuelle Inszenierung. Durch den kontinuierlichen Wandschmuck, die Bildfülle und die Akkumulation von Reliquien ist das Bild des Himmlischen Jerusalems in Karlstein deutlich sichtbar und übertrifft alles Vorangegangene an Pracht und Glanz.

Ganz im Gegensatz zur Sainte-Chapelle, wo große Fenster die Wandflächen auflösen, Licht und Leichtigkeit den Raumeindruck bestimmen, dominieren in der Heiligkreuzkapelle gerade die Wände, die mit einer massiven Schmuckfolie »gepanzert« sind. Über tausend Kerzen erleuchteten einst den Raum, in den das Tageslicht nur schwach eindringen kann. Hier ist nicht wie im Gralstempel aus dem *Jüngeren Titurel,* einer im 14. Jahrhundert vielgelesenen epischen Dichtung des Albrecht von Scharfenberg (um 1270 gedichtet) beschrieben, eine entmaterialisierte Lichtvision gesucht, sondern vielmehr eine ganz materiale Wirklichkeitsnähe angestrebt. Sicherheitsinteressen, die nicht nur die Reliquien und Insignien, sondern vermutlich auch ihren Besitzer betrafen, haben die Abgeschlossenheit und den Tresorcharakter der Kapelle vermutlich mitbewirkt.

Alljährlich wurden die Reliquien auf dem Markt der Prager Neustadt öffentlich ausgestellt. Mit ihrer Verehrung war für den Gläubigen ein Ablaß von drei, seit dem Jahr 1358 sogar einer von sieben Jahren verbunden. Die Reliquien zogen in ihrer Funktion als Gnadenmittel zahlreiche Pilger in die Hauptstadt des Reiches. Dem Kaiser galten sie als religiöses und politisches Unterpfand, das die wirksame Fürsprache aller Heiligen für sein eigenes Heil und für das seiner Untertanen sichern sollte. In der Heiligkreuzkapelle ist idealiter die Gemeinschaft aller Heiligen versammelt, und jeder Heilige ist in Bild und Reliquie gleichermaßen vertreten. Hier wurden die Kulte der einzelnen Lokalheiligen, allen voran des böhmischen Nationalheiligen Wenzel, in einem übergreifenden Kultgeschehen zusammengefaßt. Von dem Identifikationsangebot, das die heiligen Bewohner der Himmelsstadt bereithalten, konnte sich jeder der zeitgenössischen Bewohner des Reiches angesprochen fühlen. Der individuelle Heiligenkult sollte in einer kollektiven Verehrung aller Heiligen aufgehen. Damit wurde ein theologisches Konzept verwirklicht, das auf die historische, politische und auch religiöse Situation in den verschiedenen Landesteilen und auf die Machtansprüche Karls IV. reagierte. Er wußte die integrative Wirkung einer intensiven Heiligenverehrung zu nutzen. Karl verehrte selbst verschiedene Patrone nebeneinander, in dem Bemühen, das Problem der Einheit seines Reiches in der Vielfalt zu lösen[9]. Die Heiligkreuzkapelle als Abbild des Himmlischen Jerusalems ist hierfür ein beredtes Beispiel und zeigt, wie Karl Kunst und Religion im Sinne seines Herrschaftsanspruchs einzusetzen wußte[10].

Die Idee der Himmelsstadt, die vielfach in die mittelalterliche Kunst eingegangen ist, hat in Karlstein eine außergewöhnliche konkrete Umsetzung in reale Architektur erfahren. Der wichtigste Ort der Apokalypse ist nicht nur – wie so häufig – im Bild, Goldschmiedegerät oder aber symbolisch im Kirchenbau veranschaulicht, sondern der Text der Offenbarung ist »beim Wort genommen« und als begehbarer Raum nachgebaut worden. Das weitgehend einheitlich konzipierte Zusammenspiel verschiedener Bildmedien und Materialien kann auch mit der heute vielbeanspruchten Vorstellung vom »Gesamtkunstwerk« beschrieben werden. Für die theologische und künstlerische Konzeption zeichnet der Kaiser persönlich verantwortlich. Es entstand ein Raum, der – so magisch und märchenhaft er auf den heutigen Betrachter wirken mag – fest in der realen Lebenswelt der Zeitgenossen verankert war.

1 Umberto Eco, Der Name der Rose, München 1982 (»Il nome della rosa«, orig. Mailand 1980)
2 ebda., S. 597f
3 ebda., S. 512
4 Zur Heiligkreuzkapelle siehe besonders Karl Möseneder, Lapides vivi, in: Wiener Jahrbuch für Kunstgeschichte, Bd. XXXIV, 1981, S. 39–69 (mit einer ausführlichen Bibliographie zur älteren Literatur)
5 zitiert bei Anton Legner, Karolinische Edelsteinwände, in: Kaiser Karl IV. – Staatsmann und Mäzen, Ausstellungskatalog Nürnberg-Köln 1978/79, S. 358
6 Welislaw-Bibel, Faksimile-Ausgabe, Hrsg. Karel Stejskal, Editio Cimelia Bohemica, vol. XII, Prag 1970, fol. 168 verso
7 zitiert bei Christel Meier, Edelsteinallegorese, in: Die Parler, Ausstellungskatalog Köln 1978, Bd. III, S. 186
8 Für die malerische Ausstattung zeichnet vor allem der Hofmaler Theoderich verantwortlich. Im Jahr 1367 wird er entlohnt, d.h., die Ausstattung muß zu diesem Zeitpunkt fertiggestellt gewesen sein.
9 Reinhard Schneider, Karls IV. Auffassung vom Herrscheramt, in: Historische Zeitschrift, Beiheft N.F. 2, 1973, besonders S. 131ff.
10 Horst Bredekamp, Kunst als Medium sozialer Konflikte, Frankfurt am Main 1975, S. 233ff

Die Apokalypse von Angers

Detlef Maltzahn

In den siebziger Jahren des 14. Jahrhunderts ließ Herzog Louis I. von Anjou, Bruder des Königs Charles V., General-gouverneur des Languedoc und damals einer der einfluß-reichsten Männer Frankreichs, durch die Pariser Werkstätten des Nicolas Bataille eine Folge von monumentalen Wand-teppichen anfertigen, deren Thema die Offenbarung des Johannes, oder – wie die zeitgenössischen Urkunden besagen – die »Geschichte der Apokalypse« (listoire de l'Apocalice) war.

Durch glückliche Umstände sind diese Teppiche, die heute zu den bedeutendsten Kunstwerken des Spätmittelalters gezählt werden, erhalten geblieben. Einige der Szenen fehlen, andere sind nur als Fragmente vorhanden, und die originale Anordnung ist durch Zerschneidungen im 18. und 19. Jahrhundert zunichte gemacht. Der noch existierende Teil der Tapisserie ist jedoch groß genug, um uns eine Vorstellung des ursprünglichen Erscheinungsbildes zu vermitteln.

Den Apokalypseteppichen von Angers kommt schon deshalb eine besondere Bedeutung zu, weil fast alle groß-formatigen Bildwerke aus dieser Epoche, seien es Wand-teppiche oder Wandmalereien, verlorengegangen sind.

Als Werke der franko-flämischen Hofkunst zeigen sie die ehrgeizigen Intentionen eines fürstlichen Auftraggebers, der sich nicht mit einer der traditionellen illuminierten Apokalyp-sehandschriften, die sich mehr für den privaten Bereich eigneten, begnügen wollte, sondern dem es offensichtlich darauf ankam, die Prophezeiungen von den letzten Dingen in einem lebensgroßen Maßstab als transportablen und prestigeträchtigen Wandschmuck um sich zu haben. Sie zeigen außerdem, wie ein Künstler, der uns vor allem als Miniaturenmaler faßbar ist, die Aufgabe meisterte, einen monumentalen Zyklus zu gestalten. Er mußte zu diesem Zweck neue, dem textilen Medium angepaßte Ausdrucks-formen finden. Schließlich sind die Angers-Teppiche eines der wenigen erhaltenen Beispiele für die damals blühende Produktion der Pariser Werkstätten.
Im folgenden sollen in knapper Form die wichtigsten Fakten aufgeführt werden, die für das Verständnis der Teppiche von Belang sind.

Herzog Louis I. von Anjou ist in den Quellen als Auftraggeber ausdrücklich genannt. Am 23. Juli 1339 wird Louis in Vin-cennes als zweiter Sohn König Jeans II. geboren. Seine Brüder sind Charles (der spätere Charles V.), Jean (der spätere Herzog von Berry) und Philipp (der spätere Herzog von Burgund). Durch seine Mutter Bonne von Luxemburg ist Louis ein Neffe von Kaiser Karl IV. von Deutschland. Er erbt

die Grafschaften Anjou und Maine sowie mehrere Baronien und kleinere Herrschaften.

1356, im Alter von 17 Jahren, erlebt Louis als Augenzeuge die Schlacht von Poitiers, die mit einer schweren französi-schen Niederlage endet. Sein Vater, König Jean, gerät in englische Gefangenschaft. Im führerlosen Frankreich kommt es zu Rebellionen, die Bevölkerung ist verarmt, weite Teile des Landes sind von den Engländern besetzt. Erst 1360 wird Jean gegen das Versprechen zur Zahlung hoher Lösegeldsummen und Kriegskontributionen (Vertrag von Brétigny) aus der englischen Gefangenschaft entlassen, in die sich nun aber, sozusagen im Ausgleich, seine drei Söhne Louis, Jean und Philipp begeben müssen, bis das Geld vollständig gezahlt ist. Louis gelingt es 1362 unter einem Vorwand, in seine Heimat zurückzukehren. Von 1363 an betreibt er seine eigenständige Politik. Bereits 1360 war seine Grafschaft Anjou zum Herzogtum erhoben worden, und im gleichen Jahr hatte er eine vorteilhafte Ehever-bindung mit Marie de Châtillon (bzw. de Bretagne) geschlos-sen. Zielstrebig und skrupellos macht er sich an den Ausbau der eigenen Hausmacht, die chaotischen Zustände im Land bieten ihm dazu ideale Voraussetzungen. 1365 wird er von Charles V., der seit 1364 König ist, zum Gouverneur des Languedoc ernannt. Die folgenden Jahre sind geprägt von häufigen Feldzügen, Belagerungskampagnen, wechseln-den Allianzen, Intrigen. In dieser Zeit beginnt Louis, wie seine Brüder und immer im Wettbewerb mit ihnen, sich als Mäzen zu profilieren. Er betätigt sich als Bauherr, sammelt kostbare Handschriften, entfaltet eine glänzende Hofhal-tung, vergibt im großem Umfang Aufträge zur Herstellung von Wandteppichen, erwirbt Reliquien, darunter einen Splitter vom Wahren Kreuz, und gründet seinen eigenen Ritterorden. 1380 ist er auf dem Höhepunkt seiner Macht. Er übernimmt nach dem Tod Charles V. die Regentschaft im Namen des unmündigen Charles VI. (bis 1382) und wird außerdem zum Anwärter auf den neapolitanischen Königs-thron designiert. Die Krönung zum König von Neapel erfolgt 1382 in Avignon. Louis zieht mit einem Heer nach Italien, um sich sein neues Reich zu erobern. Das Vorhaben mißlingt, Louis stirbt am 21. September 1384 in Bari.

Die erhaltenen Rechnungsbücher der herzoglichen Kanzlei (heute in Paris, Arch. Nat. K.K. 242) enthalten drei Zahlungs-belege für Vorarbeiten, d. h. Entwürfe und Kartons, und für Arbeiten an den Teppichen selbst.

– Im April 1377 quittiert Nicolas Bataille den Empfang von 1000 francs für die Herstellung von zwei Tapisserie-stücken mit der Geschichte der Apokalypse. Er hat sie für den Herzog, der dazu den Auftrag (mendement) gegeben hatte, gewirkt (bzw. wirken lassen).

– Im Januar 1377 (d. h. im Januar 1378 unserer Zeitrechnung, denn das neue Jahr begann im März) quittiert Hennequin von Brügge (alias Jean Bondol), »Maler des Königs, unseres Herrn«, den Empfang von 50 francs. Er erhält das Geld für Bilder (portaiteures) und Kartons (patrons), die er, auf Anweisung des Herzogs, für die Apokalypseteppiche schon gemalt hat oder noch anfertigen muß.

– Im Juni 1379 quittiert Bataille den Erhalt einer Summe von 3000 francs für drei weitere Teilstücke der Apokalypseteppiche, die er Weihnachten 1379 liefern soll.

Damit kennen wir den Auftraggeber, den entwerfenden Künstler, den ausführenden Wirker und den Ort der Herstellung. Außerdem haben wir Angaben über die Anzahl der Teppiche, die Kosten dafür, über Liefertermine und Vertragsmodalitäten.

Die Rechnungsbücher enthalten noch andere Quittungen für Zahlungen an Hennequin von Brügge und an Nicolas Bataille. Da in diesen Quittungen die Apokalypseteppiche aber nicht ausdrücklich erwähnt sind, ist ein Zusammenhang fraglich. Bataille, der sich zu dieser Zeit schon vom Wirkermeister zum Meisterwirker und Großkaufmann emporgearbeitet hatte, lieferte dem Herzog nämlich nicht nur die Apokalypseteppiche, sondern auch noch »Die Geschichte der Esther«, »Die Geschichte der Passion«, »Die Darstellung der Temperamente«, »Die Geschichte Hektors« usw. Es ist gut möglich, daß Hennequin von Brügge auch für diese Arbeiten die Entwürfe geschaffen und Zahlungen erhalten hat.

Die in einem mittelalterlichen Kanzleifranzösisch abgefaßten (und nicht ganz einfach lesbaren) Quellen werden von der Forschung unterschiedlich interpretiert. Darüber, wie viele Teilstücke der ganze Zyklus umfaßte und in welchem Zeitraum diese hergestellt wurden, gehen die Meinungen auseinander. Fest steht nach den Quellen: Der Künstler, den der Herzog mit der Konzeption des Apokalypseprogramms und der Anfertigung der Vorlagen beauftragte, war der Maler des Königs, Hennequin von Brügge. Er hatte im Januar 1378 einen Teil der Bilder und Kartons fertiggestellt. Der ausführende Wirker war Nicolas Bataille aus Paris. Er lieferte vertragsgemäß im April 1377 zwei Teppiche und verpflichtete sich im Juni 1379, zu Weihnachten desselben Jahres drei weitere Teppiche zu liefern. Zwischen 1377 und 1379 sind also fünf Teppiche vollendet worden.

Unklar ist das Herstellungsdatum des 6. bzw. 7. Teppichs. Dieses geht aus den Quellen nicht hervor.
Auch die Kostenfrage ist nicht geklärt: Wenn Bataille 1379 für drei Stücke eine Vorauszahlung (vermutlich wegen der hohen Materialkosten) von 3000 francs bekam, also pro Stück 1000 francs, waren die 1000 francs, die er 1377 nach Ablieferung von zwei Stücken bekam, dann eine Nachzahlung? Und stellen die 50 francs, mit denen Hennequin von Brügge 1378 entlohnt wurde, sein gesamtes Honorar oder nur einen Teil davon dar?

Es gibt nur wenige mittelalterliche Kunstwerke, deren Geschichte so gut dokumentiert ist wie die der Apokalypseteppiche von Angers. Im Jahre 1400 schmücken sie anläßlich der Hochzeit von Louis II. von Anjou mit Yolande von Aragon den Festsaal im erzbischöflichen Palast zu Arles. 1442 vererbt Yolande die Teppiche ihrem Sohn René von Sizilien, der in seinem Testament vom 22. Juli 1474 bestimmt, daß die Teppiche nach seinem Tod der Kathedrale St. Maurice in Angers gehören sollen. Dorthin werden sie im Juli 1480 überführt, nachdem König Louis XI. dem Domkapi-

tel gestattet hat, das Erbe anzutreten. Die Kathedralakten verzeichnen den Erhalt von sechs Teppichen, die, nach der Formulierung in Renés Testament, »alle Figuren und Visionen der Apokalypse darstellen«. In den folgenden Jahrhunderten werden sie an hohen kirchlichen Feiertagen oder bei wichtigen Empfängen im Langhaus und Querhaus aufgehängt. Sie sind der berühmteste Besitz der Kathedrale. Eine Schrift aus dem Jahre 1533 bezeichnet sie als die schönsten und größten Teppiche des Königreiches. Im 18. Jahrhundert beginnt man, die Teppiche als unmodern und störend zu empfinden. 1767 beschließt das Domkapitel, sie nicht mehr zu verwenden. 1782 sollen sie verkauft werden, es findet sich jedoch kein Interessent. Die ausgemusterten Teppiche, für die sich niemand zuständig fühlt, verkommen. In Einzelteile zerstückelt, werden sie in Gärtnereien, beim Gemüseanbau, in Pferdeställen oder bei Malerarbeiten als Abdeckplanen verwendet, bis 1843 der kunstsinnige Bischof Angebault ihre Bedeutung erkennt und alle noch auffindbaren Stücke für 300 francs kauft. Mit der Restaurierung wird Abbé Joubert betraut, der 15 Stücke mit insgesamt 58 Szenen in Empfang nimmt.
Er berichtet: Jeweils vier Szenen sind zusammengenäht, das Ganze ist »ohne Ordnung und in einem sehr unbefriedigenden Zustand«. Weitere zehn Szenen und Fragmente werden gefunden; 1858 ist das Restaurierungswerk abgeschlossen. Im Zeichen der Gotik-Begeisterung sind die Teppiche auf der Pariser Weltausstellung von 1867 eine Sensation. 1870 hängen sie wieder an ihrem alten Platz in der Kathedrale von Angers.

Schließlich wird der zum Nationaleigentum erklärte Zyklus 1948 dem »Service des Monuments Historiques« übergeben. Seit 1954 sind die Teppiche im Schloß von Angers ausgestellt.

Der gesamte Apokalypsezyklus bestand aus sechs Einzelteppichen von gleicher Größe. Sie bildeten ein zusammenhängendes Bildprogramm, das die Johannes-Offenbarung »mit allen Figuren und Visionen« in 84 Szenen darstellte. Gesamtkomposition und Darstellungsmodus folgten einem einheitlichen Konzept, um den inneren Zusammenhang zu begründen und anschaulich zu machen. Wie sahen die Teppiche damals aus, und wie mögen sie gewirkt haben?

Die Wirkung kann ein heutiger Betrachter in Angers nachvollziehen, wenn er die 1954 eigens zu diesem Zweck errichtete Ausstellungsgalerie im Schloß betritt, wo die Teppiche nicht nur hervorragend präsentiert, sondern regelrecht inszeniert sind. Die Anordnung der zwischenzeitlich in einzelne Stücke zerschnittenen Tapisserie stellt jedoch einen Rekonstruktionsversuch des 19. Jahrhunderts dar und scheint nicht unproblematisch zu sein. Versetzen wir uns deshalb für einen Augenblick in das Jahr 1400: In Arles findet die Hochzeit Louis II. statt. An den Wänden des Festsaals im erzbischöflichen Palast sind die »noblen und schönen« Apokalypseteppiche aufgehängt. Sie beeindrucken allein schon durch ihre erstaunliche Größe. Jedes Teilstück mißt ca. 6 × 24 Meter. Der ganze Zyklus hat eine Länge von 145 Metern.

Alle Teppiche sind nach dem gleichen Prinzip strukturiert. Am unteren Rand sieht man einen breiten Geländestreifen mit Tieren und blühenden Pflanzen, der eine Art Bühne bildet. Ganz links, am Anfang, steht eine große Baldachinarchitektur. Der spitze Giebel und die schlanken Fialen ragen fast bis an den oberen Rand des Teppichs. Auf dem Dach halten zwei Engel Fahnen in den Händen. Eine der Fahnen ist mit den Anjou-Lilien geschmückt, auf der anderen erkennt man ein Doppelbalkenkreuz, das Zeichen des Ordens vom Heiligen Kreuz, den Louis I. von Anjou gegrün-

Abb. 15 *Der Drache und das Sonnenweib.* Apokalypse von Angers

Abb. 16 *Die Anbetung des Tiers aus dem Meer.* Apokalypse von Angers

Abb. 17 *Die fünfte Posaune.* Apokalypse von Angers

det hat. Unter dem Baldachin sitzt auf dem Thron eine würdevoll wirkende, große, bärtige Figur, die in das Studium eines Buches vertieft zu sein scheint. Durch ihre nach rechts gewandte Körperhaltung weist sie in die Richtung des nun folgenden, architektonisch aufgebauten Rahmengefüges, das den gesamten Rest des Teppichs einnimmt. Hierin sind in einem doppelstöckigen Register mit jeweils sieben querrechteckigen Feldern 14 Szenen der Apokalypse aneinandergereiht. Von den einfarbigen, abwechselnd dunkelblauen und tiefroten Hintergründen heben sich die Figuren, die Pflanzen, Gegenstände und Kulissen mit heraldischer Deutlichkeit ab. Alles macht einen prägnanten Eindruck. Die Figuren fordern durch ihr lebhaftes Mienenspiel zur Anteilnahme auf. Die Eindringlichkeit ihrer Gesten wird durch Kompositionen, die jeweils den statischen oder dramatischen Charakter der Begebenheit betonen, noch gesteigert. Spruchbänder und eine Fülle von Symbolen unterstützen den lehrhaft eindeutigen Charakter der Darstellungen. In schmalen Rahmensegmenten unter den Bildfeldern stehen zur weiteren Verdeutlichung korrespondierende Schriftzeilen aus dem Johannes-Text. Johannes tritt in jeder Szene als Augenzeuge auf und kommentiert durch Gestik und Gesichtsausdruck das Geschehen. Über dem Szenenregister folgt als oberer Abschluß ein breiter Himmelsstreifen mit Wolkenbändern und musizierenden Engeln.

Beim sechsten Teppich ist eine Änderung des Konzepts zu beobachten: Der Lesende ist nicht links, am Anfang, sondern rechts also am Schluß plaziert. Folgerichtig blickt er zurück, d.h. nach links. In ihm schließt sich der Zyklus. Die Forschung hat seit langem erkannt, daß die Bildvorlagen für die Szenen der Apokalypseteppiche aus dem Bereich der Buchmalerei stammen. Ein entscheidender Hinweis findet sich in den Inventaren der Königlichen Bibliothek in Paris. Eine im Inventar von 1373 aufgeführte Apokalypsehandschrift »auf Französisch mit allen Figuren und Geschichten« ist 1380, wie wir aus einer in diesem Jahr angebrachten Randnotiz erfahren, an Herrn von Anjou »zur Anfertigung seines Teppichs« verliehen. 1411 heißt es erneut, das Buch sei von »König Charles dem Herrn von Anjou zur Anfertigung seines schönen Teppichs« ausgeliehen worden. Dieser Kodex, der sich heute als Ms. Fr. 403 in der Bibliothèque Nationale befindet, kehrt erst 1492, bezeichnenderweise aus Brügge, in den Louvre zurück.

Ms. Fr. 403, entstanden um 1245–1255 im Skriptorium von Salisbury, gehört zu den ältesten englischen Apokalypsen der Gotik und wird zur sogenannten »Morgan«-Gruppe gerechnet, deren Bildformulierungen alle späteren Apokalypsen des englischen und nordfranzösischen Kulturkreises entscheidend beeinflußten. Der Kodex enhält etwa 80 halbseitige, querrechteckige Illustrationen zur Apokalypse, darunter jeweils den französisch geschriebenen Text und einen französischen Kommentar.

Von dieser Handschrift wissen wir also, daß Louis von Anjou sie Hennequin von Brügge als Vorlage zur Verfügung stellte, und zwar nach 1373 und vor 1380. Der Vergleich zeigt jedoch außer den großen stilistischen Unterschieden, die bei einem zeitlichen Abstand von ca. 120 Jahren nicht ausbleiben konnten, daß Hennequin auch noch andere Vorlagen benutzt haben muß.

In Bezug auf die Szenenauswahl, die Ikonographie und das Bildformat lehnt er sich eng an Ms. Fr. 403, dessen Bildtypen schließlich durch eine altehrwürdige Tradition geheiligt waren, an. Auch einige der Kompositionen sind ziemlich wörtlich zitiert. Insgesamt scheinen ihn aber einige jüngere Handschriften (z.B. Ms. 483 in der Bibl. Mun., Cambrai; Ms. 38 in der Bibliothek in Metz; Ms. Lat. 14410 in der Bibl. Nat., Paris) im Hinblick auf die Kompositionen und Inszenierungsmittel stärker beeinflußt zu haben. Fest steht, daß Hennequin eine ganze Anzahl illuminierter Apokalypse-Handschriften kannte und als Vorlage für das von ihm zu entwerfende Programm benutzte. Die Vorlagen lieferten ihm eine Grundkomposition und eine ikonographisch abgesicherte Fassung des jeweiligen Sujets. Sie waren eine Art Rohmaterial, das er nach seinem persönlichen Vermögen und gemäß der ihm gestellten Aufgabe im Zeitstil umformen konnte. Es scheint nicht unmöglich, daß der Herzog, der sich häufig in Paris aufhielt, bei der Auswahl der Vorlagen für die einzelnen Szenen mitwirkte. Die große Figur des Lesenden ist in der Buchmalerei übrigens ohne Parallele.

Eine genaue Untersuchung des Verhältnisses der Angers-Apokalypse zu ihren Vorlagen steht noch aus. Aufgrund des oben skizzierten Abhängigkeitsverhältnisses zur Buchmalerei werden die Teppiche in der Literatur häufig als »Monumentale Buchmalerei« charakterisiert, also mit einem widersprüchlichen Terminus belegt, der das richtige Verständnis der Angers-Apokalypse eher erschwert.

Die Apokalypse von Angers gehört zu den Frühwerken der Bildteppichwirkerei in Frankreich. Die seit Beginn des 14. Jahrhunderts in Paris bestehenden Werkstätten hatten nur heraldische Behänge hergestellt. Ihre Produkte fanden bei der prachtliebenden Oberschicht einen immer besseren Absatz. Etwa in der Mitte des Jahrhunderts gingen die Werkstätten offensichtlich dazu über, auch Bildteppiche zu wirken.

Schon König Jean II. hatte, zum Leidwesen seiner Finanziers, die seine Verschwendungssucht beklagten, mehr als 300 Wandteppiche angehäuft. Sein Sohn Louis I. scheint diese Vorliebe geerbt zu haben, doch auch seine Brüder vergaben umfangreiche Aufträge. Mit dem ehrgeizigen und äußerst kostspieligen Apokalypseprojekt hatte Louis I. sie jedoch beide übertroffen. Philipp von Burgund beeilte sich daraufhin, in Arras einen eigenen Apokalypsezyklus, der übrigens auch aus sechs Teppichen bestand, zu bestellen.

Von all den Teppichen, die in der 2. Hälfte des 14. Jahrhunderts für zumeist fürstliche Auftraggeber gewirkt wurden, hat sich nur ein sehr kleiner Teil erhalten. Außer der Apokalypse von Angers besitzen wir noch den mit ihr in stilistischer Hinsicht eng verwandten *Neun-Helden-Teppich* in New York (Metropolitan Museum, Cloisters Collection) und ein kleines Fragment in Brüssel (Museés Royaux d'Art et d'Histoire) mit der *Darbringung im Tempel*.

Der geringe Restbestand macht es schwer, die Bedeutung dieser in der 2. Hälfte des 14. Jahrhunderts so wichtigen Kunstgattung zu ermessen, die – wie in der Buchmalerei – ganz vom fürstlichen Mäzenatentum abhängig war.

Die Apokalypseteppiche von Angers sind Werke der franco-flämischen Hofkunst par excellence. Schon durch ihr Material weitaus kostbarer als Wandmalereien, dabei von ähnlicher monumentaler Wirkung und außerdem noch transportabel, waren sie geeignet, die Zeitgenossen in Erstaunen zu versetzen und das Ansehen des Besitzers zu steigern. Zu dem lehrhaft-moralisierenden Charakter des christlichen Bildprogramms gesellte sich, sozusagen als

zweite Komponente, ein höfliches Flair von Luxus und Mode, welches sich in einem besonderen, auch in der Buchmalerei der Zeit anzutreffenden Stil ausdrückt.

Literaturhinweise

L. Delisle, P. Meyer, L 'Apocalypse en francais au XIIIe siècle, Paris, 1901
L. de Farcy, Monographie de la Cathédrale d'Angers, Le Mobilier, Angers 1901
J. Guiffrey, Nicolas Bataille, tapissier parisien du XIVe siecle, auteur de la tapisserie de l'Apocalypse d'Angers, Paris 1877
W. Hansmann, Die Apokalypse von Angers, Köln 1981
D. Heinz, Europäische Wandteppiche, Braunschweig 1962
M. R. James, The Apocalypse In Art, London 1931
D. King, Textilkunst um 1400, in: Europäische Kunst um 1400, Wien 1962
D. King, How Many Apocalypse Tapestries?, in: Studies in Textile History. In Memory of Harald B. Burnham (Ed. V. Gervers) Toronto 1977
J. Lestocquoy, Deux Siècles de l'Histoire de la Tapisserie (1300–1500), Arras 1978
M. Meiss, French Painting In The Time Of Jean De Berry. The Late Fourteenth Century And The Patronage Of The Duke, 2 Vols., London 1967
R. Planchenault, L 'Apocalypse d'Angers, Paris 1966
G. Souchal, The Apocalypse, in: Masterpieces of Tapestry from the Fourteenth to the Sixteenth Century, Kat. Metropolitan Museum of Art, New York 1974
B. Tuchman, A Distant Mirror. The Calamitous 14th Century, Harmondsworth 1979
G. T. van Ysselsteyn, Tapestry. The Most Expensive Industry Of The XVth And XVIth Centuries, The Hague, Brussels 1969

Aus der Apokalypse-Ikonographie: Der Erzengel Michael

Susanne Pfleger

Der in der Johannesoffenbarung geschilderte Kampf des Erzengels Michael gegen den Drachen gründet auf einem Urmythos der Menschheit, dem Kampf des Guten gegen das Böse. Es gibt daher in der Religionsgeschichte eine lange Reihe michaelsähnlicher Geist- und Göttergestalten, denn alle Religionen künden von dem Weltkampf zwischen der Fülle und dem Nichts, dem Lichthelden und der Macht der Finsternis. Im Christentum symbolisiert der Drachenkampf Michaels das verbindliche Bild und Zeichen der letzten, entscheidenden Auseinandersetzung Gottes mit seinem Widersacher und ist somit eine der zentralen Aussagen der Apokalypse.

»Und es erhob sich ein Streit im Himmel: Michael und seine Engel stritten mit dem Drachen und der Drache stritt und seine Engel. Und diese siegten nicht, auch ward ihre Stätte nicht mehr gefunden im Himmel. Und es ward ausgeworfen der große Drache, die alte Schlange, die da heißt der Teufel und Satan, der die ganze Welt verführt und ward geworfen auf die Erde und seine Engel wurden auch dahin geworfen.« (Apk 12,7–9)

Diesen eschatologischen Kampf schildern anschaulich die illustrierten Apokalypsen, die seit dem 9. Jahrhundert entstehen. Doch schon sehr früh, vereinzelt schon um 800,

Abb. 18 *Der Erzengel Michael.* Menologium des Kaisers Basilius II., Byzanz, um 1100

wird im Westen der Drachenkampf zu einem Hauptthema der Michaelsdarstellungen, der christlichen Kunst überhaupt. Er löst sich aus dem Kontext der Apokalypse und wird zu einem selbständigen Bildtypus. Michael erscheint dabei in den älteren Darstellungsweisen des Drachenkampfes, wie das Beispiel byzantinischer Miniaturen zeigt, im priesterlichen Gewand (Abb. 18). In der Rechten hält er nur einen Stab als Waffe, während die Linke das Gewand zusammenhält. Vor der Hoheit dieses Gottesboten stürzt der Satan zu Boden. Nicht die Waffe, sondern die durch Michael repräsentierte göttliche Majestät zwingt den Höllenfürsten zu Füßen des Engels. Die dramatische Ausgestaltung des Drachenkampfes erhielt ihre Impulse wohl vom Norden her. Im Laufe des Mittelalters setzte sich das Drachenkampfmotiv immer entscheidender in der Darstellung Michaels auf Miniaturen, Fresken und in den Tympanabildern durch. Aus dem überlegenen, feierlichen »Stehen« Michaels wurde ein wilder, dramatischer Kampf. Michael erscheint nun als ein Ritter im zeitgenössischen kriegerischen Gewand (Abb. 19). Er ist gepanzert wie zu einer Schlacht. Der Kreuzstab wandelt sich erst zur Lanze, dann zum Schwert. Auch der Drache ändert seine Gestalt. Aus dem siebenköpfigen Untier zu Füßen seines Überwinders wird ein einköpfiger, züngelnder und feuerspeiender Drache, obwohl in der christlichen Frühzeit nicht das Feuer, sondern das Wasser als Satanselement galt.[1]

Innerhalb des Themenkreises Apokalypse kommt der Darstellung des Michaelkampfes eine besondere Stellung zu. Die Ausstellung befaßt sich daher in einer eigenen Abteilung mit dem Gestaltwandel dieses Motivs.

Die letzte Miniatur des Stundenbuches des Duc de Berry zeigt den Michaelskampf über der Abtei Mont St.Michel, dem berühmtesten Bauwerk, das den Namen des Erzengels trägt (Kat.-Nr. 9). Die Gründung von Mont St. Michel geht zurück auf den Bischof Aubert von Avranches, dem Michael im Jahr 708 dreimal im Traume erschienen war, um ihn zur Erbauung eines Heiligtums auf dem wüsten, wasserlosen »Mons tumba« zu drängen. Erst nachdem der Bischof bei der dritten Erscheinung durch den Engel eine Kopfwunde empfangen hatte, begann er auf der Insel die geforderte Kapelle zu bauen. Sie wurde später der Kern eines Benediktinerklosters, aus dem in der Gotik die heute noch bestehende Michaelsburg hervorging. Der Herzog Jean de Berry, der den Hl. Michael sehr verehrte, ist mindestens zweimal mit seinem Neffen, König Karl VI., dorthin gepilgert.

Die Miniatur zeigt eine genaue Vedute des Felsens bei Ebbe. Barken mit aufragendem Bug und sogar ein aufgetakeltes Segelschiff liegen auf dem Trockenen. Der spitze Felsen

Abb. 19 *Kampf der Engel mit dem Siebenköpfigen Drachen.* Wandmalerei in S. Pietro al Monte a Civate, Ende des 11. Jahrhundert

rechts ist die Insel Tombelaine, ein vorchristliches Heiligtum. Über dieser friedlichen Ansicht tobt in der Luft der Kampf zwischen Michael und dem Drachen.

Den schon besiegt auf der Erde liegenden Satan präsentiert der Stich Martin Schongauers (Kat.-Nr. 10). Die Gestalt des Teufels wird hier sehr phantasiereich und originell geschildert. Der Körper des Ungeheuers ist mit Stacheln und Haaren überzogen, auf dem Kopf trägt es Hörner. Mit Vogelkrallen und Hummerscheren versucht es sich gegen Michael zu wehren. Der Engel hat den linken Fuß auf den Oberkörper des Drachen gesetzt und stößt ihm mit beiden Händen die Lanze in den Rachen. Der flatternde Mantel und die weiten Gewandfalten unterstreichen seine Körperbewegung. Schongauer schildert hier weniger einen theatralischen Kampf, sondern zeigt den Moment des Sieges und gibt der Szene so monumentalen Charakter. Die technische Qualität des Stiches zeigt einmal mehr das Streben des Maler-Stechers Schongauer nach reichem künstlerischem Ausdruck der zeichnerischen Mittel. In breiten Schraffenlagen führt er die Linie über die Form und arbeitet mit einer körperhaft modellierenden Binnenzeichnung Plastizität heraus.

An der Sticheltechnik Schongauers geschult hat sich neben vielen anderen auch der Goldschmied und Stecher Israhel van Meckenem.[2] Seine Darstellung des Hl. Michael (Kat.-Nr. 11) zeigt den Engel in voller Ritterrüstung ausgestattet mit Schild und Schwert. Mit der Rechten holt er zum Schlag gegen den am Boden liegenden Widersacher aus. Ganz bizarr und ungewohnt gestaltet van Meckenem die Figur des Satans. Er ist relativ klein und hat keine Flügel. Unter der Teufelsfratze sitzt auf dem Oberkörper ein menschliches Antlitz, während ein zweiter Kopf hinter Michaels Schild hervorlugt. Verzweifelt windet sich das Ungeheuer unter dem beherrschenden Tritt des Erzengels.

Abb. 20 Christoph Schwarz, *Sieg des Erzengels Michael über Luzifer.* Hochaltargemälde in St. Michael in München, 1587/88

Abb. 22 Franz Pforr, *Hl. Michael* (Kopie nach einem Umrißstich Raffaels)

Der mit der Gestalt Michaels ausgedrückte Triumph über das Böse gab dem Kult des Heiligen während der Gegenreformation einen ganz besonderen Aufschwung. Der Anführer des himmlischen Heeres, der Luzifer und die aufständischen Engel besiegt, symbolisierte in den Augen der Jesuiten den Triumph der katholischen Kirche gegen das Ungeheuer der protestantischen Häresie. Man weihte dem Erzengel daher so bedeutende Kirchen wie St. Michael in Wien und St. Michael in München.

Für die Münchner Kirche schuf Christoph Schwarz 1587/88 ein Hochaltargemälde, das den Sieg des Erzengels Michael über Luzifer dramatisch in Szene setzt[3] (Abb. 20). Die Ausstellung zeigt eine Ende des 16. Jh. entstandene Radierung Johann Weiners nach diesem Gemälde (Kat.-Nr. 12). Im Zentrum schwebt lichtumstrahlt der siegreiche Engelsfürst. Sein leuchtend weißes Inkarnat hebt sich von dem entblößten, bräunlich dunklen Körper des unterlegenen Satans ab. Das Gefieder des vormals schönsten aller Engel ist zerzaust und angesengt; aus seinem krausen Haar züngeln die ersten Schlangen, und an Zehen und Fingern zeigen sich schon Krallen. Feurigen Atem stößt er vergebens gegen den durch das Kreuzdiadem ausgezeichneten Engel des Herrn.

Darstellerisches Vorbild für das in der Neuzeit so beliebte Motiv des Gegenüber von Erzengel Michael und stürzendem Luzifer bleibt durch drei Jahrhunderte hindurch das Gemälde Raffaels von 1518 (Abb. 21). Auch der um 1790 entstandene Entwurf von Franz Sigrist d.Ä. (Kat.-Nr. 13) ist teilweise noch Raffael verpflichtet[4]. Vor allem die Haltung des Engels, die Stellung der Beine – das eine als durchgestrecktes Standbein gegeben, das andere schwingt im Knie leicht angewinkelt nach hinten – wird übernommen. Anstelle der Lanze hält Michael bei Sigrist in der Linken das Schild und schwingt mit der erhobenen Rechten das Flammenschwert. Die Aktion des Engels ist frontal zum Betrachter ausgerichtet, Unterkörper und Beine sind in die Vertikale gebracht, während der Oberkörper eine starke Torsion vollführt, so daß eine »figura serpentinata« entsteht. Die quergelagerte Masse des Stürzenden gibt der Komposition den nötigen Halt.

Kopierend setzt sich im 19. Jahrhundert der Nazarener Franz Pforr mit der Michaelsdarstellung Raffaels auseinander. Die Federzeichnung nach einem Umrißstich (Abb. 22) gibt sehr treffend die fast tänzerische Leichtigkeit und Eleganz der Pose Michaels wieder. Zu einem kriegerischen Kampfgetümmel gestaltet Schnorr von Carolsfeld die Apokalypseszene des Drachenkampfes in seiner Bibelillustration aus (Kat.-Nr. 14). Himmlische Heerscharen, die von dem gerüsteten Michael angeführt werden, kämpfen gegen geflügelte Ungeheuer der Unterwelt. Schnorr stellte an seine Bibelillustrationen den Anspruch »eines überweltlichen und allgemeinen Zuschnitts«. Diese Forderung entspricht dem außerordentlichen Symbolwert des Drachenkampfes. Die Szene des Kampfes zwischen Michael und dem Drachen als Ausdruck des Guten gegen das Böse bleibt daher bis in die Kunst der Gegenwart hinein aktuell und wird innerhalb zyklischer Darstellungen der Apokalypse immer als betonenswert erfahren, wie die Beispiele der Apokalypse-Illustrationen von Corinth (Kat.-Nr. 15) und Jan Koblasa (Kat.-Nr. 16) bezeugen.

1 A. Rosenberg, Engel und Dämonen, München 1967, S. 92–107
2 H. Robels, Israhel van Meckenem und Martin Schongauer, in: Israhel van Meckenem und der deutsche Kupferstich des 15. Jahrhunderts, Bocholt 1972, S. 31–51
3 K. Wagner/A. Keller, St. Michael in München, München 1983
4 B. Matsche-von Wicht, Franz Sigrist 1727–1803, Weißenhorn 1977

Abb. 21 Raffael, *Hl. Michael,* 1518 (Louvre, Paris)

Gebrüder Limburg

9

Les Très riches Heures du Duc de Berry
um 1415

Mont St. Michel

Malerei auf Pergament, 22,5 × 17 cm
Chantilly, Musée Condé
(Faksimile der Universitätsbibliothek Heidelberg)

Martin Schongauer

10

Hl. Michael   um 1480

Kupferstich, 16,2 × 11,3 cm
Kunstmuseum Düsseldorf, Graphische Sammlung

Israhel van Meckenem

11

Hl. Michael   o. J.

Kupferstich, 13,6 × 8,7 cm
Hamburger Kunsthalle

Johann Weiner

12

Sturz der Verdammten

Radierung, 35,8 × 23,8 cm
Hamburger Kunsthalle

Franz Sigrist d.Ä.

13

Engelssturz   um 1790

Ölgrisaille auf Papier, 19 × 15 cm
Städtische Kunstsammlungen Augsburg

Julius Schnorr von Carolsfeld

14

Hl. Michael

In: *Die Bibel in Bildern*
Holzschnitt, 21,4 × 25,6 cm
Württembergische Landesbibliothek Stuttgart
(siehe auch Kat.-Nr. 62)

Lovis Corinth

15

Der Hl. Michael   1923

Kaltnadelradierung, 23,2 × 17,3 cm
Pfalzgalerie Kaiserslautern

Jan Koblasa

16

Streit Michaels mit dem Drachen   1967/68

(zu: Apokalypsis)
Radierung, 64,6 × 49,6 cm
Galerie Hennemann, Bonn
(siehe auch Kat.-Nr. 78)

Martin Schongauer, *Der Hl. Michael* (Kat.-Nr. 10)

Gebrüder Limburg, Les Très riches Heures. *Mont St. Michel* (Kat.-Nr. 9)

Israhel van Meckenem, *Hl. Michael* (Kat.-Nr. 11)

Johann Weiner, *Sturz der Verdammten* (Kat.-Nr. 12)

Franz Sigrist d. Ä., *Engelssturz* (Kat.-Nr. 13)

Julius Schnorr von Carolsfeld, *Hl. Michael* (Kat.-Nr. 14)

Lovis Corinth, *Der Hl. Michael* (Kat.-Nr. 15)

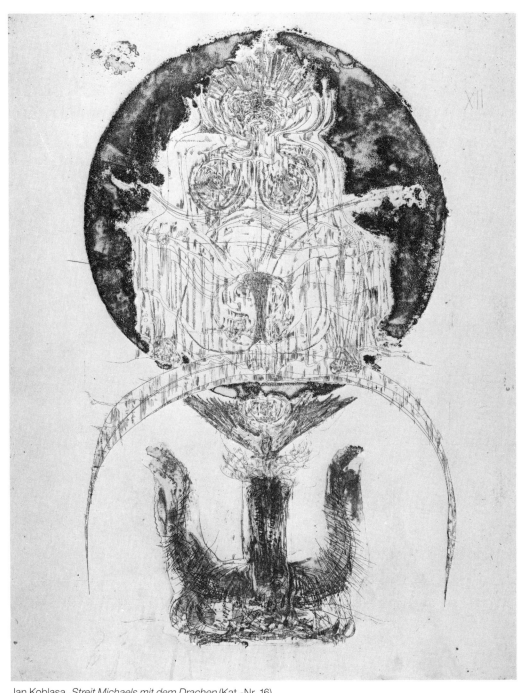

Jan Koblasa, *Streit Michaels mit dem Drachen* (Kat.-Nr. 16)

starcken engel predigēd mit einer grossen stym/
me. Wer ist wirdig auff zethun das buch vnnd
auff zelōsen seine insigel. Vñ keiner mocht we/
der im hymel noch auff der erden. noch vnder d
erde. auffthun das buch. noch es gesehen. Vñ
ich weynet vil dz keiner was funde wirdig auff
zethun das buch. noch es zesehen. Vnnd einer
von den alten sprach zu mir. Nit weyn. sih der
leo von dem geschlecht iuda dy wurtzel Dauid
hat vberwunden auffzethun das buch vñ auff/
zelōsen seine siben insigel. Vñ ich sah. vnd seht
in mitt des throns. vnd der vier tyer. vnd in mitt
der alten ein lamb steen als erschlagen. das het
siben hōrner. vnd siben augen. die da sind die si
ben geyst gotz gesant auff all erde. Vñ es kam
vñ nam dz buch von der gerechtē des sitzendē
auff dem thron. Vnd da er het auffgethan das
buch. Die vier tyer. vnd dy vierundzweyntzig al
ten vielen nider für das lamb. vnd het ir yeglich
er harpffen vñ guldin schenckuaß vol wolriech/
ends geschmacks. das sind die gebet der heyli/

gen. vñ sungen einen newen gesang sagēd. Her
re du bist wirdig auffzethun das buch. vñ auff
zelōsen seine insigeln. wann du B. ist erschlagen.
vnd hast vns erlōst got in deinem blut auß allē
geschlecht. vnd zungen. vnd volck. vñ geburt. vñ
du hast vns gemachet ein reych vnd priester. vñ
sie werdē regieren dē vmbschweyff des throns
vnd der tyer. vnd der alten. vnnd ir zal was tau/
sent der tausent mit einer grossen stym sagend.
Das lamb das da ist erschlagen. ist wirdig zu/
empfahen die gotheyt. vnd krafft. vñ weyßheit
vnd stercke. vnd ere. vnd die glori. vnd den segē.
vnd alle geschōpff. dy da ist im hymel. vnd auff
der erde. vnd vnder der erde. vnnd in dem meer.
vnd die da sind in im. vnd ich hōret sie all sagēd
dez sitzenden auff dem thron vnnd dem lamb.
Der segen. vnd die ere. vnd die glori. vñ der ge/
walt in den welten der welt. Vnd die vier tyer
sprachen Amen. Vnd die vierundzweyntzig al
ten vielen nider auff ir antlytz vnd betten an dē
lebenden in den welten der welt.

.VI.

VNd ich sah da dz lamb
het auff gethan eins von den sibē in/
sigeln. Vnd ich hōrt eins von den vier
tyern als ein stym eins doners sagend. Kum vñ
sih. vnd ich sah. vnd seht ein weysses roß. vñ der
da saß auff im. Der het einen Bogen. vñ ein kron
was im gegeben. vnd er gieng auß vberwindēd

dz er vberwünde. Vñ da es het auffgethan dz
ander isigel ich hōrt dz ander tyer sagēd. Kum
vñ sih. Vñ seht ein anders rotes roß gieg auß
vñ der da saß auff im. dē wz gegebē. dz er nem
dē frid vō der erde. Vñ dz sie sich erschlugē an
emander. vnd ein groß schwert ward im gege/
ben. Vñ da es het auffgethan das drit insigel.
ich hōrt das drit tyer sagēd. Kum vnd sih. vnd

Koberger-Bibel, *Die Apokalyptischen Reiter* (Kat.-Nr. 18)

Apocalipsis cum figuris

Die Apokalypse Albrecht Dürers

Andreas Bee

17

Die Apokalypse   1496–1498

15teilige Holzschnittfolge mit einem Titelblatt, Ausgabe von 1511, alle ca. 39,2 × 28,1 cm

1. Die Marter des Evangelisten Johannes
2. Johannes erblickt die sieben Leuchter
3. Johannes erhält die Weisung gen Himmel
4. Die vier Reiter
5. Die Eröffnung des sechsten Siegels
6. Die vier Engel, die Winde aufhaltend
7. Die sieben Posaunenengel
8. Der Engelkampf
9. Der Evangelist Johannes, das Buch verschlingend
10. Das Sonnenweib und der siebenköpfige Drache
11. Der Kampf Michaels mit dem Drachen
12. Das Tier mit den Lammshörnern
13. Der Lobgesang der Auserwählten im Himmel
14. Die Babylonische Buhlerin
15. Der Engel mit dem Schlüssel zum Abgrund
16. Die Jungfrau erscheint Johannes
    Titelblatt der Ausgabe von 1511
    18,5 : 18,3

Staatliche Kunsthalle Karlsruhe, Kupferstichkabinett

Lit.: A. v. Bartsch, Le peintre graveur, Bd. 1–3, Neue Auflage Leipzig 1854; Bd. 4–11, Wien 1805–1808; M. Dvorak, Dürers Apokalypse, in : Kunstgeschichte als Geistesgeschichte, München 1924; H. Wölfflin, Die Kunst Albrecht Dürers, 6. Auflage, München 1943; F. W. H. Hollstein, German Engravings, Etchings und Woodcuts, ca. 1400–1700, Bd. 1 ff., Amsterdam 1954 ff.; K. Arndt, Dürers Apokalypse, Göttingen 1955; R. Chadraba, Dürers Apokalypse, Prag 1964; F. v. Juraschek, Albrecht Dürer, Bad Windsheim 1970; Albrecht Dürer, Ausstellungskatalog Nürnberg 1971; E. Panofsky, Albrecht Dürer, Bd. 1/2, 3. Auflage Princeton 1948 – Das Leben und die Kunst Albrecht Dürers, München 1977; P. Martin, Martin Luther und die Bilder zur Apokalypse, Hamburg 1983; Albrecht Dürer, Ausstellungskatalog, Ludwighafen/Rh. 1984

»Dürers *Apokalypse* gehört ebenso wie Leonardos *Abendmahl* zu den Kunstwerken, die als unausweichlich bezeichnet werden können«.[1]

Das ist wahr. Die Holzschnitte sind auch heute noch unausweichlich im Sinne einer aktuellen Herausforderung. Eine historisch argumentierende Auseinandersetzung allein greift stets zu kurz. Erst aus der umfassenden Übertragung auf unsere eigenen Lebensformen und Denkweisen, erst durch die Akkumulation verschiedenster Gesichtspunkte kann sich der volle Gehalt dieses Werkes ergeben. So betrachtet ist Dürers Apokalypse immer noch aktuell und modern zu nennen. Letztlich ist die Beziehung der Bilder zur Situation des Rezipienten ebenso evident wie das Verhältnis des Künstlers zu bildnerischen Vorgängern und zur Situation der Entstehungszeit.

Für den Kunsthistoriker wie für den intuitiv begreifenden Betrachter stellt die Veröffentlichung der *Apocalipsis cum figuris* zwei Jahre vor der Jahrhundertwende ein kaum zu überschätzendes Unternehmen dar. Die Möglichkeiten der Wertschätzung sind vielfältig, in erster Linie ist und bleibt es jedoch eine künstlerisch-ästhetische Leistung, die bis heute nichts von ihrer visuellen Kraft eingebüßt hat. Zum anderen stellt der Zyklus in mancher Hinsicht ein emanzipatorisches Meisterstück dar, spätestens mit dieser Serie wird die Bedeutung Albrecht Dürers einer breiteren Öffentlichkeit bewußt. Und nicht zuletzt gelingt ein finanzielles Unternehmen ganz besonderer Art: Soweit wir wissen, ist Dürer der erste Künstler, der es wagt, sein eigener Verleger zu sein, der mit 27 (!) Jahren selbstbewußt genug ist, das gesamte finanzielle Risiko zu tragen. Wenn sich auch heute die Auflagenhöhe nicht mehr feststellen läßt, die Neuauflage von 1511 und der bereits 1502 von Hieronymus Greff in Straßburg aufgelegte Raubdruck lassen auf eine sehr erfolgreiche Unternehmung schließen.

Wie konnte es Albrecht Dürer mit 27 Jahren gelingen, in einem Alter also, indem nur einige wenige italienische Zeitgenossen unter sehr viel günstigeren gesellschaftlichen und ökonomischen Bedingungen den Mut zu einer relativen Unabhängigkeit aufbrachten, auf eigene Faust ein Werk zu schaffen, dessen Ausstrahlung bis heute ungebrochen ist?

Daß wir von Dürer Überraschendes zu erwarten haben, daß wir bei der Betrachtung seines Werkes immer auf allerhand Ungewöhnliches gefaßt sein müssen, erscheint uns heute, da wir mit Hilfe zahlreicher ausgezeichneter Publikationen sein gesamtes Œuvre vor unseren Augen Revue passieren lassen können, kaum noch erwähnenswert. Zeigt doch bereits das mittlerweile gemeinhin bekannte Selbstbildnis des Dreizehnjährigen viel vom Nachfolgenden an (Abb. 23). Außergewöhnlich schon hier das hohe Maß an technischer Sicherheit und handwerklicher Präzision, ungewöhnlich auch die Wahl des unter Nürnberger Künstlern selten gebrauchten Silberstiftes, einer Technik, die von sich aus nach einer geübten Hand verlangt, da sie keine Korrekturen zuläßt. Viel entscheidender aber als die löbliche artistische Hochleistung des Jungen ist allerdings die Tatsache, daß Dürer überhaupt frei und selbstbewußt genug ist, sein eigenes Bild zu reproduzieren, vielleicht *das* erste Selbstbildnis eines deutschen Künstlers überhaupt. In der Rückschau erscheint die *Apokalypse* als folgerichtige Steigerung des Vorhergegangenen, für Dürers Zeitgenossen war sie eine unerhörte Überraschung und muß als visueller Erkenntnisschritt schockartig gewirkt haben.

Abb. 23 Albrecht Dürer, *Selbstportrait als 13jähriger,* 1484 (Graphische Sammlung Albertina, Wien)

Unzählige Kopien und Anleihen, verfälschende Reproduktionen und mißverständliche Zusammenhänge haben in den letzten 500 Jahren der Vitalität dieser Arbeit nicht schaden können. Gerade so wie die Wort-Bilder des Johannes für die diskursive Auseinandersetzung der letzten zwei Jahrtausende ausschlaggebend waren, bestimmen Dürers Schnitte seit einem halben Jahrtausend den Status quo für das bildnerische Bemühen um dieses Thema. Um nur einige wichtige Bezüge zu nennen: Neben der erwähnten Straßburger Kopie von 1502 erscheinen in Venedig Nachstiche; Raffael nimmt in der vatikanischen *Stanza di Eliodoro* Bezug auf zwei Blätter des Zyklus. Und als die Cranach-Werkstatt die Illustrationen für das *Septembertestament* von 1522 anfertigt, dienen ihr die Blätter Dürers schon ganz selbstverständlich als wichtigstes Vorbild. Es dürfte keine Malerwerkstatt von Rang gegeben haben, in der die Schnitte nicht zur Hand waren. Wir finden Kopien in Frank-

reich, Spanien und den Niederlanden, selbst die Mönche in den Klöstern am Berge Athos nehmen in ihrem Malerbuch mittelbar Bezug auf Dürers Bildfindungen. Vielfach wird das von Dürer eingeführte Autonomieprinzip der Bilder wieder zurückgenommen. Es scheint sogar, daß mit den Illustrationen des *Septembertestaments* von 1522 ein vor allem inhaltlich populärer Typus gelungen sei.[2]

Dürers künstlerische Leistung fußt auf dem Einfluß des Elternhauses – der Vater war Goldschmied – und vor allem auf der prägenden dreijährigen Lehrzeit bei dem Nürnberger Maler Michael Wohlgemut. Hier lernte er als 15jähriger den Holzschnitt kennen, wie er sich aus der deutschen Tradition entwickelt hatte. Meistens bildeten einfache und grob gehaltene Linien ein Konturgerüst um weite, leere Zwischenräume. Häufig wurden die weißen Flächen mit Wasserfarben koloriert, so daß eine der Glasmalerei verwandte Wirkung entstand. Diese Arbeiten waren inhaltlich und künstlerisch wenig anspruchsvoll, billig herzustellen und mannigfaltig einsetzbar, ihre Verwendungsmöglichkeiten für den damaligen Stand der Reproduktionstechnik außerordentlich vielfältig. Auf Bucheinbänden, Schmuckkästchen, Möbeln, an die Wand geheftet, kaschiert als Altartäfelchen dienend, waren sie unschlagbar preiswert und deshalb sehr begehrt. Zum Teil wurde in den Bildholzblock noch ein begleitender Text eingeschnitten, später führte diese Kombination dann zu den sogenannten Blockbüchern.

Der nächste Entwicklungssprung künstlerisch-ästhetischer Art geht Hand in Hand mit der Entwicklung der Technik. Hatte man bisher die Drucke mühsam manuell angefertigt, so erlaubten die bald überall eingesetzten Pressen einen sehr viel feineren und schonenderen Abzug vom Stock. Haarfeine Linien, die beim Handdruck keine Chance hatten und hoffnungslos verwischt wären, kommen nunmehr auf einem immer besser werdenden Papier zur Geltung. Zunächst bleiben die Schnitte zwar noch relativ einfach, doch schon bald werden Schattierungen durch parallele Folgen kurzer, gerader Linien erzielt. Somit konnte auf eine der Technik immanenten Weise der umschlossene Raum strukturiert und mehr und mehr auf die arbeitsintensive und kostensteigernde Kolorierung verzichtet werden. Vereinfacht könnte man die sich vollziehende Entwicklung folgendermaßen beschreiben[3]: Vor Dürer gibt es im Holzschnitt zwei unterschiedlich charakterisierte Linien; eine konturierende, der vornehmlich die Aufgabe zufällt, die äußere Form zu umschreiben, und eine schraffierende, die Licht/Schatten und Oberflächenstruktur zu bilden hat. Weder die konturierende noch die schraffierende Linie waren bei dieser prinzipiellen Trennung in der Lage, optisch spannungsreiche, einheitlich wirkende Ergebnisse zu erzeugen.

In den Schnitten zur Apokalypse hat Dürer diese funktionale Verschiedenheit aufgehoben. Endgültig ist aus dem billigen Ersatz für die kostbare Buchmalerei, aus den Druckstöcken der Färber und Tuchmacher ein künstlerisch hochstehendes Ausdrucksmittel geworden. Linien haben nun einen gemeinsamen Nenner, sie brauchen nicht entweder Grenz- oder Füllinien zu sein, sie sind von diesem funktionalen Zwang befreit und können ähnlich den Linien des Kupferstichs eine Form, einen Körper, spannungsvoll modellieren. Linien sind in bestem Wortsinne ornamental. Von nun an wirken die bezeichneten Dinge nicht mehr starr und leblos, sondern bilden sich aus vornehmlich dynamisch bewegten Linien. Feinste Nuancierungen zwischen Hell und Dunkel werden jetzt möglich, der uns aus modernen Drucken so vertraute Halbton mit weichen Übergängen zur nächsten Helligkeitsstufe wird am Ende des 15. Jahrhunderts erstmals erreicht. Als Beispiel mag hier der Hinweis auf den Hell-Dunkel-Verlauf in Blatt 13 *Der Lobgesang der Auserwählten im Himmel* genügen. In vertikaler Richtung gelingt ein weicher Verlauf von Hell zu Dunkel zu Helleuchtend. Das Prinzip klingt einfach: je mehr Schwarz, desto dunkler, je mehr Weiß, desto heller.

Etwa zwei Jahre, von 1496–1498, arbeitete Dürer an der Holzschnittfolge. Die *Apokalypse* wurde zuerst in zwei gleichzeitig erscheinenden Ausgaben, eine mit deutschem *(Die heimliche Offenbarung joh(a)annis)*, eine mit lateinischem *(Apocalipsis cum figuris)* Text veröffentlicht. Den deutschen Text entlieh Dürer der Bibelausgabe von Koberger. Ein Wiederabdruck der lateinischen Ausgabe erschien 1511. Hier wurde das in den Erstausgaben rein typographisch gehaltene Titelblatt durch einen neu geschaffenen Holzschnitt geschmückt.

Neben der selbstverantwortlichen Doppelrolle als Autor und Produzent, neben dem bis dahin für den Holzschnitt ungekannten großen Format konstatieren wir als weiteres Novum, daß Dürer ein Buch herausgab, das den vollständigen Text der Johannesoffenbarung einer ununterbrochenen Folge von Bildern unterordnet. Die Schrift befindet sich immer auf der Rückseite der Bilder, so daß eine gleichzeitige, wechselseitige Rezeption von Bild und Text verhindert wird. Der Grund für dieses Unterfangen ist das durchaus in dieser Zeit ungewöhnliche Bewußtsein, daß Bild und Text – wieweit sie sich auch immer beeinflussen mögen – zwei wesensverschiedene Ausdrucks- und Erkenntnisformen sind. Der »Leser« wird gezwungen, den ganzen Text und die ganze Bilderfolge als zwei unterschiedliche Fassungen der gleichen Ereignisse zu begreifen. Das Wort kann somit nicht die Aussagekraft der Schnitte verstellen, der Autonomie der Bilder werden alle anderen Aspekte nachgeordnet.

Dürer konzentriert den Handlungsablauf auf nur 14 bzw. 15 Szenen, wobei häufig in einem Holzschnitt mehrere Begebenheiten des Textes zusammengefaßt wurden. Ein Grund für diese Beschränkung mag in der *Legenda Aurea* des Jacobus de Voragine zu finden sein. Hier wird von fünfzehn Vorzeichen der Apokalypse berichtet. Weiterhin stellt die Zahl 15 den Höhepunkt der Mondnacht dar, sie bezeichnet den halben Mond, also den halben Kreis, d.h. die Hälfte vom Ganzen. Zudem ist sie das Produkt zweier mythologisch wichtiger Zahlen, der Drei und der Fünf[4]. Es gibt 15 Geheimnisse des Rosenkranzes, das Alte Testament berechnet die Geschlechter von Abraham bis Salomo mit fünfzehn und von Salomon bis zum geblendeten Zedekia wieder mit fünfzehn israelischen Geschlechtern. Den Mondphasen entsprechend wäre dann Salomon der König mit der höchsten Macht.
Daß die Bilderfolge, wie eingangs erwähnt, zeitbezogen angelegt ist, zeigt sich programmatisch im ersten Blatt. Die Darstellung des Martyriums des Heiligen Johannes gehört nicht zum eigentlichen Programm der Apokalypsebilder und verdient deshalb schon eine gesonderte Betrachtungsweise.

Der Autor der Apokalypse, so berichtet die *Legenda Aurea*, soll in Kleinasien gewirkt haben. Während der Christenverfolgung durch den römischen Kaiser Domitian wurde er gefangengenommen und nach Rom gebracht. Johannes hatte in Ephesus ein Opfer vor den heidnischen Göttern verweigert. An der Porta Latina in Rom (dem heutigen S. Giovanni a Porta Latina) soll er dafür im Ölkessel gemartert worden sein. Der Verurteilte entstieg aber unversehrt dem Kessel und wurde auf die Insel Patmos verbannt, wo er seine heimliche Offenbarung niederschrieb.

Auf Dürers einleitendem Holzschnitt erteilt ein türkischer Sultan, der den hermelinbesetzten Mantel eines abendländi-

Albrecht Dürer, *Die Marter des Evangelisten Johannes* (Kat.-Nr. 17.1)

schen Fürsten trägt, den Befehl zum Martyrium. Die Herrschergestalt bezeichnet den Gipfel irdischer Macht und direkter noch die türkische Gefahr, die der Christenheit, personifiziert durch Johannes, in der damaligen Zeit drohte. »Das Irrationale des ›Bösen‹ Herrschers ist in diesem ersten Bild sehr eindringlich geschildert. In der äußersten Anmaßung weltlicher Gerichtsbarkeit sucht er denjenigen zu vernichten, der fest im Glauben ist. Im ersten Blatt ist der Gegenstand der Kritik der Apokalypse in einer weltlichen, außerhalb der irrealen Visionen stehenden Szene erläutert. Der irrationalen Verhaltensweise weltlicher Hierarchien wird die überzeitliche Macht des Ewig-Geistigen entgegengestellt.«[5]

Die Welt, in der Albrecht Dürer lebte, war der Überzeugung, daß das Ende der Zeit nahe sei. Man sah sich kurz vor dem letzten Gericht. Durch Kriege und Naturgewalten verursachte Katastrophen, verheerende Epidemien und Hungersnöte, religiöse Zweifel und soziale Spannungen bestimmten das Lebensgefühl. Dürer vermeidet zwar die Betonung alles Endzeitlichen, trotzdem scheint in der Rückschau zuweilen auch eine Ahnung von den bevorstehenden Ereignissen in den Schnitten zu liegen. Allgemein war man, wie so oft in außerordentlich zugespitzten gesellschaftlichen Situationen und unerträglichen Verhältnissen sozialer Not, hellhörig für wundersame Stimmen, achtete ahnungsvoll gespannt auf Zeichen und Wunder. Astrologie, Kometenbedeutung, eine hohe Sensibilität für alles Außergewöhnliche, Abnorme waren an der Tagesordnung und dienten der Kompensation von Angst und Zukunftssorgen. Man beobachtete Meteoriteneinschläge, jedes von der Regel abweichende Naturereignis, deutete Mißgeburten als Vorzeichen des Schreckens und versuchte durch unterschiedliche Methoden die Zukunft vorherzubestimmen.

Albrecht Dürer, *Johannes erblickt die sieben Leuchter* (Kat.-Nr. 17.2)

Albrecht Dürer, *Johannes erhält die Weisung gen Himmel* (Kat.-Nr. 17.3)

Daß auch Dürer Gefangener seiner Zeit war, spiegelt sich u.a. deutlich in dem Kupferstich der *Wunderbaren Sau von Landser* von 1496, der Federzeichnung der *Zwillinge von Ertingen* von 1512 und in dem Aquarell des *Traumgesichts* von 1525 (Kat.-Nr. 157) wider. In dem kurzen handschriftlichen Text unter der Zeichnung der siamesischen Geburt erwähnt Dürer bemerkenswerterweise die beruhigende Tatsache, daß die Zwillinge getauft und die Häupter verschieden benannt worden seien. Ein weiteres Zeugnis für die Faszination des Außergewöhnlichen ist das Ölgemälde eines Knabenkopfes mit langem Bart von 1527. »Die Intensivierung des Interesses an diesen Wunderzeichen vollzieht sich unter dem Einfluß antiken Prodigienglaubens. Als symptomatisch darf angesehen werden, daß das fragmentarisch erhaltene, im 4. Jahrh. abgefaßte Werk über Prodigien des Julius Obsequens mannigfach gedruckt wurde. Dennoch aber verengt die Einordnung unter einem Begriff wie heidnisch-antike Weissagung, die seit A. Warburgs Publikation fast kanonische Geltung hat, das Blickfeld. Schließlich boten Hinweise der Bibel auf Zeichen und Vorzeichen eine Grundlage, aktuelle Ereignisse zu bewerten und ihnen eine Stelle im Heilsplane Gottes zuzuweisen. Mit diesen in der Bibel fundierten Anschauungen verbanden sich Einsichten antiker Autoren dahingehend, daß über Jahrzehnte hin immer neue Konkretisierungen mit zeichenhafter Bedeutung sanktioniert werden konnten.«[6] Erinnert sei in diesem Zusammenhang ferner daran, daß im Jahr der Veröffentlichung des Apokalypse-Zyklus der Bußprediger Savonarola auf der Piazza della Signoria in Florenz öffentlich auf dem Scheiterhaufen verbrannt wurde, daß 1517 die Reformation begann, daß 1525 der Bauernkrieg seine Opfer forderte und daß die Türken 1526 das nahe Ungarn besetzten.

Dürers Zeitbezüge, unmißverständlich im ersten Blatt angekündigt, sind überall zu spüren. Der Kaiser als Türkensultan, der Luxus Venedigs in Blatt 14, in dem die Verschwendung durch die italienisch gekleidete *Babylonische Buhlerin* gebrandmarkt wird, und schließlich die Darstellung des Himmlischen Jerusalems als reale Stadt des 15. Jahrhunderts sind nur einige Beispiele für diese Bezüge. Insgesamt jedoch ist das Werk schwerlich als sozialrevolutionär einzustufen (wie es Chadraba versucht hat)[7].

Einen wichtigen Aspekt bei dem Versuch, das geistige Programm der Dürerschen Apokalypse zu entschlüsseln und auf einen anderen Initiator als den Künstler selbst zurückzuführen, stellt die Untersuchung von F. Juraschek dar[8]. Als Programmgestalter des Zyklus vermutet Juraschek Johann Pirckheimer. Folgende Bildordnung wurde herausgearbeitet:

Anfang und Ende (Bl. 3 und 15) zeigen demnach ein gemeinsames Thema, den Frieden. Im Mittelblatt (9) scheidet der Starke Engel Licht und Dunkel. Die Mittelblätter (6 und 12) der so entstehenden rechten und linken Hälfte, *Die vier Engel, die Winde aufhaltend* und *Das Tier mit den Lammshörnern* sind relative Ruhepausen im stürmischen Ablauf der Ereignisse. Die so gebildeten viermal zwei Blätter sind einheitlich geschlossene Blattpaare, die ein und denselben Gegenstand auf zwei Blätter verteilen. Nur in diesen Blattpaaren werden die Schreckensvisionen selbst behandelt:

Albrecht Dürer, *Die vier Reiter* (Kat.-Nr. 17.4)

Albrecht Dürer, *Die Eröffnung des sechsten Siegels* (Kat.-Nr. 17.5)

Albrecht Dürer, *Die vier Engel, die Winde aufhaltend* (Kat.-Nr. 17.6)

4/5 Die Spiegelvision
7/8 Die Posaunenvision
10/11 Die Vision von Sonnenweib und Drachen
13/14 Die Vision von Babylon und den Heerscharen

»Der Text schildert ein sich überstürzendes Nacheinander in linearer Progression mit gewaltiger Steigerung gegen das Ende zu; nur als Grundgewebe wird die göttliche Ordnung durch abschnittweises Eingreifen der Engel angedeutet. Die Nachdichtung greift als große Zäsur die Vision vom starken Engel heraus; vorher Gottes Wirken, danach Satans Kampf dagegen; die beiden Teile werden unter Vernachlässigung der Texttreue gleich lang gemacht und sorgfältig gegeneinander ausgewogen; sie werden so behandelt, als wären sie Teile eines großen Gemäldes, das einheitlich vor Augen steht; links der Mitte der Bereich des Guten, rechts davon jener des Bösen; jeder der beiden Teile hat gleiche Gliederung; beide Male sind es zwei Blattpaare, welche die Schreckensvisionen enthalten, und diese Blattpaare sind in übereinstimmender Anordnung von Einzelblättern mit Verheißungen bzw. Zustandsschilderungen gerahmt.«[9]

Die bisher unerwähnten Blätter *Die Marter des Evangelisten Johannes* und die *Leuchtervision* versteht Juraschek als Einleitung bzw. Kontrapunkt des übrigen. So wie Gott als Ersturache, als omnia ad una, ohne Anfang und Ende, als das absolute Sein, als unissimus, verstanden wird, so ist er andererseits auch gleichzeitig dreieinig. Das Eine steht der Drei gegenüber so wie die Leuchtervision dem dreigeteilten Programm. Werden in den Blättern 3–15 immer Himmel und Erde gegenübergestellt, also das Verhältnis Gott und Welt behandelt, so fällt auf, daß allein in dem Leuchterblatt die gesamte Bildfläche einen einheitlichen Himmelsraum zur Anschauung bringt.

Zu den einzelnen Blättern:

Johannes kauert im ersten Blatt mit gefalteten Händen in einem niedrigen Kessel, unter dem ein Holzfeuer lodert. Der im Verhältnis zum Körper zu große Kopf weist im Sinne der mittelalterlichen Perspektive auf die zentrale Bedeutung der Figur. Der Ausdruck des Gesichtes ist gespannt, die Augen schauen entrückt in den Raum. Der Henker hat sein Schwert abgelegt und hantiert mit dem Blasebalg. Ein Gehilfe gießt aus einer Stielpfanne siedendes Öl über Johannes. Der greise Domitian trägt einen hermelinbesetzten Mantel und einen Turban. Ein geordneter Bart, die doppelte Halskette, weiche, spitz zugeschnittene Lederstiefel lassen eher an einen türkischen Sultan als an einen abendländischen Herrscher denken. Der Kaiser selbst, der rechts hinter ihm stehende Fürst mit Prunkschwert und Turban, der Schreiber – das linke Bein auf dem Thronsockel, mit dem anderen die Verbindung zur profanen Ebene herstellend – und das buntgemischte Volk hinter der Schranke drücken mit ihren ungläubig erstaunten Gesichtern den Moment des Wunders aus. Einen direkten Blickkontakt gibt es nur mit dem Pekineser Hündchen rechts vor dem Thron. Den prächtig verzierten Herrscherstuhl überspannt ein Baldachin, dieser verdeckt und führt gleichzeitig das Auge mit einem perspektivischen Trick in den Hintergrund. Dort erkennen wir neben den üblichen Wohntürmen einer mittelalterlichen Stadt des Nordens einen venezianischen Palast mit zugehöriger Markussäule.

Im ersten Blatt, das sich auf den Text der Offenbarung bezieht, reduziert Dürer das Bildgeschehen auf das Wesentliche. Von links eingeführt kniet Johannes mit gefalteten Händen und demütig gesenktem Haupt zwischen zwei Leuchtern. Das Motiv des knienden Jüngers mit nackten

Albrecht Dürer, *Die sieben Posaunenengel* (Kat.-Nr. 17.7)　　　Albrecht Dürer, *Der Engelkampf* (Kat.-Nr. 17.8)

Fußsohlen ist einem Kupferstich Martin Schongauers entliehen. Vor ihm auf einem Regenbogen sitzend, die Füße auf einen weiteren gestützt, thront der Menschensohn. Seine Augenbrauen gehen in Stichflammen über, der Knauf des Schwertes, des Zeichens des Gerichts, berührt seinen Mund, ein langer Bart reicht bis auf die Brust. Hinter seinem Haupt leuchtet eine Trias von Strahlenbündeln. Die linke Hand hält ein aufgeschlagenes Buch, der rechte Arm ist ausgestreckt, die Finger der Hand sind weit gespreizt. Sieben Sterne funkeln symbolisch für die sieben Engel der sieben Gemeinden, die wiederum durch die Leuchter repräsentiert werden; Quellwolken fassen die Erscheinung ein. Der gesamte Aufbau des Bildes suggeriert einen mystischen Raum. Es ist das einzige Blatt, das ausschließlich der himmlischen Sphäre gewidmet ist. Die Grundstimmung ist ruhig, außer zwei flackernden Kerzen und den in Bewegung scheinenden Wolken gibt es keine Bewegung. Juraschek interpretiert das Blatt mit den sieben Leuchtern als eine Art Einleitung, die der nachfolgenden Ordnung gegenübergestellt wurde (s. Graphik).

Vom dritten Blatt an hält Dürer an einer grundsätzlichen Trennung von himmlischem und irdischem Raum fest. Johannes ist hier, ähnlich wie in Blatt 13, als Mittler zwischen den beiden Welten wiedergegeben. Zwei Türflügel eines steinernen Portalbogens, der die gesamte Blattbreite einnimmt, stehen weit offen und geben den Blick auf den thronenden Gottvater frei. Stellvertretend für die gesamte Christenheit umstehen 24 Älteste den Richterstuhl. Der Thronende wird von einem doppelten mandelförmigen Strahlenkreuz umsäumt, über seinem Haupt sind die sieben Ampeln als Symbole seiner sieben Geister zu sehen. Die Ältesten spielen Harfe oder bieten ihre Kronen dar. Nicht eine der Kronen ist mit einer zweiten identisch, sie sind

ebenso wie die sieben Leuchter durchgearbeitete Werke der Goldschmiedekunst. Die vier Wesen, schon früh als die vier Evangelisten verstanden, schweben um die Thronglorie. Das siebenköpfige Lamm hat sich auf die Hinterläufe gestellt und ist im Begriff, das im Schoß von Gottvater liegende Buch mit den sieben Siegeln zu eröffnen. Dieses Schicksalsbuch beschreibt in sieben Abschnitten das göttliche Strafgericht. Noch ist es geschlossen, die einzelnen Siegel hängen heraus. Johannes befindet sich mit einem der Ältesten im Gespräch. Inhaltlich und formal vermittelt er zwischen den beiden Welten. Im unteren Drittel zeigt Dürer eine idealisierte Sommerlandschaft, friedlich ohne eine bewegte Figur. Ein weiter, ruhiger See mit spiegelglatter Oberfläche erstreckt sich entlang einer bewaldeten Gebirgslandschaft. Ein unauffälliger Pfad schlängelt sich zu einer kleinen Wasserburg mit Fachwerkhaus und Zwinger.

Während der Text die vier Apokalyptischen Reiter einzeln entläßt, vereint Dürer sie zu einer gemeinsam vorstürmenden Gruppe. Jeder Reiter steht für ein spezielles Übel, der Reiter mit Pfeil und Bogen für »den Mißbrauch der Gewalt durch die Obrigkeit«[10] oder für den Machtkampf der Völker untereinander, der Reiter mit dem Schwert für den Krieg und den Kampf aller gegen alle, der mit der Waage für Teuerung und Hungersnot und schließlich über dem sich weit öffnenden Rachen der Hölle der vierte Reiter, der Tod. Damit versinnbildlicht das Blatt entscheidende Grundprobleme des menschlichen Daseins. Im Sinne der Bedeutungsperspektive stellt der Reiter mit der Waage das größte Übel der Zeit dar. Daß im Rachen der Hölle vor allen anderen zuerst ein hoher geistlicher Würdenträger verschwindet, mag für Dürers Haltung aufschlußreich sein, andererseits verdeutlicht die Einbeziehung aller Stände die allgemeine Unentrinnbarkeit vor Gottes Strafgericht. Die vier Reiter können auch

Albrecht Dürer, *Der Evangelist Johannes, das Buch verschlingend*
(Kat.-Nr. 17.9)

Albrecht Dürer, *Das Sonnenweib und der siebenköpfige Drache*
(Kat.-Nr. 17.10)

als Sternbilder interpretiert werden, die Gegenstände in
ihren Händen als Tierkreissymbole: »Jupiter im Schützen,
Saturn im Skorpion, Mars im Widder und Merkur in der
Waage«[11]. Wenn uns heute die Bildfindung Dürers zum
Inbegriff der apokalyptischen Ereignisse geworden ist, so ist
das Dürers Verdienst. Hier finden wir zum ersten Mal die
Zusammenfassung der Reiter zu einem gemeinsam vorpre-
schenden Geschwader. Die Gruppe stößt rechts und links
über den Bildrand hinaus, die Zone ihres Absprungs ist nicht
zu sehen. Die peitschenden Gebärden der mittleren Reiter
unterstreichen die Dynamik der gesamten Szene. Wichtiger
für unser Bildempfinden allerdings sind die vornehmlich
horizontal geschwungenen Linien, die durch ihre bewegte
Kurvatur erst Geschwindigkeit suggerieren (s. Mähnen,
Wolken und Satteldecken).

Im folgenden Blatt hat Dürer die Eröffnung des fünften und
sechsten Siegels zusammengefaßt. Über den Wolken
nehmen sich sechs Engel mit großer Fürsorglichkeit der
»Seelen unter dem Altar« an. Drei Blutzeugen liegen tot und
nackt vor den Stufen des Altars. Ein vierter, ein gebrechlicher
alter Mann, wird von einem jungen Engel zum Altar geleitet,
der mit einem fransen- und quastenumsäumten weißen
Tuch bedeckt ist. Gleich unter dieser himmlischen Szene
reißen die Wolken trichterförmig auseinander. Zwischen den
besorgt dreinblickenden Gesichtern von Sonne und Mond
sprühen brennende Sterne wie durch eine Düse gepreßt auf
eine Felsenlandschaft herab, in der sich Menschen in großer
Eile vergeblich in Sicherheit zu bringen suchen. Der Boden
scheint wie in einer Sumpflandschaft nachzugeben, links
unten verschwindet eine bäuerliche Gestalt im Nichts. Eine
aufschreiende Mutter packt ihr erschrecktes Kind am
Hemd. Von einem versunkenen Türken sieht man nur noch
den Turban. Mit schiefsitzender Krone stolpert ein alter Fürst

über eine Frau, die sich angesichts der Schrecken ein Tuch
vor die Augen hält. Ein schwerfälliger Papst, ein zusammen-
gekauerter Bischof, ein Kardinal mit großem Hut auf dem
Rücken, sich mit beiden Händen an den Kopf greifend,
versinken wie alle übrigen im Erdboden. Mit dem Saum
seines Kleides versucht jemand den Feuerregen abzuweh-
ren. In der Ferne wirft ein Wanderer seinen Mantel schützend
über sich. Das Kind unten links erinnert an Schongauers
Christuskind als »Salvator Mundi«, die Mutter an die wehkla-
gende alte Frau in Mantegnas *Grablegung Christi*. Gestalte-
risch ist der gesamte Bildablauf einer Kelchform oder einem
Stundenglas vergleichbar. Die schmalste Stelle zwischen
den beiden Welten läßt an den mühevoll zu findenden
Eingang des Paradieses denken.

Das sechste Blatt wirkt nach den vorhergehenden wohl-
tuend ruhig (vgl. Juraschek). Vor einem früchteschweren
Obstbaum stehen die vier mächtigen Engel, die die Winde
aufhalten sollen, Rücken an Rücken zu einer fest geschlossenen Gruppe zusammen. Nicht zu Unrecht ist in diesem
Zusammenhang häufig an die Werke Mantegnas erinnert
worden, die Dürer auf seiner Italienreise 1495 gesehen hat.
Einer der Engel droht dem Windkopf noch mit Schwert und
Schild, ein zweiter redet dem Windgesicht in der Ferne
beschwichtigend zu. Im rechten Hintergrund zeichnet ein
junger Engel mit einem Stift ein Kreuz auf die Stirn der
144 000 Auserwählten aus den 12 Stämmen Israels. In der
Linken hält er einen Meßkelch. Damit werden wiederum
zwei Ereignisse in einem Blatt zusammengefaßt. Unter den
Auserwählten befinden sich Menschen verschiedenster
Stände, allerdings fällt auf, daß ein hoher geistlicher oder
weltlicher Würdenträger nicht zu sehen ist. In der Figur vorne
rechts hat man immer wieder ein Selbstporträt Dürers zu
erkennen geglaubt.

Albrecht Dürer, *Der Kampf Michaels mit dem Drachen* (Kat.-Nr. 17.11)   Albrecht Dürer, *Das Tier mit den Lammshörnern* (Kat.-Nr. 17.12)

Nach diesem relativ ruhigen Blatt folgt sogleich wieder die Darstellung einer neuen stürmisch-bewegten Katastrophe. Hinter dem Altar mit einem typisch spätgotischen Vorsatz deutscher Provenienz steht der Engel, der Feuer aus dem Weihrauchfaß auf die Erde wirft. Gottvater übergibt die letzten zwei Posaunen. Aus den Wolken schießt ein Adler mit dem dreifachen »Weh–Ruf«, der vor den letzten Posaunen warnt, hervor. Diese Worte sind die einzigen in der gesamten Bildfolge. Die Engel setzen die ersten fünf Posaunen an; das Gericht, an dessen Ende ein Drittel der Erde, ein Drittel der Bäume, und alles grüne Gras verbrannt sein wird, kann beginnen.

Aus einer Wolke ragen zwei kräftige Hände hervor, die im Begriff sind, einen Vulkan ins Meer zu stoßen, sogleich verwandelt sich ein Drittel des Meeres in eine im Holzschnitt dunkel schraffierte Blutlache. Ein Mast knickt, Segel zerreißen, ein Schiffer wirft die Arme in die Höhe. Weiter hinten in der Bucht ist es noch ruhig, ein Schiff gleitet mit geblähten Segeln über das Wasser. Links fällt der Stern Wermut in einen Brunnen, rechts hinten lassen sich unter der fünften Posaune die Heuschrecken auf einer Stadt nieder. Beide Ufer brennen bereits.

Im *Engelkampf* bläßt neben dem Altar ein jugendlicher Engel in brokatener Dalmatika die sechste Posaune. (Merkwürdig allerdings, daß Gottvater hinter dem Altar noch vier Posaunen zu vergeben hat.) Vorne sehen wir die entfesselten Euphratengel am Werk. Mit dem ganzen Gewicht ihrer Körper schwingen sie die richtenden Schwerter. Ein Engel hält mit zwei Händen den Griff und schlägt kraftvoll auf einen gestürzten Ritter ein, ein zweiter Engel packt eine schreiende Frau mit offenen Haaren mit der Linken, um seinen tödlichen Schlag sicherer plazieren zu können. Ein weiterer

Engel drückt einen Mann mit Bart von sich, ebenfalls in der Absicht, sein Ziel zu treffen. Der letzte der vier Engel schwingt sein Schwert gegen einen am Boden liegenden Papst, der die Tiara trägt und vor Angst erstarrt aufblickt. Links sehen wir von einer toten Frau nur noch das Dekolleté, die Jacke und den Rock. Der geharnischte Ritter, Bischof, Kaiser, Kaufmann, Bauernknecht, alle werden von den verbissen richtenden Würgeengeln niedergemacht. Gleichzeitig stürmt in der Ferne, entlang den Wolken unter dem Altar, Reiterei auf löwenköpfigen, feuerspeienden Pferden heran. Es sind die – wie es im Text heißt – Guten Streiter.

Innerhalb der Folge bildet die Darstellung des Starken Engels eine Art Wendepunkt zwischen dem Strafgericht und dem Kampf Gottes gegen das Böse. Stärker als sonst hält sich Dürer an die Vorgabe des Textes.
So zeigt der Engel, der dem Apostel befiehlt, das Buch zu verschlingen, tatsächlich »Füße wie Feuersäulen«. Eines seiner Säulenbeine steht mit der Basis auf dem Wasser, das andere auf dem felsigen Land. Am oberen Ende bersten die Beinsäulen in züngelnden Flammen. Mitten aus den Wolken erscheint im Zentrum eines Strahlenkranzes das Gesicht des Engels, links oben ragt seine zum Schwur erhobene Hand aus den Wolken hervor. Johannes sitzt am Waldrand auf dem Boden und hat das Buch des Engels mit beiden Händen ergriffen. Links von ihm liegen seine eigenen Aufzeichnungen mit dem Schreibzeug. Chadraba stellt bei seiner Interpretation einen interessanten Bezug zur antiken Götterfigur Apollo her, deren Attribute, Sonnenhaupt, Delphin und wahrsagende Schwäne, auf dem Wasser zu sehen sind. Die Verbindung zwischen der Sonnengottheit Apollo und Christus als dem idealen Menschen entspräche durchaus der humanistischen Vorliebe, mythologische Stoffe mit christlichen Inhalten zu verbinden.

Albrecht Dürer, *Der Lobgesang der Auserwählten im Himmel* (Kat.-Nr. 17.13)

Albrecht Dürer, *Die Babylonische Buhlerin* (Kat.-Nr. 17.14)

Im nächsten Blatt tritt zum ersten Mal das Böse in eigener Gestalt auf. Als fauchendes Ungeheuer naht es sich von rechts dem Sonnenweib auf der Mondsichel. Zwölf frei schwebende Sterne bekrönen ihr Haupt und erinnern an die Stämme Israels. Von sieben Schlangenhälsen drohen sieben Fratzen mit sieben Kronen und zehn Hörnern. Keiner dieser Köpfe gleicht einem bestimmten Tier genau, sie erinnern höchsten an Esel, Strauß, Eber, Affe, Kamel und Wolf. Somit wird für den Betrachter das unvorstellbare Ungeheuer wieder vorstellbarer, realer, d.h. bedrohlicher. Der überlange peitschenartige Schwanz dieser Bestie schlägt einen dritten Teil der Sterne vom Himmel. Der Wasserstrom, den das Ungeheuer ausspeit, um das neugeborene Kind zu ersäufen, versiegt in der helfenden Erde. Zwei Engel tragen das gerettete Kind zum Himmel empor, wo es Gottvater segnend empfängt. Nicht beabsichtigt wurde eine Chronologie in dieser Szene; so erklärt sich das Nebeneinander zeitlich hintereinander liegender Vorgänge.

Das folgende, im Text ganze drei Verse umfassende, eher beiläufig behandelte Ereignis wird von Dürer ausgesondert und als wichtige Begebenheit zum selbständigen Bild erhoben. Gekonnt trennt Dürer den himmlisch-visionären vom realen Raum. Indem er den einen auf hellem, den anderen auf dunklem Grund gestaltet, betont er die unterschiedlichen Gesetze der beiden Welten. Der Kampf erhält durch die Hervorhebung die Bedeutung einer Entscheidungsschlacht. Und es scheint, daß nur unter äußerster Anstrengung die Macht des Bösen von Michael und seinen Engeln niedergerungen werden kann. Der letzte Stoß, zu dem Michael ausholt, erinnert formal an die Bewegung eines venezianischen Gondolieres. Die Erde im unteren Teil des Blattes wird so friedlich gegeben, als wäre das Vorhergegangene nie geschehen.

Im Mittelpunkt des Geschehens um das Tier mit den Lammshörnern steht die Anbetung des Bösen. Von rechts betritt die Bestie aus dem Meer die friedliche Landschaft. Sieben schlangenartige, gewundene Hälse münden in fürchterlichen Köpfen. Scheint der Drache noch aus dieser Welt zu stammen, so taucht gehörnt und bekrönt das Tier mit den Lammshörnern, vom Blutregen gerahmt wie durch ein Tor, zum ersten Mal in die materielle Welt ein, zähnefletschend kommt es auf Bärentatzen daher. Vor beiden Tieren knien ehrfürchtig Vertreter aller Stände. Daß sich unter den Knienden auch ein Bischof befindet, der mit dem Antichristen gleichgesetzt werden könnte, geht als mögliche Kritik Dürers an der Kirche nicht über mittelalterliche Vorlagen hinaus. Über dem Geschehen thront Gottvater mit altem, sorgenvollem Gesicht. In der Rechten hält er die Sichel als Symbol der bevorstehenden Ernte.

In dem folgenden vielfigurigen Blatt huldigt die große Schar der Ältesten und Auserwählten dem Lamm im Himmel. Umgeben von einer Lichtglorie und den »Vier Lebewesen« steht das Symbol Christi auf dem Regenbogen. Johannes, auf einem Berge kniend, spricht in ganz ähnlicher Weise wie auf dem dritten Blatt mit einem der Ältesten. Dieser beugt sich aus dem Kreis der Vierundzwanzig herunter und scheint zu erklären, wer die Palmträger sind und wie sie mit dem Blut des Lammes ihre Gewänder gewaschen haben. Etwas höher steht Johannes selber noch einmal unter den Auserwählten. Durch die besonders kleinteilige, gedrängte Gestaltung des Blattes gelingt es, den weißen, leer gelassenen Stellen um das Lamm und um die vier Evangelistensymbole besondere Leuchtkraft zu verleihen.

Noch lebt der siebenköpfige Drache, die Bestie aus dem Meer, und trägt die große Verführerin eindrucksvoll heran. In

Albrecht Dürer, *Der Engel mit dem Schlüssel zum Abgrund* (Kat.-Nr. 17.15)

kostbarer venezianischer Tracht, mit Geschmeide und Kleinodien behängt, mit aufwendig frisiertem Haar, gekröntem Haupt und entblößter Schulter, hält sie truimphierend den Pokal mit dem verführerischen Wein entgegen. Der Kelch ist eine meisterliche Goldschmiedearbeit, die wie die sieben Leuchter der Eingangsvision an Dürers Herkunft und Ausbildung erinnert. Das Volk, dem die Verführung gilt, scheint skeptisch abwartend. Mit in die Hüfte gestützten Armen beobachtet ein schlicht, aber vornehm gekleideter Mann, in dem Dürer selbst vermutet wurde, das Geschehen; neben ihm ein zweiter mit schräg über dem Ohr sitzendem Hut, eine Figur, die uns schon im Martyriumsblatt des Johannes begegnete. Nur der von Enthaltung und Askese ausgemergelte Mönch sinkt mit gefalteten Händen völlig geblendet in die Knie. Im Hintergrund fällt das brennende Babylon endgültig in Schutt und Asche. Ein Engel schmettert den Mühlstein ins Meer, das Heer des Himmels reitet aus einer Wolkenschlucht hervor. Die Verwendung einer in Venedig entstandenen Trachtenstudie, das vermutete Selbstbildnis lassen u.a. auch hier wieder Zeitbezüge vermuten. Chadraba hat sogar versucht, das päpstliche Rom angesprochen zu sehen, und interpretiert die auseinandergenommene päpstliche Tiara wie folgt: Einer der Kronreifen befindet sich auf dem Kopf der Buhlerin, ein zweiter auf dem Turban der männlichen Rückenfigur und ein dritter am Rande des Pokals[12]. Wenn diese Deutung auch überzogen erscheinen mag, so verdeutlicht sie doch schon das bald Mögliche. So zeigt ein Holzschnitt von Lukas Cranach d.Ä. in Luthers Septembertestament von 1522 dann auch die Babylonische Hure mit der Tiara auf dem Kopf. (Kat.-Nr. 20.17)

Im letzten Blatt des Zyklus werden Sinn und Ziel des großen Kampfes deutlich. Durch das göttliche Strafgericht wurde das Böse überwunden, die anbrechende gute Zeit erhält ihre Gestalt im neuen Jerusalem. Im Ganzen ist das Finale weniger dramatisch gestaltet, als es der Text vermuten ließe. Im Vordergrund schickt ein Engel das mit der Kette gefesselte Untier in einen engen, Feuer und Dampf speienden Schacht. Ein großer Bartschlüssel in der rechten Hand des Engels, dessen Schaftring als Halterung für verschiedene kleinere Schlüssel dient, deutet den sicheren Verschluß des Bösen für die nächsten 1000 Jahre an. Über dem Höllenschlund zeigt ein junger Engel dem demütig verhaltenden Johannes das Himmlische Jerusalem. Es ist nicht die phantastische Stadt, deren Mauern aus Jaspis, lauterem Gold und reinem Kristall gemacht sind, wie es der Text verheißt, sondern eine gewachsene deutsche Stadt des 15. Jahrhunderts. Auch dies ist wieder, wie das einleitende Blatt, ein deutlicher Zeitbezug und vielleicht sogar eine Umdeutung der Johannesvision dergestalt, daß Dürer die Wirklichkeit als Ausgangspunkt und Ziel für die Veränderungsmöglichkeiten durch den Menschen verstanden wissen will. Der Hoffnungsgedanke der Apokalypse ist also auf Veränderung im Diesseits bezogen.

»Was ein Bild ist, was es aussagt, was es bedeutet, entscheidet sich im Betrachter. Das Kunstwerk wird zu einem Angebot, das sich im Rezipienten vollendet, wenn nicht überhaupt erst konstituiert: eine Konsequenz, die insofern nominalistisch zu nennen ist, als sie dem einzelnen Werk, seinem Hersteller und seinen Rezipienten mehr Gewicht gibt als dem Begriffsphantom *Kunst*.«[13]. Das geistige und materielle Umfeld entscheidet mit über die Deutung und Bedeutung von Bildern. So können die Text-Bilder des Johannes ebenso wie die Holzschnitte keinen wirklichen Abschluß finden.

»Nicht jedes Ende ist das Ziel. Das Ende der Melodie ist nicht deren Ziel; aber trotzdem: hat die Melodie ihr Ende nicht erreicht, so hat sie auch ihr Ziel nicht erreicht. Ein Gleichnis.«[14]

1 Erwin Panofsky, Das Leben und die Kunst Albrecht Dürers, München 1977, S. 79
2 vgl.: Peter Martin, Martin Luther und die Bilder zur Apokalypse, Hamburg 1983, S. 28–92
3 nach: Erwin Panofsky, a.a.O., S. 63 ff.
4 vgl.: Franz Carl Endres/Annemarie Schimmel, Das Mysterium der Zahl, Köln 1984, S. 230 ff.
5 Eugen Blume, Dürers Apokalypse – Ein Traum gegen das Böse, in: Bildende Kunst, Heft 8, 1983, S. 40
6 Bernhard Deneke, Umwelt: Soziale Gegebenheiten – Prodigienglaube, in: Ausstellungskatalog Nürnberg 1971, S. 215 ff.
7 Rolf Chadraba, Dürers Apokalypse, Prag 1964
8 Franz von Juraschek, Albrecht Dürer, Bad Windsheim 1970
9 Ebd., S. 11
10 Elmar Bauer, Albrecht Dürer. Die Holzschnittfolgen, in: Ausstellungskatalog Ludwigshafen/Rh. 1983, S. 6
11 Franz Carl Endres/Annemarie Schimmel, a.a.O., S. 102
12 Chadraba, a.a.O., S. 43 ff
13 Luther und die Folgen für die Kunst, Ausstellungskatalog Hamburger Kunsthalle 1983/84 (Hrsg. Werner Hofmann), S. 47
14 Friedrich Nietzsche, Menschliches Allzumenschliches, Schlechta-Ausgabe 1956, Bd. II, S. 956

»Kom, lieber jüngster Tag«

Die Apokalypse in der Reformation

Richard W. Gassen

Aus Luthers Vorrede zur Apokalypse von 1522 geht hervor, daß er die Offenbarung des Johannes nicht sehr hoch einschätzte: »Das ichs wider Apostolisch noch prophetisch hallte« und »meyn geyst kan sich yhn das buch nicht schikken«[1] – ein Urteil, das einer Disqualifizierung dieses Buches gleichkam. Luther betont zwar, daß es sich bei dieser Äußerung nur um seine persönliche Einschätzung handelt, die er niemandem aufdrängen will, aber gerade diese Freizügigkeit setzt schon voraus, daß er das Buch aus der Kategorie des Heilsnotwendigen ausgegliedert und in den Bereich des individuellen Geschmacks verlegt hat.

Um so erstaunlicher ist es, daß der ablehnenden Vorrede im Septembertestament von 1522 einundzwanzig großformatige Illustrationen folgen, die einzigen in dieser ersten lutherischen Bibelausgabe überhaupt!

Wie ist dieser offenkundige Widerspruch zu erklären? Wieso erscheinen zahlreiche Bilder in einem Buch, das der Reformator persönlich sehr gering einschätzte? Wieso kam den Bildern zur Apokalypse eine besondere Stellung zu? Wieso bleiben sie auch für einige Jahrzehnte oft die einzigen Bilder, die das Neue Testament der protestantischen Bibeldrucke schmückten?

Ein erster Grund dafür ist in der literarischen Aussagekraft der Johannesoffenbarung zu suchen, in dem mystisch-visionären Charakter der mitunter schwer verständlichen Sprache, die förmlich nach Illustrierung verlangte. Die ihr eigene Bildsymbolik regte schon zu allen Zeiten zur bildlichen Deutung an, was eng mit dem Bestreben der Theologen verknüpft war, der Apokalypse einen symbolischen, historischen oder allegorischen Bezug zu entnehmen. So konnte auch Luther, der stets auf Anschaulichkeit bedacht war, sich einer über den Text hinausgehenden, die berichteten Visionen erläuternden Hilfestellung nicht verschließen. Denn ohne eine solche blieb die Apokalypse dem Nichttheologen nahezu unverständlich. Und so sind es »gerade die bebilderten Teile der Bibel«, schreibt Philipp Schmidt in seinem geschichtlichen Überblick zur Illustration der Lutherbibel, »deren zugehörige Texte vorab vom jugendlichen Leser zuerst nachgeschlagen werden, weil sie wissen möchten, was diese sonderbaren Episodenbilder eigentlich darstellen. Und wurde der zu den Bildern gehörende Text glücklich empfunden, dann haftet er, hauptsächlich des Bildes wegen, unverlierbar im Gedächtnis.«[2]

Ein weiterer Grund dafür, daß die Johannesoffenbarung trotz Luthers ablehnender Haltung illustriert wurde, mag darin liegen, daß im frühen 16. Jahrhundert eine Endzeitstimmung vorherrschte, die voller apokalyptischer Erwartungen war. Schon zur Mitte des 15. Jahrhunderts hatte sich ein alllgemeines Gefühl der Weltangst und das Gespür einer bevorstehenden Zeitwende angekündigt – zahlreiche Weissagungsbücher und astrologische Kalender legen Zeugnis dafür ab. Zahlreich sind auch die Darstellungen des Jüngsten Gerichts. Sei es auf Kirchenwänden (Luca Signorelli in Orvieto), auf Tafelbildern (Stephan Lochners Weltgerichtsaltar in Köln, Rogier van der Weydens *Weltgericht* in Beaune) oder im Bereich der Druckgraphik, so Hans Baldung in seinem Einblattholzschnitt aus dem Jahre 1505 (Kat.-Nr. 19).

Diese Endzeitstimmung, die im frühen 16. Jahrhundert einem neuen Kulminationspunkt entgegenging, konnte am ehesten über die Apokalypse in die Bibel hineingelegt werden, was zudem eine Aktualisierung dieses Buches und des gesamten Neuen Testaments zur Folge hatte. Für den Reformator, wie für die meisten seiner Zeitgenossen, waren bevorstehendes Weltenende und Jüngstes Gericht Ziel und eigentlicher Sinn des gesamten Geschichtsablaufs. Geschichte wurde als endzeitgerichtet betrachtet, die Eschatologie blieb geschichtsbezogen. Für Luther war die Geschichte der christlichen Kirche die Geschichte ihres Kampfes gegen den Satan. Er teilte die Geschichte der Kirche nach Christi Tod in drei Epochen ein: Die erste war die Zeit der Märtyrer der Urgemeinde; die zweite, eine weitaus schlimmere Periode, war die Zeit der geistlichen Anfechtung durch Irrlehren, der Häresie; die dritte, die letzte und zugleich die schwerste, war die angenommene Herrschaft Satans zu Luthers Lebzeiten, auf die dann das Weltenende folgen sollte. Nach den Aussagen im Neuen Testament wird kurz vor dem Weltuntergang der Antichrist erscheinen, ein mächtiger Verbündeter des Teufels, der die Menschheit verführen wird. Luther war der Überzeugung, daß die Institution des Papsttums mit dem Antichristen identisch sei. Im »Sacco di Roma« von 1527/28, der von spanischen und deutschen Söldnern Kaiser Karls V. angezettelten Plünderung Roms[3] sah man allerortens die ersten Anzeichen eines göttlichen Strafgerichts über das verweltlichte Papsttum. Das Bewußtsein, unmittelbar vor dem Weltgericht zu leben, hatte mitnichten Resignation und dumpfen Fatalismus zur Folge, sondern drückte sich in einer Hoffnung auf das baldige Zerbrechen der sündigen irdischen Ordnung aus: »Kom, lieber jüngster Tag« schrieb Luther in einem Brief.

Diese Endzeitstimmung – und weniger exegetische Überlegungen – führte dazu, daß die Offenbarung des Johannes als erstes biblisches Buch in der Reformation mit Bildern ausgestattet wurde. Die 21 Illustrationen des Septembertestaments, die Lucas Cranach d. Ä. und zwei Werkstattmit-

Hans Baldung, *Das Jüngste Gericht* (Kat.-Nr. 19)

Lucas Cranach d.Ä./Werkstatt, *Die Apokalyptischen Reiter* (Kat.-Nr. 20.3)

Lucas Cranach, d.Ä./Werkstatt, *Die Vermessung des Tempels* (Kat.-Nr. 20.11)

gliedern zugeschrieben werden[4], begründeten einen Illustrationszyklus, der jahrzehntelang – mit Modifizierungen in der Bildpolemik – fortwirken sollte. Keine anderen Bilder waren an ein so strenges Illustrationsschema gebunden, wie die der Apokalypse – seien sie in Wittenberg, Basel, Straßburg, Lübeck, Paris oder auch in katholischen Ausgaben wie denen Wolfgang Stöckels in Dresden 1527 oder Peter Quentells in Köln 1529 erschienen. Wie zahlreiche Illustrationen zu den anderen Teilen der Bibel, so stehen auch Cranachs Apokalypse-Illustrationen in einer Tradition, die sich bis ins späte 15. Jahrhundert zurückverfolgen läßt.

Zweifellos lagen den 21 Holzschnitten der Cranach-Werkstatt die Illustrationen zur Apokalypse von Albrecht Dürer zugrunde, die ihrerseits auf die Bildtradition der volkssprachlich gedruckten Bibeln vor Luther zurückblickte. In der *Kölner Bibel* von 1478 bestand das Illustrationsprinzip aus der Reduktion und Konzentration auf das Wesentliche, der ganze Inhalt der Offenbarung wurde in nur neun Holzschnitten mit 23 Szenen zusammengefaßt. In Nürnberg druckte 5 Jahre später Anton Koberger seine hochdeutsche Bibelübersetzung, in dem er acht der neun Kölner Apokalypsebilder übernahm (Kat.-Nr. 18).

Anders als in der Kölner bzw. Koberger-Bibel und auch der Straßburger Grüninger-Bibel von 1485, dient bei Dürer das Bild nicht als Textillustration, sondern ist vielmehr Gesamtschau, eine »wieder Bild gewordene Vision«[5]. Hier ist das Programm die Gegenüberstellung der beiden Prinzipien Gut und Böse unter einer endzeitlichen Perspektive, die im Sinne humanistischer Vorstellungen als Sieg der Vernunft über die Finsternis zu deuten ist[6]. Für die Illustratoren der Cranach-Werkstatt bestand die Aufgabe nun darin, die

komprimierte Darstellung Dürers, die aus dem Zusammenziehen der Szenen auf wenigen Blättern ihr dramatisches Erzählprinzip bezog, auf mehrere Blätter auszudehnen, um eine leichtere Lesbarkeit zu erzielen. Die von Dürer vorgenommene Autonomisierung des Bildes mußte aufgehoben, das Bild wieder in direktem Zusammenhang mit dem Bibeltext gesehen werden. Bild und Wort stehen in einer Wechselbeziehung, die als Ganzes auf den Betrachter wirken soll. So erweisen sich auch die Betrachtungen zahlreicher – mitunter namhafter – Kunsthistoriker als hinfällig und wenig hilfreich, wenn sie die Cranachschen Holzschnitte zur Offenbarung mit Dürers Apokalypse vergleichen, um letztere dann abschätzig zu beurteilen: Die Beschränkung auf stil- und formgeschichtliche Kriterien alleine kann nicht der künstlerischen Beurteilung dienen, läßt man dabei die der jeweiligen Folge eigene Bildfunktion außer Betracht.

Bestimmte Szenen, die Dürer nicht illustriert hatte, mußten neu geschaffen werden, einige wurden in ihrer Motivgestaltung übernommen (z. B. die *Apokalyptischen Reiter*); eine Szene wurde ausgelassen *(Der Kampf des hl. Michael mit dem Drachen),* viele mußten aber, in Anpassung an die Lutherübersetzung und im Sinne der kirchenpolitischen Auseinandersetzungen, umgedeutet werden (z. B. die *Babylonische Hure).* So beten etwa bei Dürer hohe und niedrige Stände die Babylonische Buhlerin an, die das Prinzip der weltlichen Lust verkörpert; bei Cranach sind es nur die Angehörigen der Oberschicht, welche der Hure als Vertreterin der römischen Kirche huldigen (Blatt 17, *Die Babylonische Hure).*
Bei Dürer sind die Apokalyptischen Reiter Allegorien für Hunger, Krieg, Pest und Tod, Cranach aktualisiert diese

Lucas Cranach d.Ä./Werkstatt, *Der Fall Babylons* (Kat.-Nr. 20.14)

Lucas Cranach d.Ä./Werkstatt, *Der Ritter Treu und Wahrhaftig* (Kat.-Nr. 20.19)

Lucas Cranach d.Ä./Werkstatt, *Das Tier aus dem Meer und das Tier aus der Erde* (Kat.-Nr. 20.13)

Lucas Cranach d.Ä./Werkstatt, *Der Brunnen des Abgrunds* (Kat.-Nr. 20.8)

(3. Blatt, *Eröffnung des ersten Siegels. Die vier Reiter*), indem er sie als Herrscherfürst, Ritter und Kriegsknecht darstellt; die Opfer sind die einfachen Leute (Kat.-Nr. 20.3).

Auf dem 9. Blatt *(Die sechste Posaune. Der Würgeengel und Löwenreiter)* sind unter den Reitern Luthers Gegner Herzog Georg der Bärtige und der Ritter Franz von Sickingen zu erkennen. Das 11. Blatt *(Die Vermessung des Tempels. Das Tier aus dem Abgrund und die zwei Zeugen)*, das ebenfalls neu hinzugekommen ist, deutet das mit einer Art Tiara bekrönte Tier aus dem Abgrund als Papst-Antichristen (Kat.-Nr. 20.11).

Auf dem neu hinzugekommenen 14. Blatt *(Die Anbetung des Lammes und die Verkündigung des Evangeliums und des Fall Babylons)* sieht man das brennende Babylon zusammenstürzen, das als die Stadt Rom gekennzeichnet ist (Kat.-Nr. 20.14). Der Holzschnitt ist eine Kopie der rechten Hälfte des Panoramas von Rom in der Schedelschen Weltchronik von 1493. Auf dem 16. Blatt *(Ausgießung der sieben Zornesschalen)* trägt der Drache wieder eine Tiara, ebenso auf dem folgenden. Das 18. Blatt *(Die Klage über die brennende Stadt Babylon. Der Engel mit dem Mühlstein)* zeigt die Klage über das brennende Babylon, das wiederum als Rom gezeichnet ist. Die klagenden Gestalten sind katholische Geistliche, vermutlich Pfründenbezieher, die um den Verlust ihrer Einkünfte jammern. Das 19. Blatt *(Der Ritter Treu und Wahrhaftig. Der Sturz des siebenköpfigen Tiers in den feurigen Pfuhl)* ist von besonderer Aktualität: An der oberen Bildhälfte wird das Ritterheer von Sickingens und Huttens gezeigt, das die Truppen des Kaisers in die Flucht schlägt. Dieses Bild, das auf den Ritteraufstand von 1521 anspielt, weicht vom Offenbarungstext zugunsten der Schilderung eines zeitgenössischen Ereignisses ab (Kat.-Nr. 20.19).

Wie bereits erwähnt fällt bei einer Analyse der Cranachschen Apokalypsebilder auf, daß diese insgesamt stärker auf den Text bezogen sind. Einem Teil der Illustrationen, die Zusätze und Abänderungen enthalten, zu denen es im Bibeltext keine Entsprechungen gibt, ist eines gemein: eine antirömische Tendenz, die vor allem gegen das Papsttum gerichtet dieses als den Antichristen kennzeichnet, und eine soziale Parteinahme für die »einfachen Leute«. So läßt sich der Bilderzyklus im Rahmen der erwähnten endzeitlichen Stimmung des frühen 16. Jahrhunderts sehen: zum einen aus biblischer Sicht, indem die Johannesoffenbarung das – für die kommende Zeit erwartete – Weltenende beschrieb, zum anderen aus kirchenpolitischer Sicht, indem der Untergang des Papsttums nach Meinung der Reformatoren auch das Ende der Vorherrschaft der römischen Kirche in ihrer damaligen Form markierte.

Neben Cranachs Holzschnittbüchlein *Passional Christi und Antichristi* von 1521 und verschiedenen Einblattholzschnitten waren die Bilder zur Apokalypse ein wirksames Mittel im Kampf gegen die römische Kirche, da die Offenbarung – als integraler Bestandteil der Bibel – schnell überregionale Verbreitung fand und nicht in dem Maße wie einzelne Flugschriften einer örtlichen Zensur ausgesetzt war. Es gab auch Unterschiede in der Schärfe der Bilder: So wurde im Dezembertestament von 1522 auf die Intervention Herzog Georgs von Sachsen hin die Tiara auf dem Haupt der Babylonischen Hure in eine weltliche Herrscherkrone umgewandelt.

Blatt 8 *(Die fünfte Posaune)* zeigt den Brunnen des Abgrunds, aus dem Heuschreckenschwärme hervorquellen, um die Menschen zu peinigen (Kat.-Nr. 20.8). Die Heuschrecken tragen Kronen, nach Luther ein Hinweis auf

»Arrius der große Ketzer, und seine Gesellen«. Die gepanzerten und gekrönten Insekten – als Anspielung auf das verarmte, oftmals raubende Rittertum – quälen die am Boden liegenden, den einfachen Ständen zugehörigen Menschen, ohne sie zu töten.

Auf Blatt 13 *(Das Tier aus dem Meer und das Tier aus der Erde)* ist das Siebenköpfige Ungeheuer dargestellt, welches von Menschen angebetet wird (Kat.-Nr. 20.13). Hinter der Personengruppe steigt das »ander thier« auf, das das Aussehen eines Löwen mit Widderhörnern hat; es »machet das die Erde und die drauff wonen, anbeten das erste Thier«. Das Tier aus der Erde trägt einen Mönchskragen mit daranhängender Kapuze, es ist eine Verkörperung der Mönche, insbesondere der Dominikaner und der Franziskaner. Das Bild greift die enge Verquickung von Papst- und Kaisertum auf. »Hie sind nun die zwei Thier: eins ist das Kaiserthum, das ander mit den zwei Hörnern, das Papstthum, welchs nu auch ein weltlich Reich worden ist, doch mit dem Schein des Namens Christi. Denn der Papst hat das gefallen römisch Reich wieder aufgerichtet,. . ., Was aber fur Gräuel, Wehe und Schaden solch kaiserlich Papstthum gethan hab, ist itzt nicht zu erzählen«. Über den unermeßlichen Schaden berichtet Luther weiter: »Denn erstlich ist die Welt durch sein buch vol worden aller abgotterey, mit klostern, stifften, heiligen, walfarten, fegfewer, ablas, unehe, und unzelige mehr stueck der menschenlere und werck etc. Zum andern, wer kan erzelen, wie viel blut, mord, krieg und iamer, die Bepste haben angerichtet, beide mit selbs kriegen und mit reitzen die Keiser, Könige, Fursten vnternander.« [7] Das Tier aus der Erde, das die Mönchskutte als Zeichen der Armut in der Nachfolge Christi trägt, entlarvt die Scheinheiligkeit des Papsttums. Als Verkörperung des

Lucas Cranach d.Ä./Werkstatt, Die Ausgießung der sieben Zornesschalen (Kat.-Nr. 20.16)

Lucas Cranach d.Ä./Werkstatt, *Die Babylonische Hure* (Kat.-Nr. 20.17)

»kaiserlich Papsttum« steht es ganz im Dienst der weltlichen Herrscher.

Luther sieht im 16. Kapitel der Johannesoffenbarung den Generalangriff des Wortes Gottes auf das Papsttum.[8] Die Illustration verdeutlicht die Erläuterung des Reformators: Auf Blatt 16 *(Die Ausgießung der sieben Zornesschalen)* sitzt im rechten unteren Bildrand ein mit der Tiara gekröntes Untier auf einem Thron – als Verkörperung der päpstlichen Gewalt (Kat.-Nr. 20.16). Neben dem Papsttum werden zwei politische bzw. religiöse Gruppen angegriffen: die Fürsten und die theologischen Widersacher Luthers. Das Ungeheuer speit Froschgeister aus, die sich der Gruppe der an ihrer Kleidung erkenntlichen Fürsten bemächtigen sollen. »Und wird des thiers stuel des Papsts gewalt finster, unselig und veracht, Aber sie werden alle zoernig und weren sich getrost, denn es gehen drey frosche, drey unsaubere geister aus des thieres maul, reitzen damit die Könige und Fursten widder das Euangelion, Aber es hilfft nicht, jr streit geschicht doch zu Harmageddon.« Mit den Fröschen meint Luther seine ärgsten literarischen Gegner: »Die frosche sind, die Sophisten, als Faber, Eck, Emser etc. die viel gecken widder des Euangelion, und schaffen doch nichts, und bleiben frosche«[9].

Eines der brisantesten Blätter des reformatorischen Apokalypsezyklus war seit Anbeginn die Darstellung der Babyloni-schen Hure. Das 17. Kapitel galt mit seiner drastischen Schilderung der Hure als besonders geeignet, die Verdorbenheit der römischen Kirche anzuprangern, es war das zentrale Kapitel für die antirömische Polemik.

In Luthers Vorstellung war die Gleichsetzung von Babylonischer Hure und römischer Kirche vorherrschend: »Wohlan, lieber Herr Jesu Christe, es ist auch einmal Zeit, daß du die wüthige, blutdürstige roth Hure hinten und vorn aufdekkest. . .«. Er erwähnt weiterhin »die Schmach, so dem lieben Heiland geschehen ist und noch geschieht durch diese Drachenköpfe, die dem Papsesel zum Hintern auskucken und speien« und schildert den Niedergang der Papstkirche ». . . dazu blößet auch das Evangelium die Scham seiner babylonischen Hure, daß man alle Hurerei, das ist des Papsts Greuel und Abgötterei, Mord, Blutvergießen etc. jetzt frei öffentlich durch das Wort richtet und verdammt«[10]. Die Hure, mit einer in der Art der Tiara gehaltenen Krone als Personifikation des Papsttums, sitzt auf dem Siebenköpfigen Untier; ihr huldigen eine Reihe von Menschen, die als weltliche Herrscher gekennzeichnet sind (Kat.-Nr. 20.17).

Es ist auszuschließen, daß Luther direkten Einfluß auf die Bilder des Septembertestaments gehabt hat. Vielmehr wird ihre Veröffentlichung auf die Initiative Cranachs zurückzuführen sein, der Verleger und zugleich auch Geldgeber des

Hans Holbein d.J., *Die Anbetung des Lammes und die Verkündung des Evangeliums und des Falls Babylons* (Kat.-Nr. 21.1)

Hans Holbein d.J., *Der Engel zeigt Johannes das Himmlische Jerusalem* (Kat.-Nr. 21.2)

Neuen Testaments von 1522 war. Das mag auch der dritte Grund – neben dem starken literarischen Gehalt der Johannesoffenbarung und der weitverbreiteten Endzeitstimmung – für die Aufnahme eines Illustrationszyklus in die Apokalypse im Anschluß an Luthers ablehnende Vorrede sein. Der Künstler, der mit dem Reformator enge freundschaftliche Beziehungen unterhielt, verband die antirömische Polemik, die von Luther bereits des längeren praktiziert wurde, mit einer sozialen Stellungnahme, die Partei für die einfachen Leute ergriff und gegen den Adel Stellung bezog. Seine Haltung ist nicht so sehr auf eine Einflußnahme Andreas Karlstadts, wie öfters zu lesen ist, zurückzuführen (dieser entwickelte sich ja zum Bilderstürmer), sondern auf die Wittenberger Studentenunruhen von 1520, an denen einige adelige Studenten maßgeblich beteiligt waren und die auch gegen den Maler und seine Gesellen gerichtet waren.

Schon bald nach dem Erscheinen des Septembertestaments – die ungewöhnlich hohe Auflage von 3000 bis 5000 Exemplare war innerhalb von zwei Monaten vergriffen, so daß noch vor Jahresende die gemilderte Fassung des Dezembertestaments erschien – übernahmen zahlreiche Künstler den Cranachschen Apokalypsezyklus. Der Drucker Thomas Wolff veröffentlichte noch im gleichen Jahr 21 der Wittenberger Schnittfolge nachempfundene Illustrationen von Hans Holbein d. J. (Kat.-Nr. 21). Holbein hielt sich, sowohl was die Anzahl als auch die Bildgestaltung betraf, eng an die Vorlage Cranachs. Interessant ist das letzte Blatt: Als Himmlisches Jerusalem wird eine Stadtansicht Luzerns gezeigt. Holbeins Holzschnitte wurden später, wahrscheinlich im 17. Jahrhundert wie Heydenreich vermutet [11], zum direkten Vorbild für die einundzwanzig Szenen umfassenden Apokalypsezyklen in den Athosklöstern Dionysiu, Xenophontos und Dochiariou, womit zugleich ein Eingang dieses westlichen Illustrationstypus in die byzantinische Kunst konstatiert wird.

Sehr eilig hatte es die Offizin Silvan Otmars in Augsburg, ein nachgedrucktes Neues Testament auf den Markt zu bringen. Das Anfang 1523 erschienene Neue Testament enthielt 6 Bilder zur Offenbarung, eine kurz darauf folgende zweite Auflage 9 Bilder von Hans Burgkmair. Erst die dritte Auflage vereinigte die komplette Folge von 21 Schnitten. Als einzige stellen die Arbeiten Burgkmairs eine recht selbständige Auseinandersetzung mit den Vorlagen Dürers und Cranachs dar. Er findet zu eigenständigen Bildkompositionen (Kat.-Nr. 22), die mehr als die theologisch fundierten Bildauslegungen Cranachs im Dienst der reinen Laienexegese stehen.

Neben Hans Schäufelein in Augsburg folgten 1524 Barthel Beham in Nürnberg, Hans Weiditz in Augsburg und Georg Lemberger in Wittenberg, 1526 Sebald Beham in Nürnberg mit eigenen, jedoch sich stark an den Wittenberger Vorlagen orientierenden Schnittfolgen. Als letzter der sich an das Schema des Septembertestaments anlehnende Apokalypsezyklus sei der des Anton Woensam genannt, dessen 21 Holzschnitte die Wormser Kombinierte Bibel des Druckers Peter Schöffer d.J. schmückten (Kat.-Nr. 23) – bevor 1530 in Wittenberg ein neuer, erweiterter Bildzyklus erschien, der auf eine veränderte Einschätzung des Stellenwerts der Johannesoffenbarung, auch aus der Sicht Luthers schließen läßt.

Wie eingangs erwähnt, so schätzte der Reformator die Apokalypse in seiner Frühphase nicht sehr hoch ein. Der Widerspruch zwischen seiner zurückhaltenden Beurteilung einerseits und dem relativ reichhaltigen Bilderschmuck des Septembertestaments andererseits löst sich in dem Moment auf, in dem man Luthers zweite Apokalypsevorrede

Hans Burgkmair, *Eröffnung der ersten vier Siegel. Die vier Reiter* (Kat.-Nr. 22.1)

Hans Burgkmair, *Das siebte Siegel. Die ersten vier Posaunen* (Kat.-Nr. 22.2)

von 1529/30 berücksichtigt. Hier vollzieht sich eine Kehrtwendung, die nachträglich den Illustrationszyklus im Septembertestament theologisch legitimiert und auch dem Bilderschmuck in den folgenden Bibelausgaben eine theoretische Grundlage bereitet. In der zweiten Vorrede, die zwischen November 1529 und Februar 1530 unter dem Einfluß zeitgenössischer Ereignisse, die auf eine Endzeit hindeuteten, entstanden ist, rückt Luther von seiner Aussage, die Apokalypse falle aus dem Rahmen der biblischen Weissagungen heraus und sei als außerkanonisches Buch zu bewerten, ab und entwirft ein differenzierteres Bild der christlichen Prophetie: »Etliche weissagt von künftigen dingen, die nicht zuuor jnn der schrifft stehen, Und diese ist dreyerley«[12]. Er unterscheidet nun zwischen drei Kategorien von Zukunftsprophetien, deren dritte, »die es on wort odder auslegung, mit blossen bildern und figuren thut«, auch die Johannesoffenbarung, »dis buch der offenbarung und vieler heiligen leute, trewme, gesichte und bilder« mit einbezieht, so daß diese nun auch »trewme, gesichte und bilder« enthält, »welche sie vom heiligen geist« hat. Ist damit die Apokalypse als kanonische Schrift gesichert, so bedarf es auch ihrer Ausdeutung, damit sie nicht, wie nach Luthers Meinung schon oft geschehen, falsch interpretiert wird. In gewisser Weise überläßt der Reformator, ähnlich wie in der ersten Vorrede, zwar dem Leser die Entscheidungsfreiheit über den Wert der Apokalypse, doch steht die Kanonizität dieser Schrift nun außer Zweifel. Das 1522 angeführte Argument, in der Apokalypse werde Christus nicht gelehrt, ist gänzlich fortgefallen. Auch die zweite Behauptung, die

Monogrammist AW, *Der Sturm von Gog und Magog auf die geliebte Stadt* (Kat.-Nr. 24)

Anton Woensam, *Die Verschließung Satans auf tausend Jahre* (Kat.-Nr. 23)

Johannesoffenbarung könne nicht vom heiligen Geist stammen und sei daher weder apostolisch noch prophetisch, wird revidiert. Zwar empfiehlt Luther die Apokalypse nicht als ein gut biblisches Buch, doch sieht er die Hindernisse, sie als kanonische Schrift zu betrachten, aus dem Weg geräumt. Er gibt jetzt selbst eine Deutung – und daran liegt der wesentliche Unterschied zu 1522 –, die er als Vorschlag zum richtigen Verständnis der Schrift verstanden wissen will.

Luther zog den Schluß, daß es sich bei der Apokalypse um eine Zukunftsprophetie handeln müsse, die in allegorischer Form eine Reihe von kommenden Ereignissen vorhersagen wolle. Um die Weissagungen an der geschichtlichen Wirklichkeit zu prüfen, d. h. festzustellen, ob sie schon eingetroffen waren oder nicht, galt es als das einzig Sinnvolle, die Geschichtsbücher nach Ereignissen und Persönlichkeiten zu durchforschen, die mit den einzelnen Visionen in Verbindung gebracht werden konnten, möglichst in chronologischer Folge. So hatte Luther den Weg zu einer intensiveren Beschäftigung mit der Apokalypse frei gemacht. Die bildlichen Illustrationen konnten nun durchaus der Erklärung dienen, den verschlüsselten Text verständlich zu machen und zu enträtseln.

Luthers Deutung und der Bildschmuck standen nicht mehr im Widerspruch zueinander. Der Reformator verstand die Johannesoffenbarung zum einen als Anprangerung der antichristlichen Macht (des Papsttums) und zum anderen als Trostschrift für die leidende Kirche. Der Apokalypse wohnte somit ein starkes positives Moment inne: Aus Luthers Sicht trat sie für den Erhalt Kirche im Kampf gegen all ihre Feinde und gottgewollten Plagen ein.

Monogrammist MS, *Der Stern Wermut* (Kat.-Nr. 25.1)

Monogrammist MS, *Der Wehengel* (Kat.-Nr. 25.2)

Monogrammist MS, *Der Fall Babylons* (Kat.-Nr. 25.3)

Monogrammist MS, *Der Sturm von Gog und Magog auf die geliebte Stadt* (Kat.-Nr. 25.4)

Im selben Jahr, in dem Luther seine zweite Vorrede zur Apokalypse schrieb, erschienen erstmals 26 Offenbarungsbilder im Neuen Testament Hans Luffts, die die Cranachsche Folge um die Szenen des Engels mit dem Rauchfaß, die Szenen des ersten, zweiten und dritten posaunenden Engels sowie des Gog und Magog erweiterten. Dieser Zyklus von 26 Bildern bildete nun die Grundlage für ein neues Illustrationsschema, das bald schon Erhard Altdorfer in der Lübecker Bibel von 1533/34 und der Monogrammist MS in der Wittenberger Vollbibel von 1534 zur Grundlage ihres Programms machten. In dem Zyklus, der vom Monogrammisten AW für das revidierte Neue Testament Hans Luffts in Wittenberg im Jahre 1530 angefertigt wurde, ist ein völlig neues Bild hinzugekommen: *Gog und Magog bestürmen die geliebte Stadt*. Die Szene spielt auf ein zeitgenössisches Ereignis nicht kirchlicher, sondern erstmals politischer Art an: Es ist die Niederlage der Türken von Wien im Oktober 1529 (Kat.-Nr. 24). Vom Himmel fallendes Feuer schlägt die türkischen Heerscharen in die Flucht, im Vordergrund stürzt der Sultan, über dem ein Teufel schwebt, mit seinen Anhängern in den Abgrund. Noch erzählfreudiger und detailreicher ist diese Szene in der ersten Wittenberger Vollbibel von 1534 dargestellt, deren wiederum 26 Illustrationen dem Monogrammisten MS zugeschrieben werden. Der Künstler griff, wie schon vor ihm der Monogrammist AW, auf einen großen Einblattholzschnitt des Briefmalers Hans Guldenmund zurück. Im Vordergrund sieht man die türkischen Krieger, mit Turban und Kaftan leicht erkennbar, im Hintergrund den noch unvollendeten Turm des Ste-

phansdoms (Kat.-Nr.25.4). Der Sultan verschwindet – mit seinem »Attribut«, dem Teufel, dem Antichristen – in den feurigen Pfuhl. Luther selbst setzte Gog und Magog mit den Türken gleich und beschwor somit die allerorts verbreitete Endzeitstimmung. »Inn des nu solchs alles gehet, kompt im xx. Capitel such her zu der letzte tranck, Gog und Magog, der Turcke, die roten Juden . . Aber sie sollen . . . such bald jnn den feurigen Pful, denn wir achten, das dis bilde als ein sonderlichs von den vorigen, umb der Türcken willen gestellet sey. . . Auff die Türcken folget nu flugs das jüngste gericht, am ende dieses Capitels, wie Daniel vij. auch zeigt.« [13] In dieser Bibelausgabe interpretiert auch das Bild zum *Fall Babylons* (Kat.-Nr. 25.3), ein zeitgenössisches Ereignis im Rahmen der biblischen Prophetie. Die Stadt ist nicht mehr, wie noch im Septembertestament, als Rom gekennzeichnet. Auf der Illustration des Monogrammisten MS ist, am Dom erkenntlich, Worms dargestellt. Damit könnte symbolisch der Untergang des gegen Luthers gerichteten Wormser Edikts von 1521 ausgedrückt sein.

Die Illustrationen des Monogrammisten MS wurden auch in zahlreichen späteren Bibeldrucken wiederverwendet: so in der Wittenberger Bibelausgabe von 1536, in der kostbaren Pergamentbibel von 1541, einem Prachtdruck für das fürstliche Haus Öls mit eigenhändiger Widmung Luthers, (Kat.-Nr. 26), die nur in drei Exemplaren erhalten ist, und in der sogenannten *Zerbster Prunkbibel* (Kat.-Nr. 27) desselben Jahres, einer aufwendig kolorierten Sonderausgabe in fürstlichem Auftrag.

Erhard Altdorfer, *Der Engel mit den Säulenbeinen* (Kat.-Nr. 28.1)

Erhard Altdorfer, *Der Sturm von Gog und Magog auf die geliebte Stadt* (Kat.-Nr. 28.2)

85

Sebald Beham, *Die Eröffnung des sechsten Siegels* (Kat.-Nr. 29.4)

Sebald Beham, *Das letzte Gericht, versinnbildlicht durch Weinkelter und Kornernte* (Kat.-Nr. 29.11)

Erhard Altdorfer illustrierte eine niederdeutsche Bibel, die 1533/34 bei Ludwig Dietz in Lübeck erschien, mit 26 Holzschnitten zur Apokalypse (Kat.-Nr. 28). Sebald Beham fertigte einen Zyklus von 26 Bildern (die in einigen Details immer noch eine intensive Auseinandersetzung mit der Dürer-Apokalypse verraten), den der Frankfurter Drucker Christian Egenolph mehrfach zwischen 1539 und 1558 herausgab (Kat.-Nr. 29), sowie eine zweite Folge von 19 kleineren Holzschnitten. 26 kleinformatige Holzschnitte aus der Werkstatt Heinrich Vogtherrs d. Ä. illustrieren die *Leien Bibel* des Straßburger Druckers Wendelin Rihel, eine reformatorische Bilderbibel für Kinder und Laien, die die gesamte biblische Geschichte von der Weltschöpfung bis zum Himmlischen Jerusalem anhand von 181 Bildern mit darunter-gesetzten vierzeiligen Versen erzählt (Kat.-Nr. 30).

Noch lange über den Tod Luthers im Jahre 1546 hinaus setzt sich reformatorisches Gedankengut fort, die Darstel-lungen öffneten sich in zunehmendem Maße renaissancisti-schen Gestaltungsprinzipien und Bildvokabeln. Die Vorliebe fürs Ornamentale wird immer deutlicher, der Bildraum wird perspektivisch gegliedert, das Prinzip der Textillustration weicht einer detailgenauen Erzählfreude – eine Entwicklung, die sich in den 26 Holzschnitten Virgil Solis' zur Apokalypse in der Bibelausgabe Sigmund Feyerabends, Frankfurt 1560, andeutet (Kat.-Nr. 31) und die in den 23 Kupfersti-chen Jean Duvets, 1561 in Lyon erschienen, einen gewis-sen Autonomisierungsgrad, ähnlich wie in den Holzschnit-ten Albrecht Dürers, erreicht. (Kat.-Nr. 32)

Obwohl sich in zahlreichen Blättern antirömische Tenden-zen finden, liegt das Hauptmerkmal seiner Bibelillustratio-nen mehr im Bereich künstlerisch-ästhetischer Gestaltung als im Bildkampf gegen das Papsttum. Interessant ist in diesem Zusammenhang Duvets unentschiedene Haltung in Glaubensfragen. Zwar ging er wegen seines reformierten Glaubens nach Genf ins Exil, wenig später findet man den Anhänger des Calvinismus wieder in seinem Geburtsort Langres, einem Zentrum des konservativen Katholizismus. Wie zahlreiche Künstler seiner Zeit pendelte Duvet zwischen Genf und Frankreich und nahm hier wie dort Aufträge an. 1556 verließ er jedoch endgültig die Schweiz, um den Rest seines Lebens in Lyon zu verbringen. Die Gründe für diese Rückkehr waren zweifelsohne künstlerischer Art: In Genf

sah er sich in seiner Betätigung stark eingeschränkt, da nach Calvins bilderskeptischer Haltung die Künstler »weder malen noch bildhauen sollen, was man nicht sehen kann«.

Jean Duvets Apokalypsebilder markieren einen End- und letztmaligen Höhepunkt in der Bibelillustration der Reforma-tion. Mit dem Einsetzen der von Ignaz von Loyola 1555 initiierten Gegenreformation verliert auch apokalyptisches Gedankengut allmählich an Bedeutung, die von den Refor-matoren aktualisierte Johannesoffenbarung – als Polemik gegen die römische Kirche und als zeitgenössische Deu-tung eines bevorstehenden Weltenendes – wird unzeitge-mäß. So büßen auch die Apokalypsebilder ihre Brisanz ein; sie verschwinden zwar nicht ganz aus den illustrierten Bibeln, doch kommt ihnen in zunehmendem Maße die Funktion kanonisierter Bildvokabeln zu. Sie werden mehr und mehr zum Repertoire.

1 Dr. Martin Luthers Werke, Kritische Gesamtausgabe, Bd. 1 ff, Weimar 1883 ff Abt. 3: Deutsche Bibel, 12 Bde, 1906–1961, Bd. 7, S. 404 (=WA Bibel)
2 Philipp Schmidt, Die Illustration der Lutherbibel 1522–1700. Ein Stück abendländischer Kultur- und Kirchengeschichte, Basel 1962, S. 3
3 Vgl. Peter Martin, Martin Luther und die Bilder zur Apokalypse (Vestigia Bibliae, Jahrbuch des Deutschen Bibel-Archivs, Bd. 5) Hamburg 1983, S. 129 ff
4 Hildegard Zimmermann, Beiträge zur Bibelillustration des 16. Jahrhun-derts. Illustrationen und Illustratoren des ersten Luthertestaments und der Oktavausgabe des Neuen Testaments (Studien zur deutschen Kunstge-schichte 226) Straßburg 1924, S. 1 ff; Martin, a. a. O., S. 27
5 Martin, a. a. O., S. 17
6 Vgl. Cäcilia G. Nesselstrauß, Die Holzschnitte von Lucas Cranach zur ersten Ausgabe des Neuen Testaments von Luther und die Tradition der deutschen Wiegendrucke, in: Lucas Cranach, Künstler und Gesellschaft, Hrsg. Peter Feist, Ernst Ullmann, Gerhard Brendler, Wittenberg 1973, S. 98–101. S. 101
7 WA Bibel 7, S. 414
8 Vgl. Hans Ulrich Hofmann, Luther und die Johannes-Apokalypse: dargestellt im Rahmen der Auslegungsgeschichte des letzten Buches der Bibel und im Zusammenhang der theologischen Entwicklung des Reforma-tors (Beiträge zur Geschichte der biblischen Exegese 24, 1982), S. 439
9 WA Bibel 7, S. 416
10 Dr. Martin Luthers sämtliche Werke, 1. Auflage, Erlangen 1826–1857; 2. Auflage 1862–1885. Bd. xxxi, S. 393 u. Bd. xvii, S. 27
11 Ludwig Heydenreich, Der Apokalypsezyklus im Athosgebiet und seine Beziehungen zur deutschen Bibelillustration der Reformation, in: Zeitschrift für Kunstgeschichte 8, 1939, S. 1–40. S. 30
12 WA Bibel 7, S. 406 ff (auch im folgenden)
13 WA Bibel 7, S. 416

Die Koberger-Bibel

18

Die Apokalyptischen Reiter   1483

Kolorierter Holzschnitt, 11,7 × 18,6 cm
Nürnberg 1483
Universitätsbibliothek Heidelberg
(Abb. aus dem in der Württembergischen Landesbibliothek, Stuttgart
befindlichen Exemplar)
Lit.: Walter Eichenberger/Henning Wendland, Deutsche Bibeln vor Luther,
Hamburg 1977

Hans Baldung

19

Das Jüngste Gericht   1505

Holzschnitt, 25,8 × 17,4 cm
Kunstsammlungen der Veste Coburg
Lit.: Matthias Mende, Hans Baldung Grien – Das Graphische Werk.
Vollständiger Bildkatalog der Einzelholzschnitte, Buchillustrationen und
Kupferstiche, Unterschneidheim 1978

Lucas Cranach d.Ä. (und Werkstatt)

20

Die Apokalypse   1522

21 Holzschnitte zur Apokalypse, in: *Das Newe Testament Deutzsch
Vuittenberg*
Wittenberg, Melchior Lotther 1522; je 23 × 16,1 cm
Kunstsammlungen der Veste Coburg (21 Einzelblätter)
Lit.: Dieter Koepplin/Tilman Falk, Lukas Cranach – Gemälde, Zeichnungen,
Druckgraphik, Ausstellungskatalog Kunstmuseum Basel 1974, Bd. I,
S. 307 ff; Schmidt, a.a.O., S. 93 f; Martin, a.a.O., S. 19 ff

1. Die Vision des Johannes von den sieben Leuchtern und dem Menschensohn

2. Die 24 Ältesten und die Eröffnung des versiegelten Buches durch das
Lamm

3. Eröffnung der ersten vier Siegel. Die vier Reiter

4. Das fünfte Siegel. Die Bekleidung der Märtyrer unter dem Altar

5. Das sechste Siegel. Erdbeben, Sonnenfinsternis und Sternenregen

6. Vier Engel halten die Winde auf. Die Versiegelung der 140000 Auserwählten

7. Das siebte Siegel. Die ersten vier Posaunen

8. Die fünfte Posaune. Die Heuschrecken aus dem Brunnen des Abgrundes

9. Die sechste Posaune. Die Würgeengel und Löwenreiter

10. Der starke Engel mit den Säulenbeinen. Johannes verschlingt das
bittere Buch

11. Die Vermessung des Tempels. Das Tier aus dem Abgrund und die zwei
Zeugen

12. Die siebte Posaune. Das Sonnenweib und der siebenköpfige Drache.
Michaels Kampf mit dem Drachen

13. Das Tier aus dem Meer und das Tier aus der Erde

14. Die Anbetung des Lammes und die Verkündigung des Evangeliums
und des Falls Babylons

15. Getreideernte und Blutkelter

16. Ausgießung der sieben Zornesschalen

17. Die Babylonische Hure

18. Die Klage über die brennende Stadt Babylon. Der Engel mit dem
Mühlstein

19. Der Ritter Treu und Wahrhaftigkeit. Der Sturz des siebenköpfigen Tiers
in den feurigen Pfuhl

20. Satan wird auf tausend Jahre gebunden

21. Der Engel zeigt Johannes das Himmlische Jerusalem

Hans Holbein d.J.

21

Die Apokalypse   1523

21 Holzschnitte zur Apokalypse in: *Das gantzs neuw Testament*
Basel, Thomas Wolff 1523; je 12 × 7,8 cm
Württembergische Landesbibliothek, Stuttgart
Lit.: Schmidt, a.a.O., S. 122 ff.

1. Die Anbetung des Lammes und die Verkündung des Evangeliums und
des Falls Babylons

2. Der Engel zeigt Johannes das Himmlische Jerusalem

Heinrich Vogtherr d.Ä., *Der Drachen und das Sonnenweib* (Kat.-Nr. 30)

Hans Burgkmair

22

Die Apokalypse 1523

21 Holzschnitte zur Apokalypse in: *Das neü Testament*
Augsburg, Silvan Otmar 1523; je 16,2 × 12,8 cm
Württembergische Landesbibliothek, Stuttgart
Lit.: Schmidt, a.a.O., S. 128 ff

1. Eröffnung der ersten vier Siegel. Die vier Reiter

2. Das siebte Siegel. Die ersten vier Posaunen

Anton Woensam

23

Die Apokalypse 1529

21 Holzschnitte zur Apokalypse in: *Biblia beyder Allt und Newen Testaments Teutsch* (sog. *Wormser Bibel*)
Worms, Peter Schöffer 1529; je 12,4 × 8 cm
Stadtbibliothek Worms
Lit.: Ursprung der Biblia Deutsch von Martin Luther, Ausstellungskatalog
Württembergische Landesbibliothek, Stuttgart 1983, S. 63 f

Die Verschließung Satans auf tausend Jahre

Monogrammist AW

24

Die Apokalypse 1530

26 Holzschnitte zur Apokalypse in: *Das Newe Testament M. Luthers*
Wittenberg, Hans Lufft 1530; je 12 × 8 cm
Württembergische Landesbibliothek, Stuttgart
Lit.: Martin, a.a.O., S. 140 ff

Der Sturm von Gog und Magog auf die geliebte Stadt

Monogrammist MS

25

Die Apokalypse 1534

26 Holzschnitte zur Apokalypse in: *Biblia, das ist die gantze Heilige Schrifft Deudsch*
Wittenberg, Hans Lufft 1534; je 10,8 × 14,9 cm
Württembergische Landesbibliothek, Stuttgart
Lit.: Martin, a.a.O., S. 176 ff

1. Der Stern Wermut

2. Der Wehengel

3. Der Fall Babylons

4. Der Sturm von Gog und Magog auf die geliebte Stadt

Die gleichen Druckstöcke wie für Kat.-Nr. 25 wurden auch für Kat.-Nr. 26 und Kat.-Nr. 27 verwendet.

Pergamentbibel 1541

26

26 Holzschnitte zur Apokalypse des Monogrammisten MS in:
Biblia, das ist die gantze Heilige Schrifft Deudsch

Pergamentdruck
Wittenberg, Hans Lufft 1541. Bd. 2: *Die Propheten alle Deudsch*
Stadtbibliothek Worms
Lit.: Detlef Johannes, Luther-Bibliothek der Stadt Worms (Der Wormsgau, Beiheft 28) 1983, S. 18 f

Zerbster Prunkbibel 1541

27

26 kolorierte Holzschnitte zur Apokalypse des Monogrammisten MS
Wittenberg, Hans Lufft 1541
Faksimile der Universitätsbibliothek Heidelberg

Erhard Altdorfer

28

Die Apokalypse 1533/34

26 Holzschnitte zur Apokalypse in: *De Biblie* (niederdeutsch)
Lübeck, Ludwig Dietz 1533/34; je 13,2 × 9,1 cm
Württembergische Landesbibliothek, Stuttgart

1. Der Engel mit den Säulenbeinen

2. Der Sturm von Gog und Magog auf die geliebte Stadt

Sebald Beham

29

Die Apokalypse 1539

26 Holzschnitte zur Apokalypse in *Typi in Apocalypsi Joannis*
Frankfurt, Christian Egenolph 1539; je 6,7 × 7,3 cm
Kunstsammlungen der Veste Coburg (14 Einzelblätter)
Lit.: Gustav Pauli, Hans Sebald Beham. Ein kritisches Verzeichnis seiner Kupferstiche, Radierungen und Holzschnitte (Studien zur deutschen Kunstgeschichte, Hft. 33), Straßburg 1901, Nrn. 833-858, S. 353–356

1. Johannes erblickt die sieben Leuchter

2. Johannes erhält Weisung gen Himmel

3. Die vier Apokalyptischen Reiter

4. Die Eröffnung des sechsten Siegels

5. Den sieben Engeln werden die Posaunen übergeben

6. Der zweite Engel bläst die Posaune

7. Der vierte Engel bläst die Posaune

8. Der sechste Engel bläst die Posaune

9. Das Tier des Abgrunds

10. Der siebenköpfige Drache und das Tier mit den Lammshörnern

11. Das letzte Gericht, versinnbildlicht durch Weinkelter und Kornernte

12. Das Tier fällt in die Verdammnis

13. Der Satan fällt in den Abgrund

14. Der Engel zeigt Johannes das Himmlische Jerusalem

Virgil Solis, *Der brennende Berg* und *Der Stern Wermut* (Kat.-Nr. 31.1 und 31.2)

Jean Duvet, *Das Tier mit 7 Köpfen und 10 Hörnern* (Kat.-Nr. 32.2)

Jean Duvet, *Der Engel zeigt Johannes den Strom des Lebenswassers* (Kat.-Nr. 32.5)

Heinrich Vogtherr d.Ä. (Umkreis)

30

Die Apokalypse 1540

26 Holzschnitte zur Apokalypse in: *Leien Bibel*
Straßburg, Wendelin Rihel 1540; je 7,3 × 7,3 cm
Stadtbibliothek Memmingen
Lit.: Richard W. Gassen, Die Leien Bibel des Straßburgers Druckers
Wendelin Rihel (Memminger Geschichtsblätter 1983/84), Memmingen
1984

Der Drachen und das Sonnenweib

Virgil Solis

31

Die Apokalypse 1560

26 Holzschnitte zur Apokalypse in: *Biblia, das ist die gantze Heylige Schrifft Teutsch*
Frankfurt am Main, Sigmund Feyerabend 1560; je 11,6 × 14,8 cm
Württembergische Landesbibliothek, Stuttgart
Lit.: Schmidt, a.a.O., S. 236–244

1. Der brennende Berg

2. Der Stern Wermut

Jean Duvet

32

Apocalypse figurée 1555/61

23 Kupferstiche zur Apokalypse, Lyon 1561, ca. 30 × 21,5 cm
Musées de Langres
Lit.: Colin Eisler, The Master of the Unicorn. The Life and Work of Jean
Duvet, New York 1979

1. Saint Jean mesurant le Temple
(Johannes vermißt den Tempel)

2. La bête à 7 Têtes et à 10 Cornes
(Das Tier mit 7 Köpfen und 10 Hörnern)

3. Babylone assise sur la bête à 7 Têtes et à 10 Cornes
(Die Babylonische Hure)

4. L'Ange enchaîne le démon
(Der Engel bindet Satan auf 1000 Jahre)

5. L'Ange montre à Saint Jean le fleuve d'Eau Vive
(Der Engel zeigt Johannes den Strom des Lebenswassers)

Es ist eine Lust zu leben?

Gedanken zu einigen Darstellungen der Apokalypse
in der Malerei des ausgehenden Mittelalters
und der Renaissance

Axel Hinrich Murken

Wie kaum zuvor in der abendländischen Geschichte ahnten die Menschen des 16. Jahrhunderts, daß sie an einer revolutionären Zeitwende standen. Mit der Einführung der Buchdruckerkunst durch Johannes Gutenberg (1397–1468) um 1455 und der Entdeckung der Neuen Welt durch Christoph Kolumbus (1451–1506) wurden im Jahre 1492 nicht nur geistig und geographisch neue Horizonte erschlossen, sondern auch die Naturwissenschaften, die Literatur und die Philosophie erfuhren in einem ungeahnten Ausmaß neue Impulse. Sinnbildhaft für die radikale Wende des menschlichen Denkens, Fühlens und Handels am Übergang des Mittelalters zur Neuzeit ist die Begründung des heliozentrischen Weltbildes durch den Arzt und Naturforscher Nikolaus Kopernikus (1473–1543) im Jahre 1543, der damit die Erde nur noch als einen Teil des Weltalls, auf Gedeih und Verderben an die Sonne gefesselt, erkannte.

In den Menschen der Renaissance erwachte nun eine bisher nicht gekannte Lebenslust und Kreativität. Freilich war die Kehrseite dieser neuerwachten Daseinsfreude eine steigende Angst vor Katastrophen und dem damals sehr gefürchteten Weltuntergang. Charakteristisch für dieses Hin- und Hergeworfensein des Renaissancemenschen waren die Weltanschauungen zweier ihrer Protagonisten, Ulrich von Hutten (1488–1523) und Sebastian Brant (1457 bis 1521), die jeder auf ihre Weise die Welt euphorisch oder kritisch bis zynisch betrachteten. So schrieb von Hutten in diesen beiden ersten Jahrzehnten des 16. Jahrhunderts an den Nürnberger Humanisten Willibald Pirckheimer (1470 bis 1530) in die Renaissance kennzeichnender Art: »O Jahrhundert! O Wissenschaften! Es ist eine Lust zu leben.« Die Ironie des Schicksals wollte es, daß gerade er schon mit 35 Jahren an der neuen »Syphilis« kläglich starb, die sich erst nach der Rückkehr der Matrosen aus Amerika seit 1496 verheerend unter den Menschen ausbreitete. Dagegen sah der Straßburger Rechtsgelehrte und Literat Sebastian Brant die Welt trotz aller neuen Möglichkeiten so voller Sünde, daß er beinahe zwangsläufig an ein bald nahendes Weltenende glaubte. Die Seuchen und Hungersnöte und Naturkatastrophen erkannte man als Gottesstrafen, denen bald noch Schrecklicheres folgen konnte. So hat kein Geringerer als Albrecht Dürer (1471–1528) die Apokalypse nicht nur in einem Holzschnitt-Zyklus, der 1498 zum ersten Mal herauskam, festgehalten, sondern auch in einem Aquarell aus dem Jahre 1525 eine apokalyptische Weltzerstörung gemalt.

In der bildenden Kunst spiegelt sich gleichfalls dieser Dualismus der Freude an der Eroberung, dem Erkennen und Begreifen der Welt mit all ihren Phänomenen einerseits und auf der anderen Seite eine sehr depressive Haltung angesichts der Schlechtigkeit und Sündhaftigkeit der Menschen.

Ein aus heutigem Verständnis fast kindlicher Glaube an Weltuntergang, Gottesgerichte, Hexenwesen und Dämonen nahm damals weite Kreise der Bevölkerung gefangen. Die Eröffnung neuer Möglichkeiten, die Erschließung neuer Wirtschaftquellen und der Gewinn von mehr individuellen Freiheiten, verbunden mit einer Veränderung und Lockerung mittelalterlicher Moralvorstellungen, erzeugte fast naturgemäß auch Furcht vor dem Verlust der neugewonnenen Errungenschaften. Die Angst vor dem Abenteuer des Fortschritts und vor den bisher unbekannten Dimensionen des Weltalls wuchs anscheinend proportional mit dem Zugewinn neuer Erkenntnisse und Entfaltungsmöglichkeiten. Außerdem grassierten seit Mitte des 14. Jahrhunderts fürchterliche Pestepidemien in Europa, die von Hungerkatastrophen begleitet wurden. Nicht zuletzt schufen die zahlreichen Kriege, die Bedrohung Europas durch die Türken, die 1529 vergeblich Wien belagerten, ein Klima der Beunruhigung, das bald noch durch die Reformation Martin Luthers (1483–1546) mit all ihren Verurteilungen verstärkt werden sollte.

Dieses in der Renaissance neugeborene Bewußtsein von individueller Selbständigkeit und Verantwortung erzeugte so Endzeitvorstellungen, die mit einem verstärkten Nachdenken über das Ende des Menschen und der von ihm bewohnten Erde verbunden waren. Denn je weniger der Renaissancemensch der katholischen Kirche folgen und im Diesseits ein Jammertal erkennen konnte, das man schnell

Abb. 24 Giotto, *Das Jüngste Gericht.* Fresko in der Scrovegni-Kapelle in Padua, etwa 1305

Johann Anton Ramboux, *Das Jüngste Gericht in Santa Maria, Toscanella* (Kat.-Nr. 33)

durcheilen sollte, um so mehr nahm die Beschäftigung mit dem ungewissen Jenseits zu. So lag es nahe, wie ein Menetekel, wie ein Warnruf Weltuntergangsstimmungen als Gleichnis und als entlastenden Schutz sozusagen an die Wand zu malen.

Kein Wunder war es also, wenn die »Geheime Offenbarung« des Apostels Johannes seit dem 15. Jahrhundert an Interesse und Bedeutung gewann. Der Legende nach soll der Apostel Johannes auf der griechischen Mittelmeerinsel Patmos seine Apokalypse in der Zeit des römischen Kaisers

emotionale Gesten und körperliche Plastizität eine individuelle Note verlieh. Er verließ mit seinem künstlerischen Werk die starr gewordenen ikonographischen Traditionen, die bis zu seiner Zeit von der byzantinischen und gotischen Kunst geprägt worden waren. Auf diese Art und Weise gewann in der Malerei seit Giotto das Individuum zunehmend an Geltung. Deutlich wird diese epochemachende Kraft zu lebendiger künstlerischer Ausdrucksfähigkeit schon mit der Wende zum 14. Jahrhundert in den Freskenmalereien, die Giotto damals in der Oberkirche von Assisi mit den Szenen aus dem Leben des Heiligen Franziskus und in der Arena-

Abb. 25 Jan van Eyck, *Die Anbetung des Lammes*. Mitteltafel der unteren Reihe des Genter Altars, 1432 (Gent, St. Bavo)

Domitian (51–96) um 96 nach Christus niedergeschrieben haben. In seiner apokalyptischen Offenbarung ist mit großer visionärer Kraft all das sehr symbolhaft und farbig zusammengefaßt, was schon bei einigen Propheten des Alten Testaments, wie im Buch Daniel, über den Weltuntergang angedeutet wird. Bei Johannes gewinnt aber die Offenbarung über das Weltgericht mit den grausamen Strafen der Verdammten und mit der Neuschaffung eines Himmlischen Jerusalems für die glückselig Auserwählten eine phantastische bildreiche Dimension, die bis an die Grenze menschlicher Ausdrucksfähigkeit geht. Zugleich ordnet Johannes seine halluzinatorischen Gesichte in eine Symmetrie und Abfolge von Entwicklungsstufen. Dies alles mußte gerade die Künstler der Renaissance, die sich wie nie zuvor der Naturbeobachtung widmeten, reizen, die Offenbarung des Johannes in all ihren Schattierungen zu malen.

Als einer der ersten Maler wagte sich Giotto (um 1267–1337) an die Darstellung des von Johannes beschriebenen Weltgerichtes in einem großen Freskogemälde in der Arena-Kapelle in Padua in den Jahren von 1304–1311. Ihm war es wohl mehr als allen anderen zeitgenössischen Malern gegeben, in einer schon persönlich packenden Form eine zentrale Episode der Visionen des Johannes lebendig bildhaft nachzuvollziehen. Giotto war einer der ersten überhaupt, der den Menschen auf seinen Bildern durch

Kapelle der Scrovegni in Padua mit der Darstellung biblischer Szenen aus dem Alten und Neuen Testament schuf. Seine Menschenbildnisse bekamen in diesen religiösen Bildern schon ein dramatisches, gefühlvolles Gewicht, das dem Abendmahl Christi oder den Auferstehungsszenen eine bisher nicht gestaltete Lebensnähe zugestand.

Dies gilt besonders für die malerische Wiedergabe des Weltgerichts von Giotto (Abb. 24). Wenn zwar der Aufbau seines Freskogemäldes des Jüngsten Gerichts in der Arena-Kapelle insgesamt aus heutiger Sicht sehr statisch angelegt worden ist – ein Kompositionsschema, wie es sich beispielsweise in Toscanella findet (Kat.-Nr. 33) –, so beeindruckt es doch in seinem feierlichen, majestätischen Aufbau durch seine mitreißende, fast suggestive Kraft. Die Gerichtsszene selbst mit der segnenden Christusfigur in der Mandorla nimmt den Hauptteil des Freskos ein, dessen Gestaltung an Lebendigkeit gewinnt, je mehr man sich der Darstellung der Verdammnis zuwendet. Hier wohnen das Scheußliche, Groteske und Entsetzliche dicht beieinander und geben dem gesamten Gemälde einen gleichnishaften Charakter. Beispielhaft tritt an diesem Fresko in Padua vor Augen, wie Giotto am Vorabend der Neuzeit anhand der christlichen Mythologie die Welt malerisch zu bewältigen sucht. Neben dem entrückten Christus und den Heiligen treten nun Menschen ins Bild, über die von Fall zu Fall gerichtet wird. So leistet Giotto sehr früh einen kaum zu überschätzenden Beitrag zur allmählichen Befreiung des Menschen aus der Anonymität der Massen und von den Normen kirchlicher Obrigkeiten.

Mit dem vollen Aufblühen der Renaissance widmete sich im 15. und 16. Jahrhundert eine Vielzahl kongenialer Meister in Italien und Flandern engagiert und mit großer Freude am Detail der Darstellung der Offenbarung des Johannes. Von Jan van Eyck über Rogier van der Weyden bis zu Hans Memling und Hieronymus Bosch steigerte sich das Thema des Weltgerichts ins dämonisch Grandiose und zugleich Absurde. Dies lag nun auch um so näher, da seit dem 14. Jahrhundert die Pest als eine der schlimmsten Seuchen der Menschheit die Bevölkerung fürchterlich heimsuchte und Hungerkatastrophen nicht nur Schrecken und Tod verbreiteten, sondern auch neuen Krankheiten, wie dem Mutterkornbrand, den Boden ebneten. In diesem Zusammenhang ist es wohl nur verständlich, daß sich vor allem nördlich der Alpen in den durch Handel und Industrie blühenden Städten Flanderns und Brabants die Maler intensiv und sehr genau mit den unterschiedlichen visionären Gesichten des Johannes beschäftigten, nur beeindruckten damals nicht die brutalen Verfolgungen der Christen durch die Obrigkeit die Menschen, sondern übermächtige Ereignisse, wie die schon genannten Pestseuchen, zu denen seit dem Beginn des 15. Jahrhunderts neben Mißernten das gefürchtete Antoniusfeuer mit dem scheußlichen Absterben der Beine und Hände aufgrund der Verunreinigung des Korns und die rasch zum Tode führende Syphilis hinzukamen.

Wohl am eindrucksvollsten hat Jan van Eyck (um 1390 bis 1441) mit Hilfe seines Bruders Hubertus eine der wesentlichsten Aussagen des Johannes mit der *Anbetung des Lammes* auf dem Genter Altarbild wiedergegeben (Abb. 25). Nicht die Darstellung der Schreckensvisionen des Weltunterganges, die Johannes beschreibt, waren sein künstlerisches Anliegen, sondern das Kraft, Zuversicht und Standfestigkeit ausstrahlende heilige Lamm als Stellvertreter göttlicher Vollmacht und Gewalt. Im Johannes-Evangelium heißt es dazu: »Würdig ist das Lamm, das geschlachtet ward, zu empfangen Macht und Reichtum und Weisheit und Kraft und Ehre und Herrlichkeit und Lobpreis«. Jan van Eyck bettete die Darstellung des Lammes mit den es anbetenden Scharen von Engeln, Heiligen, Kirchenfürsten, Aposteln und Märtyrern in einen zwölfteiligen Tafel-Zyklus mit Schlüsselszenen aus dem Testament.

Im Mittelpunkt eines weiten, unendlich stillen Landschaftsparkes steht das sich opfernde heilige Tier, das allein nach der Offenbarung des Johannes das Buch mit den sieben Siegeln lösen kann. Darum herum gruppieren sich die sich auf das Lamm Gottes ehrfurchtsvoll zubewegenden Prozessionen, die nach biblischen und kirchlichen Gruppen geordnet sind. Wie in einem Traum breitet sich vor dem Betrachter eine Szenerie von überwältigender religiöser und sinnbildhafter Kraft aus, die die ursprünglichen phantastischen Visionen des Johannes fast selbstverständlich wahr und wirklich erscheinen läßt. Über der gesamten Szenerie liegt eine atemlose Ruhe, die dem Bild eine unvergleichbare Erhabenheit schenkt.

Fast zur gleichen Zeit schuf Rogier van der Weyden (um 1400–1464) noch vor 1450 einen Altarzyklus zum Weltgericht für das Hospital in Beaune in Burgund (Abb. 27). In seinen Tafeln steht wieder wie bei Giotto die Gerichtsszene im Vordergrund, so wie sie Johannes beschreibt: »Und ich sah einen Thron, groß und weiß, und den, der darauf saß. Vor seinem Angesicht flohen die Erde und der Himmel, und keine Stätte wurde mehr für sie gefunden. Und ich sah die

Toten, die Großen und die Kleinen vor dem Throne stehen.« Im Zentrum sitzt der himmlische Christus mit dem Erzengel Michael, der mit der Waage über die Gerechten und Ungerechten befindet. Während in den Wolken schwebend die Apostel und andere Heilige sich um Christus scharen, kriechen die Toten wie Maulwürfe aus ihren Gräbern und wandern rechts als Verdammte der Hölle zu. Ganz links gelangen die Auserwählten zum Tor des neuen Himmlischen Jerusalems. Ein Bild zur Mahnung und Besinnung entfaltet sich hier vor den Augen der Kranken, wie es auch bei Johannes zu lesen ist: »Selig sind von nun an die Toten, die im Herrn sterben. Wahrlich, so spricht der Geist, sie sollen ausruhen von ihren Mühsalen, denn ihre Werke folgen ihnen nach.«

Einer der bekanntesten Schüler Rogier van der Weydens, Hans Memling (1435–1494), versuchte auf eine faszinierend phantasiereiche Weise die kaum faßbaren Visionen des Johannes in ihren wesentlichsten Zügen in einer sehr dichtgedrängten, aber doch sehr klar aufgebauten Konzeption darzustellen (Abb. 28). Auf dem rechten Seitenflügel des Altartriptychons der *Mystischen Vermählung der Heiligen Katharina* (1475–1479) sitzt der Apostel vorne im Bild als Hauptfigur auf einem Felsen der Mittelmeerinsel Patmos, wo er seine vielschichtigen Eingebungen niederschreibt. Über ihm leuchten verschiedene Episoden der Offenbarung mit dem großen Namenlosen auf seinem Thron im Mittelpunkt einer riesigen Augenpupille. Am Rande der Iris übernimmt ein Engel die Vermittlung zwischen dem träumenden Johannes auf der Erde und dem über allen thronenden Himmelsgott.

Memling hat diesen zentralen Punkt der Vision, leicht angeschnitten am oberen Bildrand, in einem großen, dem menschlichen Auge nachempfundenen Oval voller Symbole

Abb. 26 Hieronymus Bosch, *Das Jüngste Gericht*. Mittelbild des Triptychons (Akademie der Bildenden Künste, Wien)

IVSTORVM ANIMAE IN MANV DEI SVNT, NEC
ATTINGIT ILLOS CRVCIATVS.

TOLLITE O PORTAE CAPITA VESTRA AT TOLLIMINI FORES
SEMPITERNAE, VT INGREDIETVR REX ILLE GLORIOSVS

IMPII MVLTABVNTVR PRO COGITATIONIBVS
SVIS, VT QVI A DÑO DEFECERINT.

Nach Hieronymus Bosch, *Jüngstes Gericht* (Kat.-Nr. 36)

Abb. 27 Rogier van der Weyden, *Das Jüngste Gericht* (Ausschnitt), vor 1450 (Hôtel-Dieu, Beaune)

wiedergegeben. Auf diesem Tafelgemälde ist der unmittelbare Beginn der geweissagten Katastrophen festgehalten. Es handelt sich um jenen Zeitpunkt, als das Lamm das erste Siegel gelöst hat. Man sieht rechts im mittleren Bildfeld die vier Apokalyptischen Reiter, Pest, Krieg, Hunger und Tod symbolisierend, zornig Unheil bringend lospreschen. Wenig später gab Albrecht Dürer in seiner Holzschnittfolge zur Apokalypse gerade diesen Reitern volkstümlichen Ausdruck. Weiter erkennt man auf dem Memlingschen Gemälde in lichter Höhe das von Johannes genannte Weib als Madonna mit dem Kind, umkleidet von der Sonne und vom siebenköpfigen Drachen bedroht: »Und der Drache steht vor der Frau, die gebären soll, um gleich nach der Geburt ihr Kind zu verschlingen. Und sie gebar einen Sohn, ein männliches Kind, das alle Völker mit eisernem Stabe weiden soll; und ihr Kind wurde entrückt zu Gott und zu seinem Thron.« Den »Starken« Engel, die Schwarzen Ritter, die Heuschrecken, den richtenden Erzengel Michael im oberen rechten Bildteil und den feuerspeienden Hades, ausgebreitet in einer anmutigen, ans Mittelmeer erinnernden Küstenlandschaft, hat Memling ebenfalls nicht vergessen. Auch dieses Bild fand, wie das *Weltgericht* von Rogier van der Weyden, bezeichnenderweise seinen Platz in einem traditionsreichen Hospital, dem St. Jans-Spital in Brügge.

Von der der Memlingschen Darstellung des Jüngsten Gerichts innewohnenden Ruhe und Feierlichkeit ist bei Luca

Signorelli (um 1445–1523) wenig zu spüren. Wesentlich lebhafter und gegenwartsnäher fängt dieser italienische Meister »die Verdammten des Jüngsten Gerichts« mit den Höllenqualen in seinen 1504 vollendeten Fresken im Dom zu Orvieto ein.

Zwei aquarellierte Nachzeichnungen von Johann Anton Ramboux, der in den dreißiger Jahren des vorigen Jahrhunderts über 300 Denkmäler der italienischen Wand- und Tafelmalerei kopierte, geben die Szenen in verkleinerter, nahezu identischer Form wieder (Kat.-Nr. 34 und 35): Unter den richtenden Engeln unter den Wolken versammeln sich die auferstehenden Toten zum Gericht. Fast geht es hier wie auf einem makabren Tanzplatz zu, auf dem Mann und Weib in liebevoller Detailtreue dargestellt sind. Die Individualität des Menschen kommt nun voll zur Geltung. Damit veranschaulicht Signorelli auch die Verantwortung des Einzelnen für sein Treiben und läßt die beiden das Weltgericht darstellenden Fresken zu Memento-mori-Tafeln werden.

Im Gegensatz dazu widmet sich Hieronymus Bosch (um 1450–1516) ganz der Ausmalung der Peiniger in seinem Triptychon *Das Jüngste Gericht*. Der dreiteilige Zyklus beginnt mit der Vertreibung aus dem Paradies von Adam und Eva. Die Mitteltafel veranschaulicht das Weltgericht mit apokalyptischem Geschehen, über dem hoch auf dem Regenbogen der Heiland mit den zwölf Aposteln und den

Abb. 28 Hans Memling,
Johannes schaut die Offenbarung.
Rechter Seitenflügel des Altars
mit der mystischen Verlobung
der Hl. Katherina, 1475–79,
(Brügge, St. Janshospital,
Memlingmuseum)

Johann Anton Ramboux (nach Signorelli), *Die Auferstehung am Jüngsten Tage* (Kat.-Nr. 34)

Johann Anton Ramboux (nach Signorelli), *Die Hölle* (Kat.-Nr. 35)

Unheil verkündenden Posaunenengeln thront. Wie kaum ein anderer Künstler hat dieser Maler, dessen Leben selbst sehr geheimnisvoll gewesen ist, groteske Figuren, Martermaschinen und Quälinstrumente mit großer Phantasie in Szene gesetzt (Abb. 26). Vor den dunkeltonigen bis hellrot gehaltenen Hintergründen entfaltet sich eine verwirrende, kaum überschaubare, unruhige Situation, in der überall Menschen geschunden und auf alle nur erdenklichen Arten gepeinigt werden.

Die geballte Angst der Renaissancezeit mit der alle Kreise erfassenden Furcht vor dem Weltuntergang und den in fast kindlicher Weise ausgemalten Höllenqualen kommt in diesem apokalyptischen Bild von Bosch unnachahmlich zum Ausdruck. Bei diesem niederländischen Maler kristallisiert sich die weitverbreitete Angst des damals vielfach verkündeten Weltunterganges, an den man in der Renaissance glaubte, in einer aus heutiger Sicht ungewöhnlich morbiden Vielheit. Seine Phantasmagorien mit ihren Trugbildern, Gespenstern, abstrusen Figuren, Zauber- und Fabelwesen, die teilweise nur aus der Sicht des Menschen des 16. Jahrhunderts verständlich sind und viele symbolhafte Anspielungen aus dem Geheimbund der Rosenkreuzer verbergen, spiegeln sehr anschaulich wesentliche Bereiche menschlichen Unterbewußtseins. Die körperlichen und seelischen Qualen des Renaissancemenschen finden hier ihren adäquaten Ausdruck. Tatsächlich erleiden die Menschen auf diesem Gemälde ungeheuerliche Marterqualen. Aus den Heuschrecken und Skorpionen, die Johannes nennt, sind abstruse Wesen geworden: »Da stieg aus dem Brunnen Rauch auf, wie der eines großen Ofens, und die Sonne und die Luft wurden verfinstert vom Rauch des Brunnens. Und aus dem Rauch gingen Heuschrecken hervor auf die Erde, und es ward ihnen eine Macht gegeben, wie sie die Skorpione der Erde haben.«

Der mit *Hieronymus Bos Inventor* bezeichnete große Kupferstich mit Szenen aus dem thematischen Zusammenhang des Jüngsten Gerichts, in der Mitte des 16. Jahrhunderts in der Werkstatt des Antwerpener Graphikverlegers Hieronymus Cock entstanden (Kat.-Nr. 36), stellt die drei Bildfelder als gerahmten Dreiflügelaltar vor Augen. Das Triptychon geht nicht direkt auf ein authentisches Originalwerk zurück, sondern versteht sich als eine Bosch-Synthese, in der mit Motiven frei umgegangen wird. Es ist Indiz für ein weitverbreitetes Interesse an den Boschschen Höllen- und Schrekkensszenen, die mittels des druckgraphischen Mediums größeren Rezipientenkreisen zugänglich gemacht werden konnten.

Einiges von der Dämonenwelt des Hieronymus Bosch hat Pieter Brueghel d.Ä. (um 1525–1569) in seine sinnbildhafte Kunst aufgenommen, die immer wieder Weisheiten volkstümlicher Sprichwörter oder die Schwächen und Laster der Menschen auf groteske und burleske Weise schildert. Dies gilt vor allem für die Darstellung des Weltgerichts in seiner Zeichnung von 1558, die von Pieter van der Heyden in Kupfer gestochen (Kat.-Nr. 41) wurde und den Abschluß zu der Folge der sieben Todsünden (Kat.-Nr. 38–40) bildete. Christus als Weltenrichter, umgeben von den die Richterworte verkündenden Engeln mit den Posaunen, schwebt über den Lebenden und Toten, die fürs Gericht ausgescharrt werden. Auch das »Narrenschiff« finden wir hier wieder, das seit der Publikation von Sebastian Brant im Jahre 1494 ein beliebtes Motiv für die Darstellung der Gebrechen dieser Welt geworden ist.

Auf einem wenige Jahre später entstandenen Bild *Die dulle Griet* (um 1562) malt Pieter Brueghel ein noch plastischeres Inferno, auf dem religiöse Anschauungen kaum noch zu erkennen sind (Kat.-Nr. 37). Vor dem Hintergrund eines alles verschlingenden Feuers, brennender Ruinen und anthropomorpher Architekturen schreitet eine wahnsinnige Frau durch die holocaustische Landschaft. Sie ist angefüllt mit dämonenhaften Wesen, mit aufgerissenen Mäulern und Schnäbeln, die alles zu verschlingen drohen. Brueghel hat am Beispiel einer Irren, die noch angesichts des Weltunterganges alles an sich rafft, gleichnishaft das infernalische, böse Prinzip dieser Welt und das narrenhafte Verhalten des Menschen gemalt. Die menschlichen Schwächen und Leidenschaften, gegen die sich einige beherzte Frauen, wie es rechts im Bild zu sehen ist, wehren, hat Brueghel auf phantasiereiche, ebenfalls ins Groteske gehende Art und Weise eingefangen. Das religiöse Element ist fast völlig aus dem Bild verschwunden und damit auch der Hoffnungsschimmer auf eine Erlösung.

In dieser Darstellung Brueghels gibt es keine Auserwählten mehr, sondern eine gewisse Sinnlosigkeit menschlichen Hoffens und Trachtens und menschlicher Eitelkeit ist hier festgehalten worden. Damit schließt sich der Kreis, der bei Giotto noch in stiller religiöser Erhabenheit begann und bei Brueghel in verwirrender Unruhe des zügellosen Menschen endet, der seinen Begierden ungehemmt freien Lauf läßt.

Literatur zum Thema

W.S. Gibson, Hieronymus Bosch, Frankfurt/Main, Berlin, Wien 1974;
Ch. de Tolnay, Hieronymus Bosch, Baden-Baden o.J. (1966);
A. Dohmann, Pieter Brueghel, Berlin 1965;
B.G. Lane, Jan van Eyck, Werkverzeichnis (Die großen Meister der Malerei), Frankfurt/Main, Berlin, Wien 1980;
R. Salvini, Giotto, Werkverzeichnis (Die großen Meister der Malerei), Frankfurt/Main, Berlin, Wien 1981;
B.G. Lane, Hans Memling. Werkverzeichnis (Die großen Meister der Malerei), Frankfurt/Main, Berlin, Wien 1980;
C. van Hooreweder, Hans Memling in Sint-Jans-Spital in Brügge, Brügge 1984;
P. Scarpellini, Luca Signorelli, Florenz 1964;
M. Davies, Rogier van der Weyden, München 1973;
E. Panofsky, Early Netherlandish Painting, 2 Bde., Cambridge 1953

Pieter Brueghel, *Die dulle Griet* (Kat.-Nr. 37)

AVARITIA

QVIS   METVS,   AVT   PVDOR   EST   VNQVAM   PROPERANTIS   AVARI?
Eere / beleeftheyt / fcaemte / noch godlijck vermaen, En fiet die fcrapende ghiericheyt niet aen

Pieter Brueghel (gestochen von Pieter van der Heyden), *Avaritia* (Kat.-Nr. 38)

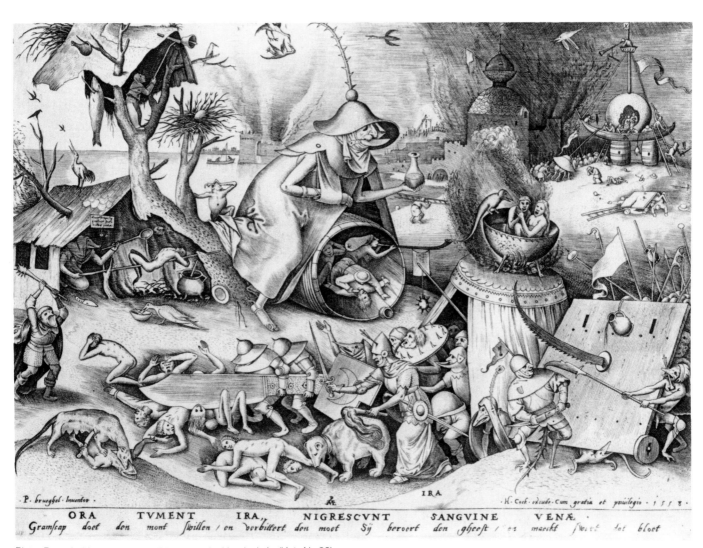

ORA TVMENT IRA, NIGRESCVNT SANGVINE VENÆ.

Gramſcap doet den mont ſwillen / en verbittert den moet Sij beroert den gheeſt / en maeckt ſwert dat bloet

Pieter Brueghel (gestochen von Pieter van der Heyden), *Ira* (Kat.-Nr. 39)

Pieter Brueghel (gestochen von Pieter van der Heyden), *Superbia* (Kat.-Nr. 40)

VENITE. BENEDICTI. PATRIS. MEI. IN. REGNVM. ÆTERNVM.   Compt ghy ghebenedyde myns vaders hier.
ITE. MALEDICTI. PATRIS. MEI. IN. IGNEM. SEMPITERNVM.   En ghaet ghy vermaledyde in dat eewighe vier.

Pieter Brueghel (gestochen von Pieter van der Heyden), *Das Jüngste Gericht* (Kat.-Nr. 41)

Johann Anton Ramboux   1840/50

33

Das Jüngste Gericht
in Santa Maria, Toscanella

Aquarell, 49 × 50,3 cm
Kunstmuseum Düsseldorf, Graphische Sammlung

34

Die Auferstehung am Jüngsten Tage
(nach Luca Signorelli, Orvieto, vollendet 1504)

Aquarell, Bleistiftvorzeichnung, 49,7 × 58,2 cm
Kunstmuseum Düsseldorf, Graphische Sammlung

35

Die Hölle
(nach Luca Signorelli, Orvieto, vollendet 1504)

Aquarell, Bleistiftvorzeichnung, 49,5 × 56,8 cm
Kunstmuseum Düsseldorf, Graphische Sammlung

nach Hieronymus Bosch

36

Jüngstes Gericht   um 1550

Kupferstich, 33,6 × 49,3 cm
Bibliothèque Royale Albert Ier, Brüssel

Pieter Brueghel

37

Die dulle Griet   1562 (?)

Federzeichnung, aquarelliert, 39,8 × 54,2 cm
Kunstmuseum Düsseldorf, Graphische Sammlung

Pieter Brueghel
(gestochen von Pieter van der Heyden)

3 Blätter aus der Folge der 7 Todsünden:

38

Avaritia (Die Habsucht)

Kupferstich, 22,5 × 29,5 cm
Kunstmuseum Düsseldorf, Graphische Sammlung

39

Ira (Der Zorn)

Kupferstich, 22,5 × 29,5 cm
Kunstmuseum Düsseldorf, Graphische Sammlung

40

Superbia (Die Hoffart)

Kupferstich, 22,5 × 29,5 cm
Kunstmuseum Düsseldorf, Graphische Sammlung

Pieter Brueghel
(gestochen von Pieter van der Heyden)

41

Das Jüngste Gericht

Kupferstich, 22,5 × 29,5 cm
Kunstmuseum Düsseldorf, Graphische Sammlung

Die Apokalypse in der Gegenreformation

Susanne Pfleger

Im Jahr 1533 erhielt Michelangelo von Clemens VII. den Auftrag, in der Sixtinischen Kapelle die Altarwand mit dem Jüngsten Gericht zu schmücken.[1] Der Mediceerpapst Clemens VII. hatte 1527/28 die von spanischen und deutschen Soldaten Kaiser Karls V. angezettelte Plünderung Roms erlebt, die die Ewige Stadt in eine schwere Krise stürzte und den Papst in finanzielle Bedrängnis brachte. Auch auf politischer Ebene sah sich die Kurie zu jener Zeit den stärksten Belastungen ausgesetzt. Große Teile Deutschlands, der Schweiz und der Staaten des Nordens hatten sich von ihr gelöst. Die Vergegenwärtigung des apokalyptischen Motivs auf der Altarwand der päpstlichen Hauskapelle trägt der kritischen Situation des Kirchenstaats Rechnung und ruft zur Buße und geistigen Neubesinnung auf. Der Anspruch des Papstes, in Stellvertretung Christi Gericht zu halten, wird deutlich zum Ausdruck gebracht, und der Auftrag eines Gerichtsfreskos an Michelangelo gewinnt so kirchenpolitische Bedeutung. Als Clemens im September 1534 überraschend starb, wurde der Auftrag für das Jüngste Gericht von seinem Nachfolger Paul III., Farnese, sofort erneuert.

Wie schon bei der Ausmalung der Sixtinischen Decke stand Michelangelo auch bei der Wand vor der Aufgabe, eine überdimensionale Fläche von über 200 m² zu freskieren. Nach sieben Jahren war im Oktober 1541 das Fresko vollendet (Abb. 29). Am Allerheiligentag wurde das *Jüngste Gericht* feierlich enthüllt. Das beispiellose Werk verwirrte seine Zeitgenossen, wurde die Jahrhunderte hindurch oft mißverstanden und sollte doch wie kein anderes die weiteren Wege der italienischen Kunst beeinflussen. Für die ikonographische Bildtradition der Gerichtsdarstellung markiert Michelangelos kühnes Fresko eine »wahre Revolution«[2]. Das übliche Kompositionsschema in übereinandergeordneten Zonen wird aufgegeben zugunsten einer dynamischen Konzeption aufsteigender und absteigender Raumbewegung. In der großartigen Geste des Weltenrichters findet das Auf und Ab der das Bild beherrschenden Bewegungsströme seine Mitte. Nicht mehr auf dem Thron sitzend, sondern aufgesprungen, schleudert der einem antiken Gott gleiche Weltenrichter mit erhobenem Arm den Verdammten seinen Fluch entgegen. Maria, die Fürbitterin der Menschheit, schmiegt sich gnadeflehend an den göttlichen Sohn. Der Glanz eines überirdischen Lichtscheins umfängt beide Gestalten wie eine Glorie und verbindet sie zu einer Einheit. Um die Gruppe von Christus und Maria ordnen sich kranzförmig die Chöre der Heiligen. Der alte Gedanke der Beisitzer wird von Michelangelo nicht mehr aufgegriffen, doch bleibt eine gewisse Hierarchie durch die zwei klar voneinander abgesetzten Kreise gewahrt. In dem inneren geschlossenen Kreis scharen sich, ange-

führt von ihren herausragendsten Vertretern, Propheten, Apostel und Märtyrer um Christus. Wir erkennen zu seiner Linken Petrus, der mit beiden Händen dem Weltenrichter die Schlüssel entgegenhält; zur Rechten Christi die Propheten, denen Johannes der Täufer, eine herkulische Gestalt mit Fell, vorangeht. Die beiden Figuren des Johannes und des Petrus – Vorläufer und Nachfolger Christi – bilden Eckpfeiler der Kreiskomposition. Unter Christus nach rechts hin schließt der Chor der Märtyrer an: zu Füßen Laurentius mit dem Rost, Bartholomäus mit der abgezogenen Haut, auf der sich ein Selbstbildnis Michelangelos findet; etwas abgesetzt weiter nach rechts dann Blasius mit der Hechel, Katharina mit dem Rad, Simeon mit der Säge, Sebastian mit den Pfeilen und zwei Kreuzträger. Diese Märtyrer gruppieren sich in einem äußeren, geöffneten Kreis, der, von dem inneren durch einen Zwischenraum getrennt, in seiner räumlichen Erstreckung nicht realisierbar ist. Aus den unabsehbaren Scharen lassen sich die Chöre der Frauen auf der linken Seite und jene der Bekenner und Patriarchen auf der rechten Seite benennen.

Johann Anton Ramboux, *Gruppe aus dem Jüngsten Gericht Michelangelos* (Kat.-Nr. 43)

Johann Wierickx (nach Michelangelo), *Das Jüngste Gericht* (Kat.-Nr. 42)

Über den Heiligenchören in den Lunetten tragen flügellose Jünglingsengel die Leidenswerkzeuge Christi herbei. In der linken Lunette richten sie das mächtige Kreuz wie zum Triumph in den Wolken auf. Diagonal darauf bezogen wird in der rechten Lunette die Martersäule aufgestellt. Durch den diagonalen Bezug sind die Lunetten kompositorisch mit dem äußeren Kranz der Heiligen verspannt und werden in den konzentrisch orientierten Gestaltenfluß des Bildganzen einbezogen.

Axial unter Christus, den Bezirk der Seligen von dem der Verdammten trennend, blasen die sieben Posaunenengel der Apokalypse zu Auferstehung und Gericht. Zu ihnen gehören nach dem Text die beiden Engel, die die Bücher des Gerichts den Auferstehenden entgegenhalten. Das Buch der Verdammten ist so schwer, daß ein weiterer Engel helfen muß, es zu tragen. Zu beiden Seiten der Posaunenengel überziehen den Bildraum steigende und fallende Bewegungsbahnen. Die Auferstehung links unten und der Aufstieg darüber schließen sich, wie der Sturz der Verdammten rechts und die Hölle darunter, zu durchgehenden, einander entgegengesetzten Bewegungszügen zusammen. In einer nackten und kahlen Landschaft erheben sich die zum Leben erwachenden Toten aus ihren Gräbern. Mühsam streifen sie die Grabtücher ab, einige sind noch Gerippe. Die Gruppe mit dem Totenkopf im Vordergrund wurde von Ramboux in einem Aquarell kopiert (Kat. Nr. 43). Eine außerkörperliche Kraft richtet die sich ungeschickt windenden und des neuen Lebens noch ungewohnten Erweckten auf. Unmittelbar über diesen aufsteigend Emporgezogenen ringen sich die Seligen empor. Sie klimmen von Wolke zu Wolke, stützen einander und ergreifen hilfesuchend die Arme der sich zu ihnen herabneigenden Engel. Dem Aufstieg der Erlösten entspricht in kontrapostischer Bewegung der Sturz der Verdammten. Von den Faustschlägen der vier Engel aus der Himmelszone vertrieben, stürzen

Abb. 30 Szenen zur Apokalypse. 8. Brüsseler Wandteppich, 1540–1553 (Madrid)

sie wie ein Bündel hinab in die Hölle. Hier herrschen Charon, der Fährmann der Unterwelt, und Minos-Motive, die Michelangelo von Dantes Divina Comedia übernommen hat. »Charon, der Geist mit seinen Feueraugen / Hat sie mit einem Zeichen alle versammelt / Schlägt mit dem Ruder jeden, der noch zögert« (Dante, Inferno, III, 109–111).

Nach Vasari hat Michelangelo dem Totenrichter Minos die Züge des Zeremonienmeisters Biagio da Cesena gegeben. Dieser hatte bei einem Besuch mit Papst Paul III. in der Kapelle als erster das Werk anstößig und ehrenrührig genannt. Als er sich über Michelangelos Rache beim Papst beschwerte, soll dieser geantwortet haben: »Im Himmel und auf Erden hat mir Gott wohl Macht gegeben, aber in der Hölle vermag ich nichts.«[3]

Michelangelo hat gegenüber den vorangehenden Gerichtsdarstellungen zum ersten Mal konsequent die Vorstellung der zum Himmel aufsteigenden Seligen und in die Hölle hinabstürzenden Verdammten zu Ende geführt. An Stelle der dem Urteilsspruch beiwohnenden, würdig im Halbkreis thronenden Apostel tritt nun eine im Steigen und Stürzen begriffene kreisende Bewegung verschiedenster Gestalten, die dem Bild Dynamik und Dramatik verleihen. Diese Einbindung der Individuen in ein übergreifendes Ganzes ist von den Zeitgenossen und Nachfolgern Michelangelos kaum verstanden worden. Vasaris Ansicht, daß Michelangelo nichts anderes wollte, als »den vollkommenen Bau des menschlichen Körpers in den mannigfaltigsten Stellungen und Bewegungen darzustellen und . . . die leidenschaftlichen oder ruhevollen Affekte der Seele anschaulich zu machen«, berücksichtigt nur einen Aspekt, vernachlässigt dabei jedoch den mystisch-apokalyptischen Gehalt des Bildes und dessen einmalige Einheit von Gehalt und Form.[4]

Das Fresko war kurze Zeit nach seiner Entstehung, in der Zeit der Gegenreformation, schlimmsten Anfeindungen ausgesetzt und mußte zahlreiche Übermalungen über sich ergehen lassen. Der hier ausgestellte Stich von Johann Wierickx (Kat.-Nr. 42) entstand nach einem Blatt von Martin Rota, zeigt noch den ursprünglichen Zustand des Werkes, bevor Daniele da Volterra damit beauftragt wurde, Lendentücher und Gewandzipfel hinzuzumalen, da die antikische Nacktheit der Gestalten Anstoß erregte.

Etwa zeitgleich mit Michelangelos Gerichtsfresko entstand in Brüssel ein Apokalypsezyklus, der neben dem Einfluß Dürers flämische und italienische Anregungen aufnimmt. Es handelt sich dabei um acht Wandteppiche, die nach den Entwürfen Barend von Orleys 1540–1543 in der Werkstatt des Bildwirkers Willem de Pannemaker gewebt wurden (Abb. 30).[5] Nahezu alle Kapitel der Apokalypse sind in einer

Abb. 29 Michelangelo, *Jüngstes Gericht*, 1541. Sixtinische Kapelle, Rom

Giorgio Ghisi, *Die Auferstehung* (Kat.-Nr. 48)

Tobias Stimmer, *Scheibenriß mit dem Jüngsten Gericht* (Kat.-Nr. 50)

Abb. 31 El Greco, *Die Öffnung des fünften Siegels,* 1608–14 (Metropolitan Museum, New York)

Folge von etwa 40 Szenen aneinandergereiht. Der lebendige Fluß der Erzählung, Schönheit und Eleganz in Haltung und Gebärden gehen Hand in Hand mit einem wohlabgestuften Farbenreichtum. Gewisse retrospektive Züge bei der Darstellung einzelner Personen und vor allem die Liebe zum Detail zeigen, daß die Apokalypse der Brüsseler Teppiche im wesentlichen eine noch der mittelalterlichen Tradition verhaftete Schilderung ist. Sie schließt die mittelalterlichen Zyklen in einer alles zur Schau stellenden, narrativen Zusammenfassung ab. 1553 erwarb Philipp II. diese Tapisserien für Spanien. Sie hängen heute in der Krypta der Gedächtniskirche im Tal der Gefallenen bei Madrid zum Gedenken an den Spanischen Bürgerkrieg von 1936–1939.

In Spanien schuf um 1608–1614 El Greco (1541–1614) eine dramatische Interpretation der Apokalypse. Das Gemälde *Die Öffnung des 5. Siegels* (Abb. 31) bleibt ohne ikonographische Vorbilder. Die individuelle Not des einzelnen im Angesicht des Jüngsten Tages wird deutlich in den Vordergrund gestellt. Johannes, am Rande des Bildes kniend, blickt in visionärer Verzückung nach oben und hebt die Arme mit ekstatischer Gebärde gen Himmel. [6] Das zunächst rätselhaft scheinende Motiv läßt sich eindeutig bestimmen. Es schildert die Stelle in der Offenbarung, an der das Lamm dem Johannes mit Donnerstimme befiehlt, zu kommen und die Eröffnung der sieben Siegel zu sehen (Apk 6, 9–11). »Und da es (das Lamm) das fünfte Siegel auftat, sah ich unter dem Altar die Seelen derer, die erwürgt waren um des Wortes willen und um des Zeugnisses willen, das sie taten. Und sie schrieen mit großer Stimme und sprachen Herr, du Heiliger und Wahrhaftiger, wie lange richtest du nicht und rächest unser Blut an denen, die auf der Erde wohnen? Und ihnen wurde gegeben einem jeglichen ein weißes Kleid, und ward zu Ihnen gesagt, daß sie ruhten noch eine kleine Zeit, bis daß vollends dazukämen ihre Mitknechte und Brüder, die auch sollten noch getötet werden, gleich wie sie.« Die nackten Gestalten mit ihren erregten Gebärden sind also die Märtyrer, die aus den Gräbern steigen, zum Herrn um Rache schreien und die Arme ausstrecken, um die himmlische Gabe der weißen Gewänder zu empfangen.

Die künstlerischen Ausdrucksmittel des Manierismus, wie formale Übertreibung und unsymmetrische Komposition, werden von El Greco mit mystisch-religiösem Inhalt versehen und überzeugend eingesetzt, um die unheimliche Vision des Jüngsten Tages, an dem die Heiligen selbst die Vernichtung der Welt fordern, eindringlich darzustellen.

Dem Geist der Gegenreformation verpflichtet, schuf Peter Paul Rubens nach seinem Aufenthalt in Italien mehrere Gemälde, die sich mit der Thematik des Jüngsten Gerichts auseinandersetzen.

Der Stich von Cornelius Visscher dokumentiert eine verlorene Schülerkopie des *Großen Jüngsten Gerichts* (Kat.-Nr. 44), das Rubens um 1617 im Auftrag des Pfalzgrafen Wolfang Wilhelm v. Neuburg für den Hochaltar der Jesuitenkirche in Neuburg ausgeführt hat (Abb.32) [7]. Rubens wählte das für Altarbilder des Barock übliche Hochformat. Auf einer himmlischen Wolkenbrücke thront Christus jupitergleich unter der Erscheinung Gottvaters und des Heiligen Geistes. Zu seinen Seiten die fürbittende Maria und Moses, Apostel und Heilige. Die Figurenmassen der aufstrebenden Seligen und der niederstürzenden Verdammten ordnen sich kompositorisch zu Seiten eines auf der Spitze stehenden Dreiecks. Vorgelagert, am unteren Bildrand, winden sich die Leiber der Auferstehenden und Verdammten. Am rechten Bildrand werden die Verdammten von den Engeln zurückgestoßen, während auf der linken Seite die Erwählten, ähnlich einer in sich gedrehten Säule, in die etwas abgehobene und räumlich zurückgesetzte Sphäre des Richterthrons emporgeführt werden. Das chaotische Stürzen der von Teufeln umklammerten Verdammten

Abb. 32 Peter Paul Rubens, *Das Große Jüngste Gericht,* 1617 (Alte Pinakothek, München)

Cornelius Visscher (nach Rubens), *Das Jüngste Gericht* (Kat.-Nr. 44)

Abb. 33 Peter Paul Rubens, *Apokalyptisches Weib*. Entwurf zum Altarbild des Freisinger Doms

korrespondiert wie bei Michelangelo im Gegensinn mit dem Emporsteigen der Seligen, und die so entstehende kreisende Bewegung bedingt eine starke Dynamik. Obwohl Rubens auch die Bestrafung der Verdammten vor Augen führt, steht in seiner Darstellung des Weltgerichts nicht so sehr das Gericht als vielmehr der Triumph der Seligen im Mittelpunkt. Er läßt es am Tag des Jüngsten Gerichts nicht an Festlichkeit und Daseinslust mangeln. So erinnert die verschämt hockende nackte Frau links eher an ein häusliches Genre oder eine Susannadarstellung als an den Menschen am Tag seiner Verantwortung.[8] Aus den Leibern der Aufstrebenden scheint die Schwerkraft gewichen zu sein. Es herrschen Leichtigkeit und Schönheit vor, während das Figurenknäuel der Verdammten schon durch die dumpfe grau-grüne Farbigkeit den Betrachter abstößt. Die Verzweiflung der Verdammten, die Michelangelo so eindringlich schildert, ist hier zweitrangig. Das sinnlich Schöne hat gesiegt und steigt auf.

Rubens' Interpretation des Jüngsten Gerichts entspricht dem Geist seiner Zeit. Die Barockkunst ist Zeichen der Epoche des entfalteten Absolutismus und der sich ausbreitenden Gegenreformation. Während in den protestantischen Ländern die religiöse Kunst stark zurücktritt, da das reformatorische Bekenntnis aus religiösen Motiven keine aufwendige Darstellung christlicher Themen erlaubte, erkannte gerade die katholische Gegenreformation die Wirksamkeit der bildenden Kunst als Instrument der Beeinflussung und setzte sie gezielt ein. Die Forderung des Trientinischen Konzils (1563) nach einer massenwirksamen Kunst impliziert eine allgemein verständliche Kunstsprache, die anschaulich und nachvollziehbar die Hauptgeheimnisse und den Heiligenkult der katholischen Kirche formuliert. Eine so verschlüsselte und esoterische Thematik wie die der Apokalypse wurde daher abgelehnt und selten dargestellt. Der Theologe Johannes Molanus bemerkt, daß die Apokalypse schon beim Lesen nur für Gelehrte verständlich sei, viel weniger noch beim Betrachten von Bildern.[9] Die zudem erstrebte optimistische Lebensbejahung lasse die Apokalypse als seherische Verkündigung des nahenden Weltgerichts mehr und mehr aus dem Blickfeld dieser Zeit schwinden. Vollständige Apokalypsezyklen wurden daher bis auf einige Ausnahmen kaum noch entworfen.

Crispin van den Broeck, *Das Sonnenweib und der Siebenköpfige Drache* (Kat.-Nr. 51.11)

Crispin van den Broeck, *Das Tier aus dem Abgrund* (Kat.-Nr. 51.10)

Leonard Bramer, *Der Sternenfall* (Kat.-Nr. 47)

Johann Heinrich Philipp Schramm, *Das Apokalyptische Weib* (Kat.-Nr. 56)

Figur des Michael ausgehende Dynamik ist durch die Handlung motiviert und gibt der Darstellung eine außerordentliche Dramatik. Guido Renis Altarbild erlangte recht schnell großen Ruhm und wurde bereits ein Jahr nach seiner Vollendung druckgraphisch reproduziert. Es war ebenso Vorbild für die Figur des Hl. Michael in Johann Heinrich Schönfelds Gemäldeentwurf des Jüngsten Gerichts [13] (Kat.-Nr. 45). Der Engel steht im Zentrum der Komposition auf dem Deckel einer Gruft, aus der zwei Auferstehende gerade emporsteigen. Seine bei Reni so dramatisch formulierte Haltung wird von Schönfeld zu einer zierlichen, fast tänzerisch anmutenden Bewegung umgedeutet. Die Figuren scheinen körperlos und zerbrechlich. Sie sind in ein eigentümliches Hell-Dunkel eingebunden, das eine gespenstische Atmosphäre schafft. Sehr fein und raffiniert wirkt diese Gerichtsschilderung, die der seit dem 16. Jh. geläufigen Bildtradition verpflichtet ist. Das durch dramatische Religiosität bestimmte Bild entspricht dem Ausdrucksanspruch des apokalyptischen Themas Weltgericht.

Neben den Motiven des Apokalyptischen Weibes und des Hl. Michael lebt auch die Darstellung des Lammes mit dem versiegelten Buch fort, wie das Fresko Bacciccios (1683 vollendet) in der Apsiskonche der Kirche Il Gesù in Rom zeigt. Als Entwurf für ein Fresko muß das ausgestellte Ölbild von Otto Gebhard gewertet werden (Kat.-Nr. 46) [14]. Es zeigt die 24 Ältesten mit Weihrauchschalen in den Händen um das Lamm, das auf dem Buch mit den sieben Siegeln steht. Am oberen linken Bildrand schwebt ein Engel, von dessen Mund wie ein Spruchband die Worte der Apokalypse 5, 2

Nur noch einzelne Motive aus der apokalyptischen Bilderreihe wirkten fort und wurden zumeist dramatisch gestaltet. Zu diesen gehört vor allem die Darstellung der Maria als Apokalyptisches Weib. Die marianische Deutung des 12. Kapitels der Apokalypse besitzt eine lange Tradition, wenn auch die Exegese dieser Stelle variiert. In seiner Vision schaut Johannes »ein großes Zeichen am Himmel, eine Frau, mit der Sonne umkleidet, der Mond unter ihren Füßen und auf ihrem Haupt ein Kranz von zwölf Sternen. Sie war gesegneten Leibes und schrie in Wehen und Schmerzen des Gebärens.« Es erscheint aber noch ein anderes Zeichen, der Drache, der das Kind nach der Geburt verschlingen will. Doch das Kind wird »entrückt zu Gott und seinem Thron« und »die Frau flüchtete in die Wüste auf Adlersflügeln.« Im Himmel erhebt sich nun ein Kampf zwischen Michael und seinen Engeln und dem Drachen, der auf die Erde gestürzt wird und die Frau weiterverfolgt (Apk 12, 1–14). [10]

Seit dem 13. Jh. wird das Apokalyptische Weib als Interpretation Mariens und zugleich als Sinnbild der Kirche verstanden. Im Barock vermengen sich dann auch Elemente der Unbefleckten Empfängnis, wie z. B. das Zertreten der Schlange, ein Symbol des Satans und des Bösen, mit denen des Apokalyptischen Weibes; so auch bei dem Altarbild von P. P. Rubens für den Freisinger Dom [11] (Abb. 33). Rubens zeigt in einer dem Jüngsten Gericht verwandten Komposition die Zusammenschau des Drachenkampfes und des Apokalyptischen Weibes. Im Zentrum steht die Gottesmutter, umgeben von Sonnenglanz und mit Adlerflügeln versehen, auf der Weltkugel und zertritt der Schlange den Kopf. Sie hat das Kind auf dem Arm, das von den Engeln zu Gott entrückt wird. Die linke Seite des Bildes nimmt der Drachenkampf des Erzengels Michael ein, der mit Hilfe seiner Lanze die Teufelsscharen kopfüber in den Abgrund stößt.

Die pathetische Geste des Michaelskampfes, die Rosenberg als »eine Apotheose des barocken Herrschertums« beurteilt, kommt dem dramatischen Kompositionsprinzip des Barock entgegen und wird häufig dargestellt. [12] Eines der bekanntesten Beispiele ist das Altarbild von Guido Reni in der römischen Kirche Santa Maria della Concezione (Abb. 34). Guido Reni zeigt den Erzengel im Moment des Sieges über den Satan. Den linken Fuß in triumphaler Pose auf den Kopf des gefesselten Feindes gesetzt, holt er mit dem Schwert in der Rechten zum Streich gegen den am Boden Liegenden aus. Die von der kraftvoll agierenden

Abb. 34 Guido Reni, *Der Heilige Michael*, nach 1626. Altarbild in S. Maria della Concezione, Rom

Johann Heinrich Schönfeld, *Das Jüngste Gericht* (Kat.-Nr. 45)

Hans Collaert, *Das Lamm Gottes* (Kat.-Nr. 49)

ausgehen: »Quis est dignus aperire libru A. 5« (Wer ist würdig, das Buch aufzutun?). Nur das Opferlamm, das Symbol Christi, vermag das versiegelte Buch zu öffnen und wird daher von den Ältesten und von aller Schöpfung gepriesen und angebetet. Gebhard war Mitarbeiter in der Werkstatt des Freskanten Cosmas Damian. Das in leichter Untersicht angelegte Ölbild war wohl Teil einer Freskenausmalung, die bis heute unbekannt geblieben ist.

Die wenigen zyklischen Illustrationen der Apokalypse beschränken sich auf Stichserien und Bilderbibeln.

Unter dem Gesamttitel *Icones Biblicae, Biblische Figuren* veröffentlichte 1627 der gefeierte Buchillustrator Matthäus Merian d. Ä. 233 Illustrationen zur Bibel, die in einem Bibeldruck erstmals 1630 erschienen [15]. In seiner Bilderbibel ist Merian im Bildaufbau häufig Vorlagen verpflichtet, insbesondere den Bildern von Tobias Stimmer (Kat.-Nr. 50). Ganz anders als seine thematischen Vorbilder gestaltet Merian allerdings die Landschaft, die er gleichermaßen naturalistisch und idyllisch anlegt. Deutlich zeigt dies Merians Darstellung des Himmlischen Jerusalem (Kat.-Nr. 52). Die visionäre Lichterstadt, die der Engel den Johannes schauen läßt, situiert Merian in eine naturalistische Hügellandschaft, deren Vegetation er detailreich schildert. Merians Illustrationen leiten eine Entwicklung ein, die künftig das rein Darstellerisch-Künstlerische in den Mittelpunkt stellt. Sie erzielten eine breite Nachwirkung und wurden bis in die neuere Zeit hinein oft kopiert. Noch ganz Merian verpflichtet sind die Illustrationen von Johann Joseph Fleischmann, die ein halbes Jahrhundert später entstanden (Kat.-Nr. 55). Ein Vergleich der beiden Illustrationen zu Apokalypse 9, 1–12, der *Sternenfall* und die *Aussendung der Heuschreckenplage*, beweist Fleischmanns Abhängigkeit von Merians Darstellung.

Der Sternenfall in den Brunnen des Abgrunds ist auch Gegenstand der ausgestellten Federzeichnung des in der

Tradition Elsheimers stehenden Niederländers Leonard Bramer (Kat.-Nr. 47). Ein insgesamt eiliger, aber bestimmter Strich artikuliert die Umrisse. Die zarte und duftige Lavierung modelliert die einzelnen Körper und setzt Lichtkontraste. Die Vegetation im Hintergrund ist nur flüchtig angedeutet. Es wird die Verzweiflung der Menschen über die Posaunenstöße des fünften Engels geschildert. Sie ringen die Hände, blicken angstvoll nach oben und müssen entsetzt ihre Ohnmacht angesichts des nahenden Endgerichts erkennen.

Eine Bilderbibel, die letztendlich auch wieder auf Merian basiert, ist jene von Johann Ulrich Krauss (Kat.-Nr. 53) [16]. Krauss, der darüber hinaus noch nach französischen Vorlagen arbeitete, ging es wie später Johann Heinrich Schramm (Kat.-Nr. 56) um das Vorzeigen seiner Kunstfertigkeit als Stecher, die sich insbesondere in der Rahmung der Stiche zeigt. In der Vorrede schreibt er: »Wann uns die Geschichte in Worten so kräftig lehren, so mag in Bildern diese Krafft nicht mangeln, und nehme ich bey mir selbs ab, was ich von meinem Neben-Menschen dißfalls vermuthe. Ist also meine Bilder-Bibel verfertigt worden, daß ich nicht allein die Augen damit belustigen, sondern auch die Gemüther nützlich anleiten möchte zu gutem Nachsinnen, und wird mir genug sein, wann alles und jedes endlich mehr nicht als eine nutzliche Ergötzlichkeit bringen kann.« Krauss versteht sein Werk auch als eine Anleitung der Jugend in der »Edlen Zeichnungs-Kunst«.

Wir haben gesehen, daß sich die während des Barock entstandenen zusammenhängenden Illustrationsfolgen zur Apokalypse zum großen Teil in Bibeleditionen finden. Die während der Reformationszeit herrschende konfessionelle Polemik war verblaßt. Übernahmen aus illustrierten Lutherbibeln in katholische Ausgaben wurden die Regel. Die früheren antipäpstlichen Motive in den Apokalypseszenen wurden dabei entschärft, und die Apokalypse verlor so ihre politische Brisanz.

1 Zu Auftrag und Entstehungsgeschichte vgl. Feldhusen, Ikonologische Studien zu Michelangelos Jüngstem Gericht, Berlin 1978, S.1–3
2 Vgl. Ch. de Tolnay, Le Jugement Dernier de Michel-Ange, in: Art Quarterly, Vol. Spring 1940. S.125–147
3 Vgl. G. Vasari, Le Vite, Herausgeber Gaetano Milanesi, Florenz 1881, Bd. VII, S. 211
4 ebenda
5 F. van der Meer, Apokalypse, Die Visionen des Johannes in der europäischen Kunst, Antwerpen 1978, S. 315–330
6 A. Hauser, Krise der Renaissance und Ursprung des Manierismus, München1964, S. 265
7 D. Freedberg, Rubens, The Life of Christ after the Passion, New York 1984 (Corpus Rubenianum Ludwig Burchard; pt 7) Katalog Nr. 49
8 ebenda, S. 204, Freedberg schlägt eine antike Venus als Vorbild dieser Darstellung vor.
9 Vgl. H. Aurenhammer, Lexikon der christlichen Ikonographie, Bd. 1, Wien 1959–67, S. 206
10 Lexikon der Marienkunde, Regensburg 1958, Sp. 306–315
11 Katalog der Alten Pinakothek München, Herausgeber Bayerische Staatsgemälde Sammlungen, München 1983, S. 449
12 Vgl. A. Rosenberg, Engel und Dämonen, Gestaltwandel eines Urbildes, München 1967, S. 231
13 Vgl. H. Pée, Johann Heinrich Schönfeld, Die Gemälde, Berlin 1969
14 Deutsche Barockgemälde, Katalog der Gemälde, herausgegeben von Städtische Kunstsammlung Augsburg, Augsburg, S. 86
15 H. Hummel, Die Bibel in Bildern, Stuttgart 1983, S. 88
16 ebenda, S. 100

Otto Gebhard, *Anbetung des Apokalyptischen Lammes* (Kat.-Nr. 46)

Matthäus Merian, *Das Himmlische Jerusalem* (Kat.-Nr. 52.2)

Matthäus Merian, *Der Sternenfall* (Kat.-Nr. 52.1)

Johann Wierickx

42

Das Jüngste Gericht (nach Michelangelo) o.J.

Kupferstich 31,7 × 23 cm
Stedelijk Prentenkabinet Antwerpen
Lit.: M. Mauyuoy-Hendrickx, Les Estampes de Wierickx,
Brüssel 1978 (Nr. 393)

Johann Anton Ramboux 1840/50

43

Gruppe aus dem Jüngsten Gericht Michelangelos

Aquarell, 47 × 39 cm
Kunstmuseum Düsseldorf, Graphische Sammlung

Cornelius Visscher

44

Das Jüngste Gericht (nach Rubens) o.J.

Kupferstich, 64,5 × 50 cm
Kunstmuseum Düsseldorf, Graphische Sammlung
Lit.: David Freedberg, Rubens. The Life of Christ after the Passion,
New York, 1984, S. 212 (Corpus Rubenianum Ludwig Burchard; pt 7)

Johann Heinrich Schönfeld

45

Das Jüngste Gericht 1660/71

Öl auf Leinwand, 96 × 77 cm
Herzog Anton Ulrich-Museum, Braunschweig
Lit.: Deutsche Kunst des Barock, Ausstellungskatalog des Herzog Anton
Ulrich-Museums, Braunschweig 1975

Otto Gebhard

46

Anbetung des Apokalyptischen Lammes o.J.

Öl auf Leinwand, 35 × 41 cm
Städtische Kunstsammlungen Augsburg
Lit.: Deutsche Barockgemälde, Katalog der Gemälde (herausgegeben von
den Städtischen Kunstsammlungen Augsburg), Augsburg 1984, S. 86

Leonard Bramer

47

Der Sternenfall o.J.

Federzeichnung, laviert, 58,8 × 51 cm
Kunstmuseum Düsseldorf, Graphische Sammlung

Giorgio Ghisi

48

Auferstehung (nach Giov. Batt. Bertini) o.J.

Kupferstich
Kunstmuseum Düsseldorf, Graphische Sammlung

Hans Collaert

49

Das Lamm Gottes (nach Crispin van den Broeck)
o.J.

Kupferstich
Kunstmuseum Düsseldorf, Graphische Sammlung

Johann Joseph Fleischmann, *Der Sternenfall* (Kat.-Nr. 55)

Tobias Stimmer

50

Scheibenriß mit dem Jüngsten Gericht um 1565

Federzeichnung, 23,8 × 27,7 cm
Graphische Sammlung, Staatsgalerie Stuttgart

Crispin van den Broeck

51

Die Apokalypse   1583

12 Radierungen, je ca. 27,3 × 25 cm

1. Johannes erblickt die sieben Leuchter
2. Johannes erhält Weisung gen Himmel
3. Die vier Apokalyptischen Reiter
4. Die Eröffnung des sechsten Siegels
5. Die vier Engel, die Winde aufhaltend
6. Die sieben Posaunenengel
9. Johannes verschlingt das Buch
10. Das Tier des Abgrunds
11. Das Sonnenweib und der siebenköpfige Drache
12. Die Babylonische Hure

Matthäus Merian

52

Die Apokalypse   1627

12 Kupferstiche zur Apokalypse in:
*Biblia dt. Das ist die gantze Heilige Schrift
Alten und Neuen Testaments. Verteutscht durch Martin Luther*
Frankfurt a.M., 1704; je 11,7 × 15,3 cm
Stadtbibliothek Worms

1. Der Sternenfall
2. Das Himmlische Jerusalem

Johann Ulrich Krauss

53

Die Apokalypse   1705

4 ganzseitige Kupferstiche zur Apokalypse in:
Biblia, dt. Historische Bibelbilder
Augsburg 1705; je 33 × 20,5 cm

Szenen zur Apokalypse

Anonym

54

Die Apokalypse   1741

Ganzseitiger Kupferstich in: *Biblia, Die ganze Heilige Schrift Alten und
Neuen Testaments nach Luther*
Tübingen 1741; 18,5 × 12 cm
Stadtbibliothek Worms

Johann Joseph Fleischmann

55

Die Apokalypse   1763

11 Kupferstiche zur Apokalypse in: *Biblia dt. Catholische Bibel*
Nürnberg 1763; je 11,6 × 18,5 cm
Stadtbibliothek Worms

Der Sternenfall

Johann Heinrich Philipp Schramm

56

Die Apokalypse   1769

8 Kupferstiche zur Apokalypse in: *Biblia dt. Das alte und das Neue
Testament unseres Herrn und Heylandes*
Tübingen 1769; je 11,8 × 15,5 cm
Stadtbibliothek Worms

Das Apokalyptische Weib

Anonym, *Die Apokalypse* (Kat.-Nr. 54)

Offenbahr: S. Johan: C.14. Den Richter aller Welt sihet der heilige Johanneß alß einen der erndten / und so dann mit seinen Englen auch
trauben lesen will. C.14. Daß Lam-Gottes mit der Menge seiner Seligen und Heiligen. C.16. Die garstige Brut der abscheuliche Frösche
aus dem Abgrund. C.18. deß Babels angekündeter Undergang. C.20. Der Teuffel wird auf Gottes Befehl in den Abgrund gestürzet.

Es scheint / waß Jesus hier Johanni läßt erscheinen /
sey etwas liebliches : doch zeigt das End davon
Es wolle Gottes Lam / wann es versorg die seinen /
den widerspenstigen auch geben Ihren Lohn
Die Ernde wird gemacht / wann Gott die Kernhafft-Fromen
durch sanfften Todtes-Schnitt zu sich gen Himmel nimt :
Darauf Er dann den Herbst der bösen Brüt läßt komen /

Die sind voll Drachenblüt : darumb Er gantz ergrimt /
Sie abschneidt und hinwirfft / wo ewiglich sie presset
die Kelter seines Zorns / der zeitlich schon geht an /
O denkht / Ihr Sterbliche ! O denket und ermesset
die schröcklich schwere Last ! O Flieh / wer fliehen kan !
Ein einig schneller Schritt / ein Augenblikh kan machen /
Das under diser Last / mann ewig Weh ! müs krachen.

Johann Ulrich Krauss, *Szenen zur Apokalypse* (Kat.-Nr. 53)

123

Motive aus der Apokalypse im 19. Jahrhundert

Karl-Ludwig Hofmann/Christmut Präger

Der vorliegende Beitrag ist keine zusammenfassende Kunstgeschichte der Apokalypse im 19. Jahrhundert. An den ausgewählten Beispielen läßt sich dennoch eine Entwicklung erkennen, daß nämlich die Verbindlichkeit der biblischen Texte und damit auch die der christlichen Lehre für die bildenden Künstler immer geringer wird.

Am Anfang des Jahrhunderts bot scheinbar allein die Offenbarung den Künstlern genügend Möglichkeiten, den Befreiungsträumen und Zukunftsängsten – ausgelöst durch die Revolutionen des Bürgertums – in ihren künstlerischen Umsetzungen Ziel und Gestalt zu verleihen.

Die Bemühungen der »nazarenischen« Romantiker, die Kunst im Dienste an der Religion zu vollenden, hielten sich eng an die überlieferten christlichen Vorstellungen und an die bibeltextlichen Vorgaben, deren ehemals dominierenden Platz im Bewußtsein und Alltag der Menschen sie trotz aller Beharrlichkeit nicht zurückerobern konnten.

Abb. 35 William Blake, *The Number of the Beast is 666,* 1805–10 (Rosenbach Museum, Philadelphia)

Die Künstler am Ende des Jahrhunderts schließlich entwickelten ikonographische Konzepte und Systeme, die durch die Erfahrung ihrer eigenen Individualität geprägt waren und für deren Umsetzung sie nur noch Bruch- und Erinnerungsstücke des einst verbindlichen Kanons in ihre Kunst aufnahmen.

Englische Bilder zur Apokalypse aus den Jahren 1800 bis 1846

William Blake schuf seit 1800 Zeichnungen, Aquarelle und Gemälde zu Themen aus der Johannesoffenbarung. Die lavierte Federzeichnung *Death on a Pale Horse / Der Tod auf dem fahlen Pferd* gilt als die erste dieser Darstellungen. »Und ich sah, und siehe, eine fahles Pferd. Und der darauf saß, der Name hieß Tod, und die Hölle folgte ihm nach« (Offenbarung 6, 8) und »Und der Himmel entwich, wie ein eingewickeltes Buch« (Offenbarung 6, 14) lauten die beiden Stellen, die Blake in seiner Zeichnung zusammenzieht. Die Figur unter dem Tod, dem vierten Apokalyptischen Reiter, ist wohl als die ihm nachfolgende Hölle zu verstehen. Blake konnte damals bereits eine Darstellung dieser Szene kennen. John Hamilton Mortimer hatte 1775 eine Zeichnung *Tod auf dem fahlen Pferd* in der Ausstellung der Royal Academy gezeigt, die dann als Vorlage für eine 1784 publizierte Radierung diente[1].

In der Illustrationsfolge für die Bibel seines Mäzens Thomas Butts räumte Blake der Apokalypse besonders viel Platz ein[2]. Mit den elf Blättern schuf Blake die bis dahin umfangreichste nachmittelalterliche Folge von Motiven aus der Apokalypse (Abb. 35).

Die Bilder- und Gedankenwelt der Bibel, in erster Linie der Apokalypse, nahm in den künstlerischen und politischsozialen Anschauungen Blakes einen zentralen Platz ein. Sie lebt in den Bildern seiner illuminierten Bücher, mit ihrer Hilfe formulierte er sein Verständnis der geschichtlichen Entwicklung, die er nach ihrem Muster als Abfolge von Schöpfung, Sündenfall, Weltuntergang und Erlösung verstand. Sie ist deshalb auch nicht nur in den Werken faßbar, die direkt auf den Text der Apokalypse oder auf die Prophezeiungen Hesekiels und Daniels eingehen, vielmehr bestimmt die apokalyptische Tradition weitgehend sein gesamtes Werk[3].

Die Deutung geschichtlicher Situationen und Ereignisse auf der Folie der Apokalypse war in England seit dem letzten Drittel des 18. Jahrhunderts weit verbreitet. In den Jahrzehnten nach dem amerikanischen Unabhängigkeitskrieg kam England nicht zur Ruhe. Ständige Kriege, die unkontrollierbaren sozialen Auswirkungen der Industrialisierung, die Forderungen der sich organisierenden Arbeiterbewegung nach politischer Gleichstellung im Kampf um das Wahlrecht führten bis in die dreißiger Jahre des 19. Jahrhunderts zu einer instabilen gesellschaftlichen Situation. Endzeitstimmungen wurden in diesem Klima immer neu erzeugt. Besonders die Französische Revolution löste Untergangsvisionen und Zukunftshoffnungen und milleniaristische Erwartungen aus.

John Martin hatte mit biblischen Untergangsszenen wie der *Zerstörung Babylons* (1819) oder dem *Gastmahl des Belsazar* (1820) immensen Erfolg. Seit Mitte der zwanziger Jahre stand er in erbitterter Konkurrenz zu dem irischen Maler Francis Danby, der 1824 nach London gekommen war, um in Martins Monopol einzubrechen.

Danbys Bild zum Kapitel 6, 12–17 der Offenbarung, *An Attempt to Illustrate the Opening of the Sixth Seal/Ein Versuch, die Öffnung des sechsten Siegels darzustellen* (Kat.-Nr. 58), brachte ihm einen immensen Erfolg ein, als er es 1828 in der Royal Academy ausstellte. Danby scheint sich mit dem den Untergang der Welt als Befreiung bejubelnden Knecht, der hoch aufgerichtet über einem am Boden liegenden König steht, dem zeitgenössischen Verständnis anzuschließen, das die Öffnung des sechsten Siegels als Triumph der bis dahin Unterdrückten (wie in der Französischen Revolution) ansah.

Turner verzichtet in seinem Gemälde *Death on a Pale Horse/Der Tod auf dem fahlen Pferd* (Abb. 36) fast gänzlich auf Details, mit deren Hilfe er das rücklings mit ausgebreiteten Armen über dem Rücken eines Pferdes herabhängende gekrönte Skelett als den Apokalyptischen Reiter Tod hätte kennzeichnen können. So kam es, daß das apokalyptische Motiv lange Zeit gar nicht erkannt wurde[5]. Auf Kosten der eindeutigen Lesbarkeit lädt Turner es mit den Gefühlen auf, die kurz zuvor der Tod von Freunden und seines Vaters ausgelöst hatte.

Abb. 36 J.M.W. Turner, *Death on a Pale Horse*, um 1830–35 (Tate Gallery, London)

Wie frei Turner mit dem Text der Offenbarung umgeht, belegt auch sein 1846 entstandenes Bild *The Angel Standing in the Sun/Der in der Sonne stehende Engel* (Abb. 37). Im Katalog der Ausstellung der Royal Academy von 1846 gab er ihm den Vers 17 des 19. Kapitels der Offenbarung mit: »Und ich sah einen Engel in der Sonne stehen und er schrie mit großer Stimme und sprach zu allen Vögeln, die unter dem Himmel fliegen: Kommt und versammelt euch zu dem Abendmahl des großen Gottes.« Neben dem Engel, den er

Abb. 37 J.M.W. Turner, *The Angel Standing in the Sun*, 1846 (Tate Gallery, London)

mit dem Cherub mit dem Flammenschwert am Paradiestor überblendet, und den erwähnten Vögeln erkennt man jedoch noch Adam und Eva, die den toten Abel beklagen, Judith über dem enthaupteten Holofernes, Samson und Delilah und die auf Kapitel 20, 1–2 zurückgehende gefesselte Schlange[6].

Die Apokalypse liefert Turner nur noch den ikonographischen Rohstoff, mit dem er seinen individuellen Mythos des lebensspendend-strahlenden, aber auch verzehrenden Lichts inszeniert, der zum eigentlichen Thema wird.

Das unerreichte Ziel der Nazarener: Der Triumph der Religion in den Künsten

In dem Kommentar zu seinem programmatischen Bild *Der Triumph der Religion in den Künsten* (1829–40) erklärte Overbeck, daß er in seinem Bild nur denjenigen Künsten Platz eingeräumt habe, »als sie zur Verherrlichung Gottes beigetragen, und so eine der lieblichsten Blüthen bilden, mit denen Seine Kirche geschmückt erscheint«[7]. Dadurch, daß die Künstler seit der Renaissance nicht die genügende Demut gegenüber Gott besessen hätten, sei der Niedergang der Künste hervorgerufen worden. Diesen Niedergang der Künste aufzuheben, war das erklärte Ziel einiger zu Anfang des 19. Jahrhunderts in Rom lebender deutscher Künstler. Um die Erneuerung der Kunst voranzutreiben, schlossen sie sich zur Bruderschaft der »Lukasbrüder« zusammen. Einige wohnten in dem aufgelassenen Kloster S. Isidoro, die meisten trugen langes Haar und altdeutsche Tracht. Sie lehnten Barock und Klassizismus ab, ihre Vorbilder waren vor allem Dürer und Raffael.

Mochten sie manchen Italiener mit ihrem äußeren Erscheinungsbild zum Lachen gereizt haben (ihr langes Haar hatte ihnen den Spottnamen »Nazarener« eingebracht), den Künstlern aber war es ernst mit der Erneuerung und Vollendung der Kunst. Ihrer Meinung nach war dies nur möglich, wenn sich die Künstler zum christlichen Glauben bekannten und ihre Fähigkeiten in den Dienst der Religion stellten. Die ihnen in Italien vorschwebenden Ideale erwiesen sich aber nördlich der Alpen als nur eingeschränkt realisierbar. Einigen

Erfolg hatten sie in deutschen Ländern nur mit Unterstützung durch Fürsten und Könige. Als Professoren an verschiedene königliche Akademien berufen, ließen sie kaum eine Möglichkeit aus, mit ihrer Kunst der Religion zu dienen. Nun darf man aber nicht alle der christlichen Romantiker als religiös-fanatische Schwärmer ansehen. Cornelius und Schnorr z. B., der eine Katholik, der andere Protestant, hatten sich immer ihre Eigenständigkeit bewahrt. Im Vorwort zu seiner *Bibel in Bildern,* mit der Schnorr auf die Erziehung und Bildung des Volkes einwirken wollte, wird ganz deutlich, daß Schnorr bei der Auswahl seiner Vorbilder und in seiner Auffassung von Kunst nicht in dem engen Vorstellungsbereich Overbecks verharrte: »Sonst überall zu deutscher Weise mich bekennend, muß ich den Werken RAFFAELS, MICHAEL ANGELOS und anderer Italiener doch den Vorzug vor den Werken anderer Nationen zugestehen. Ihre Werke überragen an Reinheit des Stils und an Schönheit unleugbar die Arbeiten der Deutschen, und da, wie ich eingangs auseinandersetzte, die bildende Kunst eine Welt- und Universal-Sprache, nicht die Sprache dieses oder jenes Landes ist, so kann von der Unstatthaftigkeit einer Aneignung hier nicht die Rede sein.«[8]

Trotz dieser Unterschiede kam es aber für alle Nazarener darauf an, die biblische Geschichte so darzustellen, wie sie geschrieben steht. Auch mit den Freiheiten, die sich Cornelius bei der Ausarbeitung seines »christlichen Epos« gestattete, begibt er sich nicht außerhalb des christlichen Lehrgebäudes. Für sein großes Wandbild vom Weltgericht, für seine und für Steinles Apokalyptische Reiter war die Bibel der Ausgangspunkt und blieb die verbindliche Grundlage.

Dorés Bibelillustration

Schnorr von Carolsfeld wollte – wie A. Schmidt feststellt[9] – in seiner Bilder-Bibel jede »theatralische Pose« vermeiden, in schlichter »Sachlichkeit« und »leichtverständlicher Form« den biblischen Inhalt »ohne jedes Beiwerk« in die »knappste Form« bringen. Sie beschreibt damit treffend, was Schnorr mit seinen Zeichnungen wollte; gleichzeitig formuliert sie damit gerade das Gegenteil dessen, was Gustave Doré mit den 230 Holzstichen in seiner illustrierten Bibel, die 1866 in zwei Folio-Bänden erstmals erschien, anzielte (Kat.-Nr. 63). Das Alte Testament bot sich an für seine an bewegten Figurenszenen in grandiosen Architekturen oder fremdländischen Landschaften orientierten künstlerischen Mittel. Hier gelingen ihm mit Hilfe von raffinierten Lichteffekten wirkungsvoll inszenierte Theaterszenen, die die besten Holzschneider seiner Zeit mit einer eigens neu entwickelten Technik in Holzstiche umsetzten. Im Neuen Testament, das ihm weniger liegen mußte, gab ihm die Johannesoffenbarung jedoch einige Gelegenheit, sein Können zu zeigen, so in den Blättern zum Jüngsten Gericht oder zum Zerstörten Babylon. Der europaweite Erfolg der Bibelillustrationen Dorés belegte, daß er mit seinen kiloschweren Bibelbänden die Bedürfnisse einer breiten bürgerlichen Schicht getroffen hatte, die ein inhaltlich entleertes, unverbindliches Christentum mit Repräsentationswünschen verband: Das ideale Publikum war das Bürgertum des Second Empire Kaiser Louis Bonapartes.

Jahrhundertende und Untergangsvisionen

Den hier näher besprochenen Beispielen von Stuck (Abb. 39), Böcklin (Abb. 40 und 41) und Rousseau (Abb. 42) ist gemeinsam, daß sie nicht eine bestimmte Szene oder Gestalt aus der biblischen Apokalypse darstellen. Die Themen »Krieg« oder »Pest« sind von den Künstlern ganz allgemein angesprochen, wobei sich die Künstler einzelner Motive bedie-

nen, die der Apokalypse entstammen, die ihre Herkunft aber nur noch bedingt zu erkennen geben. Durch die Lösung vom konkreten Text und durch die jeweiligen Interpretationen des Künstlers werden die Bilder mehrdeutig: Weder wirken sie ausschließlich kriegsverherrlichend, noch sind sie entschieden pazifistisch. Der Krieg ist dargestellt als übermenschliche Macht, die über die Menschen hereinbricht und sie zu wehrlosen Opfern macht.

Daß man nach der Erfahrung besonders des Krieges gegen Frankreich 1870/71 überhaupt noch dem Krieg positive Seiten zuweisen konnte, kann uns Heutigen die damalige imperialistische Eroberungsstimmung im deutschen Kaiserreich veranschaulichen. Andererseits ist wohl den meisten damaligen Zeitgenossen klar gewesen, daß in einem künftigen Krieg nicht mehr nackte Männer Zweikämpfe mit Schwertern ausfechten würden, sondern daß die hochtechnisierte Rüstungswirtschaft auf einen organisierten Massenmord hinarbeitete, der von Staats wegen Krieg genannt würde.

Es gab vor dem Ersten Weltkrieg wenige warnende Stimmen, aber es gab sie. Wilhelm Lamszus schrieb in seiner Erzählung *Das Menschenschlachthaus. Bilder vom kommenden Krieg* im Jahre 1912: »Das ist der Tod auf freiem Feld! Das ist Soldatenlust und Schlachtenbraus: mit offner Brust in das gezückte Eisen rennen, das weiche, bloßgelegte Hirn jauchzend an eine Wand von Stahl zu schmettern! So massenhaft, so kaltblütig, so sachverständig rottet man nur Ungeziefer aus. In diesem Krieg sind wir nichts als Ungeziefer mehr. Und irr und übel sehen wir auf die zertrüm-

Abb. 38 John Heartfield, Photomontage in der AJZ vom 27. 7. 1933

Ein Gemälde von Franz v. Stuck. Zeitgemäß montiert von John Heartfield

Abb. 39 Franz von Stuck, *Der Krieg,* 1894 (Bayerische Staatsgemäldesammlungen, München)

merten Maschinen. Und Stahl und Eisen, die am Boden liegen, sehen uns voll Tücke an.«[10]
Für die Darstellung des Schreckens oder des Weltenendes reichte vielen Künstlern am Ende des 19. Jahrhunderts der Bibeltext der Apokalypse nicht mehr aus. Künstler wie James Ensor (Kat.-Nrn. 66–68), Max Klinger (Kat.-Nrn. 64 und 65) oder Odilon Redon (Kat.-Nr. 69) entwickelten individuell geprägte Bedeutungssysteme und von diesen bestimmte Darstellungsformen.

In dem 1894 entstandenen monumentalen Bild *Der Krieg* von Franz von Stuck (Abb. 39) ist ein einzelner todbringender Reiter zu sehen. Stuck ging es jedoch nicht um eine Illustration einer Textstelle der Apokalypse, sondern die Reiter der Offenbarung bildeten nur eine allgemeine Folie der Bildvorstellung. Zwar wird sozusagen der zweite der Apokalyptischen Reiter nach getaner Arbeit gezeigt, doch Stuck verleiht diesem nicht das Aussehen des Todes, wie es jahrhundertelang üblich war, sondern er gibt ihm die Haltung eines unerbittlichen jungen Siegers. Stolz und streng reitet er mit geschultertem Schwert über ein von fahlem Licht erhelltes Schlachtfeld, das völlig von Leichen bedeckt ist. Der zwei Drittel des Bildes einnehmende Himmel bildet den düster bewölkten Hintergrund für Pferd und Reiter. Hier

ist zu berücksichtigen, daß der Kontrast zwischen den hellen und dunklen Partien des Bildes ursprünglich nicht ganz so groß war, da die Farbe gerade der dunkleren Teile nachgedunkelt ist. Die monumentale Wirkung durch die starke Untersicht wird jedoch dadurch nicht beeinträchtigt.

Kein Gegenstand ermöglicht einen Bezug auf einen bestimmten Krieg, goldene Lorbeerkrone und Zweihänder lassen sich keiner historischen Epoche zuordnen. Dieser Unbestimmtheit hatte das Bild unterschiedlichste Interpretationen durch die Zeitgenossen Stucks zu verdanken: Nach Holsten[11] wurde es sowohl pazifistisch als auch kriegsverherrlichend aufgefaßt, wobei das jeweilige Bewußtsein des Interpretierenden den Ausschlag gegeben hat. Entscheidend aber – so Holsten – war gerade die Polarität von Heroismus und Grausamkeit, die Stuck in dem Bild zu vereinheitlichen suchte.

Diese »Rätselhaftigkeit« (Holsten) stand einem rationalen Erkenntnisprozeß entgegen. Die meisten Betrachter konnten sich der Denkweise des Malers anschließen, der den Krieg als unausweichliches Schicksal darstellte, dem sich die betroffenen Menschen nicht widersetzen können.
Für Idee und Aufbau des Bildes machte Stuck sowohl bei

Rethels *Totentanz* von 1848 als auch bei dem Bild von Arnold Böcklin *Der Abenteurer* (1882) Anleihen. Daß Stuck sich mit seiner Formulierung des Themas in der – wenn auch zwiespältigen – Gedankenwelt des 19. Jahrhunderts bewegte, verdeutlicht ein Gedichtvers von Ludwig Bechtstein:

»Einsam geht ein gespenstiger Ritter
Ueber das dampfende Leichenfeld,
Wo getroffen vom Schlachtengewitter
Reglos liegen der Feige, der Held,
Für die Jubel des Sieges nun taub;
Und er wandert und zählt den unendlichen Raub.«[12]

Franz von Stuck konnte mit seinem Gemälde, das in sich den grausamen Schrecken des Kriegs und die heldische Erhabenheit des Kriegers aufnahm, ein breites Publikum ansprechen, und sein Bild wurde zu einem der bekanntesten dieser Epoche. Viele Karikaturisten benutzten es als Zitat immer wieder, um mit dem (oft etwas abgewandelten) über das Leichenfeld ziehenden Reiter gegen den Massenmord im Krieg zu argumentieren. Auch nach dem Ersten Weltkrieg konnte das Bild mit seiner Darstellung des menschenverachtenden Kriegs als Ausgangspunkt für Arbeiten genutzt werden, die sich gegen die kriegstreiberische Politik der Nazis und gegen deren verbrecherischen Krieg (Abb. 38) richteten.

Von den Unheil bringenden Reitern über einer italienischen Stadt erinnert lediglich die Figur des Todes im Vordergrund an einen der biblischen Apokalyptischen Reiter. Eine mit ausgebreiteten Armen Fackeln haltende Gestalt (ohne

Abb. 40 Arnold Böcklin, *Der Krieg,* 1895/96 (Gemäldegalerie Neue Meister, Dresden)

Abb. 41 Arnold Böcklin, *Die Pest,* 1898 (Kunstmuseum Basel)

Pferd), ein behelmter Krieger und eine mit Schwert bewaffnete Furie mit Schlangenhaar begleiten den Tod.

Der von Böcklin zuerst (Ende 1895) genannte Titel für dieses 1896 fertiggestellte Bild lautet: *Und das Unglück schreitet schnell;* ein zweiter Titel hieß *Brand* (Juni 1896, Dresden). Heute trägt es den Titel *Der Krieg* (Abb. 40)[13]. Trotz der Unsicherheiten bei der Festlegung des Titels ist die Anlehnung an das ikonographische Modell der apokalyptischen Reitergruppe deutlich erkennbar. Der lorbeerbekränzte Tod erinnert an den ebenfalls triumphierenden Tod in Rethels *Totentanz.* Die Erklärung der Buchstaben »ALEP« an der Satteldecke ist nicht gesichert. Die Lesart: Aleptos (griechisch: unangreifbar, unbesiegbar) ist einleuchtend[14].

In der zweiten Fassung von *Der Krieg* (Kunsthaus Zürich) füllen die Reiter das ganze Bildformat aus und sind dadurch ganz nah an den Betrachter gerückt. Sie befinden sich mitten über der Stadt, die jetzt deutsch-schweizerisches mittelalterliches Aussehen hat; die Personifikation des Brandes fehlt, der dritte Reiter holt mit einem Hammer zum Schlag aus, was ihn als Wotan oder Thor kennzeichnet[15]. Böcklin bezieht Formen aus verschiedenen Vorstellungsbereichen ein, um dem (ursprünglichen) Thema des ›schnell schreitenden Unheils‹ mehr Wucht und Aussagekraft zu verleihen und um das Furchtbare, jedoch auch Unvermeidbare des Krieges – in dieser Auffassung ist er Stuck nicht unähnlich – zu zeigen: »Während in der Stuckschen Auffassung neben dem Schmerz das Gefühl der Ehrfurcht mitschwingt, spricht aus der Böcklins eher Furcht. Die Symbolfiguren deuten an, welche Assoziation Böcklin im einzelnen mit dem Krieg verband: Als Hauptcharakteristika hat er das

Abb. 42 Henri Rousseau, *Der Krieg,* 1894 (Louvre, Paris)

Sterben, die Zerstörung sowie Rache und Wut veranschaulicht.«[16]

Hatte Böcklin schon in den beiden Fassungen mit dem Titel *Der Krieg* die Vorgaben des Bibeltextes weitgehend frei interpretiert, so ließ er bei seinem 1898 entstandenen Bild *Die Pest* (Abb. 41) die biblischen Quellen weit hinter sich[17]. Lediglich das Motiv des reitenden Todes verweist noch entfernt auf die Apokalypse. Der sensenschwingende Tod (oder die sensenschwingende Pest?) sitzt auf einem Drachen und stürzt direkt auf den Betrachter zu, dem der nächste Sensenhieb zu gelten scheint. Hinter sich hat die Pest in einer Gasse nur Tote und Sterbende zurückgelassen. Die ausgespannten Flügel des Drachens reichen über die Bildränder hinaus und lassen dem Betrachter keinen Ausweg.

In einer Federzeichnung (Darmstadt, Hessisches Landesmuseum) von 1876 ist die Bildidee weitgehend fixiert. Das Thema war für Böcklin durchaus eindrucksvoll und »anschaulich« gewesen, da er 1874 vor der Münchner Cholera und bereits 1855 vor der in Rom grassierenden Epidemie geflohen war.

Neben den Kriegsallegorien von Stuck und Böcklin wirkt Henri Rousseaus großes Bild *La Guerre/Der Krieg* (Abb. 42) am erschreckendsten. Zur Ausstellung bei den *Artistes Indépendants* 1894, als das Bild das erste Mal gezeigt wurde, lautete sein Titel vollständig: *La Guerre (elle passe, laissant partout le désespoir, les pleurs et la ruine)*[18]/*Der Krieg (er kommt vorbei, überall Hoffnungslosigkeit, Tränen und Untergang zurücklassend)*. Über ihre im Vordergrund gestürzten nackten und halbnackten Opfer, in deren Fleisch die Raben hacken, schwebt auf einem schwarzen Höllenpferd mit Schwert und Brandfackel in den Händen die Personifikation des Krieges, die an den Darstellungstypus der altrömischen Kriegsgöttin Bellona anknüpft. Die Landschaft ist kahl, die Bäume mit abgebrochenen Ästen und

abgestorbenen Blättern, darüber, wie zum Hohn, ein strahlend blauer Himmel: Die aufgerissenen Augen eines Toten fixieren vom unteren Bildrand her den Betrachter. Die unakademisch stilisierte Darstellungsweise, die kräftigen Farben lassen die Herrschaft von Tod und Verderben in dieser Untergangsvision unbeschönigt kraß stehen.

Für Anregungen und Hinweise danken wir Andrea Berger-Fix.

1 Goya. Das Zeitalter der Revolutionen 1789–1830, Ausstellungskatalog Hamburg 1980/81, Kat.-Nr. 465 (S. 469) m. Abb. Dort auch weitere um 1800 entstandene Beispiele.
2 David Bindman, William Blake. His Art and Times, London 1982, S. 132–143
3 William Blake. The Apocalyptic Vision, Ausstellungskatalog Manhattanville 1974, o.S., Einleitung
4 Abb. in: William Feaver: The Art of John Martin, Oxford 1975, S. 41 (Abb. 26) u. Farbtafel III (vor S. 65).
5 J.M.W. Turner, Ausstellungskatalog Paris 1983/84, Kat.-Nr. 49, S. 111–112, m. Abb. S. 112
6 Martin Butlin und Evelyn Joll, The Paintings of J.M. Turner, New Haven und London 1984, Bd. I, Kat.-Nr. 425 (S. 270)
7 Zitiert nach: Die Nazarener, Ausstellungskatalog Frankfurt am Main 1977, S. 19
8 Franz Schnorr von Carolsfeld (Hrsg.), Künstlerische Wege und Ziele. Schriftstücke aus der Feder des Malers Julius Schnorr von Carolsfeld, Leipzig 1909, S. 232
9 Anke Schmidt, Doré illustriert die Bibel, in: Gustave Doré, Ausstellungskatalog Hannover und Göttingen 1983, Bd. I, S. 142
10 Wilhelm Lamszus, Das Menschenschlachthaus. Bilder vom kommenden Krieg, Hamburg und Berlin 1912, S. 76
11 Siegmar Holsten, Allegorische Darstellungen des Krieges 1870–1918. Ikonologische und ideologiekritische Studien, München 1976, S. 63–69
12 Der Todtentanz. Ein Gedicht von Ludwig Bechstein. Mit 48 Kupfern in treuen Conturen nach H. Holbein, Leipzig 1831, S. 166; zitiert nach S. Holsten 1976, S. 66
13 Rolf Andree, Arnold Böcklin. Die Gemälde, Basel und München 1977, S. 520 f
14 Siegmar Holsten, Allegorische Darstellungen des Krieges. 1870–1918. Ikonologische und ideologiekritische Studien, München 1976, S. 71
15 Ebd.
16 Ebd., S. 72
17 Rolf Andree, Arnold Böcklin. Die Gemälde, Basel und München 1977, S. 534
18 Le Douanier Rousseau, Ausstellungskatalog Paris und New York 1984/85, S. 128

William Blake

57

**The Great Red Dragon and the Woman Clothed in
the Sun/Der große Rote Drache und die mit der
Sonne bekleidete Frau   um 1805**

Aquarell über Bleistift und Tusche auf Papier, 42 × 33,3 cm
Brooklyn Museum, New York
Lit.: William Blake. The Apocalyptic Vision, Ausstellungskatalog 1974,
Nr. 22; David Bindmann, William Blake. His Art and Times, London 1982,
S. 132–143

Für dieses Aquarell standen Blake keine Vorbilder zur Verfügung. Es gehört zu einer Serie von über hundert Illustrationen zur Bibel, die er zwischen 1800 und etwa 1809 für
seinen Mäzen Thomas Butts schuf. Blake illustriert die
Apokalypse mit elf Bildern, womit sie das am aufwendigsten
illustrierte Buch dieses Bibelzyklus ist. Dem Blatt liegt das
12. Kapitel der Offenbarung zugrunde:
»1. Und es erschien ein großes Zeichen im Himmel: ein Weib
mit der Sonne bekleidet, und der Mond unter ihren Füßen
und auf ihrem Haupt eine Krone von zwölf Sternen.
2. Und sie war schwanger und schrie in Kindesnöten und
hatte große Qual zur Geburt.
3. Und es erschien ein anderes Zeichen im Himmel, und
siehe ein großer roter Drachen, der hatte sieben Häupter
und zehn Hörner und auf seinen Häuptern sieben Kronen;
4. und sein Schwanz zog den dritten Teil der Sterne des
Himmels hinweg und warf sie auf die Erde. Und der Drache
trat vor das Weib, die gebären sollte, auf daß, wenn sie
geboren hätte, er ihr Kind fräße.«

Die mit der Sonne bekleidete Frau wurde als Symbol Israels
gedeutet, das Kind als der Messias, während das Ungeheuer für Satan stand.

Francis Danby

58

An Attempt to Illustrate the Opening of the Sixth Seal/ Ein Versuch, die Öffnung des sechsten Siegels darzustellen 1828

Öl auf Leinwand, 185 × 255 cm
National Gallery of Ireland, Dublin
Lit.: Eric Adams, Francis Danby. Varieties of Poetic Landscape. New Haven und London 1973, Kat.-Nr. 26 (S. 175) m. Abb. 48; Text S. 55 ff., S. 66, S. 78 f., S. 82

Francis Danby hält sich in seinem Bild (das er 1828 auf der jährlichen Ausstellung der Royal Academy erstmals zeigte) recht genau an den Text der Offenbarung Kap. 6, 12–17, in dem die Öffnung des sechsten Siegels beschrieben wird:
»12. Und ich sah, daß es (das Lamm) das sechste Siegel auftat, und siehe, da ward ein großes Erdbeben, und die Sonne ward schwarz wie ein härener Sack, und der Mond ward wie Blut;
13. und die Sterne des Himmels fielen auf die Erde, gleich wie ein Feigenbaum seine Feigen abwirft, wenn er von dem großen Wind bewegt wird.
14. Und der Himmel entwich wie ein zusammengerolltes Buch; und alle Berge und Inseln wurden bewegt aus ihren Örtern.
15. Und die Könige auf Erden und die Großen und die Reichen und die Hauptleute und die Gewaltigen und alle Knechte und alle Freien verbargen sich in den Klüften und Felsen an den Bergen
16. und sprachen zu den Bergen und Felsen: Fallet über uns und verberget uns vor dem Angesichte des, der auf dem Stuhl sitzt, und vor dem Zorn des Lammes!
17. Denn es ist gekommen der große Tag seines Zorns und wer kann bestehen?«
Die Vision der unter einer schwarzen Sonne, einem blutroten Mond und vom Himmel fallenden Sternen aufbrechenden Erde und zusammenstürzenden Berge inszeniert Danby mit allen Mitteln effektvoller Lichtregie. Die Menschen haben sich vor der kosmischen Katastrophe aus ihrer im Mittelpunkt brennend zusammenkrachenden Stadt auf Felsenabsätze geflüchtet, viele sind bereits getötet, eine Mutter stürzt mit ihrem Kind gerade in den Abgrund.

Danby erntete mit dem Bild einen sensationellen Erfolg: Die Besucher drängten sich in der Ausstellung davor, in der Presse erschienen enthusiastische Besprechungen. William Beckford, der Verfasser eines der ersten romantischen *gothic tales,* dem 1782 geschriebenen *Vathek,* der 1825 auch ein apokalyptisches Gedicht mit dem Titel *Dies irae, dies illae* veröffentlicht hatte, kaufte das Bild für 500 Guineas. Beckford bestellte darüber hinaus bei Danby noch vier kleinere Bilder mit apokalyptischen Themen. Die Summe von 500 Guineas erhielt Danby noch einmal durch einen Preis, den er zugesprochen bekam, und den Verkauf der Stichrechte. Im Jahr darauf unterlag er bei der Wahl zur Aufnahme in die Royal Academy nur ganz knapp John Constable.

Er wurde mit der *Öffnung des sechsten Siegels* zum großen Konkurrenten von John Martin, der bis dahin nahezu ein Monopol auf die Darstellung biblischer Katastrophen und Untergangsszenen hatte. (Ein Beispiel dafür ist sein *Gastmal des Belsazar* von 1820.)[1] Der in Dublin 1793 geborene Danby erfüllte damit die Erwartungen der maßgebenden Vertreter der Royal Academy, die ihn 1824 nach London geholt haben sollen, um ein Gegengewicht zu John Martin, dem unversöhnlichen Akademiegegner und Gründer einer Konkurrenzorganisation, der Society of British Artists, zu

schaffen. Der Kampf zwischen Danby und Martin steigerte sich bis zu gegenseitigen Plagiatvorwürfen. In der Folgezeit übertrumpften sie sich immer wieder durch das Format ihrer Bilder oder die gezeigten spektakulären Szenen.

Die Beliebtheit apokalyptischer Untergangsvisionen in der englischen Malerei der zwanziger und dreißiger Jahre des 19. Jahrhunderts – die Entwicklung dahin hatte lange zuvor mit J.H. Mortimer und W. Blake eingesetzt – wird verständlich aus der gesellschaftlich und politisch instabilen Situation in England seit dem letzten Drittel des 18. Jahrhunderts. Die Umwälzungen im Verlauf der Industrialisierung des Landes, die Jahrzehnte nahezu ununterbrochener Kriege, die dann seit 1815 immer massiver werdenden Forderungen der sich organisierenden Arbeiterbewegung nach politischen Rechten schufen ein Klima, das von Zukunftshoffnungen und Zukunftsängsten, die sich auf die apokalyptischen Teile der Bibel projizieren ließen, brodelte.
Eric Adams beleuchtet die politischen Implikationen, die sich in diesem Kontext ergaben[2]. So verweist er auf den messianischen Prediger Irving und dessen 1826 erschienene aktualisierende Auslegung der Johannesoffenbarung und der Prophezeiung *Babylon and Infidelity Foredoomed.* Irving kämpfte gegen jede Form der Egalisierung, die Französische Revolution ist für ihn Erlebnis der Öffnung des sechsten Siegels. Seitdem steht die Welt unter der Herrschaft des Antichrist, des falschen Messias. Adams belegt, daß die Gleichsetzung der Öffnung des sechsten Siegels mit der Französischen Revolution in der Zeit weit verbreitet war.

Das Bild enthält einen Hinweis, der es erlaubt, eine vergleichbare Interpretation für Danby anzunehmen. Der mit erhobenen Armen dem blutroten Monde zujubelnde Knecht und der zu seinen Füßen liegende König, dem die Krone vom Kopf gefallen ist, kommen im Text der Offenbarung zwar vor, aber dort verstecken sich König und Sklave gemeinsam (6, 12). In einer zeitgenössischen Besprechung wird der Knecht als Personifikation des Elends interpretiert, der den Weltuntergang als seine Befreiung bejubelt. Ein weiteres Indiz sieht Evans darin, daß während einer Ausstellung des Bildes 1843 in Rochdale gerade diese Szene von zwei Männern herauszuschneiden versucht wurde, was auch nach der Restaurierung heute noch zu erkennen ist.

Man muß das Bild aber auch noch in einem anderen Kontext sehen. Die dargestellten Beleuchtungseffekte und das Format, der Wert, der auf möglichst überzeugenden Illusionismus gelegt wird, lassen die Reaktion auf die Konkurrenz durch neue Medien – in ersten Linie das kurz vorher in England eingeführte Diorama – spüren. *Die Öffnung des sechsten Siegels* zeigte ursprünglich noch ein angestrahltes Kreuz, das so augentäuscherisch gemalt war, daß es vor der Bildfläche zu schweben schien, ein Effekt, der in den Dioramen geläufig war.

1 William Feaver, The Art of John Martin, Oxford 1975, Farbtafel III v. S. 65
2 E. Adams 1973, S. 78–79

131

William Blake, *The Great Red Dragon and the Woman Clothed in the Sun* (Kat.-Nr. 57)

Francis Danby, *The Opening of the Sixth Seal* (Kat.-Nr. 58)

Peter Joseph von Cornelius

59

Das Jüngste Gericht   1833

Bleistift auf Karton 81,5 × 51,3 cm
Kunstmuseum Basel, Kupferstichkabinett
Lit.: Herbert von Einem, Peter Cornelius, in: Westdeutsches Jahrbuch für
Kunstgeschichte, Wallraf-Richartz-Jahrbuch, Bd. 16, 1954, S. 104–160
(zum Fresko in der Ludwigskirche S. 134–144); ders., Deutsche Malerei des
Klassizismus und der Romantik 1760–1840, München 1976

Im Oktober 1819 berief der Kronprinz Ludwig den 36jährigen
Cornelius nach München. Cornelius lebte seit 1811 in Rom,
wo er mit den Nazarenern eng zusammengearbeitet hatte.
Zwar war er gläubiger Katholik, aber seine Übereinstimmung mit den Idealen der »Lukasbrüder« ging nicht so weit,
daß er wie diese seinen Wohnsitz im Kloster S. Isidoro
nahm. Durch seine Zusammenarbeit mit diesen romantischen Deutsch-Römern kam er in »dieses Milieu von asketi-
scher Lebensführung, von aus protestantischen Gewis-
senszweifeln und mystischer Glaubensinbrunst gemischter
Frömmigkeit, von Lebensabgewandtheit und Männerbund-
erotik«[1].

In Italien setzte sich Cornelius sowohl mit den Zielen der
Nazarener als auch mit den Werken der großen italienischen
Meister auseinander, wie es ihm Goethe empfohlen hatte.
Cornelius war beteiligt an der Ausmalung der Casa
Bartholdy und sollte auch Wandbilder im Casino Massimo
ausführen, doch dies unterblieb durch die Berufung nach
München. Kronprinz Ludwig hatte 1818 Cornelius bei einer
Italienreise kennengelernt und übertrug dem Künstler die
Ausmalung seines neuen Museums, der Glyptothek. Bis
1830 arbeitete Cornelius an diesen Fresken, die besonders
aufgrund ihrer Farbigkeit nicht überall Zustimmung hervorrie-
fen. Als der Kronprinz 1824 Cornelius zum Akademiedirektor
in München machte, geschah dies in bewußtem Gegensatz
zu »allen eingesessenen Elementen« (Kuhn), woraus einige
Feindschaften resultierten, die schließlich 1840 zum Weggang von Cornelius nach Berlin beitrugen.

Schon vor dem Bau der Ludwigskirche hatte sich Cornelius
den Klassizisten Klenze zum Feind gemacht und sorgte
dafür, daß Friedrich Gärtner die Ausführung übertragen
bekam. Cornelius sollte die Ausmalung übernehmen und
schrieb 1829, noch vor Vertragsabschluß, voller Euphorie an
die Freundin Emilie Linder: »Denken Sie sich mein Glück! Ich
soll nach der Vollendung der Glyptothek eine Kirche (aus)-
malen. Schon seit sechzehn Jahren trage ich mich herum
mit einem christlichen Epos in der Malerei, mit einer gemalten Commedia Divina, und ich hatte häufig Stunden und
ganze Zeiten, wo es mir schien, ich wäre dazu ausersehen.
Und nun tritt die himmlische Geliebte als Braut mir in aller
Schönheit entgegen. Welchen Sterblichen soll ich nun noch
beneiden? Das Universum öffnet sich vor meinen Augen.
Ich sehe Himmel, Erde und Hölle; ich sehe Vergangenheit,
Gegenwart und Zukunft; ich stehe auf dem Sinai und sehe
das neue Jerusalem; ich bin trunken und doch besonnen«.[2]

Doch Cornelius' »Riesenplan« (H.v. Einem) wurde nicht
verwirklicht. Der König beschränkte die Ausmalung auf
Querschiff und Chor und machte auch eine inhaltliche
Einschränkung, so daß vorgesehen waren: »Die Offen-
barung des dreieinigen Gottes vor, in und nach der Zeit,
Weltschöpfung und Weltordnung durch den Vater, das
Erlösungswerk des Sohnes, Gründung und Erhaltung der
Kirche durch den Hl. Geist und endlich das Jüngste
Gericht«[3].
Zur Vorbereitung der Kartons begab sich der Künstler nach
Italien (1830–31 und 1833–35). Die Ausmalung der Kirche

war 1839 abgeschlossen. Eigenhändig wurde von Cornelius nur das Weltgericht (Abb. 43) ausgeführt, die anderen Fresken durch seine Schüler. Das riesige Bild (18,3 × 11,3 m) ist noch größer als das Jüngste Gericht Michelangelos in der Sixtinischen Kapelle. Sicherlich war Cornelius nicht nur mit diesem monumentalen Wandbild in Wettbewerb getreten. Anregungen kann er außerdem aus den Fresken Signorellis in Orvieto oder aus dem Jüngsten Gericht des Camposanto in Pisa bezogen haben.

Der Basler Entwurf weist einige Unterschiede zu dem Frankfurter Karton und zur Ausführung auf: In der Ausführung sind Handhaltung von Maria und Christus geändert, die Deesisgruppe wird von weniger Heiligen flankiert. Neben der Gruppe der Posaunenengel, die den Engel mit dem Buch des Lebens und des Todes (»LIBER VITAE AETERNAE, LIBER MORTIS AETERNAE«) umgeben, kamen im Wandbild noch weitere Engel hinzu, die Anzahl der Seligen in der untersten Zone wurde verringert.

In der Gruppe der Verdammten ist im Basler Entwurf neben den Personifikationen der Todsünden Hochmut, Neid, Zorn, Völlerei, Wollust und Trägheit auch noch eine päpstliche Tiara zu erkennen. König Ludwigs Porträt erscheint natürlich auf der Seite der Seligen, im Gefolge von Kaiser, Papst und Dante. Von den Zeitgenossen wurde auch darüber spekuliert, ob in einer »verdammten« Mönchsfigur vielleicht Luther zu erkennen sei.

Doch in den übergreifenden Zusammenhängen sind die Übereinstimmungen eindeutig. Die klare vertikale Mittelachse wird unten durch den (etwas nach links versetzten) Erzengel Michael abgeschlossen. Auf der linken Seite werden die auserwählten Seligen gen Himmel geleitet, auf der rechten Seite werden die schon im Aufsteigen begriffenen Verdammten von den Helfern Satans gewaltsam zum »feurigen Pfuhl« der Hölle gebracht.

Trotz des hektischen Geschehens auf der rechten Seite ist dem Wandbild eine Unbewegtheit eigen, die dem etwas starr wirkenden Aufbau in mehreren Zonen und voneinander separierten Gruppen (im Entwurf ist das noch deutlicher) entspricht. In der eigentümlichen Starrheit der Szene mag man eine bewußte Abkehr vom dynamisch bewegten Jüngsten Gericht Michelangelos sehen, der die gewaltige Wirkung des Richterspruchs auf die Erlösten und die Verdammten inszenierte.

Cornelius ging es nicht um die Darstellung eines Geschehens, sondern um die Präsentation der Lehre dieses Geschehens. Auch wollte er nicht »Spekulation, sondern geoffenbarte Wahrheiten, die als solche gläubig aufgenommen werden sollen«[4], darstellen.

Doch seine Absicht, gerade mit der Freskomalerei die Reform der deutschen Kunst herbeiführen zu wollen, scheiterte. Nachdem Cornelius sich auch mit Gärtner überworfen hatte, veranlaßte der Architekt eine Färbung der das Bild rahmenden Architekturteile, die sich sehr ungünstig auf die Gesamterscheinung auswirkte. Noch bevor das Wandbild völlig fertiggestellt und das Gerüst entfernt worden war, besahen sich Architekt Gärtner und König Ludwig das Wandgemälde. Der König war höchst unzufrieden und fertigte den Maler, der während der Visitation die Kirche nicht betreten durfte, mit den Worten ab: »Ein Maler muß malen können, sonst kann ich ihn nicht brauchen.«[5]

Dieses Urteil traf den Künstler tief, so daß ihm die Entscheidung, nach Berlin zu gehen, wohl leicht gefallen sein dürfte.

Fest steht, daß manchem Künstlerkollegen das nicht ausreichende Beherrschen der Freskiertechnik auffiel und daß die Farbgebung als »Folterkammer des farbigen Ungeschmacks« (Kuhn) bewertet werden konnte. Trotz dieser berechtigten Kritik bleibt doch immerhin das Gestaltungsvermögen des Künstlers spürbar, der das christliche Drama aus romantisch-katholischer Sicht in eine gültige Form bringen wollte, zu einem Zeitpunkt, als die Romantik ihren Höhepunkt schon überschritten hatte.

1 Alfred Kuhn, Peter Cornelius und die geistigen Strömungen seiner Zeit, Berlin 1921, S. 89
2 Ernst Förster, Peter von Cornelius, 2 Bde. Berlin 1874, II, S. 6
3 Herbert von Einem 1954, S. 136
4 Ebd., S. 138
5 Vgl. Förster, II, S. 152

Peter von Cornelius, *Jüngstes Gericht* (Kat.-Nr. 59)

Abb. 43 Peter von Cornelius, *Jüngstes Gericht*. Wandgemälde in St. Ludwig in München, 1839 vollendet

Eduard Jakob von Steinle

60
Die Apokalyptischen Reiter   **1838**

Öl auf Holz, 60 × 84 cm
Städtische Kunsthalle Mannheim
Lit.: Klaus Lankheit, Vision. Wundererscheinung und Wundertat in der
christlichen Kunst, in: Triviale Zonen in der religiösen Kunst des 19. Jahrhunderts, Frankfurt 1971, S. 92

Die Entstehung dieses Bildes wurde durch einen Glücksfall
bestimmt: Ein wohlhabender Kunstliebhaber bestellte ein
Bild bei einem Maler, den er persönlich überhaupt nicht und
dessen Werk er nur aus vier Zeichnungen kannte, die er bei
einem Kunsthändler während eines Romaufenthaltes
1835/36 erstanden hatte. Der Käufer war der mit Goethe
befreundete Frankfurter Rat Johann Friedrich Heinrich
Schlosser, seit 1825 Besitzer des Stiftes Neuburg bei
Heidelberg. Ihm gefielen die erwähnten Zeichungen so gut,
daß er am 13. August 1836 an den in Wien lebenden Künstler
schrieb: »Schon seit längerer Zeit hege ich und mit mir auch
meine Frau den Wunsch, ein Bild von Ihrer Hand zu besitzen.
Den Gegenstand möchte ich am liebsten Ihrer eigenen Wahl
und Neigung überlassen.«[1]

In seiner Antwort bot der Künstler drei Themen zur Auswahl
an: »Die Gegenstände sind: erstens die vier Reiter aus der
Geheimen Offenbarung Johannis; zweitens ein hl. Georg
und drittens eine Szene aus dem verborgenen Leben Jesu«.
Der geneigte Mäzen entschied sich für das Thema mit »den
geheimnißvollen Reitern der Apokalypse«. Im Mai 1837
befand sich Steinle mitten in der Arbeit an diesem Bild.
Noch vor der Vollendung besuchte der Künstler im Juli den
Auftraggeber in seinem Wohnsitz bei Heidelberg. Im Mai
1838 war das fertige Bild im Besitz Schlossers, der sich bei
Steinle bedankte, ihm über die vereinbarte Bezahlung
hinaus noch Geld gab, aber auch noch eine Bitte an den
Künstler äußerte: »Ich wünschte nämlich über den ersten
der vier geheimnißvollen Reiter (Apokalypse, Kap. 6, V. 2)
von Ihnen zu vernehmen, soweit sich solches thun läßt«.

Steinle gibt in seiner Antwort zu erkennen, daß er eine
Kennzeichnung des ersten Reiters als Christus – wie es die
»meisten Ausleger erkennen« – absichtlich vermieden habe,
um einer allgemeinen Aussage näher zu kommen: »Ihrem
Wunsche, über den ersten geheimnißvollen Reiter von mir
zu hören, wie ich denselben gedacht, muß ich durch ein
offenes Geständnis genügen. Indes ist es ein Geständnis
bei nicht völliger Erkenntnis, daher die Schuld eine verzeihli-
che sein mag. Ich glaube in der Freiheit der Auffassung,
welche apokalyptische Gegenstände durch ihre Natur
zugelassen, und nach dem, was ich jetzt als angemessene
Grenze des Gegenstandes und einer kunstgemäßen Darstellung desselben erkenne, zu weit gegangen zu sein. Es
wäre sich vielleicht besser an das Wörtliche der Schrift und
manches der Ausleger derselben zu halten gewesen. – Das
Bekenntnis ist beiläufig gemacht, es scheint mir eine ausführliche Durcharbeitung einer mehr individuellen Darstellung apokalyptischer Gegenstände nicht uninteressant. Die
meisten Ausleger erkennen in dem Reiter auf dem weißen
Rosse unsern Herrn Jesus als Sieger und Richter über alles;
der allgemeinen Auffassung meines Bildes gemäß, und um
mit den übrigen drei Reitern nicht in große Schwierigkeiten
zu geraten, schien mir eine nähere individuelle Charakteri-
sierung des Herrn in Gestalt und Haltung gänzlich unpas-
send; ich glaubte mich befugt, um nicht aus dem Ganzen zu
fallen, in ihm mich an den Begriff des Siegers im allgemeinen
sowie im vorliegenden Bilde an den des letzten Gerichtes
halten zu sollen«.

Steinle gibt – nicht ganz textgemäß – den gemeinsamen
und gleichzeitigen Aufbruch und Ritt der (formal von Burgkmair und Dürer angeregten) Reiter wieder und kann dadurch
den Charakter einer reinen Textillustration vermeiden. Durch
die kleine Gestalt des Evangelisten, der hinter einem Flügel
des Adlers Schutz sucht, wird das Gewaltige der Vision
verdeutlicht, auch wenn der Gesamteindruck eher »heilig-
mäßig« distanziert ist und dem Vorandrängen des Reiterzu-
ges die vitale Ungestümheit zu fehlen scheint.

Die Opfer dieser bedrohlichen Zerstörer erscheinen nicht im
Bild, der Zustand der Bedrohung, das Bevorstehen der
Vernichtung ist gezeigt. Die gemäß dem Bibeltext auf den
letzten Reiter folgende Hölle besteht aus einem willkürlich
durch den Bildrand überschnittenen Zug von verhüllten
Sensenträgern.

Der Zug der Schreckensgestalten geht zwar bildparallel am
Betrachter vorbei, doch sind die Unheilbringer dem Betrach-
ter näher als dem Visionär. Möglicherweise ist allein in dieser
Nahsicht eine Reaktion des gläubigen »Nazareners« Steinle
auf die damaligen menschenvernichtenden Kriege, Hun-
gersnöte und Seuchen zu sehen. Da sich die Reiter in den
Wolken aufhalten, fehlt im Bild ein konkreter, »irdischer«
Bezug.

1 Dieses und die folgenden Zitate aus: Alphons Maria von Steinle (Hrsg.),
Eduard von Steinle's Briefwechsel mit seinen Freunden, 2 Bde., Freiburg,
1897, Bd. 1, S. 399–411

Julius Caesar Thaeter

61

Die Apokalyptischen Reiter   1848

Stahlstich, 34 × 43,7 cm
Nach einem Karton von Peter Cornelius (1845, 472 × 588 cm, ehem. Berlin, Nationalgalerie, 1945 zerstört)
Kunstsammlungen der Veste Coburg
Lit.: Die Nazarener, Ausstellungskatalog Frankfurt 1977, Nr. F 35, S. 273

Als Peter von Cornelius 1841 in Berlin eintraf, wurde er mit großen Ehren seitens des Königs empfangen. Die vom Publikum erwarteten malerischen Erfolge blieben jedoch aus, ja es wurden sogar sehr kritische Beurteilungen laut. 1843 glaubte sich der Künstler auf dem Höhepunkt seiner Laufbahn, als ihm nämlich der König die Ausmalung der noch zu errichtenden herrscherlichen Grablege, die dem Pisaner Camposanto nachgebildet war, übertrug. Dieser Kirchhof sollte direkt an den ebenfalls neu geplanten Dom anschließen, der vom König selbst in den Formen einer altchristlichen Basilika konzipiert worden war. An diesem Projekt arbeitete der Künstler bis zu seinem Tode, obgleich es nie verwirklicht wurde. Die Konsequenzen der Revolution von 1848 machten letztendlich die Ausführung unmöglich, da die Kontrolle der Staatsausgaben an den Landtag überging und das preußische Bürgertum eine aufwendige dynastische Grablege nicht wünschte.

Doch bei der Auftragserteilung 1843 hatte Cornelius wieder die Möglichkeit gesehen, das ihm seit seiner Jugend vorschwebende, in München nicht durchzusetzende »christliche Epos« zu realisieren: »Der Gegenstand des Bildercyclus sind die allgemeinen und höchsten Schicksale des Menschengeschlechts und der ewig gültigen Weltanschauung der heiligen Bücher des Christenthums. Das Walten der göttlichen Gnade der Sünde der Menschen gegenüber, die Erlösung von Sünde, Verderben und Tod, der Sieg des Lebens und der Unsterblichkeit wird den Augen der Beschauenden in ernsten Bildern vorgeführt, die ihm mit dem erhebenden Bewußtsein des Ewigen in ihm selbst erfüllen, und hier, an der Städte der Toten, auffordern sollen einzustimmen in den Jubelruf des Apostels: ›Tod, wo ist dein Stachel! Hölle, wo ist dein Sieg.‹«[1] Dieses Zitat stammt aus der Veröffentlichung der gesamten Entwürfe für die Camposanto-Fresken als Stahlstichfolge, erschienen 1848 im Verlag G. Wigand in Leipzig[2]. Den Erläuterungstext hatte in Abstimmung mit Cornelius dessen Schwager Brüggemann geschrieben.

In dem über den Reitern befindlichen Bogenfeld sollten im Berliner Camposanto die sieben Engel mit den Schalen des Zorns und im Sockel dieses Wandfelsens drei gute Taten (Gefangene besuchen, Trauernde trösten und Verirrten helfen) zu sehen sein.

Den großen Karton für die Apokalyptischen Reiter fertigte Cornelius als ersten der Kartons für den Zyklus mit Erlaubnis des Königs 1845 in Rom an und brachte ihn 1846 nach Berlin. Um den großen Entwurf derart meisterhaft in den Stahlstich zu übertragen, benötigte Thaeter sieben Probedrucke, bis auch in der druckgraphischen Umsetzung die malerischen Nuancen der Intention des Entwerfers entsprachen, der äußerst zufrieden mit Thaeters Ausführung war.

Durch die qualitätvolle Arbeit des Stechers konnte diese Bilderfindung von Cornelius zu einem der bekanntesten Werke des 19. Jahrhunderts werden, das seine Wirkung bis ins 20. Jahrhundert auf viele Künstler ausübte. Immer wieder wurde diese Darstellung mit den Apokalyptischen Reitern Dürers verglichen, obwohl sich Cornelius formal an italienischen Vorbildern orientiert hatte. Im Gegensatz zu anderen Darstellungen (vgl. E. Steinle) aber sind bei Dürer und Cornelius die Menschen als Opfer der göttlichen Attacke wiedergegeben. Während aber bei Dürer alle vier Reiter bildparallel am Betrachter vorbei über die Menschen hinwegfegen, ohne sie zu betrachten, hat der Bogenschütze des Camposanto-Bildes seinen Pfeil schon abgeschossen, die beiden auf den Betrachter zukommenden Reiter haben Schwert und Sense erhoben, um sie im nächsten Augenblick auf die ohnmächtig sich wehrenden Menschen herabkommen zu lassen.

Gerade dieser direkte Bezug zwischen den göttlichen Abgesandten und den Menschen scheint die Zeitgenossen der Revolutionsjahre 1848/49 berührt zu haben.

Als *Die Apokalyptischen Reiter* von Cornelius im September 1849 bei Wigand in Leipzig auch als Einzelstich zum Preis von sechs Talern erschien, konnte man in der Subskriptionsanzeige lesen: »Wenn die Kunst in der Tat ihre Zeit spiegeln soll, so ist die herbe Großartigkeit, der schreckliche Ernst, der den Gegenstand wie die Auffassung dieses Entwurfs charakterisiert, der geistigen Stimmung der Gegenwart durchaus angemessen.«[3]

1 Vgl. Alfred Kuhn, Peter Cornelius und die geistigen Strömungen seiner Zeit, Berlin 1921, S. 219
2 Georg Wigand, Entwürfe zu den Fresken in der Friedhofshalle zu Berlin, Leipzig 1848
3 Karl Josef Friedrich, Julius Thaeter, der Kupferstecher großer deutscher Künstler, Leipzig und Hamburg[2] 1942, S. 149

Eduard Jakob von Steinle, *Die Apokalyptischen Reiter* (Kat.-Nr. 60)

Julius Thaeter, *Die Apokalyptischen Reiter* (Kat.-Nr. 61)

Julius Veit Hans Schnorr von Carolsfeld

62

Fünf Blätter aus: *Die Bibel in Bildern*   1852–60

G. Wigand, Leipzig 1852–1860

1. Bild 236: Jesus Christus offenbaret sich dem Johannes
2. Bild 237: Eröffnung des siebenmal versiegelten Buches durch das Lamm
3. Bild 238: Das siebente Siegel des Buches wird von dem Lamme aufgethan
4. Bild 239: Der Sieg Michaels über den Drachen
5. Bild 240: Johannes erblickt das neue Jerusalem

Holzschnitte, je 22 × 26 cm
Herzog August Bibliothek, Wolfenbüttel

Lit.: Julius Schnorr von Carolsfeld. Die Bibel in Bildern und andere biblische Bilderfolgen der Nazarener, Ausstellungskatalog Neuss 1982/83, Nr. 1, S. 42

Dem Ziel der Nazarener, die Kunst durch den Dienst an der Religion zur Vollkommenheit zu führen, entsprach in idealer Weise das Vorhaben, eine illustrierte Bibel zu schaffen und zu verbreiten.

Innerhalb des deutsch-römischen Lukasbundes trat Friedrich Overbeck, der 1819 zum katholischen Glauben konvertierte, immer wieder mit der Forderung nach einer Bilderbibel hervor. Schon bevor Schnorr 1817/18 auf Einladung der »Lukasbrüder« nach Rom gekommen war, hatten diese sich 1815 mit dem Plan einer Bilderbibel beschäftigt, dessen Ausführung aber bereits in den Anfängen steckengeblieben war. 1819 war durch die Bereitschaft des Verlegers Cotta wieder eine Möglichkeit vorhanden, neben Reproduktionen alter Meister eine Bilderbibel auch mit Erfindungen der Nazarener zu versehen. Wiederum war es Overbeck, der 1821 auf Gründung einer Vereinigung drängte, deren Ziel eine ausschließlich mit »nazarenischen« Kupferstichen versehene Bibel sein sollte. Sowohl diese als auch noch eine folgende Initiative scheiterten jedoch bald.
Doch Schnorr behielt die Idee für sich bei. In den 20er Jahren arbeitete er an einer Folge von Bibelillustrationen weiter. Auch nach seiner Berufung an die Münchner Akademie 1827 verfolgte er diesen Plan, doch alle Unternehmungen scheiterten, da einmal die Zusammenarbeit mit einem Radierer (1828) nicht klappte und danach die Herausgabe der mittlerweile ca. 200 Vorlagen als Lithographien (1830) nicht verwirklicht werden konnte. Auch die Vermittlung des Freundes Christian Karl von Bunsen 1834 beim preußischen Kronprinzen hatte keinen Erfolg, da Schnorr seine Zeichnungen formal nicht für ausreichend hielt.

1843 schließlich wurden 42 seiner Zeichnungen bei einer von der Cottaschen Buchhandlung geplanten Bibel verwendet. Die anderen Mitarbeiter waren Overbeck, Rethel, Richter, Steinle und die beiden Schüler Schnorrs, Jäger und Strähuber. Die Holzschnittillustrationen dieser 1850 erschienenen Bibel waren in den Text eingestreut, was der Intention Schnorrs völlig widersprach, da er eine reine Folge von Bildern anstrebte.

1846 wurde Schnorr als Professor der Akademie und als Direktor der Gemäldegalerie nach Dresden berufen. Auf Vermittlung von Ludwig Richter ergab sich jetzt die Möglichkeit, den seit mehr als zwanzig Jahren gehegten Plan der Bilderbibel zu verwirklichen. Der Leipziger Verleger Georg Wigand erklärte sich bereit, insgesamt 240 von Schnorr auf den Holzstock gezeichnete Darstellungen in Holz schneiden und mit dem Titel »Die Bibel in Bildern« erscheinen zu lassen. 160 Darstellungen entfielen auf das Alte Testament

und 80 auf das Neue Testament, wobei Schnorr die Formulierung einiger Themen mit geringen Änderungen aus der Cotta-Bibel von 1850 übernehmen konnte. Die Verbreitung erfolgte durch eine »Volksausgabe« und zwei »Prachtausgaben«. Die erste von insgesamt 30 Lieferungen erschien im Oktober 1852, die letzte im Dezember 1860, gleichzeitig mit der Ausgabe in Buchform.

Bereits während der Einzellieferungen wurde an einigen Darstellungen, vor allem von katholischer Seite, heftige Kritik geübt. Es wurde z. B. bemängelt, daß die Szene mit Joseph und Potiphars Frau Aufnahme in die Folge gefunden hatte. In seinem Vorwort zur Bilderbibel geht Schnorr auch auf solche Vorwürfe ein, wobei er sich in den Gegensatz zu den katholischen Nazarenern stellt, die in der Bibel die Heilige Geschichte beziehungsweise die Geschichte der Heiligen sahen; seine Auffassung von der Bibel als »heiliger Weltgeschichte« beschreibt er so: »Keine andere Geschichte zeigt uns in so plastischer Anschaulichkeit und Deutlichkeit wie die biblische, was es um den Menschen sei; keine zeigt wie sie des Paradieses Lust und Segen, Versuchung und Sünde, Strafe, Fluch und Tod. Keine andere Geschichte gibt stärkere Mahnungen und eindringlichere Beispiele. Für jeden menschlichen Zustand, für alle Vorkommnisse des Lebens bietet sie ein Bild oder Gleichnis.«[1]

In der von Schnorr mitherausgegebenen Zeitschrift *Christliches Kunstblatt für Kirche, Schule und Haus* wurde gerade die an Dürer orientierte Verwendung des »deutschen« Holzschnitts für die Bilderbibel Schnorrs gelobt, da die Hinwendung des Volkes auf »Bibel und Familie« durch solche Bilder ermöglicht werde. »Die hochgesteigerte und sich immer mehr steigernde Bildproduktion der Gegenwart[2] verderbe das Volk, der Holzschnitt habe sittlich-religiös zu wirken und sich nicht in den Dienst der »Tagesgeschichte« zu stellen: »Die moderne Karikatur ist wenig mehr als die Bild gewordene Negation und die Holzschnitt gewordene Blasirtheit eines ebenso oft übersättigten als hungernden Unkünstlergeschlechts, das, selber im Wirtshause mehr als in der Familie gewurzelt, seine Kunst als Kellner verdingt hat, dem Bier und Kaffee trinkenden Publikum die giftige Kritik, die niedrige Frivolität, den schalen Witz, die Posse, die Zote in Zerrbildern zu präsentieren. Die moderne Karikatur reißt unserm Volk den Ernst, ohne den das deutsche Volk kein deutsches Volk mehr ist, aus dem Herzen.«[3]
Die Reaktionen auf das Erscheinen der Bibel waren sehr unterschiedlich. Einerseits erhielt Schnorr 1860 von der Theologischen Fakultät der Universität Göttingen die Ehrendoktorwürde verliehen, andererseits wurde in Mecklenburg die Anschaffung der Bibel für Schulen verboten. Doch im Verlauf der kommenden Jahrzehnte hatte *Die Bibel in Bildern* großen Erfolg, auch im Ausland. 1909 erschien in Berlin unter Verwendung der Schnorrschen Bilder eine

Katholische Bilderbibel des Alten und Neuen Testaments, in
der einige Holzschnitte überarbeitet (z. B. Verdeckung des
Geschlechtsteils des Jesukindes), zwei Darstellungen *(Die
Verheißung des Primates* und *Petrus der oberste Hirt)* neu
hinzugefügt und sechs Bilder (z. B. *Der Sündenfall* und
Josephs Keuschheit und der Frau des Potiphars Untreue)
weggelassen worden waren.

In seinen Tagebüchern machte Schnorr genaue Aufzeichnungen der Beurteilung sowohl seiner eigenen Zeichnungen
als auch der Leistungen der einzelnen Holzschneider. Am
14. Oktober hatte er die Zeichnung für das letzte Blatt auf
den Holzstock gebracht; für ihn war das fünfte Blatt zur
Apokalypse nicht nur »ein Schlußstein des Werkes, sondern
es bildet mit den Offenbarungsbildern das richtige Gegenstück zu den Bildern der ersten Schöpfung. Wenn in diesen
die Uranfänge der Weltgeschichte gegeben sind, so zeigen
jene die letzten, unserm menschlichen Auge noch verborgenen Dinge. Mit Johannes sehen wir am Abschluß der heiligen Welt- und Menschengeschichte einen neuen Himmel,
hören den Ruf Halleluja, denn der allmächtige Gott hat das
Reich eingenommen. Das letzte Bild gestaltet sich mit den
Darstellungen der ersten Schöpfung zu den rechten Wider-
lagern, auf welchen die Weltgeschichte ruht und über
denen sie wie die Wölbung eines heiligen Domes sich
ausspannt.«[4]

1 Julius Schnorr von Carolsfeld, Betrachtungen über den Beruf und die
Mittel der bildenden Künste Anteil zu nehmen an der Erziehung und Bildung
des Menschen, nebst einer Erklärung über Auffassungs- und Behandlungs-
weise der Bibel in Bildern. Hier zitiert nach: Franz Schnorr von Carolsfeld
(Hrsg.), Künstlerische Wege und Ziele. Schriftstücke aus der Feder des
Malers Julius Schnorr von Carolsfeld, Leipzig 1909, S. 218–242
2 F. Oberfeld, Ein Streifzug in die Bilderwelt, in: Christliches Kunstblatt für
Kirche, Schule und Haus, 1. Februar 1860, Nr. 3 und 4, S. 28
3 Christliches Kunstblatt für Kirche, Schule und Haus, 1. März 1860, Nr. 5
und 6, S. 38
4 Zitiert nach: Adolf Schal, Geschichte der Bilderbibel von Julius Schnorr
von Carolsfeld, Diss. Leipzig 1936, S. 77

Julius Schnorr von Carolsfeld, *Eröffnung des siebenmal versiegelten
Buches durch das Lamm* (Kat.-Nr. 62.2)

Julius Schnorr von Carolsfeld, *Johannes erblickt das neue Jerusalem*
(Kat.-Nr. 62.5)

Gustave Doré

63

Sechs Blätter aus:
Die Heilige Schrift Alten und Neuen Testaments
verdeutscht von D. Martin Luther. Mit zweihundert
und dreissig Bildern von Gustave Doré   um 1880

Fünfte Auflage, Stuttgart Deutsche Verlags-Anstalt (vormals Eduard
Hallberger) o.J. (um 1880)
Zweiter Band: *Die Bücher des Neuen Testaments*
1. Johannes auf Patmos
2. Die Vision des Todes
3. Die gekrönte Jungfrau. Gesicht des Johannes
4. Das zerstörte Babylon. Gesicht des Johannes
5. Das Jüngste Gericht
6. Der Engel zeigt Johannes Jerusalem

Holzstiche, jeweils 24,8 × 20 cm
Stadtbibliothek Worms
Lit.: Henri Leblanc, Catalogue de l'œuvre complèt de Gustave Doré, Paris
1931, S. 47–55; Konrad Farner, Gustave Doré, der industrialisierte
Romantiker, München 1975, S. 177–187; Anke Schmidt, Doré illustriert die
Bibel, in: Gustave Doré, Ausstellungskatalog Hannover und Göttingen
1983, Bd. I, S. 131–150

Die Erstausgabe der Illustrationen G. Dorés zur Bibel erschien 1866 in zwei Folio-Bänden mit 228 Holzstichen nach
seinen Zeichnungen unter dem Titel *La Sainte Bible selon la
Vulgate. Traduction nouvelle, avec les dessins de Gustave
Doré* im Verlag Alfred Mame et fils in Tours. Noch im selben
Jahr kam dort eine zweite Ausgabe heraus, diesmal mit
230 Holzschnitten und von Hector Giacomelli gestalteten
Ornamentkandelabern zwischen den Spalten der Text-
seiten. 13 Holzschnitte der ersten Ausgabe erschienen
nicht mehr in der zweiten, dafür wurden 15 neue eingefügt.
Diese zweite Ausgabe wurde gleichzeitig auch in London
publiziert.

Die von Doré illustrierte Bibel wurde zu einem der erfolg-
reichsten illustrierten Bücher des 19. Jahrhunderts. Trotz
des hohen Preises von 200 Francs wurden zeitweilig 3000
Exemplare im Monat verkauft. In den folgenden Jahren
wurden die Holzschnitte in Bibelausgaben in fast allen
europäischen Ländern übernommen. Die erste deutsche
Ausgabe, die nur das Alte Testament umfaßte, erschien
1874 in Stuttgart; zahlreiche – nun vollständige – deutsche
Ausgaben folgten.

Doré stand in den sechziger Jahren auf dem Höhepunkt
seiner Publikum und Kritik überwältigenden Produktivität
als Illustrator. Insgesamt lieferte er bis zu seinem Tod die
Vorlagen für fast 10 000 Illustrationen in über 200 Büchern,
Alben und Zeitschriften, allein im Jahr 1856 für fast 1200 in
24 Büchern und Zeitschriften. Von Doré wird der Satz
überliefert: »Ich werde alles illustrieren.«

Im Laufe der Jahre stiegen Dorés künstlerische Ansprüche.
Er wollte die anerkannten Werke der Weltliteratur illustrieren,
und seine Zeichnungen sollten gleichberechtigt neben den
Texten stehen als deren bildkünstlerische Neuschöpfung.
1855 beschloß er deshalb: »Ich faßte zu dieser Zeit den Plan
für die großen Folio-Ausgaben, von denen der Dante der
erste veröffentlichte Band gewesen ist. Mein Gedanke war,
und ist es immer noch: in einem einheitlichen Format und als
Bestandteile einer Sammlung alle Meisterwerke der Literatur herauszubringen, seien sie episch, komisch oder tragisch (...) Das erste Buch mußte ich auf meine Kosten
herausbringen: ›Die Hölle‹ von Dante. Der Erfolg und der
Verkauf dieses Bandes bestätigten, was ich sagte; und von
diesem Moment an erkannten meine Verleger die Möglichkeit dieser Folio-Sammlung, von der bis heute sieben

Bände erschienen sind und die, nach meinen Plänen, 30
Bände umfassen soll.«[1] Das Spektrum reichte von den
griechischen und lateinischen Klassikern, dem Nibelungen-
lied und der Edda über Dante und Cervantes bis zu Byron
und den Erzählungen E.T.A. Hoffmanns.

Die Idee, illustrierte Bücher in Folio-Formaten auf den Markt
zu bringen, war neu; Doré begründete damit seinen internationalen Erfolg, indem er den Repräsentationsbedürfnissen
wohlhabender bürgerlicher Schichten entgegenkam.

Die Illustrationen Dorés sind dem Bibeltext als getrennte
Tafeln beigegeben. Schon darin unterscheiden sie sich von
der *Bilderbibel* Schnorrs von Carolsfeld. Was Schnorr mit
seinen Bildern beabsichtigte, beschreibt Anke Schmidt:
»Oberstes Prinzip war die ernste, würdige Wiedergabe der
biblischen Ereignisse. Jede genrehafte Auffassung, jede
theatralische Pose war verpönt; maßgebend für die Darstellung war ausschließlich der Bibeltext. In schlichter Sachlichkeit und leichtverständlicher Form sollte der wesentliche
Inhalt ohne jedes Beiwerk ins Bild gebracht werden. Dieser
geistigen Auffassung entsprach die Reduktion auf die
knappste Form.«[2] Im diametralen Gegensatz dazu ging es
Doré in erster Linie um die eindrucksvolle theatralische
Inszenierung pathetisch bewegter Ereignisse in monumentalen Architekturen oder exotischen Landschaften mit
entfesselten Elementen. Die ausgezeichneten Stecher, die
für ihn eine neue Holzstichtechnik entwickelt hatten, ermög-
lichten die Umsetzung seiner häufig von Scheinwerfereffek-
ten dramatisierten Zeichnungen in den Holzstich.

Das Alte Testament mußte Dorés auf dröhnende Effekte
abzielenden künstlerischen Mitteln eher liegen als das Neue
Testament mit der dominiereden Figur Christi, deren Darstellung sich ganz der Sentimentalisierung des Christusbildes
im 19. Jahrhundert anschließt.
Die Johannesoffenbarung am Schluß des Neuen Testaments bot Doré jedoch Gelegenheit, seine Fähigkeiten in
einigen Blättern auszuspielen, etwa in der Darstellung des
Jüngsten Gerichts. Die beeindruckenden Stadtlandschaf-
ten, in denen er das zerstörte Babylon und Jerusalem, das
der Engel Johannes zeigt, sichtbar werden läßt, machen
aber auch deutlich, wieviel er den Engländern Danby (Kat.-
Nr. 58) und besonders Martin verdankt.
Mit vielen seiner Illustrationen zum Alten Testament und den
Blättern zur Apokalypse aus dem Neuen Testament beeinflußte Doré im späteren 19. Jahrhundert die Vorstellungswelt
vieler Betrachter.

1 Gustave Doré 1832–1883, Ausstellungskatalog Straßburg 1983, S. 223
2 Ausstellungskatalog Hannover und Göttingen 1983, Bd. I, S. 142

Gustave Doré, *Die gekrönte Jungfrau. Gesicht des Johannes* (Kat.-Nr. 63.3)

Gustave Doré, *Das zerstörte Babylon. Gesicht des Johannes* (Kat.-Nr. 63.4)

Gustave Doré, *Das Jüngste Gericht* (Kat.-Nr. 63.5)

Gustave Doré, *Der Engel zeigt Johannes Jerusalem* (Kat.-Nr. 63.6)

Max Klinger

64

Dritte Zukunft   1880

Radierung, 29,9 × 20,3 cm
Blatt 6 aus: Eva und die Zukunft, Opus III
Hamburger Kunsthalle

65

Ins Nichts zurück   1884

Radierung und Aquatinta, 29,3 × 24,8
Blatt 15 aus: Ein Leben, Opus VIII
Roemer Museum, Hildesheim, Graphische Sammlung

Lit.: Max Klinger, Ausstellungskatalog Kunsthalle Bielefeld 1976;
Hans-Georg Pfeiffer, Max Klinger (1857–1920), Graphikzyklen, Gießener
Beiträge zur Kunstgeschichte, Band V, 1980; Alexander Dückers, Max
Klinger, Berlin 1976.

Die Hauptthemen in Max Klingers Graphikzyklen handeln
von Liebe und Tod. Um Verführung, Eifersucht und Verlas-
senheit kreisen seine Radierfolgen, die Antipoden menschlichen Seins spiegeln sich in dem im ausgehenden 19.
Jahrhundert neuralgischen Thema der Mann-Frau-Bezie-
hung wider.

In *Eva und die Zukunft* setzt er sich mit der Erbsünde auseinander. Die sechsteilige Folge schildert Adam und Eva im
Paradies, die Verführung durch die Schlange und die Vertreibung. Diesen drei Szenen der biblischen Geschichte stellt
Klinger jeweils ein Blatt mit dem Titel Zukunft gegenüber.
»Die große allgemeine Zukunft für jeden Lebensweg von
A–Z, als fest bestimmt und unabänderlich, II., die Zukunft in
den einzelnen Lebenslagen resp. Verführung, III. die einzige
bestimmte und sicher eintreffende Zukunft, also eigentlich
keine Zukunft mehr.«[1] Der Vertreibung aus dem Paradies

Max Klinger, *Ins Nichts zurück* (Kat.-Nr. 65)

folgt die ›einzige bestimmte‹ Zukunft, der Tod. In der linken
Bildhälfte der Radierung *Dritte Zukunft* stampft der Tod mit
dem Rammbock auf die entsetzten Menschen ein. Links
über ihm erscheint in einer Dampf- und Rauchwolke das
Kreuz, Zeichen der Erlösung und der Auferstehung. In der
rechten Bildhälfte streckt sich abwehrend eine Hand dem
Kreuz entgegen. Diese Geste findet sich bereits in einer
Federzeichnung, die am unteren Bildrand die Inschrift DER
PFLASTERER nach JEAN PAUL F. R. trägt[2] und in der unter
der Hand die Köpfe von Athene und Zeus zu sehen sind.
Das Zeichen der Erlösung und der Auferstehung wird
zurückgewiesen, denn »Die Antike verkörpert die Idee freien
Menschentums, die der christliche Glaube verdunkelt hat«[3].
Der Tod ist nicht das schreckliche Ende eines auf Jenseits-
vorstellungen des Christentums fixierten sündigen Seins,
sondern ist das endgültige »Aus« eines freien, vom Willen
bestimmten Lebens.
Der Zyklus *Ein Leben* zeigt den Mann als Verführer und
Verderber der Frau, sie wird von ihm verlassen, von der
Gesellschaft verstoßen, sie endet in der Gosse und sucht
den Freitod im Wasser. Sie fällt *Ins Nichts zurück*. Im letzten
Blatt der Radierfolge zertrennt eine Sense den Lebens-
faden, die fallende Frau wird vor der dunklen, undefinier-
baren Weite von einem geflügelten Wesen aufgefangen. Der
Zyklus muß zunächst als Anklage gegen Verhaltensweisen
einer Gesellschaft aufgefaßt werden, deren Wertvorstellungen und Moral sich an ein Fassaden-Christentum klam-
mern, das durch die Aufdeckung elementarer Zusammenhänge von den Naturwissenschaften und die Infragestellung
aller überlieferten Werte angezweifelt wird. Darüber hinaus
beinhalten die Zyklen Klingers immer existentielle Grundbe-
dingungen des menschlichen Seins. Auf die Beeinflussung
durch Schopenhauer hat Alexander Dückers[4] bereits
hingewiesen. So ist für den Philosophen, der »das Textbuch
zu Klingers bildkünstlerischen Inszenierungen...«[5] liefert,
das Ewige und Unzerstörbare im Menschen nicht die Seele,
sondern der Wille.
Ist der Geschlechtstrieb die »vollkommenste Äußerung des
Willens zum Leben«[6], so ist der Selbstmord im Sinne Schopenhauers der Inbegriff der Verneinung des Willens zum
Leben. Nach dem Tod fällt der Mensch *Ins Nichts zurück,*
das zu Erwartende im Sinne Schopenhauers »ist in unseren
Augen nichts, weil unser Daseyn, auf jenes bezogen, nichts
ist«[7].

Der Tod als Pflasterer ist in diesem Sinne endgültig, der Wille
zum Leben ist erloschen, der Fall *Ins Nichts zurück* ist die
gesuchte Erlösung. Klingers Blätter widersprechen im
Sinne Schopenhauers also dem christlichen Gedanken der
Auferstehung und dem Weltgericht als Hoffnungsträger und
stellen diesem die Priorität des Lebens, den Willen zum
Leben gegenüber.

1 Klinger, zitiert nach Hans-Georg Pfeiffer, Gießen 1980, S. 59
2 Dückers, Berlin 1976, S. 63 f. Dückers weist hier die Textstelle bei Jean
Paul nach, auf die sich Klinger bezog, in: *Hesperus, oder 45 Hundspost-
tage* von 1792/94.
3 Ebd., S. 64
4 Ebd., S. 42 ff; Schopenhauer wird im folgenden nach Dückers zitiert.
5 Ebd., S. 42
6 Ebd., S. 42
7 Ebd., S. 44

Max Klinger, *Dritte Zukunft* (Kat.-Nr. 64)

James Ensor

66

Der Einzug Christi in Brüssel 1898

Kolorierte Radierung, 24,8 × 35,5 cm
Hamburger Kunsthalle

67

Triumph des Todes 1896

Radierung, 23,5 × 17,5 cm
Städtische Kunsthalle Mannheim

68

Die Kathedrale 1886

Radierung 23,6 x 17,7 cm
Städtische Kunsthalle Mannheim

Lit.: James Ensor, Ausstellungskatalog Kunsthaus Zürich u.a. 1983;
Ensor – ein Maler aus dem späten 19. Jahrhundert, Ausstellungskatalog
Württembergischer Kunstverein Stuttgart 1972

Mit der 1898 entstandenen Radierung *Der Einzug Christi in Brüssel* zitiert James Ensor spiegelbildlich sein zehn Jahre früher entstandenes Ölgemälde.

Auf einem Esel reitend zieht Christus während der ausgelassenen Karnevalsfeiern in die belgische Metropole ein. In den johlenden und ekstatisch tobenden Menschenmassen verliert sich der an Beachtung gewöhnte Gottessohn und wird trotz strahlendem Nimbus im Gewimmel der Maskierten zur grotesk wirkenden Randerscheinung.

»O die Masken, dieses Bestiarium des Ostender Karnevals: riesige Lamaköpfe, unbedarfte Vögel mit Paradiesschwänzen, Kraniche mit azurenen Schnäbeln, die dumme Lügen herausschreien, Architekten auf tönernen Füßen, stumpfsinnige Alleswisser mit schimmligen Schädeln voll widerborstiger Erde, herzlose Vivisekteure, seltsame Insekten, harte Schalen mit weichen Mollusken. Das bezeugt *Der Einzug Christi in Brüssel*, da wimmelt das ganze harte und weiche Völkchen, das die See ausspie.«[1] Allein die in unmittelbarer Nähe befindlichen Narren und eine kleine Gruppe erhöht stehender Komödianten nehmen das irritierende Ereignis wahr und blicken stumm, anscheinend nicht begreifend, in Richtung des segnenden Reiters. Christus trägt, wie auch häufig in anderen Gemälden Ensors, die Gesichtszüge des Künstlers, der sich in Brüssel gleichermaßen verkannt fühlte

Abb. 44 James Ensor, *Christus von Dämonen gequält*, 1895

wie der König der Juden vor den Römern in Jerusalem. In dieser zynischen Gleichsetzung schlägt sich Ensors ungehemmte Verspottung des Bibelthemas nieder. Die Wiederkunft des Erlösers scheint ihm völlig unglaubwürdig und sinnlos. »Ensor sah die Welt als eine große Karnevalsfarce«, für ihn war das Treiben ein »Sinnbild menschlicher Gemeinheit und Blödheit«[2].

Ensors Zweifel an der Notwendigkeit einer Wiederkehr des Erlösers verdeutlicht eine weitere Arbeit von 1895. In der Radierung *Christus von Dämonen gequält* (Abb. 44) hängt der Gottessohn kraftlos am Kreuz. Sich in sein Schicksal ergebend, läßt er die Qualen der Dämonen über sich ergehen. Eine dieser Phantasiegeburten beißt ihm in den Körper, eine andere durchbohrt mit den krallenbewehrten Füßen seine Kopfhaut, eine dritte verrichtet ihre Notdurft auf die nageldurchbohrte Hand. »Der Rest der Szene ist eine Travestie des Jüngsten Gerichts: Ein Engel bläst die Trompete, doch das Horn des geierartigen Wesens tönt lauter und ruft immer mehr Ungeheuer unter das Kreuz.«[3]

Der Triumph des Todes von 1896 scheint das Gegenstück zu Christi unerkanntem Einzug in die Narrenstadt Brüssel zu sein. Die feiernde maskierte Karnevalsgesellschaft ist hier zur hysterisch fliehenden Masse geworden. Der Tod schwebt mit einer riesigen Sense über den fliehenden Menschen. Gehilfen des Todes treiben die hysterischen Narren aus der Tiefe der Straße vor sich her, dringen aus der Luft in die Häuser ein, die zum Teil schon in Flammen stehen. Der Tod, von einem grinsenden Gestirn beschattet, triumphiert, der Erlöser, der den Opfertod für die Menschheit auf sich nahm, ist im Treiben des Karnevals völlig verlorengegangen.

Die Kathedrale aus dem Jahre 1886 wurde von Wilhelm Fraenger[4] 1926 exemplarisch untersucht. Über den Stellenwert der Radierung schreibt er, daß sie »nicht nur kunsthaft seine höchste Leistung ist, sondern in wahrem Inbegriff die Wesensart James Ensors offenbart«[5]. Auf einem großen Platz, den eine Menschenmenge füllt, steht im Zentrum die Kathedrale. In breiter Front marschieren Soldaten in den Vordergrund auf eine Ansammlung maskierter Menschen zu. »Drei wesentliche Vorstellungsbezirke geben dem Werk sein Gepräge: Zunächst die Vorstellung des Massenhaften, die mit bizzarrem Überschwang das Bild beherrscht. Ferner die Vorstellung des Larvenhaften, die sich im Vordergrund grotesk ertollt. Schließlich die... in das Übermaß getriebenen Raumesfluchten.«[6] Der »Held« der Radierung ist die Kathedrale, »der ganze Bau ist eine Anhäufung von mürben, abwelkenden Formen... die Kathedrale ist als Ruine wahrgenommen, wenn wir nicht, etwas weitergehend, im Sinne Ensors noch präziser sagen wollen: Sein Münsterbau ist als Skelett visiert. Derart absterbend steht die Kathedrale über dem volkerfüllten Markt, der seine Schrecknisse und Narreteien gleich einem trüben Schlamm an ihren Sockel spült.«[7] Die Vorstellungsgehalte der Radierung Ensors und den Sinngehalt der Kathedrale faßt Fraenger in seiner Schlußbetrachtung folgendermaßen zusammen. »Wie sich in dem formalen Widerspiel der Darstellung hier letzte Lockerung, dort äußerste Verdichtung, hier grenzenlösendes Verschweben, dort grenzensprengendes Gedräng die Waage

James Ensor, *Die Kathedrale* (Kat.-Nr. 68)

James Ensor, *Der Einzug Christi in Brüssel* (Kat.-Nr. 66)

halten, so gleichen sich in der Idee des Bildes die beiden gegensätzlichen Empfindungen: das Dumpfe panischer Beklommenheiten und die Helligkeit nirwanischer Enthobenheiten aus. – Inmitten dieser beiden Seelenzonen, das bange Unten und lichte Oben bindend, steht die Kathedrale, der altersmüde, absterbende Münsterbau. Nur als Ruine hat sie einen Sinn als Mittler zwischen diesen zwei Bezirken, da diese einzig in dem Todverlangen, im Wunsch, sich aufzulösen, ihren Ausgleich finden. So daß wir in sehr zugespitzter Formulierung diese Schöpfung James Ensors als das vorwegnehmende Wunschbild einer letzten Stunde, wo all das schreckhafte Geräusch des Irdischen sich in dem Einklang des Entwerdens löst, bezeichnen dürfen.«[8]

1   James Ensor, zit. nach: Gert Schiff, Ensor als Exorzist, in: Ausstellungskatalog Zürich, S. 32
2   Schiff, a.a.O., S. 33
3   Schiff, a.a.O., S. 38
4   Wilhelm Fraenger, James Ensor: Die Kathedrale, in: Die Graphischen Künste, XLIX/4, Wien 1926, S. 87, gekürzt abgedruckt in: Ausstellungskatalog Zürich, S. 178 ff
5   Ebd., S. 178
6   Ebd., S. 180
7   Ebd., S. 183
8   Ebd.

James Ensor, *Triumph des Todes* (Kat.-Nr. 67)

Ernst Bloch
Biblische Auferstehung und Apokalypse

Es überrascht, daß die letzte Angst jüdisch sehr lange nicht bedacht und überträumt worden ist. Dies Volk war so diesseitig wie die Griechen, aber es lebte doch unvergleichlich viel stärker auf Künftiges und Ziele hin. Dennoch traten Wunsch und Bilder des Fortlebens nur langsam vor, obzwar dann darüber fröhlich, darüber rächend gewordene. Bis dahin schoben langes Leben, Wohlergehen auf Erden das Ende hinaus und hinab, in Scheol, die ferne Unterwelt, hinab. Es gab im alten Israel Ahnen- und Totenkult, das setzt Glauben an ein Fortleben voraus, aber das gehörte noch zum kanaanitisch übernommenen Zauber, nicht zum frommen Glauben. Wenn Saul durch die Hexe von Endor den Totengeist Samuels beschwört, so begeht er gerade eine Sünde; überdies wird der aufsteigende Geist nicht als Mensch, sondern als »Elohim« bezeichnet (1. Sam. 28, 13), folglich als übermenschliches Wesen, *nicht als Seele.* Dasselbe gilt für die merkwürdige und als sehr früh belegte Stelle über Henoch: »Und weil er ein göttliches Leben führte, nahm ihn Gott hinweg und ward nicht mehr gesehen« (1. Mos. 5, 24). Es sind das, gleich der Entrückung Eliae, selber große Ausnahmen, und als solche werden sie ausgezeichnet: vor allem aber: Elohim, nicht Menschen stecken hinter diesen unsterblichen Namen. Ist es doch möglich, daß Henoch, mit seinen 365 Lebensjahren, einen früheren Sonnengott bezeichnet; auch Elias fuhr ja auf einem »feurigen Wagen«. Scheol, Unterwelt des Grabs, blieb statt dessen lange des Menschen Teil, so noch im Buch Hiob (um 400 v. Chr.), wenn auch mit prometheischer Aufbäumung dagegen: »Ob ich gleich lange harre, so ist doch die Unterwelt mein Haus, und in Finsternis ist mein Bett gemacht. Die Verwesung heiße ich meinen Vater und die Würmer meine Mutter und Schwester« (Hiob 17, 13 f.). Durchbruch der Unsterblichkeit geschah im Judentum erst durch den *Propheten Daniel* (um 160 v. Chr.), und der Antrieb dahinter kam nicht aus dem alten Wunsch nach langem Leben, nach Wohlergehen auf Erden, nun transzendent verlängert. Er kam vielmehr aus Hiob und den Propheten, aus dem *Durst nach Gerechtigkeit;* so wurde der Wunsch Postulat, die postmortale Szene durchaus Tribunal. Glaube ans Fortleben wurde hier eines der Mittel, um den Zweifel über Gottes Gerechtigkeit auf Erden zu beschwichtigen; vor allem wurde die Auferstehungshoffnung selber eine juristisch-moralische. Ein Totengericht kam, wie gesehen, viel ausgeführter schon in Ägypten vor, aber ein wesentlich Neues, das gerade den Reichen und Herren in der Gemütsruhe nicht gut tun sollte, kam im späten Israel hinzu. Denn das Grundmotiv zur verlangten Auferstehung wird jetzt drohend, es heißt *Nachholung des fehlenden irdischen Gerichts:* »Und viele, so unter der Erde schlafen liegen, werden aufwachen, einige zum ewigen Leben, andere zur ewigen Schmach und Schande. Die Lehrer aber werden leuchten wie des Himmels Glanz, und die, so viele zur Gerechtigkeit weisen, wie die Sterne immer und ewig« (Dan. 12, 2 f.). Das ist der moralische Einmarsch der Auferstehungshoffnung in den frommen Glauben, unabhängig von Totenkult, Zauberriten, Gottmenschen; und es ist der erste Einmarsch. Die scheinbar frühere Verkündung in einigen Psalmen – vor allem in Psalm 49, 16: »Gott wird meine Seele erlösen aus der Gewalt des Scheol, denn er hat mich angenommen«, auch der Vers in Jes. 26, 19: »Aber deine Toten werden leben, meine Leichname werden auferstehen« – stammt in Wahrheit aus einer ebenso späten Zeit wie Daniel, ist interpoliert gleich dem Komplex der Jesajaskapitel 24–27. Allerdings werden auch nach Daniel nicht alle, nur viele erwachen, nämlich nur die frommen jüdischen Märtyrer und von den Ungerechten nur die schlimmsten Bluthunde. Auch diese noch nicht zu einer Hölle, sondern zu ihrer Schmach und Schande und damit sie den Triumph der Gerechten sehen. *Allgemeine Auferstehung selber,* die aller Menschen, wird erst in den Bilderreden des äthiopischen Henochbuchs ausgesprochen, gegen Ende des ersten vorchristlichen Jahrhunderts; das ägyptische Totengericht, die persische Weltbrandlehre gaben ihre Farbe ab. Das Henochbuch machte Daniels Verheißung nicht nur generell, es führte in sie auch die verschwenderisch ausgemalte Szene von Hölle, Himmel, Jüngstem Gericht ein, zum erstenmal. Und die Esra-Apokalypse des ersten nachchristlichen Jahrhunderts macht das Gericht zur letzten Enthüllung: »Es gibt ein Gericht nach dem Tod: da wird der Name der Gerechten kund, die Taten der Frevler werden offenbar« (4. Esra 14, 35). Die uralte ägyptische Idee vom Buch des Lebens wirkte ein, in welches das Gewicht der menschlichen Taten eingeschrieben wird. Der Schreibergott Thot, der dies Amt beim ägyptischen Totengericht besorgte, kehrt als Engel Jahwes wieder, ja als dieser selbst. Und die Eintragung wird jährlich jeweils am jüdischen Neujahrstag eingeleitet, am Versöhnungstag beendet, als dem höchsten und ernstesten jüdischen Feiertag. Als einem postmortal gezielten Bußtag, der freilich, bezeichnenderweise, im vorexilischen Judentum noch völlig unbezeugt ist, im sogenannten Bundesbuch, bei der Anordnung der Feste (2. Mos. 23), nicht erwähnt wird. Der Gerichtsbuch-Mythos selber wurde immerhin in einen alten Text interpoliert, so in 2. Mos. 32, 32 f., auch der erste Jesajas nennt ihn: »Und wer da wird übrig sein zu Zion und überbleiben zu Jerusalem, der wird heilig heißen; ein jeder, der geschrieben ist unter die Lebendigen zu Jerusalem« (Jes. 4, 3). Das hat sich erhalten bei Lukas 10, 20: »Freut euch, daß eure Namen im Himmel geschrieben sind«, es tönt fort im kirchlichen Requiem: »Liber scriptus proferetur in quo totum continetur.« Mit dem erstarkten Wunsch- und Traumblick in die Gerechtigkeit eines wenigstens Jüngsten oder letzten Gerichts und seines Dahinter kam nun freilich auch die Zeit für eine Umdeutung vermeintlich früherer Zeugnisse. Besonders eben bewegte jetzt der Genesis-Bericht über den vorsintflutlichen Patriarchen Henoch und seine Entrückung; er galt der spätjüdischen Literatur als der erste derer, die dem Scheol, ja dem Tod entronnen sind. Ein »Buch vom Henoch«, ein »Buch der Geheimnisse Henochs« entstand, worin die Mysterien der anderen Welt ausphantasiert wurden, welche der Patriarch zu sehen bekommen hatte; die neutestamentliche Epistel St. Judä feiert Henoch, »den siebenten von Adam«, als Weissager des letzten Gerichts (Ep. Jud. 14 f). Auferstehungsutopie wurde so schließlich orthodox, trotz offenbar vorhandener Widerstände, wahrscheinlich aus den Kreisen der »epikurischen« Sadduzäer (»welche da halten, es sei keine Auferstehung«, Luk. 20, 27). Um die Zeit Christi kam ein Sanhedrin-Beschluß heraus: »Keinen Anteil an der zukünftigen Welt hat, wer sagt, daß die Wiederbelebung der Toten sich nicht aus der Thora beweisen lasse.« Mithin aus den fünf Büchern Mosis, wo doch zuverlässig noch kein solcher Glaubensartikel vorliegt: es sei denn in dem erwähnten Ahnenkult, der, jenseits der Zauberbräuche, über einen lokalisierten Gräberkult wenig hinauskam. Bald machten sich auch sehr läppische Endbilder groß, drangen selbst in den Talmud, etwa ein künftiger Leviathan: »Dies ist das Fischungeheuer, von dessen Fleisch nach der Weltdämmerung die Auserwählten genießen und aus dessen Haut ein Zelt bereitet wird, worunter die Gerechten aller Völker in Glückseligkeit wohnen«; das Meertier wurde so eine Art jenseitiges Manna. Und eines, das beim Genuß nicht abnimmt, auch zeigt, daß selbst Leviathan, die Schreckgröße (Hiob 41, 2–26), dem Seligen einmal zum Besten dienen wird. Mit erneuter Lehrgewalt hat dann Maimonides, in den dreizehn Artikeln eines Credo, Unsterblichkeit der Seele, Auferstehung des Leibes vorgeordnet. Salomon Reinach bemerkt hierzu in seinem »Orpheus« nicht ganz mit Recht: diese Artikel seien vom biblischen Judentum so fern wie der Katholizismus des Trientiner Konzils von den Evangelien. Denn was bei Maimonides die Auferstehung angeht, so hat das im nachexilischen Judentum emotionale Vorbereitung und seit Daniel juristisch-moralische. Über der Angst des physischen Tods tauchte das Entsetzen des zweiten Tods auf, die Verdammnis, die den Ungerechten erwartete. Jesus gar lebte in diesem Glauben, der tief in den Volksschichten zu Hause geworden war, und sprach aus ihm, als Droher so gut wie als Erretter. Er berief die Auferstehung als einen selbstverständlichen, als einen für die meisten gefährlichen Akt (Matth. 11, 24, Luk. 10, 12); Glaube an Auferstehung und Gericht zählte in der Jesus-Sekte zur Lehre vom Anfang christlichen Lebens überhaupt (Hebr. 6, 1 f.).

Desto strahlender hatte der Himmel zu leuchten, desto heftiger wirkte, über der politischen Verheißung des Gesalbten, die Verheißung ewigen Lebens. Als Besiegung des zweiten Tods, hinter dem ersten, hinter der bloß physischen Vernichtung, die die Seele zu Hölle oder Himmel übrigläßt. So wurde seit Daniel, zuletzt auch unter iranischen Einflüssen, die Unsterblichkeit in ein nicht nur individuell-künftiges, sondern kosmisch-künftiges Drama ungeheuerster Gewalt hereingestellt, in Weltbrand und lauter Nacht, lauter Licht dahinter. Alle Menschen sind dabei anwesend, das wird der Sinn des Jüngsten Tags, er spielt sich nicht vor einem zufällig letzten Geschlecht und vor der menschenleeren Natur ab. Ja die Welt der Apokalypse, worin das späte Judentum ankommt, hätte auf ihre Gläubigen als nichtig und subjektlos gewirkt, wenn sie nicht eine auferstandene Versammlung aller Menschen seit Adam betroffen und beschert hätte.

Desto brennender der Wille, sich auf die rechte, auf die siegreiche Seite zu schlagen. Jesus trat zuerst als heilend auf, so und noch nicht politisch oder gar von Sünden befreiend hat er geworben. Er tritt gegen den ersten Tod auf und gegen die Krankheit zu ihm hin, er heilt zunächst Lahme, Blinde, Blutende, er erweckt eine Leiche. Davon sind die frühen, gänzlich zaubermännischen Wunderberichte erfüllt; noch nicht von Buße. Diese trat als Predigt und als Erbe Johannis des Täufers erst später hinzu und dann wieder in erweckender Verbindung, in der mit dem zweiten Tod. So fällt das ganz und gar nicht innerliche, das magisch-materielle Wort: »Was ist leichter zu sagen: dir sind deine Sünden vergeben, oder zu sagen: stehe auf und wandle« (Luk. 5, 23). Um wissen zu lassen, daß der Menschensohn Macht hat, die Sünden zu vergeben, dazu hat der Jesus dieser Stelle, nach der bereits pneumatischen Deutung Lukae, geheilt, aber gewirkt hat er als Brot des Lebens, nicht nur als Sündenvergeber. Und gesiegt hat er, nach der Taufe in seinen Tod, durchaus als die Auferstehung und das Leben. Als der geglaubte Erstling derer, die da auferstanden sein sollen, als Bringer des zweiten oder Himmellebens gegen den zweiten Tod oder die Hölle. Erlösung von der todbringenden Sünde war die Wurzel oder der Stamm, aber Erlösung vom Tod war die begehrte Frucht des damaligen Juden-, erst recht Heidenchristentums. So das Wort eines gleichsam heiligen Tauroboliums: »Wer mein Fleisch ißt und trinkt mein Blut, der hat das ewige Leben und ich werde ihn am Jüngsten Tag auferwecken« (Joh. 6, 54). So erst recht die Definition, die in dem am wenigsten faktischen, am meisten pneumatischen Evangelium aller Zeichen und Wunder zusammengefaßt: »Ich bin die Auferstehung und das Leben; wer an mich glaubt, der wird leben, ob er gleich stürbe« (Joh. 11, 25). Welch ein Unterschied also zu den Göttern der Antike, die dem Tod, aber auch der Belebung fremd sind. Es kommt zwar vor, daß sie bei der letzten Stunde erscheinen, so tritt bei Euripides die Artemis ans Sterbelager des Hyppolitos, aber sie verheißt ihm keineswegs Unsterblichkeit, sondern einen Tempel und Nachruhm, und sie, die selber nie den Tod schmeckte, verläßt ihn im Sterben. »In deine Hände befehle ich meinen Geist«: kein Grieche konnte das zu einem seiner Götter sagen. Auch Jahwe freilich war mit Unsterblichkeit bisher wenig bemengt; so fehlt auch folgende Überbietung bei Jesus nicht: »Eure Väter haben Manna gegessen in der Wüste und sind gestorben. Ich bin das lebendige Brot, vom Himmel gekommen, wer von diesem Brot ißt, wird leben in Ewigkeit« (Joh. 6, 49 und 51). Trotzdem wird die Substanz des ewigen Lebens selbst, die bisher als unbekannt gesetzte Substanz, auch im Vater nun behauptet und gesetzt, als durch Jesus bekanntgemacht: »Jetzt aber geoffenbart durch die Erscheinung unseres Heilands, der dem Tode die Macht hat genommen und das Leben und ein unvergänglich Wesen an das Licht gebracht« (2. Tim. 1, 10). Jesus führt in einem zweiten Auszug aus Ägypten weg, vom Osiriswesen weg: »Gott aber ist nicht der Toten, sondern der Lebendigen Gott; denn sie leben in ihm alle« (Luk. 20, 38). Und das Osterwunder, auch ohne den paulinischen Opfertod, wird in der begonnenen Teilhabe an dieser Substanz geglaubt: »Denn wie der Vater das Leben hat an ihm selbst, so hat er dem Sohn gegeben, das Leben zu haben in ihm selbst« (Joh. 5, 26). Genau die in Christi Tod Getauften sollen also auch in seine Auferstehung getauft sein, in den wirklichen Henoch oder wirklichen »Erstling derer, die vom Tode auferstanden sind«.

Und von hier teilt sich der Impuls oder die Oster-Utopie der christlichen Kunst mit, vor allem, wie zu sehen war, der organischen, metaorganischen, gotischen. Sie ist nicht Werdenwollen wie Stein, sondern konträr: »Lebensbaum als geahnte Vollkommenheit, christförmig nachgebildet«; das wird die letzte Wunschlandschaft der Gotik. Das Leben soll dem Tod entronnen sein, obzwar immer nur für die durch Christus Gerechtfertigten, nirgends im zweiten Tod für die Verdammten, nirgends in der Hölle. Diese eben wurde genauso unvermeidlich gemacht wie der Himmel; *Hölle und Himmel zusammen machen das Lokal des Exitus aus,* das nun gänzlich generalisierte. Nichts bleibt übrig, von der ganzen Schöpfung, als die Zweiheit von Strafe und Lohn, von Gezeter und Gesängen, von Hölle und Himmel. Über den Termin des Eintritts ins eine oder andere stehen freilich zwei Vorstellungen nebeneinander, obwohl sie sich ausschließen, ungeduldige und geduldige. Sobald nämlich die Todessekunde mit dem Ende der Welt konkurrierte, konnten dem Menschen Hölle wie Himmel auch *sogleich* beschieden werden, nicht erst am Jüngsten Tag. Vor allem die Hölle wurde als nahe Zukunft gedacht, sie stand bereits hinter dem Sterbebett des Sünders, mit offenen Tatzen, hungrigen Augen, dem ganzen Schlund. Überdies nahmen in späterer christlicher Zeit die grausamen Gerichtsverfahren lauter Hölle auf und vorweg; Rädern, Pfählen, Vierteilen, Hexenbrand warteten nicht erst den Teufel ab. Auch sonst ragte christliches Jenseits als Verdammnis allenthalben ins Leben herein, die Dachböden und Kreuzwege, die Schluchten und meist noch ungelichteten Wälder waren gefüllt von Seelenspuk, der keine Ruhe fand, von einer schon unmittelbaren postmortalen Schrecklichkeit. Das Fegefeuer wird vom Dogma sogleich hinters Lebensende gesetzt, aber bei Dante sind auch Hölle und Himmel bereits eingetretene Entscheidungen, ein Jüngstes Gericht kann diese ehernen Zustände nicht mehr alterieren. Die Inferno-Grüfte sind nur noch nicht zugedeckt, die viereckigen Sarkophage in jener stillen, düster-brennenden Halle, gefüllt mit Menschen und Qualen, warten nur noch darauf, am Gerichtstag für die Ewigkeit geschlossen zu werden. Sonst fügt das Weltende zu Dantes Schwefelhöhlen oder Lichtkreisen schwerlich etwas hinzu, das Buch des Lebens wirkt bereits als geöffnet. Jesus selbst häuft zwar alles Entsetzen, alle Rettung wesentlich auf einen *erst künftigen Tag,* wenn auch auf einen nahe bevorstehenden; immerhin, fürs Paradies gibt es Vorwegnahmen. So für den gläubigen Schächer, so für Lazarus, der von den Engeln, ohne Grab und Auferstehung, sogleich in Abrahams Schoß getragen wird (Luk. 16, 22). Einhellig bleibt bei alldem nur, daß der Zustand in der künftigen Welt vom Verhalten und der Durchchristung in dieser Welt abhängt; nach dem Tod ist die Saat beendet, es folgt nur noch die *Ernte.* Und eben eine schlechthin dualistische: unausdenkliche Pein, unausdenkliche Freude krönen das kurze Leben mit einem Kontrast, den keine Jenseits-Erwartung, auch die Ägyptens nicht, bisher gekannt hatte. Es ist der manichäische Gegensatz von Nacht und Licht, der, als einer zwischen zwei unabhängigen Großmächten, von der Kirche sonst überall zurückgewiesen wurde, aber in ihrem Jenseits sich verabsolutiert. Der Gegensatz war nicht von Anfang an so dauerhaft, Paulus hat in 1. Kor. 15, 21–29 die Ewigkeit der Hölle verneint, in Römer 6, 23 bejaht; Origenes, der Begründer der Fegefeuerlehre, ließ alle Geister, selbst die Dämonen, dereinst geläutert zu Gott zurückkehren. Aber die Kirche setzte, in einem ihrer härtesten Dogmen, Ewigkeit der Höllenstrafe; gerade der neue Gott der Liebe barg an diesem Ort einen weit tieferen Pfuhl der Grausamkeit als selbst Ahriman. Hierbei freilich wurde der Strafzustand der Sünde, der aversio a Deo, vom Dogma allemal nur als ein *umgekehrtes Bild der Verklärung* betrachtet. Ist der Himmel Verwandlung der Natur ins Licht, so die Hölle Verwandlung ins Weltbrandfeuer, so daß die negativ verklärte Natur sich ständig am Rand der Vernichtung fühlt. Ja die Hölle wird in der katholischen Rache-Utopie auf den anderen Anblick des gleichen Gottes zurückgeführt: der Verdammte apperzipiert gleichfalls die göttliche Liebe, aber, indem er sie zurückgestoßen hat, nur noch als Verlust und Zorn (vgl. Scheeben, Die Mysterien des Christentums, 1912, S. 587). Desto erhobener erscheint das Paradies, als vita aeterna über den Kontrast-Verliesen der mors aeterna: »Was kein Auge gesehen hat und kein Ohr gehört und in

keines Menschen Herz gekommen ist, das hat Gott denen bereitet, die ihn lieben« (1. Kor. 2, 9). Förmliche Gottwerdung wird dem allerhöchsten Wunschbild gegen den Tod eingezeichnet, und das nicht nur in häretischer Mystik, sondern an der sozusagen korrektesten Stelle, im Catechismus Romanus (I, cap. 13, qu. 6): »Die Gott genießen, ziehen, obgleich sie ihre eigene Substanz behalten, doch eine und fast göttliche Gestalt an, so daß sie eher Götter als Menschen zu sein scheinen (tamen quandam et prope divinam formam in duunt, ut dii potius quam homines videantur).« An so großen Hoffnungsbildern siegt nun doch die *zukünftige* Apokalypse über jene erste individuell-postmortale, welche heute noch, also ohne Weltende, im Paradiese sein ließ. Auch die Toten sind nun, vom Fegefeuer abgesehen, den Mysterien der transponierten, mythologisierten Rache- wie Triumph-Utopie nicht näher als die Lebenden; ihr Leib schläft ihnen vielmehr entgegen. Erst die Wiederkehr Christi endet die Adventszeit, für Lebende wie Tote, wenn auch die Toten ihr Protokoll dahin haben und das aufgeschlagene Buch am Ende der Tage es nur offenbar macht. Der Zweifel an der göttlichen Gerechtigkeit, der so viele Beschwichtigungen gefunden hatte, fand nun die letzte und wenigstens nicht mehr empirisch widerlegbare: die Heimzahlung am Jüngsten Tag. Die Kirche freilich hat die Apokalypse lediglich als Instrument ihrer Herrschaft gebraucht (nämlich als Zukunftsbild der ecclesia triumphans), nicht als Sieg der Erwürgten über die große Babel, die sie doch selber geworden ist. Trotzdem behielt die Heimzahlung aller Lebenden nach dem Tod, aller Toten nach dem großen Appell einen revolutionären Wunschsinn für die Mühseligen und Beladenen, die sich realiter nicht zu helfen wußten oder im Kampf unterlagen. Verschoben ad calendas apocalypticas, war doch der Gerichtstag jede Stunde erwartbar, und am nächsten wurde er nachdem in revolutionären Zeiten erwartet, während der Albigenserkriege, während des deutschen Bauernkriegs. Hier klang die Danielische Predigt Christi anders als in den Kirchen, und anders klang das »Dies irae, dies illa, solvet saeclum in favilla«, das »Iudex ergo cum sedebit, quidquid latet, apparebit, nil inultum remanebit«. Nichts wird ungerächt zurückbleiben: darin wirkt Daniels Postulat der Unsterblichkeit, als juristisch-moralisches, nicht als behaglich-perseverierendes, und ist groß geworden. Der gehängte Jesus selber, außer daß er auferstanden ist, kommt am Ende der Tage als Richter zurück; in dem gleichen Archetyp, der so manche geschlagenen Revolutionen begleitet hat. Mit dem Ruf: Wir kommen wieder, mit der Bedeutung: als Rächer und vollkommener Sieg kommt das ehemalige Martyrium wieder. Es ist das ein erzutopischer Archetyp, auch wenn die Apokalypse, die ihn enthält, mit der fixen Zweiheit von Hölle und Himmel die Zweiheit der alten Klassengesellschaft ebenfalls mitreproduziert und verewigt hat. Der wiederkehrende Jesus wird in ihr durchaus nicht mehr als sanfter Dulder gemalt, sowenig wie die Seinen: »Und ich sah den Himmel aufgetan und sah ein weißes Pferd, und der darauf saß, hieß Treu und Wahrhaftig und richtet und streitet mit Gerechtigkeit. Und seine Augen sind wie eine Feuerflamme und auf seinem Haupt viel Kronen und hatte einen Namen geschrieben, den niemand wußte als er selbst« (Off. Joh. 19, 11 f.). Den Tod, den alten Feind, enthält das neue Jerusalem nicht einmal als Erinnerung: »Und Gott wird abwischen alle Tränen von ihren Augen, und der Tod wird nicht mehr sein noch Leid, noch Geschrei, noch Schmerzen, denn das Erste ist vergangen (Off. Joh. 21, 4). In Ägypten fiel die Abwesenheit von Leid und Tränen gerade mit dem Tod zusammen, als dem Stein-Glück des Osiris; im Christentum wird nicht den Toten, sondern den Lebenden das Reich gepredigt, und selbst aus Steinen könnten Kinder erweckt werden (Matth. 3, 9). Statt Styx, Hades, Osiris zeigt der Engel der Apokalypse lauter Organik: »Und er zeigte mir einen lauteren Strom des Lebenswassers, klar wie ein Kristall; der ging von dem Thron Gottes und des Lamms. Mitten auf ihrer Straße und auf beiden Seiten stand der Baum, trug zwölferlei Früchte und brachte sie alle Monate« (Off. Joh. 22, 1 f.). So babylonisch-astralmythisch, also voll anorganischer Bilder auch gerade die Apokalypse durchsetzt ist, sie enthält doch die entschiedenste Gleichsetzung der neutestamentlichen Grundkategorien: Phos – Zoé, Licht – Leben. Neben dem gräßlichen und nachher der Kirche so dienlichen Pfuhl der Hölle stand so das höchste aller Luftschlösser, das pure Lichtschloß Paradies. Die Himmelfahrt Christi galt als Heerweg dahin; dieser Ostermythos wurde im Christentum absolut und der des Endes.

Die wenig beachteten Lieblingskinder

Apokalypsefolgen im 20. Jahrhundert

Ulrike Camilla Gärtner

Man kann die Apokalypse lieben oder hassen, man kann an ihr reifen und man kann an ihr scheitern, aber man kann ihr gegenüber nicht indifferent bleiben. Viele Künstler sind sich bei der Wahl des Themas dieser Tatsache bewußt, andere werden erst nach und nach »hineingezogen«. Einige Künstler stehen dem künstlerischen Wert ihrer Apokalypsefolgen oder ihrer darin zum Ausdruck gebrachten Interpretation des biblischen Textes nach Jahren skeptisch gegenüber. Viele würden die Apokalypse nicht noch ein zweites Mal zum Thema machen. Aber ich kenne keinen, der die Auseinandersetzung mit der Apokalypse und die damit verbundene Lebensphase nicht als für sich persönlich besonders wichtig, wenn nicht sogar als entscheidend empfunden hätte. Oft ist die Entstehungszeit der Apokalypse mit Krisenzeiten im künstlerischen oder persönlichen Werdegang verbunden. Manch einer hat sich da Kummer und Leid, Angst und Verzweiflung von der Seele gemalt. Manch einer hat mit missionarischem Eifer ein grausiges Menetekel an die Wand gezeichnet, um aufzurütteln, um zu warnen, um zu retten. Seltener hat auch einer Trost spenden, in der Verzweiflung einen Weg zeigen wollen. Und all diese Werke mit so viel positivem Engagement ruhen nun bestenfalls – wenn die Namen der Künstler allgemein bekannt sind – in graphischen Kabinetten und vereinzelt in den Schränken dieses oder jenes Sammlers. Oft aber liegen sie noch gestapelt im Keller des betreffenden Künstlers und nur selten wird eine der Folgen einmal ans Licht der Öffentlichkeit gebracht.

Odilon Redon

69

Apocalypse de Saint-Jean   1899

12 Lithographien und ein Titelblatt, ca. 56 × 42 cm

Frontispiz
1. Die Berufungsvision
2. Der himmlische Thronsaal
3. Der Reiter Treu und Wahrhaftig
4. Der Engel mit dem Rauchfaß
5. Das Heuschreckenheer
6. Das Apokalyptische Weib
7. Der Ernte-Engel
8. Der Engel, der den Satan für 1000 Jahre binden wird
9. Die im Abgrund gefesselte Schlange
10. Der Satan
11. Das himmlische Jerusalem
12. Der Seher Johannes

Genf, Cabinet des estampes
Lit.: André Mellerio, Odilon Redon: Peintre, Dessinateur et Graveur, Paris 1923, S. 121–123; Alfred Werner, The Graphic works by Odilon Redon, New York 1969

Lange Zeit hindurch war die Apokalypse – von Blakes Aquarellen und einigen Bibelillustrationen abgesehen – kein Thema zyklischer Darstellung. Weder die traditionellen »akademischen« Maler des 19. Jahrhunderts noch die Vertreter modernerer Kunstrichtungen, wie etwa die Impressionisten, hatten Zugang zu diesem Buch.

Odilon Redon gibt 1899 mit seiner Lithofolge zur Apokalypse den Auftakt zu einer ganzen Serie von zyklischen Darstellungen, die diesem Thema im heraufkommenden 20. Jahrhundert gewidmet werden sollen. In seinem Lebenswerk scheint die Wahl des Gegenstandes geradezu selbstverständlich. Der künstlerische Werdegang des empfindsamen und träumerischen Knaben wird nicht durch seinen dem Neoklassizismus nahestehenden Lehrer, sondern von dem Graphiker Rodolphe Bresdin beeinflußt, dessen mystische Ausrichtung auf Redon eine starke Wirkung hat. Eine Hollandreise dient dem Studium Rembrandts, in dem Redon sein eigentliches künstlerisches und wohl auch seelisch-religiöses Vorbild findet. Die Technik der Lithographie, von Fantin-Latour vermittelt, bietet die Möglichkeit, ohne Stil und Aussage der von ihm bevorzugten Kohlezeichnungen aufzugeben, größere Auflagen herzustellen. Zahlreiche Mappenwerke entstehen: *Im Traum, Hommage à Goya, Die Versuchung des Hl. Antonius* u.a. Durch die Bekanntschaft mit dem Dichter Mallarmé findet Redon Anschluß an die Gruppe der Symbolisten. Zusammen mit Jan Toorop schließt er sich den Rosenkreuzern an.

Auf dem Boden dieser hier nur kurz skizzierten Entwicklung entsteht seine Apokalypse. Jedes einzelne Blatt der zwölfteiligen Folge wäre einer eingehenden Betrachtung wert. Die Handhabung der Technik ist virtuos – man betrachte nur den schimmernden Glanz des gläsernen Meeres vor Gottes Thron (Kat.-Nr. 69.2), das qualmige Schwarz aus des Engels Rauchfaß oder die Transparenz des Lichtes um das mit der Sonne bekleidete Weib (Kat.-Nr. 69.6). Für Redon ist Schwarz die unbedingteste Farbe: »Das Schwarz fordert Achtung. Es läßt sich nicht prostituieren. Es erfreut das Auge nicht und erweckt keinerlei sinnlichen Reiz. Weit mehr als die leuchtenden Farben der Palette und des Prismas ist es eine geistige Kraft«. Tatsächlich leben Redons Apokalypsedarstellungen in erster Linie durch die tiefe Innerlichkeit des Ausdrucks, eine Innerlichkeit, die ohne jede Attitüde vorgetragen ist und aus einer anderen, geistigen Welt zu kommen scheint.

Sowohl vom Graphischen wie vom Inhaltlichen her verfolgt Redon das Prinzip der Reduktion. Obwohl der Künstler bemüht ist, den Text in allen seinen Dimensionen zu erfassen, verzichtet er auf Vollständigkeit. Er nimmt die Gestalten

Odilon Redon, *Der himmlische Thronsaal* (Kat.-Nr. 69.2)

Odilon Redon, *Das Apokalyptische Weib* (Kat.-Nr. 69.6)

Odilon Redon, *Der Engel, der den Satan für 1000 Jahre binden wird*
(Kat.-Nr. 69.8)

Odilon Redon, *Die im Abgrund gefesselte Schlange* (Kat.-Nr. 69.9)

meist aus ihrem Zusammenhang heraus und stellt sie
einzeln dar. Niemals gestaltet er vielfigurige Bilder. Besonders deutlich wird dieses Prinzip im Vergleich mit einer
Apokalypsefolge der alten Kunst, z.B. mit Albrecht Dürer.
Dürer zeigt den Seher zu Füßen des Menschensohnes
zwischen den sieben Leuchtern. Redon hat die Szene auf
ein Dreiviertelbild des erscheinenden Christus reduziert.
Auch von der Vision des himmlischen Thronsaales wird bei
letzterem nur ein Ausschnitt gezeigt, die Ältesten fehlen, die
vier Wesen sind z.T. nur angedeutet, der Seher ist ausgespart. Der Betrachter versetzt sich gleichsam in den Seher
hinein und sieht so selbst die visionären Bilder. Ein Apokalyptischer Reiter steht hier für die vier bei Dürer. Der Engel mit
dem Rauchfaß steht für alle Engel, die zur Prüfung oder
Strafe der Menschen Unheil auf die Erde bringen. In dem
Heuschreckenheer wird eine der Plagen dargestellt. Der
Engel mit der Sense steht für das bei Dürer so detailreich
ausgeführte Bild der blutigen Ernte. Michaels Drachenkampf wird nicht gezeigt, auch nicht der später stattfindende Kampf des Reiters Treu und Wahrhaftigkeit gegen
den Teufel und sein Heer, sondern – getrennt auf zwei
Darstellungen – der vom Himmel herabfahrende Engel mit
der Kette (Kat.-Nr. 69.8) und die im Abgrund gefesselte
Schlange (Kat.-Nr. 69.9). Gleich nach diesem symbolischen
Bild des Teufels, der »Schlange, welche ist Satan«, folgt ein
Bild Satans in menschlicher Gestalt. Ein Bild des Himmlischen Jerusalems und eines des Sehers Johannes schließen den Zyklus ab. Nochmals ein Blick auf Dürer: Dort steht
der Engel mit Johannes auf dem Berg und zeigt ihm die
himmlische Stadt. Hier sind die beiden Bildelemente ausein-
andergenommen. Die anschließende Darstellung des
Propheten Johannes ist übrigens die einzige des Sehers im
ganzen Zyklus. Diese Beobachtung gilt für alle wichtigen
Personen der Apokalypse: Keine fehlt, aber jede ist nur ein
einziges Mal dargestellt.

Redons Lithographien zur Apokalypse sind signifikante
Beispiele symbolistischer Darstellungsweise, in der das
pars pro toto zum Leitspruch erhoben ist. Die metaphy-
sisch-esoterische Ausrichtung des Künstlers gibt den
Blättern noch eine besondere Prägung, die seine Kunst von
der anderer symbolistischer Maler unterscheidet. Diese
Besonderheit drückt sich aber schon allein in der für diese
Zeit noch relativ ungewöhnlichen Wahl des Themas Apokalypse aus.

Lovis Corinth

70

Die Offenbarung Johannis   1916

6 Lithographien, ca. 42,5 × 52,8 cm

1. Die Berufungsvision
2. Der himmlische Thronsaal
3. Die Apokalyptischen Reiter
4. Die großen Zeichen am Himmel
5. Die Hure Babylons
6. Die Fesselung Satans

Privatbesitz
Lit.: Karl Schwarz, Das graphische Werk von Lovis Corinth, 2. Aufl., Berlin
1922, S. 158–161 (L 296)

Von Odilon Redon zu Lovis Corinth ist es ein gewaltiger
Sprung – ein größerer Sprung, als die siebzehn Jahre, die
zwischen dem Erscheinen der beiden Folgen liegen, vermuten lassen.
Aber was hat sich in diesen Jahren nicht alles ereignet! Ein
Jahrhundert ging zu Ende, ein anderes, dem man mit
großen Hoffnungen entgegensah, begann. Mit dem Ausbruch des Ersten Weltkrieges brachen diese Hoffnungen
wie ein Kartenhaus zusammen. Zwei Künstler, die sich
schon vor dem Kriege eingehend mit der Apokalypse
auseinandergesetzt hatten, Kubin und Barlach, haben ihre
Folgen nie vollendet. Letzterer weist in seinem Kriegstage-
buch eindringlich auf die Bedeutung hin, die er selbst dieser
unvollständigen Zeichnungsfolge beimißt. Schade, daß uns
gerade aus den Aufbruchsjahren des deutschen Expressionismus ein vollständiger Zyklus fehlt. Vollständige expres-
sionistische Apokalypsezyklen besitzen wir nur von der zweiten
Expressionisten-Generation nach 1918, deren Gestaltungs-
art und Aussage durch das Erlebnis des Krieges jedoch
nachhaltig beeinflußt sind.

Lovis Corinth, der meist den deutschen Impressionisten
zugerechnet wird, ist in seiner Spätzeit dem Expressionismus so nahe, daß er hier für diese Stilrichtung stehen mag.
Schon die Wahl des Themas trennt ihn von den Impressionisten, die sich mehr mit der Wahrnehmung der »wirklichen«
Welt als mit der Sichtbarmachung der »unwirklichen« Dinge
befaßten.

Die Gegensätzlichkeit der Folgen von Redon und von
Corinth beruht aber wohl zuallererst auf den temperaments-
mäßigen Unterschieden. Lovis Corinth stammt aus einer
Handwerkerfamilie in bäuerlicher Umgebung. Seine
Ursprünglichkeit, aber auch eine gewisse Derbheit mögen
darauf zurückgehen. Dem zurückhaltend-meditativen steht
ein leidenschaftlich aufbrausendes Temperament gegenüber. Wo Redon sich an Rembrandt orientiert, mißt Corinth
sich an Frans Hals und Rubens. Beiden gemeinsam ist die
Technik der Lithographie, die sie aber in höchst unterschiedlicher Weise handhaben. Das, was Redon über das Über-
sinnliche und Geistige des Schwarz-Weiß gesagt hat und
was sich in seinen Lithographien bewahrheitet, wird bei
Corinth in »irdischere« Dimensionen zurückgeführt. Außerdem ist die Lithographie für Corinth nicht wie bei Redon eine
Kunst des Hell-Dunkel, sondern eine Kunst der Linie, die
sich nur gelegentlich zur größeren dunklen Partien verdich-
tet. Beiden Künstlern ist auch gemeinsam, daß sie die
Apokalypse erst in relativ hohem Alter geschaffen haben –
heute sind es dagegen oft die ganz jungen Künstler, die sich
mit dem Thema befassen.

Corinth widmet dem Thema genau halb so viele Darstellungen wie Redon. Er wählt sechs Szenen aus, die auch
unabhängig von Textillustrationen zu den gängigsten The-

Lovis Corinth, *Der himmlische Thronsaal* (Kat.-Nr. 70.2)

Lovis Corinth, *Die großen Zeichen am Himmel* (Kat.-Nr. 70.4)

Lovis Corinth, *Die Hure Babylon* (Kat.-Nr. 70.5)

men aus der Apokalypse gehören. Er gestaltet sie aber mit ungezwungener Frische, ohne jede Anknüpfung an Vorbilder der alten Kunst. Im Gegensatz zu Redon wählt er grundsätzlich kleine Szenen. Manchmal sind sogar mehrere zeitlich getrennte Episoden auf einem Bild zusammengefaßt (Kat.-Nr. 70.4). Alle Personen sind in Beziehung zu anderen Personen und meist in Bewegung gezeigt. Trotzdem sind die Figuren auch hier dem Betrachter sehr nahe gerückt. Im Grunde sind sie ihm noch näher als bei Redon, weil der überirdische Ausdruck, in den Redons Erscheinungen förmlich eingehüllt sind und der eine gewisse Distanz schafft, hier fehlt.

Willy Jaeckel

71

Offenbarung des Johannes: Apokalypse
1919–1923

(4. oder 5. Teil des geplanten Mappenwerkes *Menschgott – Gott – Gottmensch: Eine Bibel in Bildern* von G. W. Sommer)

24 (von 234 bzw. 200) Radierungen, ca. 39 × 29 cm bzw. 27 × 21 cm

1. ADAM KADMON, der himmlische Mensch und die, die aus ihm emanieren
2. Siebente Emanation. Der physische Körper durchdrungen von den sieben Prinzipien; Ausdruck des Elementes Erde. Bewußtseinszustand: Gedächtnis und Unterscheidungsvermögen
3. Sechste Emanation. Ausdruck des Elementes Wasser. Bewußtseinszustand: Individualistische Gefühle, Wünsche
4. Fünfte Emanation. Ausdruck des Elementes Feuer. Bewußtseinszustand: Bewußte Erfahrung (Synthese)
5. Vierte Emanation. Ausdruck des Elementes Luft. Bewußtseinszustand: Intuition
6. Dritte Emanation. Ausdruck des Elementes Aether (Leben). Bewußtseinszustand: Erkenntnis des Selbst, dem der Gedanke und Zweck zugrunde liegt
7. Zweite Emanation. Ausdruck der Kraft des Geistes und der Seelentätigkeit. Bewußtseinszustand: Die Seligkeit des Gebens und Empfangens
8. Erste Emanation. Ausdruck der Wahl des Lichts. Bewußtseinszustand: Die Bewegung der Seligkeit und das Bewußtsein der Einheit und des Einswerdens
9. Erscheinung des Thrones Gottes, und das »Lamm« empfängt das Schicksalsbuch. Die vier Tiere (Temperamente)
10. Das weiße Pferd und DER mit dem Menschenkopf
11. Das rote Pferd und DER mit dem Löwenkopf
12. Das schwarze Pferd und DER mit dem Stierkopf
13. Das fahle Pferd und DER mit dem Vogelkopf
14. Eröffnung des fünften und sechsten Siegels. »Die Seelen derer, die erwürget waren um des Wortes Gottes willen« – »Siehe, es ward ein großes Erdbeben –«
15. Das siebente Siegel. Die Stille im Himmel
16. » – und ich sah die sieben Engel, die da stehen vor Gott, und ihnen wurden sieben Posaunen gegeben«
17. Der Sonnen-Erzengel und die Versiegelten
18. Der Drache und sein Kampf mit Michael. » – und es erschien ein großes Zeichen am Himmel, ein Weib mit der Sonne bekleidet und die Monde zu ihren Füßen und auf ihrem Haupte eine Krone von zwölf Sternen. Und sie schrie in Kindesnöten und hatte große Qual«
19. Johannes liest in dem aufgeschlagenen Buch
20. »und ich sah eine anderes Zeichen am Himmel, das war groß und wundersam: sieben Engel, die hatten die letzten sieben Plagen, denn mit denselben ist vollendet der Zorn Gottes, und die den Sieg behalten hatten vor dem Tier und seinem Bilde«
21. » – und ich sah das Weib sitzen auf einem scharlachfarbenen Tier und war voll Namen der Lästerung«
22. Das Buch des Lebens
23. Der Drache, die alte Schlange, gebunden an die 1000 Jahre
24. Der Strom des Lebens

Ostdeutsche Galerie, Regensburg
Lit.: Anneliese Märkisch, Willy Jaeckel: Das graphische Werk, Dresden 1963

Unmittelbar nach dem Ersten Weltkrieg setzt eine ganze Serie von Apokalypsedarstellungen ein. Zahlreiche Künstler versuchen in der Auseinandersetzung mit der Offenbarung ihr persönliches Erleben des Krieges zu bewältigen, oft in schnell hingeworfenen Bildserien, oft in der Holzschnitt-Technik, die dem spontanen Ausdrucksverlangen der Expressionisten besonders entgegenkommt.

Bei Willy Jaeckel schlägt sich das Entsetzen über das Kriegsgeschehen schon ab 1914 in zahlreichen Werken nieder, so in der 1914/15 geschaffenen Lithofolge *Memento Mori* und in dem Gemälde *Sturmangriff* von 1915. Dabei geht es ihm stets um das menschliche Schicksal, um das menschliche Leid. Vor allem aber führte das Erlebnis des Krieges bei Jaeckel zur Beschäftigung mit religiösen, theosophischen und philosophischen Themenkreisen. Er zog sich in die Stille seines Hauses in Gunzesried im Allgäu

Willy Jaeckel, *ADAM KADMON, der himmlische Mensch und die, die aus ihm emanieren* (Kat.-Nr. 71.1)

Willy Jaeckel, *Das rote Pferd und DER mit dem Löwenkopf* (Kat.-Nr. 71.11)

zurück und begann dort das umfangreiche Illustrationswerk zur Bibel *Menschgott – Gott – Gottmensch*, das in fünf Teilen erscheinen sollte, von denen einer der Apokalypse gewidmet ist. Jaeckels Darstellungen entstanden zu einem nicht abgeschlossenen Buch seines Schwagers G. W. Sommer, der ein Medium war und mit dem zusammen er die ganze Bibel in zahllosen Sitzungen meditierte und zum Teil in Trance neu schaute. Jaeckel versuchte die visionären Eindrücke rein geistiger Vorgänge in abstrakten, fast mathematischen Formen Bild werden zu lassen. Seine persönliche Einschätzung dieser Arbeit geht aus der Bemerkung hervor, die er einmal seinem Sohn gegenüber machte, alles könne nach seinem Tode kaputtgehen, aber das müsse übrig bleiben. Der Maler hielt die Zeit für das Verständnis dieses Werkes, das er als sein Hauptwerk betrachtete, noch nicht für reif.

Im Gegensatz zu den meisten modernen Künstlern erkennt Jaeckel im Menschen nicht nur das dämonische Element, sondern weiß auch von dem göttlichen Funken, der dem Menschen eingehaucht ist. Sein »Adam Kadmon« ist ein Initiant, der sich über sieben Stufen zum Eingeweihten entwickelt, zum Gottmenschen, wie Jaeckel sich ausdrückt. Die Schichten seines sich entwickelnden Bewußtseins umgeben ihn wie ein Mantel. Jaeckels Radierung zum vierten Kapitel (Kat.-Nr. 71.1) zeigt die seelisch-geistige Gottesschau eines Menschen – in diesem Fall des Johannes –, der seine Seele weitgehend gereinigt und seine 7 Bewußtseinszentren geöffnet hat, so daß er Christus und durch dessen Vermittlung auch Gottvater schauen kann. Johannes kniet, gleichsam in diese innere Schau versunken, im Vordergrund; sein Antlitz ist rein äußerlich vor der himmlischen Szenerie abgewandt. Sein lichter Seelenkörper steigt hinter ihm auf. Hinter diesem wiederum schweben die 7 »Emanationen«, in der Mitte der »Adam Kadmon«, in dessen Aura die 7 Seelenschichten angedeutet sind. Die 7 Emanationen, d.h. die 7 Bewußtseinsebenen der Seele, werden von dem Künstler mit den 7 Flammen vor Gottes Thron, welche die 7 Geister Gottes sind, gleichgesetzt. Hinter einem Kranz von vielflügeligen Engelswesen steht Christus. Sein Körper und Haupt sind nur mit wenigen Strichen gezeichnet, er weist auf die Lichtgestalt Gottvaters voraus, die hinter ihm durch schwache Umrißlinien nur angedeutet ist: Sie besteht aus Licht, ist das Zentrum des den Himmelsraum füllenden Strahlenglanzes, geht gleichzeitig in diese Strahlen über und erfüllt den ganzen Raum.

Jaeckels vier Wesen sind mit menschlichen Körpern dargestellt. Nur die Köpfe sind nicht die von Menschen, sondern sind den im Text angegebenen Tierarten entsprechend ins Animalische hin entfremdet. Die Bildtitel nennen jeweils eines der Pferde und eines der Wesen, z.B. *Das rote Pferd und DER dem Löwenkopf* (Kat.-Nr. 71.11). Allein daß das Wort DER immer groß geschrieben ist, weist darauf hin, daß den Wesen hier eine besondere Bedeutung zugesprochen wird. Aus der Bildüberschrift zur Thronsaal-Vision erfahren wir, daß Jaeckel die vier Tiere mit den Temperamenten gleichsetzt. Da Sommers Text nicht druckreif abgeschlossen wurde, gibt es aus dieser Richtung keine ausführlichere Deutung. Ein Text von Paul Claudel kann uns, obwohl auf einer völlig anderen religiösen Überzeugung beruhend, vielleicht weiterhelfen. In einer Einführung zur Apokalypse äußert Claudel folgende Gedanken zum 6. Kapitel: »Ces Chevaux ... ce sont ces passions humaines déchaînées qui dequis le commencement font notre malheur«. Das heißt, die vier Pferde sind die entfesselten menschlichen Leidenschaften, die von allem Anfang an unser Unglück begründen. Ähnlich, wie Claudel die vier Pferde mit den menschlichen Leidenschaften gleichsetzt, scheinen Jaeckels Darstellungen eine Gleichsetzung der vier Wesen mit den

menschlichen Temperamenten zugrunde zu liegen: Sanguiniker, Phlegmatiker, Choleriker und Melancholiker. Diese Veranlagungen halten den Menschen in seiner irdischen Gebundenheit, sie müssen überwunden werden, wenn er sich über 7 Stufen zum Adam Kadmon hin entwickeln will. DER mit dem Löwenkopf hockt finster und mit verbissenem Gesicht im Vordergrund des Blattes, die Hände mit den geballten Fäusten übereinandergelegt. Man spürt förmlich, wie sich in diesem Wesen etwas zusammenbraut, das sich in kürzerer Zeit entladen muß. Das Vehikel für diese Entladung wird der Reiter sein, der hinter dem Wesen, ihm in Haltung und Aussehen ähnelnd, nur darauf lauert, loszupreschen, während das Roß noch geduldig abwartet. Entspricht DER mit dem Löwenkopf dem Choleriker?

Ohne Sommers Text bleiben alle Interpretationsversuche spekulativ.

Max Beckmann

72

Die Apokalypse   1941/42

27 Lithographien

A. Einfarbige Andrucke
B. Buch mit 82 Seiten im Format 40 × 30 cm, Lithographien in Aquarell koloriert

1. Titelblatt: Im Anfang war das Wort. Selig sind die Toten (ganzseitig)
2. Sein Angesicht leuchtete wie die helle Sonne (Leiste, 8 × 20 cm)
3. Sei getreu bis in den Tod... (Leiste, 8 × 20 cm)
4. Wer Ohren hat, der höre... (Leiste, 4 × 16 cm)
5. So jemand meine Stimme hören wird... (Leiste, 4 × 18 cm)
6. Die Vision vom Thron Gottes (ganzseitig)
7. Ein Lamm, wie es erwürget wäre (20 × 20 cm)
8. Die Apokalyptischen Reiter (ganzseitig)
9. Die Versiegelten (Leiste, 8 × 18 cm)
10. Gott wird abwischen alle Tränen von ihren Augen... (Leiste, 8 × 18 cm)
11. Die vier ersten Posaunen... (ganzseitig)
12. Die fünfte Posaune (ganzseitig)
13. ...daß hinfort keine Zeit mehr sein soll (ganzseitig)
14. Das zehnte Teil der Stadt fiel... (ganzseitig)
15. Das Weib und der Drache (ganzseitig)
16. Das Tier und der falsche Prophet (ganzseitig)
17. Selig sind die Toten... (ganzseitig)
18. Die letzten sieben Plagen (ganzseitig)
19. ...die das Malzeichen des Tieres hatten (Leiste, 8 × 19 cm)
20. Die Könige huren und trinken mit der großen Hure Babylon (ganzseitig)
21. Die große Hure auf dem Tier... (ganzseitig)
22. Das Obst, da Deine Seele Lust an hatte, ist von Dir gewichen... (Leiste, 10,5 × 21,5 cm)
23. ...und alle Vögel werden satt von ihrem Fleisch (ganzseitig)
24. Das Weltgericht (ganzseitig)
25. Und Gott wird abwischen alle Tränen (ganzseitig)
26. Und er zeigte mir einen lautern Strom lebendigen Wassers... (ganzseitig)
27. Das Paradies (Leiste, 11 × 20,5 cm)

A. Privatbesitz
B. Sprengel Museum Hannover
Lit.: Max Beckmann – Retrospektive, Ausstellungskatalog Haus der Kunst München u.a. 1984/85, S. 424–435

Max Beckmanns Apokalypse orientiert sich eng an der biblischen Vorlage. So ist die Folge abwechselnd ganzseitiger und kleinerer Bilder zusammen mit dem Text und stets auf diesen bezogen abgedruckt. (In der Ausstellung können zudem die seltenen einfarbigen Andrucke gezeigt werden.) Darin wird nicht zuletzt die langjährige Erfahrung des Künstlers mit der Buchillustration deutlich. Betrachten wir seine inhaltliche Auseinandersetzung mit dem Text aber genauer, so wird zudem ersichtlich , daß wir hier nicht bloße Illustrationen vor uns haben. Während de Chirico die äußerst bildhaften Schilderungen mit dem Zeichenstift nacherzählt, interpretiert Beckmann den prophetischen Stoff. Dabei ist sein Umgang mit der Textvorlage ganz unterschiedlicher Art. Bei einigen Szenen hält er sich genau an den Text, manchmal faßt er nach dem Vorbild mittelalterlicher Illustrationen mehrere Szenen auf einer Darstellung zusammen, so z. B. beim Apokalyptischen Weib (Kat.-Nr. 72.15), das einerseits als Schwangere gezeigt wird, dem andererseits bereits die Adlerflügel verliehen sind, mit deren Hilfe es, nach der Entrückung des Kindes in den Himmel, in die Wüste fliehen wird. Auf der gegenüberliegenden Seite – und das ist außergewöhnlich – setzt Beckmann Redewendungen und abstrakte Vorstellungen in Bilder um. Ein Beispiel ist die lapidare Darstellung der Aufforderung: »Wer Ohren hat, der höre ...« (Kat.-Nr. 72.4). Die Intensität seiner Auseinandersetzung mit der Apokalypse äußert sich nicht zuletzt darin, daß Beckmann selbst in die Rolle der geschilderten Personen schlüpft. Er ist der Prophet, dem die Vision widerfährt. Er ist der Tote, der vor Gottes Richterstuhl treten muß. Er ist unter den Anhängern des satanischen Heers, und sein

Max Beckmann, *Das Weib und der Drache* (Kat.-Nr. 72.15)

Fleisch wird von den Vögeln des Himmels, die zum großen Mahle Gottes gerufen sind, gefressen. Er ist es auch, dem die Tränen getrocknet werden.

Seit dem Erlebnis des Ersten Weltkrieges, an dem Beckmann als Sanitäter aktiv teilgenommen hatte, ist es dem Künstler zum inneren Auftrag geworden, die Katastrophen seiner Zeit darzustellen, die Katastrophen, die den Einzelnen wie die Gesamtheit bedrohen. Dabei ist seine Malerei stets Analyse und Warnung zugleich. Von der Darstellung realer Vorgänge kommt er immer mehr zum Allgemeinen und Überzeitlichen. Nach seiner Verfemung als »Entarteter« und seiner Entwurzelung durch die Emigration wird die Hinwendung zu mythischen und mythologischen Stoffen immer deutlicher. So kam die Aufforderung des Verlegers Hartmann, die Apokalypse zu illustrieren, an den richtigen Adressaten.

Max Beckmann weilte zu dem Zeitpunkt, als er die Apokalypse schuf, im Amsterdamer Exil. Eine Tagebuchnotiz vom Freitag, dem 22. August 1941, besagt: »Apo angefangen«. Das Impressum des in 24 Exemplaren in Frankfurt als Privatdruck entstandenen Buches lautet: »Im vierten Jahr des zweiten Weltkrieges, als Gesichte des apokalyptischen Sehers grauenvolle Wirklichkeit wurden, ist dieses Buch entstanden.«

Während die Jagdbomber über sein Haus fliegen, entstehen die 27 Lithographien. Beckmann hat jedes einzelne Bild »erlebt« und erlitten. Nach Beckmanns eigener Aussage dient Kunst »der Erkenntnis, nicht der Unterhaltung, der Verklärung oder dem Spiel. Das Suchen nach dem eigenen Selbst ist der ewige, nie übersehende Weg, den wir gehen müssen ...«. Diese ständige Auseinandersetzung, dieses ständige Suchen, dieses Nichtnachlassenwollen hat fast etwas Selbstquälerisches.

Beckmann zeigt das Bild des richtenden Christus in einem sehr ungewöhnlichen Zusammenhang (Kat.-Nr. 72.24). Er

163

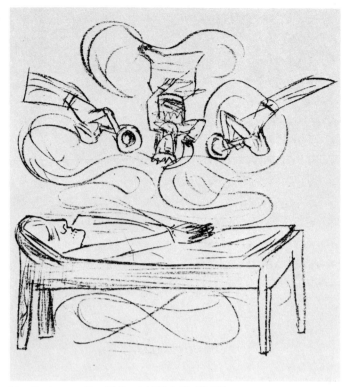

Max Beckmann, *Das Weltgericht* (Kat.-Nr. 72.24)

Max Beckmann, *Selig sind die Toten* (Kat.-Nr. 72.17)

faßt zwei Verse des 14. Kapitels zusammen, die zwar aufeinander folgen, aber nicht zusammengehören. Auf einem schlichten braunen Bettgestell liegt, in weißes Linnen gehüllt, ein Toter oder Sterbender: »Selig sind die Toten, die im Herrn sterben«. Über ihm ist der Herr dargestellt, wie er in Vers 14 beschrieben ist: »Christus mit der Sichel, auf einer Wolke thronend«. Zwei Engel zu seinen Seiten kündigen mit ihren Posaunen das Gericht an. Beckmann bringt hier die Vorstellung zum Ausdruck, daß die Seele unmittelbar nach dem Tode vor den Richterstuhl geführt wird. Die ganze zweite Szene ist auf den Kopf gestellt. Es handelt sich also um zwei Realitätsebenen. Der Betrachter sieht den Toten oder Sterbenden, der mit geschlossenen Augen daliegt. Die innere Schau des solchermaßen Daliegenden bzw. das Bild, welches sich seiner entkörperten Seele bietet, ist auch nur für ihn in diesem Moment verständlich, ist überhaupt für ihn nur richtig zu sehen. Dem Betrachter ist diese Vision nicht auf den ersten Blick zugänglich, er ist ausgeschlossen.

Max Beckmann, *Wer Ohren hat, der höre...* (Kat.-Nr. 72.4)

Bei der Auferstehung der Toten (Kat.-Nr. 72.17) erhebt sich eine Gruppe von Menschen, die offenbar geköpft worden sind, aus einem Schacht. Sie sind ohne Kopf gezeichnet und aus ihren Halsstümpfen rinnt noch immer das Blut. Ihre Bekleidung mit faltigen Tuniken, welche eine Schulter freilassen, legt den Gedanken nahe, daß es sich um Märtyrer aus der Zeit des frühen Christentums handelt. Sie erheben ihre Hände im altchristlichen Gebetsgestus, der sogenannten Orantenhaltung, und zwar in einer Weise, daß die Handflächen auf Christus ausgerichtet sind, dessen dornengekröntes Haupt im Hintergrund des Blattes sichtbar wird. Andere Auferstehende kommen aus einer nicht näher definierbaren Dreiecksöffnung, die sich links hinter dem Erdschacht befindet. Es sind Menschen verschiedenen Geschlechts und Alters in Gesellschaftskleidung. Sie laufen mit schräg nach oben gestreckten Händen, deren Flächen nach vorne zeigen, nach rechts hinüber. Die Haltung ihrer Hände hat zugleich etwas Abwehrendes und etwas Tastendes. Diese Menschen wissen nicht, was auf sie zukommt. Christi allgegenwärtiges Antlitz ist für sie nicht sichtbar. Sie laufen an ihm vorbei.

Obwohl die vorletzte Lithographie der Folge von dem ersten Antlitz Christi beherrscht wird, das dem Betrachter frontal zugewandt ist und dessen gestrenger Blick durch die Öffnungen der Gerichtsposaunen am Horizont und durch den erhobenen Zeigefinger des endzeitlichen Richters unterstrichen wird, ist auch hier die Vision des Sehers als innere Schau interpretiert (Kat.-Nr. 72.26). Beckmann schlüpft wieder selbst in die Rolle des Propheten. Das Profil seines abgeklärten, ruhigen Gesichts mit geschlossenen Augen erscheint links vor der Schulter Christi. Mit der erhobenen Linken schattet er sein Gesicht gegen den durchdringenden Blick des Richters ab. Vor ihm brennt eine Kerze, noch ist das Licht des Lebens nicht erloschen.

Max Beckmann, *Und er zeigte mir einen lautern Strom lebendigen Wassers* (Kat.-Nr. 72.26)

Max Beckmann, *Die Apokalyptischen Reiter* (Kat.-Nr. 72.8)

Frans Masereel
Apokalypse unserer Zeit   1940–43

Frans Masereel, der hauptsächlich durch seine Holzschnittfolgen bekannt ist, begann 1940 eine Reihe von Zeichnungen mit dem Titel *Apokalypse unserer Zeit*. Einen Teil der
Zeichnungen wiederholte er später in größerem Format und
gab sie zusammen mit weiteren Blättern in der Folge
Die apokalyptischen Reiter als Mappe heraus. Beide Folgen
stehen im Grunde mit der Offenbarung des Johannes in
keiner direkten Verbindung, obwohl sie apokalyptische
Ereignisse schildern. Masereel bewegen weniger religiöse
Fragen über das Woher und Wohin menschlichen Lebens,
sein Hauptthema ist vielmehr der Mensch seiner Zeit im
sozialen und politischen Kontext. Schon vor dem Zweiten
Weltkrieg arbeitete der Künstler bei einigen pazifistischen
Zeitschriften mit. So sind auch seine Zeichnungen zur
Apokalypse unserer Zeit als Aufruf zu verstehen, das Leben
menschlicher zu gestalten, Kriege zu verhindern und Leiden
zu verringern. Als Kommentar zu den Zeichnungen mögen
des Künstlers eigene Gedanken gelten, wie er sie 1953
rückblickend niedergeschrieben hat:

»Das war im Juni 1940.
Große Massen bewaffneter Männer überfluteten Städte und
Landschaften und brennende Häuser, Tod und Verderben
blieben hinter ihnen zurück. Teuflische Maschinen, eine
immer mörderischer als die andere, führten sie mit sich und
betätigten sie in den Lüften wie auf dem Meer, auf der Erde
wie unter der Erde. Und das alles hatte nur den einen
Zweck: zu töten. In größter Eile mußten Gräber geschaufelt
werden und in weiten Gebieten unserer Erde füllten sich die
Friedhöfe mit beängstigender Geschwindigkeit. Hinter
diesen Kriegern mit ihren alles zerstörenden Waffen kamen
nochmals viele andere Männer und ihr Kampfwerkzeug war
das Gift der Lüge, das sie durch Apparate, die Ausgeburten
der Hölle schienen, in Form fürchterlicher Befehle, grotesker
Verdrehungen der Wahrheit und lästerlicher Worte ausspien.
Ihre Zerstörung galt den edlen Gedanken, dem Geist, der
Seele, während es die Aufgabe der ihnen Vorausgehenden
gewesen war, das Fleisch und die materiellen Werte zu
vernichten.

Abb. 45.1 Frans Masereel, *Apokalypse unserer Zeit*

Denken wir noch einmal daran zurück!
War das nicht wie eine Apokalypse, die sich da auf uns
stürzte? Und war sie nicht viel schrecklicher als jene, die die
alten Schriften ankündigten? Haben nicht viele von uns
damals geglaubt, das Ende der Welt sei hereingebro-
chen?... Mit meiner Frau war ich auf den Landstraßen,
verloren in einer riesigen Menge von Frauen, Kindern,
Männer, Greisen und Soldaten, die mit Fahrzeugen aller Art,
Kanonen und Tieren ein chaotisches Durcheinander bildeten. Mit Worten mag ich es nicht beschreiben – mit meinem
Zeichenstift versuchte ich es damals zuweilen. Dieser
endlose Zug floh vor den Feuersbrünsten, vor den von allen
Seiten, von oben und unten, hinten und vorne kommenden
Salven, mit denen der Tod großzügig seine Ernte einbrachte.

Abb. 45.2 Frans Masereel, *Apokalypse unserer Zeit*

Dieses schaurige Drama muß mich zutiefst beeindruckt
haben ... denn so weit mein beschwerlicher Weg mich
führte, machte ich, wenn immer ich nur ein wenig Schutz vor
dem wütend einschlagenden Geschützfeuer hatte, kleine
Skizzen: in den Gräben, hinter den Mauern eingeäscherter
Gutshöfe, zwischen menschlichen Leichen und Tierkada-
vern. Sobald ich in eine kleine Stadt kam und dort Papier
und chinesische Tusche vorfand – einen kleinen Pinsel hatte
ich selbst in meiner Tasche –, ging ich daran, größere
Zeichnungen zu machen, weil es mir darum zu tun war, ein
geprägtes Zeugnis dessen, was ich gesehen und verstanden, empfunden und gedacht hatte, auf Papier zu bringen,
um ohne Rücksicht auf künstlerische Erwägungen wenigstens eine allgemeine Vision dieser verfluchten Zeit unmittelbar zu vermitteln.
Ich denke mir, daß meine Eindrücke sich mit denen vieler
Menschen berühren, die wie ich jene Epoche durchleben
mußten. Es war mein Ziel, das Grauenvolle dieser Vorgänge
richtig wiederzugeben. Ich wollte sie anderen Menschen
zeigen, in der Hoffnung, sie mögen daraus die Folgerung
ziehen, einst gemeinsam und Hand in Hand den siegreichen
Weg zum FRIEDEN zu beschreiten.«

Giorgio de Chirico
Apocalisse   1941

Giorgio de Chiricos Aufsatz *Perché ho illustrato l'Apocalisse*
(Warum ich die Apokalypse illustriert habe) sagt im Grunde
viel weniger aus, als der Titel verspricht. Wir erfahren, daß
der Künstler von seinem Freund Raffaele Carrieri aufgefor-
dert wurde, die Apokalypse zu illustrieren. Wir erfahren
auch, daß de Chirico der Apokalypse gegenüberstand, als
handle es sich dabei um ein Märchenbuch, etwa die Mär-
chen aus Tausendundeiner Nacht.

Diese Einstellung zur Apokalypse im Jahre 1941, also mitten
im Zweiten Weltkrieg, scheint erstaunlich – denkt man etwa
an Masereels engagierte Bilder aus der gleichen Zeit. Hier
ein kurzer Ausschnitt aus dem Aufsatz: »In langen Träumen
des Winters, in diesem großen und erstaunlichen Hause der
Apokalypse, voll von dunklen Räumen, von doppelten
gepolsterten Türen, alten Teppichen und rauchgeschwärz-
ten Vorhängen, orientalischen Tischchen und schweren
geschnitzten Möbeln, von Zimmern und aber Zimmern, in
dem es ein Zimmer für die Spiele der Kinder und eines für die
geliebten und verehrten Eltern gibt, und je eines für die
Verwandten, die Klienten, die Freunde und die Schmarotzer
sowie für die Hofnarren und die findigen, frechen oder
räuberischen Dienstboten, für die verrückten und obszönen
Köche, für die Beamten des Gesundheitswesens, die
gestrengen und puritanischen – wie gesagt, in diesem
großen und befremdlichen Hause mache ich Rundgänge,
neugierig und beglückt wie ein Kind zwischen seinen Spiel-
sachen in der Heiligen Nacht.«

Abb. 46.1 Giorgio de Chirico, *Apocalisse*

Abb. 46.2 Giorgio de Chirico, *Apocalisse*

Karl Rössing

73

Apokalypse: Die Offenbarung Johannis
1946/47

18 Holzstiche, 12,5 × 8,7 cm

1. Johannes empfängt die Offenbarung
2. Der Menschensohn
3. Im himmlischen Thronsaal
4. Die Apokalyptischen Reiter
5. ...und sie verbargen sich...
6. Die Plagen der ersten bis vierten Posaune
7. Die Heuschreckenplage
8. Der starke Engel, mit der Wolke bekleidet
9. Michaels Kampf mit dem Satan
10. Der Teufel kommt auf die Erde herab
11. Das Tier aus dem Meer
12. Die drei Wehe
13. Das Gericht im Bild der Ernte
14. Die siebte Schale: ein großer Hagel
15. Die Hure Babylon
16. Die Vernichtung der Hure
17. Das brennende Babylon
18. Der im Abgrund gefesselte Satan wartet auf seine Wiederkehr

Exemplar Bayerische Staatsbibliothek, München
Exemplar Klingspor Museum, Offenbach
Lit: F. H. Ehmcke, Karl Rössing: Das Illustrationswerk, Dresden/München
1963

Kennt man Karl Rössings Linolschnitte aus den sechziger
Jahren, so ist die Enttäuschung groß, wenn man sein
kleines Apokalypsebüchlein aus den ersten Nachkriegs-
jahren aufschlägt. Ist das der gleiche Künstler, der später so
schwebend-zarte Blätter schuf? »Vieles ist dabei daneben-
gegangen«, sagt Rössing selbst. »Mir ist alles viel zu deutlich
und adrett vorgetragen. Heute würde ich alles ganz anders
auffassen«. Trotzdem hat gerade auch diese Folge als
Zeitdokument ihren unbestreitbaren Wert.

Aus dem Brunnen des Abgrundes quellen Flugzeuge an
Stelle der Heuschrecken hervor. Der Flammenfluß des
starken Engels ist ein fahrbarer Scheinwerfer. Seine gewaltigen Schwingen enden in kokardengeschmückten Flug-
zeugflügeln. Der Teufel reitet, angetan mit engen Hosen,
Sporthemd und Gasmaske, auf einer Bombe zur Erde
herab. Sankt Michael und der Satan stehen sich beim
entscheidenden Kampf mit Boxhandschuhen gegenüber.
Hinter dem Tier aus dem Meer steigt ein Wasserflugzeug
auf. Die drei Weheengel schweben mittels Fallschirmen vom
Himmel herab. Die große Stimme des Engels, der das
Gericht verkündet, wird durch ein Megaphon versinnbildlicht. In der Illustration zum 6. Siegel verbergen sich die
Menschen nicht in den »Klüften und Felsen«, sondern in
Luftschutzbunkern (Kat.-Nr. 73.5). Auf den Dächern der
Bunker hat die Flak Stellung bezogen. Mit riesigen Schein-
werfern suchen sie den Himmel nach feindlichen Flug-
zeugen ab. Doch gegen den Tod, der am Himmel über sie
hinwegreitet, haben sie keine Macht, selbst wenn er in den
Lichtkegel des Suchscheinwerfers gerät.

Vom Inhalt der siebten Zornesschale heißt es: »Ein großer
Hagel, wie ein Zentner fiel vom Himmel«. Rössings Schalen-
engel schüttet einen Bombenhagel auf die Erde hinunter, von
der bereits dicke Rauchwolken aufsteigen. (Kat.-Nr. 73. 14).

Eindringlich prangert Rössing die Brutalität des Krieges an.
Er widmet die 1946 entstandene Apokalypse seinen beiden
verschollenen Brüdern Christian und Wilhelm. Im gleichen
Jahr entsteht eine Folge von vierundzwanzig Holzstichen,
der er den Titel *Passion unserer Tage* gibt. Diese Folge liegt

Karl Rössing, *Die siebte Schale: ein großer Hagel* (Kat.-Nr. 73.14)

Karl Rössing, *...und sie verbargen sich...* (Kat.-Nr. 73.5)

technisch-formal wie auch inhaltlich genau auf der gleichen
Linie wie seine Apokalypse, deshalb mag Rössings Einführung zu jener Folge auch für diese gelten: »Dies ist ein
trauriges Buch vom Untergang der Welt, an deren Gestaden
sich Wellen von Haß und Liebe brachen. Mensch und Tier,
die Werke der Kunst und die Städte Europas sanken zusammen, ebenso wie der Glaube an die Unvergänglichkeit des
Guten ... Wem gellte nicht noch heute der Donner des
Weltuntergangs in den Ohren, der uns das Hören der
eigenen Stimme verschlug? ... Die Traurigkeit dieser Bilder
wird verstehen, wer sie erlebte«. Obwohl Rössing nicht nur
die Katastrophenepisoden der Apokalypse darstellt, finden
wir in seiner Folge doch nichts Hoffnungsvolles. Die positiven Bilder scheinen nicht echt, hinterlassen keinen Eindruck. Zudem beendet er die Folge nicht mit dem hoffnungs-
vollen Bild des Himmlischen Jerusalem, sondern mit einer
Darstellung des im Abgrund gefesselten Teufels, dem nur
für kurze Zeit das Handwerk gelegt ist.

Rudolf Schlichter

74

Apokalypse   1948

12 von 19 Zeichnungen
Tuschfeder und Pinsel

 1. Nur noch dieses (56,9 × 39 cm)
 2. Die Atombombe – Apokalypse I (57 × 45 cm)
 3. Der große Hagel (58 × 39,5 cm)
 4. Die Anbetung des Tieres (57 × 40,5 cm)
 5. Die Tiere des Abgrunds (60 × 45 cm)
 6. Apokalypse – Das Maul der Erde (55 × 39 cm)
 7. Die beiden Tiere (60 × 47 cm)
 8. Und die Erde öffnete sich (54 × 38 cm)
 9. Die Zornesschale (45,5 × 41,5 cm)
10. Der Engel mit dem Mühlstein (58,5 × 38,5 cm)
11. Die schiffbrüchige Kultur (58 × 45,5 cm)
12. Sie wurde wüst und leer (49,5 × 33,5 cm)

Privatbesitz
Lit.: Gerhard Pommeranz-Liedke, Der graphische Zyklus – von Max Klinger
bis zur Gegenwart, Berlin 1956

Rudolf Schlichter hat als Soldat schon im Ersten Weltkrieg
mitgekämpft. Dieses Erlebnis wirkte sich auf seine politisch-
soziale Einstellung und damit untrennbar verbunden auf
seinen künstlerischen Werdegang aus. Mit Dix, Grosz und
anderen gleichgesinnten Künstlern gründete er die Novem-
bergruppe in Berlin. Er schloß sich der KP an, gehörte zu
Dada-Berlin, galt als Vertreter der Neuen Sachlichkeit und
des Verismus. Er arbeitet für die *Rote Fahne* und für die
Illustrierte Arbeiterzeitung. Gemeinsam mit den Künstler-
freunden geriet er wegen seiner konsequent antimilitaristi-
schen und antiklerikalen Einstellung mit der Obrigkeit in
Konflikt. Mit dem Erlahmen der rebellischen Impulse in der
zweiten Hälfte der 20er Jahre verlor auch der Verismus an
schöpferischer Bedeutung. Trotzdem war Schlichter einer
der ersten Künstler, die als »entartet« angeprangert wurden.

Rudolf Schlichter, *Die Anbetung des Tieres* (Kat.-Nr. 74.4)

Rudolf Schlichter, *Die beiden Tiere* (Kat.-Nr. 74.7)

Rudolf Schlichter, *Die schiffbrüchige Kultur* (Kat.-Nr. 74.11)

Das Erlebnis des Zweiten Weltkriegs – der für ihn nicht zuletzt den Verlust seines Ateliers und des größten Teils seiner Bilder bedeutete – war eine weitere schreckliche Erfahrung, die ihm andererseits einen neuen künstlerischen Impuls gab. Die alten veristischen Tendenzen erlebten eine bedrängende Neuauflage. Beißende Kritik an den Mitmenschen kennzeichnet von nun an wieder seine Bilder: Kritik an ihrer Lasterhaftigkeit und Kulturlosigkeit, an ihrer Dummheit und Verblendung, an ihrem Kriechertum.

Die Titel der Federzeichnungen zur Apokalypse verraten, worum es Schlichter geht: *Nur noch dieses, Die Atombombe, Die schiffbrüchige Kultur* usw. Kein einziges Blatt ist dabei, das sich mit den gläubig-hoffnungsvollen Seiten der Apokalypse befaßt. Anders als Rössing, der wohl glauben möchte, aber nicht glauben kann, steht Schlichter dem Glauben kategorisch ablehnend gegenüber.

Schlichter gibt dem siebenköpfigen Tier aus dem Meer eine weibliche, dem Tier aus der Erde dagegen eine männliche Gestalt – soweit man bei diesen Erscheinungen von menschlicher Gestalt sprechen kann. Schlichter gehört zu den wenigen Künstlern, die in den Illustrationen zur Apokalypse alle drei satanischen Wesen zeichnen, allerdings jeweils in einer Zweiergruppierung. Auf Blatt 4 (Kat.-Nr. 74.4) steigt das erste Tier, halb Gerippe, halb weibliche Gestalt, aus dem Meer auf. Die Zahl 666 ist ihm auf die Brust geschrieben, eine Sichel »ziert« die rechte Schulter. Die sieben schlangenähnlichen Köpfe sind auf dem Haupt dieses Wesens aufgesetzt, sie tragen Hörner und an deren Spitzen Kronen, u.a. eine dreifache Krone – eine Mitra? Mit der linken Hand stützt sich das Tier auf dem Land auf und zerdrückt dort – ganz nebenbei – ein Häuflein Menschen. Eine Gruppe von Anbetenden kniet, dem Scheusal zugewandt, im Vordergrund. Im Hintergrund hockt der Drache, welcher dem Tier seine Macht gibt.

Der falsche Prophet auf einer anderen Zeichnung Schlichters (Kat.-Nr. 74.7) ist von krüppelhafter Gestalt, d.h., er hat ein Holzbein auf Rädern, doch er tut Wunder. Mit der Rechten läßt er Feuer vom Himmel fallen. Mit der Linken weist er auf das Siebenköpfige Tier bzw. auf das Bildnis desselben, das er lebendig gemacht hat. Dieses Bild des ersten Tieres steht auf einem Sockel, der die Zahl 666 trägt. Militärische Zeichen »schmücken« das Monstrum: Schulterstücke und Bänder. Einer seiner sieben Köpfe ist hier – am Schnurrbart leicht erkennbar – auf Hitler bezogen. Schlichter geht es aber nicht nur um die Anprangerung der faschistischen Macht: Auf die Hörner des zweiten Tieres sind Hammer und Sichel gezeichnet. Die Menschen auf Schlichters Zeichnung huldigen in menschenunwürdiger Weise dem Tier. Sie rutschen auf den Knien herbei, Arbeiter mit Mützen, Krieger mit Helmen, hohe Militärs. Selbst die vom Krieg Verstümmelten heben noch die Hand zum Gruß ihrer Verderber: der Mächte, die den Krieg verursachen.

Schlichter zieht ein trauriges Resümee, das die Menschheit am Tage X vorzuweisen haben wird. *Die schiffbrüchige Kultur*, ein weiblicher Torso mit Sex-Appeal und leeren Augenhöhlen, stützt sich auf ein Gewehr (Kat.-Nr. 74.11). Nach dieser Deutung richtet sich die Menschheit durch Aggression, Unmoral und Geistlosigkeit selbst zugrunde.

Agenore Fabbri

75

Illustrationen zur Apokalypse 1950

6 von ca. 20 Zeichnungen
Tinte und Tempera, ca. 44 × 60 cm

1. Die Toten
2. Justitia
3. Die Hure Babylons
4. Der Reiter Tod
5. Der erste Apokalyptische Reiter
6. Der Erdolchte

Im Besitz des Künstlers
Lit.: Agenore Fabbri, Ausstellungskatalog Wilhelm-Lehmbruck-Museum Duisburg 1984

Die 1950 entstandenen Zeichnungen bilden eine lose Folge von Arbeiten, die Themen der Johannesoffenbarung illustrieren, ohne einem festen inhaltlichen Ablauf zu folgen. Ein direkter Zusammenhang mit der Textvorlage und mit traditionellen Bildformulierungen ist nicht immer zu erkennen. Fabbri deutet die biblische Apokalypse als Apokalypse des Menschen in seiner individuellen Existenz schlechthin. Meist sind einzelne Personen dargestellt, die sich in einem vage definierten, nur wenig strukturierten Raum befinden (Kat.-Nr. 75.3). Im Zentrum steht der menschliche Körper, der den Bildhauer Fabbri auch in seinen zweidimensionalen Arbeiten in erster Linie zu interessieren scheint. Die nackten Leiber sind überaus kraftvoll gestaltet, sie sind zugleich aber auch Symbol für die Verletzlichkeit des Körpers, wie sie sich in der Darstellung des *Erdolchten* zeigt (Kat.-Nr. 75.6) »Die am Körper sichtbare Verletzung«, schreibt Roberto Sanesi im Hinblick auf das Menschenbild Fabbris, »ist der Ausdruck der in ihrer Hoffnung verratenen Menschheit, Ausdruck des verletzten Bewußtseins, Ausdruck eben der verzerrten menschlichen Lage...Die in ihrer Würde verletzte Figur des Menschen zeigt sich dennoch ... als heroische, auch da, wo sie unmißverständlich Opfer ist. Der getroffene Mensch ... scheint eher von einer Erkenntnis getroffen zu sein (der Erkenntnis des Todes nämlich) als von einer Waffe.« Die Darstellung »drückt Schmerz aus, aber auch Befremden und Verwunderung, und nicht zuletzt große Würde«.

Agenore Fabbri, *Die Hure Babylons* (Kat.-Nr. 75.3)

Agenore Fabbri, *Der Erdolchte* (Kat.-Nr. 75.6)

Rufino Tamayo, *Der rote Drache* (Kat.-Nr. 76.12)

Rufino Tamayo

76

Apocalypse de Saint-Jean   1959

15 Farblithographien, vier davon über je zwei Seiten
33,5 × 25 cm bzw. 67 × 50 cm

1. Die Vision des Menschensohnes
2. Ein Lamm, wie geschlachtet
3. Der erste Apokalyptische Reiter
4. Das sechste Siegel
5. Die Sterne fallen vom Himmel
6. Das Rauchfaß
7. Der zweite Apokalyptische Reiter
8. Die dritte Posaune
9. Die vierte Posaune
10. Die fünfte Posaune
11. Der dritte Apokalyptische Reiter
12. Der rote Drache
13. Der Engel mit großer Macht
14. Der Engel mit dem Mühlstein
15. Der vierte Apokalyptische Reiter

Herzog August Bibliothek, Wolfenbüttel
Lit.: Wolfgang Ketterer, Rufino Tamayo. Farblithographien (Lagerkatalog
18), Stuttgart o.J.

Im Rahmen der ausgewählten Beispiele ist der Apokalypsezyklus des Mexikaners Rufino Tamayo die einzige Schilderung der Johannesoffenbarung, die von einem außereuro-
päischen Künstler stammt.

Christliche Themen sind in der modernen Kunst Mexikos
keine Seltenheit, meist sind sie mit einem stark politischen
Unterton versehen. Diese Intention fehlt bei Tamayo völlig.
Seine Inspirationsquellen sind die alte Volkskunst Mexikos
und die europäische Moderne, insbesondere Fauvismus
und Kubismus. Sein persönlicher Stil ist denn auch eine
sehr eigenwillige Mischung aus Naivität und der Tendenz zur
Abstraktion. Er ist einer der wenigen Künstler, dessen
Darstellungen von vorneherein farbig konzipiert sind –
Beckmanns Apokalypsefolge wurde ja nur teilweise und
nachträglich koloriert.

Das Abstrahierende seines Stils ergibt in Verbindung mit
einer glühenden Farbigkeit lithographische Blätter von
großem Reiz, die ganz andere Dimensionen des Sujets
erschließen. Das betrifft vor allem diejenigen Szenen, in
denen Tamayo kosmische Ereignisse schildert. Dort, wo er
Lebewesen oder Tiere darstellt, sind die Blätter dagegen
von einer fast kindlichen Naivität (Kat.-Nr. 76.12).

Tamayo beschränkt sich bei der Gestalt Christi auf das
Wesentliche, auf Kopf, Arm und Hand. Christi Augen werden
»wie eine Feuerflamme« beschrieben. Es heißt, sein Gesicht
sei »leuchtend hell wie die Sonne«. Diese beiden Verse sind
bei Tamayo dahingehend kombiniert, daß das ganze Gesicht eine einzige rote Feuermasse ist, aus deren Mittelpunkt
das zweischneidige Schwert herausragt. Der Arm besteht
aus zwei geraden konvergierenden Linien, die in einer
wuchtigen geballten Hand zusammenlaufen. Über dieser
Faust sind die 7 Sterne durch Verbindungslinien zu einer Art
Sternbild zusammengefügt. In dem Winkel zwischen Kopf
und Arm ist der Hintergrund himmelblau getönt, während
die übrige Bildfläche weiß bleibt.

Peter Grau

77

Apokalypse 1962–1965

20 Kaltnadelradierungen, ca. 34 × 53 cm

1. Die Aussendung der Heuschrecken
2. Die Apokalyptischen Reiter
3. Das sechste Siegel I
4. Die Reiter I
5. Das Erdbeben
6. Der brennende Berg
7. Das sechste Siegel II
8. Das Lamm
9. Sterbende Fische
10. Gefallene Engel
11. Babylon
12. Johannes verschlingt das Buch
13. Das Gericht
14. Der falsche Prophet
15. Die Ältesten
16. Die Reiter II
17. Der Drache
18. Die Würgeengel
19. Die Anbetung des Tieres
20. Erster Entwurf zu *Das Gericht*

Im Besitz des Künstlers
Lit.: Peter Grau, Ausstellungskatalog Hans-Thoma-Gesellschaft Reutlingen 1967

Es war das Phantastische und Geheimnisvolle der Johannesoffenbarung , das Peter Grau anregte, einen eigenen Illustrationszyklus zur Apokalypse anzufertigen. Die religiösen Hintergründe ließen ihn, wie er selbst sagt, völlig unberührt. Er hat zwar anfangs, quasi der Vollständigkeit halber, auch Szenen wie *Das Lamm* und *Die Ältesten* radiert. Von diesen Blättern distanziert er sich jedoch, weil sie für ihn nicht »echt« sind. Was Grau fasziniert, sind die geschilderten Naturgewalten, Eruptionen, Erdbeben, Hagel- und Flutkatastrophen, dazu kafkaeske Tierungeheuer. In seinen Darstellungen steht der Mensch diesen chaotischen Mächten hilflos gegenüber. Da gibt es kein rettendes Eingreifen von einem Himmelsboten.

Die Apokalyptischen Reiter sehen so aus, als hätten sie Hiroshima hinter sich (Kat.-Nr. 77.2). Das Äußere der vier Reiter ist identisch. Sie haben auch keine Attribute, die sie unterscheiden würden. Die Tatsache, daß die Reiter einander gleich sind, ist übrigens auf vielen Darstellungen zu beobachten. Grau zeigt in einer weiteren Radierung das *Tier aus dem Meer,* und zwar im wörtlichen Sinne (Kat.-Nr. 77.17). Es handelt sich um ein Wesen zwischen Riesenkrake und Tintenfisch. Ein bedrohlich glotzendes großes Auge sitzt auf seinem gewölbten Körper. Gewundene Fangarme, aus deren saugnapfartigen Spitzen das Tier eine dunkle Flüssigkeit ausstößt, schlängeln sich nach allen Seiten. Die Hörner des Meeresungeheuers ragen, Fühlern ähnlich, neben diesen Öffnungen auf. Hier führt der Künstler das mythisch-allegorische Bild des Textes auf eine Erscheinung der Natur zurück.

Eine Radierung zum 13. Kapitel nennt Grau *Die Anbetung des Tieres* (Kat.-Nr. 77.19). In dem Anbetenden ist die Vorstellung des zweihörnigen »Tiers aus der Erde« mit der des falschen Propheten eine Verbindung eingegangen. Er hat ein menschliches Antlitz, auch die gefalteten Hände sind die eines Menschen. Füllige Gewänder verhüllen in zahllosen Falten die ganze Gestalt. Die Form dieser Gewänder ist ebensowenig begreiflich wie der seltsame Kopfputz, der in zwei seitlich ausschwingenden Hörnern endet: Es sind die zwei Hörner des »Tieres aus der Erde«. Die Erscheinung erinnert an Mensch-Tier-Gottheiten mystischer Religionen

und deren Priester. Man fühlt sich als Betrachter ausgeschlossen von den Riten eines Kultes, den man nicht begreift, hinter dem aber offensichtlich ein großes Macht- und Kraftpotenial steht, dessen Geheimnis und möglicherweise auch Grausamkeit nur den Eingeweihten bekannt ist. Soviel ist deutlich: Es ist keine Religion der Nächstenliebe, die hier im Hintergrund steht. Die Gestalt sitzt auf einem Tier, einem Kamel (?), das in die Knie gegangen ist und den Kopf nach oben reckt. Dadurch, daß die Gruppe sich in einem dunklen Innenraum befindet, wird der Eindruck des Geheimnisvollen und Abgeschlossenen noch verstärkt.

Versucht man, Graus Kaltnadelradierungen, die in keiner festgelegten Reihenfolge geordnet sind, am Text orientiert in eine Reihe zu bringen, so steht am Schluß dieser Reihe *Das Gericht* (Kat.-Nr. 77.13). Dargestellt ist eine Gruppe von Menschen, die, aus dem Dunkel kommend, vor einem Lichtschein zurückschrecken. Ob dieser Lichtschein göttlichen Ursprungs ist? Nein, diese Strahlung ist tödlich. Es handelt sich hier um ein Gericht im Sinne einer gnadenlosen Verurteilung aller. Die Körper der Menschen sind halbe Gerippe, aus ihren ausgebrannten Augenhöhlen bricht kein Hoffnungsschimmer. Ihre Körperhaltung drückt einzig Furcht und Entsetzen aus. Da ist keiner, der noch um Gnade fleht.

Peter Grau, *Die Apokalyptischen Reiter* (Kat.-Nr. 77.2)

Peter Grau, *Der Drache* (Kat.-Nr. 77.17)

Peter Grau, *Das Gericht* (Kat.-Nr. 77.13)

Jan Koblasa

78

Apocalypsis   1967/68

22 Radierungen und ein Titelblatt, 64,6 × 49,6 cm

Titelblatt
1. Gespräch mit den sieben Gemeinden
2. Versprechen des Holzes des Lebens, der Krone des Lebens, des weißen Steins, des Morgensterns
3. Versprechen der weißen Kleider, des Tempelpfeilers, des Abendmahls auf dem Thron
4. Einer auf dem Thron (24 Älteste, 4 Tiere)
5. Drei alte Harfenspieler (das versiegelte Buch)
6. Apokalyptische Reiter
7. Eröffnung der Siegel
8. Engelsposaunen (VAE, VAE)
9. Die Heuschrecken
10. Feierlicher Engel (Johannes verschlingt das Buch)
11. Die Posaune des siebenten Engels (zwei Zeugen, angetan mit Säcken)
12. Das mit der Sonne bekleidete Weib bereitet sich auf die Niederkunft vor (Kampf Michaels mit dem Drachen)
13. Kampf mit dem Tier (eines Menschen Zahl 666)
14. Gleich eines Menschen Sohn auf einer weißglänzenden Wolke (Sion)
15. Sieben Engel, sieben letzte Plagen (sieben Schalen)
16. Drache, Tier, falscher Prophet (der unreine Geist gleicht einem Frosch) (Armageddon)
17. Die trunkene babylonische Hure auf einem purpurfarbenen Tier
18. Der Engel wirft einen Stein wie einen Mühlstein
19. Weißes Pferd (treu und wahrhaft, ein scharfes Schwert aus dem Munde)
20. Gebundener Drache (der andere Tod)
21. Neues Jerusalem (der Pfuhl des anderen Todes)
22. Ich komme bald

Galerie Hennemann, Bonn
Lit.: Manfred de la Motte, Apokalypse: zu den Blättern: zu Jan Koblasa, München 1974

Auch Jan Koblasa schließt sich eng an den Text der Offenbarung an. Seine Beschäftigung mit der Apokalypse beginnt im Jahre 1965. Über fünfzig große Federzeichnungen entstehen, danach etliche Monotypien und schließlich in den Jahren 67/68 die 24 Radierungen. Wie Johannes Träger in seinem leider nie vollendeten Zyklus widmet Koblasa jedem der 22 Kapitel der Apokalypse eine Darstellung – ein zweites Blatt mit den Apokalyptischen Reitern und das Titelblatt kommen hinzu. Die lange Auseinandersetzung mit dem Thema bringt eine besondere Vertiefung mit sich. Die zeitgeschichtliche Entwicklung in der Tschechoslowakei – die Apokalypse war sein letztes Werk, das er in Prag vollendete, bevor er in den Westen emigrierte – war dazu angetan, das Werk immer aktueller erscheinen zu lassen. Koblasa versucht aus der Fülle von Bildern, die jedes Kapitel enthält, Substrate herauszufiltrieren. Dabei sind jedoch die gezeichneten Ergebnisse nicht immer leicht zu verstehen. Koblasa findet zu neuen symbol- oder gar hieroglyphenhaften Verschlüsselungen, die erst bei einer eingehenden Analyse des gesamten Zyklus sinnfällig dechiffriert werden können.

Der Seher ist bei Koblasa in einer kreatürlichen Weise der Vision ausgeliefert (Kat.-Nr. 78, Titelblatt). Einem Gebirge gleich hebt sich in der unteren Hälfte der Radierung eine helle Zone von dem dunklen Hintergrund ab. In dieses »Massiv« ist, mit der Stirn nach unten, dem geschlossenen Mund nach oben, der Kopf des Sehers gezeichnet. Sein langer Bart fällt in zwei Partien auseinander, die Haare verteilen sich in einem dünnen Liniengerinnsel nach links und rechts bis zum Bildrand und geben dem Haupt nach den Seiten und nach unten hin Halt. In einem schmalen Schlitz, der sich in der tonigen Schwärze der oberen Bildfläche öffnet, steht der Titel der sensiblen und komplizierten Radierfolge, die mit diesem Blatt eröffnet wird, geschrieben: »Apocalypsis«.

Das zweite Blatt thematisiert die ersten vier Sendschreiben (Kat.-Nr. 78.2). Nach der Berufungsvision macht Johannes sich daran, wie ihm aufgetragen wurde, die sieben Sendschreiben an die sieben Gemeinden in Kleinasien zu verfassen. Jedes Schreiben enthält Lob und Tadel, jeder Gemeinde wird, wenn sie treu im Glauben bleibt, etwas versprochen: das Holz des Lebens, die Krone des Lebens, ein weißer Stein, auf dem ein neuer Name geschrieben steht, den niemand kennt, außer dem, der ihn empfängt, und schließlich der Morgenstern. Diese vier verheißenen Gegenstände sind in getrennten Zonen übereinander dargestellt.

Der Stein, der ins Meer geworfen wird, ist kein Mühlstein, sondern ein gewaltiger schwarzer Felsbrocken, der so breit wie die Radierung ist und mehr als ein Drittel ihrer Höhe einnimmt (Kat.-Nr. 78.18). Der starke Engel, dessen Oberkörper über dem Felsen aufragt, ist eine muskulöse Gestalt mit dunklen Flügeln, aber ohne Angesicht. Der Felsen ist seinen Pranken bereits entglitten. Er wird die Stadt, die unten angedeutet ist, unter sich begraben.

Jan Koblasa, *Versprechen des Holzes des Lebens, der Krone des Lebens, des weißen Steins, des Morgensterns* (Kat.-Nr. 78.2)

Jan Koblasa, *Sieben Engel, sieben letzte Plagen (sieben Schalen)* (Kat.-Nr. 78.15)

Hubertus von Pilgrim

79

Apokalypse   1968

10 Kupferstiche, 50 × 65,5 cm

1. Der Prophet Johannes
2. Die Apokalyptischen Reiter
3. Zerstörtes Land
4. Die große Hure
5. Der Fall
6. Die Drohung
7. Das Urteil
8. Die Toten
9. Totenköpfe
10. Die Auferstehung

Galerie Rothe, Heidelberg
Lit.: Neue illustrierte Bücher und Graphikmappen, Ausstellungskatalog
Frankfurter Kunstverein 1969

Hubertus von Pilgrim erlebte den Zweiten Weltkrieg als
Kind. Er sah das brennende Berlin, verbrannte und verstümmelte Leichen – Eindrücke, die sich ihm nachhaltig einpräg-
ten. Nach dem Krieg begann er die Leute zu verachten, die
nicht aufhörten, von ihren Kriegserlebnissen zu berichten –
soll es denn nie besser werden, lernen sie denn nie dazu?
Diese Verachtung schlug um in die Angst vor einem neuen
Krieg. Stärker als das Bedürfnis der Bewältigung der Vergangenheit trieb ihn deshalb das Gefühl, vor einem dritten
Weltkrieg warnen zu müssen. So soll die Darstellung *Zerstörtes Land* (Kat.-Nr. 79.3) weniger rückblickend auf den
Zweiten Weltkrieg bezogen sein als auf einen dritten, noch
fürchterlicheren Krieg: Diese von Bombentrichtern geprägte
Landschaft ist eine apokalyptische, bar jeder menschlichen
Kreatur, bar jeglichen Lebens. Der Künstler empfindet
unsere Zeit als apokalyptisch. Als von Pilgrim seine Apokalypsefolge schuf, war dieses Wort allerdings noch nicht in
aller Munde, die Einsicht noch nicht so weit verbreitet.
Heute sei, so der Künstler, die Bedrohung zu deutlich, jetzt
könne er das Thema nicht mehr gestalten.

Einige Bilder beziehen sich auf die Greuel der Konzentra-
tionslager. Auf dem Blatt *Das Urteil* hängt links im Bild
kopfüber ein Mensch mit dem angewinkelten rechten Knie
an einem dünnen Seil, das in einer Schlaufe von oben
herunterhängt. Die Bildmitte wird von einem Ständer eingenommen, der oben in einer drehbaren Scheibe endigt.
Rechts davon ein Ofenrohr, in das einige Menschen hineingezogen werden – Erinnerung an die Gasöfen, in denen die
Juden verbrannt wurden. Rechts neben dem Rohr ist mit
wenigen Linien eine endlose leere Fläche angedeutet.
Keiner sieht es, keiner kommt zu Hilfe. Diejenigen, die die
Foltern anordnen oder ausführen, sind auch nicht zu sehen.
Alles bleibt in der Anonymität der Maschinenwelt. Und doch
sind nicht die Maschinen grausam, sondern die Menschen,
die sich solche Grausamkeiten ausdenken oder sie zulassen.

Hubertus von Pilgrim, *Zerstörtes Land* (Kat.-Nr. 79.3)

Peter Proksch

80

Die Apokalypse   1984

7 Radierungen, 34,5 × 34,5 cm

1. Das Buch mit sieben Siegeln
2. Die ersten vier Posaunen
3. Der Engel des Abgrundes
4. Sonnenweib und Drache
5. Die sieben Gefäße
6. Der Sieger über Babylon
7. Die himmlische Stadt

Galerie Norbert Blaeser, Düsseldorf

Die sieben Kupferstiche des der Wiener Schule des Phantastischen Realismus zuzurechnenden Künstlers entstanden
im Jahre 1984 und sind somit das jüngste Beispiel eines
Apokalypsezyklus in dieser Ausstellung. In einem seine
Folge begleitenden Text merkt Proksch an: »Es ging mir
darum, in diesen sieben Blättern die Kontinuität der Erzählung zu wahren. Ich wollte darin aus meiner Sicht heraus
den Kern der Sache erfassen und konzentrieren.... Über
bleibt der Bericht vom Kampf zweier Supermächte um die
Herrschaft der Welt. Dieser Kampf spielt sich nicht nur auf
der Erde, sondern auch im Himmel ab, mit allen Greueln und
Plagen, die ein Krieg mit sich bringt. Auch die Menschheit ist
in zwei Lager gespalten und in den Kampf mit einbezogen.
Als schließlich die eine Seite ihre Macht im Himmel einbüßt,
baut sie dafür ihre Herrschaft auf der Erde aus. Mit Gewalt
und Propaganda gewinnt der Drache den Großteil der
Menschen für sich. Doch auch hier kann er sich nicht halten.
In einem neuerlichen Kampf werden seine Städte zerstört,
und er muß sich in ein unterirdisches Reich zurückziehen.
Auf der Erde errichten die himmlischen Mächte ein neues
Reich, welches tausend Jahre währt. Dann steigen die
Kräfte des Drachens noch einmal herauf. Es kommt zum
letzten Kampf und in einem Inferno verglüht die Erde und mit
ihr der Drache und seine Anhänger, während sich eine
riesige Stadt vom Himmel senkt, um die Menschen zu
retten, welche auf der Seite der himmlischen Macht standen. Wie bei allen Berichten dieser Art stellt sich der Sieger
als der Gute dar, während alles Schlechte am besiegten
Feind hängenbleibt. Schließlich wurde die Geschichte als
phantastisches Gleichnis des ewigen Kampfes zwischen
Gut und Böse verstanden. Die historischen Ereignisse
wurden zu Zukunftsvisionen umgedeutet und könnten uns
gerade heute, in beklemmender Form, als Warnung dienen.
Was eigentlich, abgesehen von der Faszination, welche
schon immer von diesem Werk ausging, eine wesentliche
Motivation für meine Arbeit war«.

Peter Proksch, *Die sieben Gefäße* (Kat.-Nr. 80.5)

Peter Proksch, *Der Engel des Abgrundes* (Kat.-Nr. 80.3)

183

Motive aus der Apokalypse 1933–1945

Andreas Bee/Karl-Ludwig Hofmann/Christmut Präger

Lea Grundig

81

Angst   1936

Radierung, 24,6 × 18,6 cm
Ladengalerie, Berlin
Lit.: Lea Grundig. Werkverzeichnis der Radierungen. Berlin, Ladengalerie
1973, Kat. Nr. 78; Lea Grundig. Arbeiten der zwanziger und dreißiger Jahre,
Ausstellungskatalog Bonn und Heidelberg 1984, S. 14–17

Angst ist das zweite Blatt eines Zyklus von 12 Blättern mit
dem Titel *Krieg droht!*[1], der 1935 bis 1936 trotz polizeilicher
Überwachung und Bespitzelung in Dresden entstand. Lea
Grundig und ihr Mann Hans Grundig sahen ihre Aufgabe
darin, »den Wahnsinn, der Dummheit und Verblendung
verbreitete, der Haß predigte und den bisher scheußlichsten
Massenmord vorbereitete«[2], darzustellen. Lea Grundig
bringt nicht die aktuelle Situation ins Bild, sondern – voraus-
sehend und warnend – die Konsequenzen, die sich aus der
Politik der Nationalsozialisten notwendig ergeben mußten.
Eine verschleierte Figur flüchtet in – blinder – Panik mit auf
die Ohren gepreßten Händen als Personifikation der Angst
unter einem von kreischenden Unglücksvögeln, die aus der
Apokalypse Kap. 19, 17 stammen könnten, und dröhnenden
Flugzeugen verdunkelten Himmel. Der unmittelbare Anlaß
für dieses Blatt waren die anlaufenden Kriegsvorbereitungen: 1935 begann das Naziregime damit, eine Luftwaffe
aufzubauen, bald darauf wurden Luftschutzübungen für die
Zivilbevölkerung zur Pflicht. Um die Bedeutung dieser
Fakten offenlegen zu können, griff Lea Grundig zu gleichnishaften Ausdrucksfiguren und Symbolen.

Hans Grundig beschreibt die letzten beiden Blätter des
Zyklus *Krieg droht! – So wird es sein I* und *So wird es sein II*
zusammenfassend: »Du siehst in eine unendliche Landschaft, gleichsam wie am Meereshorizont krümmt sich die
Erde. Aber sie scheint sich auch vor Schmerz und Leid zu
krümmen, vor der gemeinen bestialischen Gewalt, welche
die Menschheitsmörder den Menschen angetan haben.
Fußspuren vieler, vieler Großer und Kleiner, die irgendwo in
der Ferne verdämmern. Kinder, Greise, Mütter gingen hier
einst in den qualvollen Tod. Hier und da kannst du noch eine
zusammengesunkene Mutter sehen, ein Kind oder sonst
irgend einen Menschen. Dahingestreckt, tot, liegen sie auf
dieser entsetzlichen gemarterten Erde, im düsteren Schein
der untergehenden Sonne.«[3]

Weniger um durch Verschlüsselung der Verfolgung zu
entgehen – zu Recht schreibt Hans Grundig: »Wer kein
politischer Analphabet war, konnte (die Radierungen)
lesen.«[4] –, sondern um das Ausmaß des Schreckens und
des Terrors, die der Faschismus verbreitete, die drohende
Katastrophe eines ungeheuren Weltkriegs überhaupt
darstellen zu können, greift Lea Grundig zu symbolischen
Ausdrucksformen.

1 Lea Grundig 1973, Kat. Nr. 74, 78–85, 91, 93–94
2 Lea Grundig 1984, S. 14
3 Hans Grundig, Zwischen Karneval und Aschermittwoch, 14. Aufl. Berlin
(DDR) 1978, S. 252
4 Hans Grundig 1978, S. 253

Lea Grundig, *Angst* (Kat.-Nr. 81)

George Grosz
Manifest Destiny (Apokalyptischer Reiter)
1936

Reproduzierte Zeichnung, 28,3 × 21,4 cm
In: Interregnum. 64 Zeichnungen und eine farbige Originallithographie.
Einführung von John Dos Passos. Herausgegeben von Caresse Crosby.
New York, Black Sun Press 1936

In den in den USA entstandenen Arbeiten von George Grosz
rücken im Laufe der Jahre zunehmend apokalyptische
Motive in den Vordergrund. Bereits 1933 stellte er in einem
Aquarell mit dem Titel *1932*[1] dar, wie er sich aus dem brennenden Europa mit einem großen Schritt nach Amerika, ins
Neue rettete. In Amerika hoffte er auf einen Neubeginn.
Resigniert, weil die Kunst in seinen Augen nichts bewirkt
hatte, den Faschismus nicht aufhalten konnte, verwarf er
seine gesamte bisherige Arbeit. Aber auch die Hoffnungen,
die er auf Amerika gesetzt hatte, wurden nicht voll erfüllt.

Die Zeichnung des Apokalyptischen Reiters mit der Gasmaske – ein Gemälde nahm 1942 das Thema wieder auf[2] –
wurde 1936 in der Sammlung *Interregnum* publiziert. Zu-
sammengestellt hatte Grosz sowohl Blätter, die noch in
Deutschland entstanden waren, als auch in Amerika gezeichnete. Der Mißerfolg, den er mit *Interregnum* erlitt – nur
wenige Exemplare wurden verkauft, eine Reaktion blieb
weitgehend aus –, markiert einen Einschnitt. Danach wurde
seine Resignation noch schwärzer, er entwickelte ein
fatalistisches Verständnis der Geschichte, in der sich Unterdrückung und Mord nicht aufheben lasse; ein neues Mittelalter sei angebrochen.

Auch die Landschaften, zu denen er sich flüchtete, wurden
bestimmt von seinem apokalyptischen Grundgefühl: »Aber
Du sollst nicht das apokalyptische, Dunkle, Drohende,
Schwarze übersehen, das gerade sehr oft in den Landschaften ausgedrückt ist.«[3]

1 Hans Hess, Georg Grosz, Dresden 1982, Abb. 166 (S. 179)
2 Hans Hess 1982, Abb. 209 (S. 227)
3 Brief an Felix Weil, zit. n. Hans Hess 1982, S. 191

Ernst Ludwig Kirchner
Aus der Apokalypse   **1936**

Radierung, 30 × 20 cm

Am 26. 3. 1936 schrieb E. L. Kirchner an C. Hagemann über
die Ausmalung der Kirche seines Wohnortes Frauenkirch in
der Schweiz, mit der er beauftragt worden war, die jedoch
nicht zustandekam: »An der Ausmalung der Kirche arbeite
ich vorerst Entwürfe und will auch ein kleines Modell machen. Ich wähle Szenen aus der Apokalypse, das paßt gut in
unsere Zeit. Die Engel, die die Schalen mit den Plagen
ausschütten, sind sie nicht die Flugzeuge mit den Gasbom-
ben? Alle Menschen sind heute bereits nervös und fürchten
den neuen Krieg. Nie war er näher als jetzt.«[1] Die Radierung
von 1936 *Aus der Apokalypse* entstand im Laufe der Arbeit
an diesem Thema. Kirchner hält sich recht eng an die
Ausschüttung der Plagen in Kap. 16, 1–21 der Geheimen
Offenbarung. Der direkten, unvermittelten Aktualisierung,
die er in seinem Brief formuliert, entspricht die formale
Annäherung der Umrisse der Engel an die von Flugzeugen.

1 Eberhard W. Kornfeld: E. L. Kirchner. Nachzeichnung seines Lebens,
Bern 1979, S. 302

Abb. 47 George Grosz, *Apokalyptischer Reiter*

Abb. 48 Ernst Ludwig Kirchner, *Aus der Apokalypse*

Otto Dix

82

Triumph des Todes   1934

Bleistift auf Papier, 34,6 × 49,2 cm
Staatliche Kunsthalle Karlsruhe, Kupferstichkabinett
Lit.: Otto Dix zwischen den Kriegen. Zeichnungen, Aquarelle, Kartons und
Druckgraphik 1912–1939, Ausstellungskatalog Berlin und Hannover
1977/78, Kat.-Nr. 215 m. Abb. S. 106

Mit der Bleistiftskizze *Triumph des Todes* bereitete Otto Dix
das großformatige Gemälde von 1934 mit dem gleichen
Titel (Mischtechnik auf Holz, 180 × 178 cm, Germanisches
Nationalmuseum in Nürnberg) vor. Er reagierte mit der
Allegorie des alles niedermähenden gekrönten Todes in
zweierlei Hinsicht auf die Herrschaft der Nationalsozialisten.
Man kann sie einmal als Gleichnis für den alltäglich erfahrbaren mörderischen Terror von Gleichschaltung und Ausschal-
tung und als Vorahnung der Zukunft lesen. In die Reihe der
Opfer stellt sich Dix auch selbst in einem verdeckten Selbstbildnis als Soldat[1] neben die gebückte alte Frau, das spie-
lende Kind, das Liebespaar und den Kriegskrüppel.
Dix mußte sich als besonders bedroht sehen. Er war ein
prominentes Ziel des Hasses der Nationalsozialisten: Er
wurde als Professor der Dresdner Akademie entlassen und
aus der Preußischen Akademie der Künste ausgeschlossen;
in einer der ersten »Schandausstellungen«, die die neuen
Machthaber inszenierten, in der Dresdner Ausstellung

»Spiegelbilder des Verfalls in der deutschen Kunst« im
September 1933, wurde sein Bild *Schützengraben* in den
Mittelpunkt gestellt. Dix wich dem Druck aus, indem er an
den Bodensee übersiedelte.
Auch in seinem Werk mußte er ins Indirekte, ins allegorisch
Verschlüsselte ausweichen. Er wandte sich christlichen
Themen zu und malte den *Hl. Christophorus,* die *Versu-
chung des Hl. Antonius,* 1941 auch einen *Johannes auf
Patmos.* Er emigrierte in die Landschaft – »Die Landschafts-
malerei war damals eine Art Emigration. Ich hatte keine
Gelegenheit zu Deutungen des Menschen.«[2] Alle diese
Bilder konnten als Kritik des Faschismus gelesen werden,
als zeitkommentierende Gleichnisse.

1 Dietrich Schubert, Otto Dix, Reinbek bei Hamburg 1980, S. 112–113 mit
Ausschnittsabbildung
2 Otto Dix in einem Gespräch mit Fritz Löffler im August 1957. Zit. nach
Diether Schmidt, Otto Dix im Selbstbildnis, Berlin (DDR) 1978, S. 246

Otto Dix, *Triumph des Todes* (Kat.-Nr. 82)

Nikl (d.i. Johannes Wüsten)

83

Die apokalyptischen Reiter

Reproduzierte Zeichnung
Titelblatt für: Der Simpl (Prag, I. Jg. Nr. 10 (44) v. 28. 11. 1934
Deutsche Bibliothek, Frankfurt/Main

Nikl (d.i. Johannes Wüsten)

84

Die apokalyptischen Flieger und ihr General

Reproduzierte Zeichnung
In: Der Gegen-Angriff (Prag) v. 22. 3. 1935
Deutsche Bibliothek, Frankfurt/Main
Lit.: Johannes Wüsten. Malerei, Zeichnungen, Graphik, Keramik, Ausstellungskatalog Leipzig 1973; K.-L. Hofmann, Johannes Wüsten (1896–1943), in: Sammlung, Jahrbuch für antifaschistische Literatur und Kunst, Bd. 4, Frankfurt a. M. 1981, S. 91–100

»Bert«

85

Wir haben keine territorialen Forderungen – Wir wollen die Welt!

Reproduzierte Zeichnung
In: Neuer Vorwärts (Karlsbad) Nr. 144, Beil. v. 15. 3. 1936
Deutsche Bibliothek, Frankfurt/Main
Lit.: Widerstand statt Anpassung. Deutsche Kunst im Widerstand gegen den Faschismus 1933–1945, Ausstellungskatalog Berlin 1980, S. 106–107 m. Abb. S. 107

In der internationalen antifaschistischen Satire nach 1933 finden sich häufig apokalyptische Motive, wobei die Apokalyptischen Reiter aktualisiert am häufigsten vorkommen. Sie finden sich in der revolutionären mexikanischen Kunst der dreißiger und vierziger Jahre[1], sozialkritische amerikanische Künstler, wie William Gropper, benutzen das Motiv[2]. Dabei funktionieren sie jeweils in einem politischen und künstlerischen Kontext, der konkrete Aufgaben und Ziele vorgibt: die Aufklärung über den internationalen Faschismus, die Benennung seiner Ursachen und Hintermänner, die Sichtbarmachung der realen Verhältnisse hinter den Propagandafassaden. Die apokalyptischen Motive sind Bestandteile eines Repertoires an Bildbegriffen, die beim Betrachter an bekannte Vorstellungen anknüpfen können. Durch aktualisierende Umformungen und die immer beigegebenen Bildtitel und Bildunterschriften wird verhindert, daß sie nur unspezifische Reaktionen hervorrufen.

1 Hans Haufe, Funktion und Wandel christlicher Themen in der mexikanischen Malerei des 20. Jahrhunderts, Berlin 1978, S. 93–97 und Eduard Frommhold, Kunst im Widerstand, Leipzig 1968, Abb. 197 u. 264
2 E. Frommhold 1968, Abb. 218

Das Zentrum der antifaschistischen Satire lag in den ersten Jahren nach 1933 in der Tschechoslowakei. Dort erschienen zahlreiche Zeitungen und Zeitschriften der vertriebenen Hitlergegner. Tschechische und deutsche Zeichner brachten von 1934 bis 1936 in Prag gemeinsam unter dem Namen *Simplicus*, später *Simpl*, eine antifaschistische satirische Zeitschrift heraus. Einer der aktivsten Mitarbeiter in den Publikationen gegen den Faschismus war der 1934 aus Görlitz geflohene kommunistische Schriftsteller und Künstler Johannes Wüsten, der 1943 im Zuchthaus Brandenburg-Görden starb, nachdem er 1941 in Frankreich den Nationalsozialisten in die Hände gefallen war. Er publizierte seine Arbeiten unter dem Pseudonym »Nikl«. Das Titelblatt für den *Simpl* vom 28. November 1934 reagierte auf eine ganz bestimmte politische Situation, die durch den Wegweiser mit der Aufschrift »Nach Genf« und die Unterschrift »Schnell, wir müssen Mitglieder des Völkerbundes werden« angedeutet wird. Es ging ihm darum, im Bild der Apokalyptischen Reiter den wahren Charakter der in Genf ihre friedlichen Absichten beteuernden Nationalsozialisten zu zeigen.

Die Zeichnung von »Bert« – es gibt bis heute nur Vermutungen, wer unter diesem Decknamen arbeitete – mit der Unterschrift »Wir haben keine territorialen Forderungen – Wir wollen die Welt!« erschien am 15. März 1936 in der Zeitschrift der Exil-SPD *Neuer Vorwärts*, die am Sitz des Parteivorstandes in Karlsbad herauskam. Goebbels, Göring und Hitler, dessen Kopf am Bildrand abgeschnitten wird, sind für »Bert« die aktuellen Verkörperungen der todbringenden Apokalyptischen Reiter; Panzer und Flugzeuge die auf dem neuesten Stand der Technik stehenden Zerstörungsmittel, durch die ihre damals noch hinter Friedensbeteuerungen versteckten Weltherrschaftsträume Wirklichkeit werden sollen.

**Wir haben keine territorialen Forderungen -
Wir wollen die Welt!**

Nikl, *Die apokalyptischen Reiter* (Kat.-Nr. 83)

Nikl, *Die apokalyptischen Flieger und ihr General* (Kat.-Nr. 84)

Reinhard Schmidhagen

86

Die Trommel 1943/44

Holzschnitt, 66 × 92 cm
Slg. G. Feist, Hagen
Lit.: Reinhard Schmidhagen, Ausstellungskatalog Hagen 1985 (Bearb. v. B.
Bessel); Barbara Bessel, Bemerkungen zu zwei Holzschnittfolgen von
Reinhard Schmidhagen, in: Widerstand statt Anpassung. Deutsche Kunst
im Widerstand gegen den Faschismus 1933–1945, Ausstellungskatalog
Berlin, S. 177–178

1944 entstand der großformatige Holzschnitt *Die Trommel*
des damals gerade dreißigjährigen Reinhard Schmidhagen,
der nach einem zweijährigen Aufenthalt in der Schweiz
aufgrund einer schweren Erkrankung seit Mitte 1938 wieder
in Deutschland lebte. Im Tessin hatte er zwei Holzschnitt-
zyklen mit den Titeln *Guernica* und *Die andere Front* geschaffen, die die Verbrechen des Faschismus anklagten. *Die
Trommel* ist der einzige ausgeführte Holzschnitt des dritten
Teils eines umfangreichen und anspruchsvoll konzipierten
vierteiligen Zyklus, der den Gesamttitel *Genius* tragen sollte.
Dem dritten Teil, von dem die meisten geplanten Blätter in
Kohleentwürfen existieren, gab er den Titel *Apokalypse*. Nur
im Bild *Apokalypse* konnte er das Schicksal der Menschen
unter der Unterdrückung durch das faschistische Regime
und – nach Stalingrad – im menschenvernichtenden Krieg
noch fassen. Die Entwürfe zum dritten Teil mit den Titeln *Der
Diktator, Dämon der Maschine, Die Gezeichneten, Die
Gebundenen, Gas* und *Ecce homo* sind stark verallgemei-
nernd und lehnen sich gelegentlich an die christliche Ikonographie an. In einem Brief vom 28. Oktober 1943 an Käthe
Kollwitz, die Schmidhagen als Lehrerin und Vorbild emp-

fand, beschreibt er einen Entwurf zur *Trommel:* »Sie zeigte
einen Vorgang, der nur als Allegorie, mithin nur als Vision
angesehen werden konnte: einen Trommler (Symbol für
Propaganda), marschierende Kolonnen (Symbol des Mas-
sengehorsams, des zum Töten disziplinierten Kollektivs)
und die Zurückgebliebenen, die Frauen, Kinder und Greise
(Symbol der machtlosen Geschöpfe, welche der Krieg
zertritt)«. Es ging ihm – schreibt er weiter – um das »Alp-
traumhafte, Unausweichliche, Über-uns-Kommende dieses
furchtbaren Geschehens, welches ›Krieg‹ heißt«. Auch in
der Darstellungsweise wollte er das von den Menschen
nicht mehr Begreifbare, schon gar nicht Kontrollierbare des
Geschehens dieser Jahre zur Anschauung bringen, indem
»der Raum alle Gebundenheit preisgab und eine Durchdringung der Formen – der Gegenstände, Gestalten und Gruppen – gestattete, wie sie etwa in den Träumen, in Phantasie-
vorstellungen geschieht, wo es weder ein Oben und Unten
noch ein Vorn und Hinten gibt«[1].

1 Abschrift im Nachlaß in Hagen, die von Barbara Bessel zur Verfügung
gestellt wurde.

Reinhard Schmidhagen, *Die Trommel* (Kat.-Nr. 86)

Otto Pankok

87

Das Apokalyptische Tier   1942

Lithographie, 41,5 × 55 cm
Otto-Pankok-Museum, Hünxe

88

Das erste Tier   1958

Farbholzschnitt, 40 × 50 cm
Otto-Pankok-Museum, Hünxe

89

Das Tier mit der Zahl 666   1964
(Das andere Tier)

Holzschnitt, 68 × 43 cm
Otto-Pankok-Museum, Hünxe

Lit.: Karl-Ludwig Hofmann/Christmut Präger/Barbara Bessel (Hrsg.), Otto Pankok. Zeichnungen, Grafik, Plastik, Berlin 1982

Otto Pankok zeichnete die Lithographie *Apokalyptisches Tier* (Kat.-Nr. 87) auf dem Höhepunkt des Zweiten Weltkrieges. Die entscheidende Niederlage der deutschen Truppen stand kurz bevor und zeigte die Wende der Ereignisse an. Am 2. Februar 1943 ergaben sich die letzten Reste der 6. Armee unter Generalfeldmarschall Paulus. Von fast 300 000 deutschen Soldaten blieben 150 000 auf dem Schlachtfeld zurück, von mehr als 100 000 Gefangenen erlebten noch etwa 6000 das Kriegsende. Für die Betroffenen müssen die Ereignisse spätestens seit Stalingrad – wie in der Vision des Johannes – als eine auf das unvorstellbare Ende bezogene Aneinanderreihung von Katastrophen eingewirkt haben.

Pankok deutet die Ereignisse dieser Jahre im Sinne der Offenbarung und schafft sich gleichzeitig mit der Verschlüsselung eine Möglichkeit, seiner verfemten politischen und künstlerischen Anschauung Ausdruck zu verleihen. Der handschriftliche Verweis auf das XIII. Kapitel ist in diesem Sinne zu lesen: »Und ich sah aus dem Meer ein Tier aufsteigen, das hatte zehn Hörner und sieben Köpfe und auf seinen Hörnern zehn Diademe und auf seinen Köpfen Namen voller Lästerung. Das Tier das ich sah, glich einem Panther; seine Füße waren die eines Bären, und sein Maul das eines Löwen... Und es wurde ihm gegeben Krieg zu führen mit den Heiligen und sie zu besiegen, und es wurde ihm Macht gegeben über jeden Stamm und jedes Volk, jede Zunge und jede Nation... Wer in Gefangenschaft gehen soll, der gehe in die Gefangenschaft; wer durch das Schwert sterben soll, der muß mit dem Schwert getötet werden. Hier zeigt sich die Standhaftigkeit und der Glaube der Heiligen.«[1]

Otto Pankok, *Das Apokalyptische Tier* (Kat.-Nr. 87)

Wie viele andere in Deutschland gebliebene Künstler überlebte Pankok den Krieg in innerer Emigration.

Auf kahler, ausgedörrter Erde steht das siebenköpfige Tier
vor den brennenden, in Rauch und Feuer verhüllten Resten
einer urbanisierten Landschaft. Der überwiegend schwarz
gehaltene Hintergrund kontrastiert die fächerförmig gerichteten, hellbeleuchteten Hälse und zähnefletschenden
Mäuler der Bestie. Die spitz auslaufenden, bajonettartig
aufgesetzten Hörner nehmen in ihrer Wellenform die züngelnden Feuerfetzen des Hintergrundes effektvoll wieder
auf. Der relativ unbewegte, leopardähnlich getupfte Körper
des Tieres unterstreicht noch einmal die Geste der imposant
gefächerten Hälse.
Das Blatt direkt auf konkrete politische Ereignisse oder
Personen zu beziehen, erscheint trotz Pankoks bekannt
kritischer Haltung gegenüber den bestehenden Machtver-
hältnissen im »Dritten Reich« überzogen. Noch 1958 erarbeitet er einen motivisch verwandten Farbholzschnitt mit dem
ebenfalls auf das XIII. Kapitel verweisenden Titel *Das erste
Tier* (Kat.-Nr. 88). In diesem Blatt ist das Tier weniger dramatisch geschildert, die schreckenerweckende Gesamterscheinung wurde zugunsten der ornamentalen Einzelform
zurückgenommen. Den Hintergrund bildet ein leicht beweg-
tes Wasser am Strand, anstelle der Feuerzungen des ersten
Blattes leuchten nun acht Sterne über den grotesken
Köpfen der Phantasiegeburt.
Im Gegensatz zu den erwähnten Blättern bezieht sich der
1964 entstandene Holzschnitt *666 – Das andere Tier* (Kat.-
Nr. 89) über den Offenbarungstext hinaus direkt und konkret
auf die Verhältnisse des »Tausendjährigen Reichs« der
Nationalsozialisten und hier speziell auf die charismatische
Figur Adolf Hitlers. In einer im Nachlaß verbliebenen, unver-
öffentlichten Typographie aus dem Jahre 1945 und der
handschriftlichen Überarbeitung vom 6.6.66 versucht Otto
Pankok einen Kommentar zum letzten Satz des XIII. Kapi-
tels. Dort ist zu lesen: »Wer Verstand hat, der berechne die
Zahl des Tieres; denn es ist eines Menschen Zahl, und seine
Zahl ist sechshundertsechsundsechzig.« Die Zahl 666 hat
durch Berechnung der Zahlenwerte der Buchstaben eines
Namens viele Deutungen gefunden, so hat man zum Beispiel auf Nero, Domitian und Nerva geschlossen. Pankok
argumentiert für seine Interpretation wie folgt: »Wenn wir die
Buchstaben des Alphabets durch Zahlen ersetzen, die den
Buchstaben eines gewissen Namens entsprechen, addie-
ren, so muß die Summe der Zahlen 666 betragen.« Um auf
den Namen Hitler zu kommen, setzt Pankok A = 100, B = 101,
C = 102 ... . Demnach ergibt sich:

H	= 107
I	= 108
T	= 119
L	= 111
E	= 104
R	= 117
HITLER	= 666

Analog zur Deutung des Rechenexempels entsteht der
erwähnte Holzschnitt von 1964. Vor dem Hintergrund einer
explodierenden Kleinstadt wird das Tier mit den Lamms-
hörnern, von dem es heißt: »es verführt die Bewohner der
Erde«[3], mit dem Hitlerkopf und der Hakenkreuzbinde
deutlich benannt. Die verbrannte Erde ist mit Leichen und
Gerippen übersät, die Verantwortung für das Versinken der
Welt wird unzweifelhaft durch den Gestus der rechten
Pranke, einer Mischung aus vernichtendem Schlag und
Führergruß, der Figur Adolf Hitlers zugewiesen.

1 Apk 13, 1–10
2 Apk 13, 18
3 Apk 13, 14

Otto Pankok, *Das erste Tier* (Kat.-Nr. 88)

Otto Pankok, *Das Tier mit der Zahl 666* (Kat.-Nr. 89)

Felix Nussbaum

90

Die Gerippe spielen zum Tanz   1944

Öl auf Leinwand, 100 × 150 cm
Kulturgeschichtliches Museum Osnabrück

Dieses letzte bekannte Bild Felix Nussbaums entstand am
18. April 1944. Knapp zwei Monate später fielen der Künstler
und seine Frau in ihrem Brüsseler Exil einer Denunziation
zum Opfer. Sie wurden in das Sammellager Mechelen
abtransportiert. Kurz vor dem Einmarsch der Alliierten
kamen beide in einem Deportationszug nach Auschwitz, wo
sie bald darauf ermordet wurden.

Die Gerippe spielen zum Tanz ist eine konsequente Fortsetzung des Gemäldes *Die Verdammten.* Zentrales Thema ist
das Motiv der trommelnden Gerippe, ähnlich wie in spätmittelalterlichen Totentanzdarstellungen musizieren nur mit
Fetzen bekleidete Skelette über dem Müll des zerstörten
»Abendlandes«. Auf der Halde mit dem Schutt von Zivilisation und Kultur ist alles versammelt: Recht, Verkehr und
Kommunikation, die Technik und die Künste (Architektur,
Musik, Malerei, Plastik, Film und Literatur), die Wissenschaften und das tägliche Leben, selbst das zerstörte Werkzeug
des Krieges. Viele dieser Gegenstände stammen aus Felix
Nussbaums privatem Lebensbereich; an sie knüpfen sich
für ihn Erinnerungen an Personen an, die ihm besonders
nahestanden. Unter diesen Gegenstandsfragmenten und
Erinnerungsfetzen, in denen scheinbar die wichtigsten
Stationen seines Lebens Revue passieren, erscheint auch
das zerstörte Gemälde einer nackten Frau, die sich vom
Körperbau und der Physiognomie deutlich als seine Frau
Felka erkennen läßt, und der Torso einer Marmorskulptur,
der Unterkörper eines Mannes: das zerstörte Menschen-
paar in antikischer Schönheit verklärt. Doch das Chaos der
Zerstörung hat in Nussbaums Darstellung auch befreiende
Aspekte. Die ihn fast ein Leben lang bedrohenden Mauern
sind endgültig zerschossen, die Todeswolken, die ihn seit
den 40er Jahren verfolgen, lösen sich auf und ziehen ab, die
Unheil verkündenden Todesvögel, die in seinen Gemälden
seit 1930 erscheinen, sind durch das geordnete Bomben-
geschwader vertrieben.

Am Himmel versinnbildlichen Papierdrachen mit menschlichen Gesichtszügen die Gemütslagen Nussbaums: Wut,
Schrecken und Schauen. Einer der Drachen mit verschlos-
senen Augen und traurigem Mund hat einen auffallenden
Schwanz: Er wechselt zwischen der Farbe des wütend-
aggressiven und des erschreckten Drachen, Weiß und
Schwarz.

In diesem befreienden Chaos, dessen Ursache Felix Nussbaum in der Bomberstaffel der Alliierten am Himmel angibt,
erscheinen unter den musizierenden Gerippen zwei auffallende Figuren: das Gerippe hinter dem Leierkasten und das
geflügelte, schwarzgekleidete Gerippe mit einer Flöte in den
Händen. In beiden Figuren manifestiert sich Felix Nussbaums seelische Situation. Es führt die Idee des Orgelman-
nes von 1942/43 weiter, der sich vornahm, dem Chaos
standzuhalten. Nun zeigt er sich in der Haltung des Sinnen-
den, zwar in das Chaos einbezogen, aber gleichzeitig
abgehoben, nicht mehr betrachtend, sondern mehr in sich
hineinschauend. Und so wie er sich im Gemälde *Die Verdammten* in zwei zentralen Figuren darstellt, so erscheint er
auch hier nochmals im Gerippe mit der Papierflöte, das –
wie ein Schutzengel hinter ihm stehend – im schrillen Chaos
der Katzenmusik in unbewegter Ruhe still dasteht.
Rechts hinter der Architektur sammelt sich auf den Ruf der

Fanfaren eine Gruppe von Gerippen: die Seligen des Jüngsten Gerichts. Der heutige Titel des Gemäldes, der nicht von
Nussbaum stammt, gibt nicht den eigentlichen Sinn des
Bildes wieder. Es ist die Darstellung des letzten Gerichts und
damit – auf Felix Nussbaums reale Stimmung bezogen – das
Ende des Schreckens. Es ist ein Bild seines Überlebenswil-
lens.

Felix Nussbaum, *Die Gerippe spielen zum Tanz* (Kat.-Nr. 90)

Karl Hubbuch

91

Des tausendjährigen Reiches Ende nach 12 Jähr-chen   1945/47

Feder und Tusche, 53,8 × 38 cm
Privatbesitz Karlsruhe
Lit.: Karl Hubbuch 1891–1979, Ausstellungskatalog Karlsruhe 1981,
S. 65–70 m. Abb. S. 67

Nach der Befreiung und Besetzung Deutschlands durch die Alliierten, d. h. nach der militärischen Überwindung des Faschismus, schlossen sich in vielen Städten die Gegner der Nationalsozialisten in »Antifaschistischen Aktionen« (»Antifa«) zusammen, um tatkräftig am Aufbau einer demokratisch-sozialistischen Gesellschaft mitzuarbeiten. Diese Zusammenschlüsse sahen ihre Hauptaufgaben z. B. darin, die Bevölkerung über die Verbrechen der Nazis aufzuklären, die größte Not der Heimkehrer zu lindern oder untergetauchte Nazis ihrer gerechten Bestrafung zuzuführen.

Hubbuch wollte mit seinen Arbeiten das Wirken der Antifa in Rastatt, wo er seit 1945 lebte, unterstützen. Die Antifa organisierte Vorträge und Ausstellungen, in deren Rahmen auch die Zeichnungen Hubbuchs verwendet wurden.

Neben der Befreiung durch die Alliierten hatten Hubbuchs Zeichnungen im wesentlichen die Auswirkungen der Naziherrschaft auf das Nachkriegsdeutschland zum Thema. Die Zeichnung *Des tausendjährigen Reiches Ende nach 12 Jährchen* ist die einzige, die ein Motiv aus der christlichen Bilderwelt aufgreift. Der Erzengel als Vollstrecker des Schicksals ist im Begriff, den in einen Abgrund stürzenden Hitler mit der Lanze zu durchbohren, während dessen Komplizen Goebbels, Göring und Himmler den Sturz freiwillig antreten. Hinter dem Adlerthron sind vier alliierte Soldaten aufgezogen, als deren Vorhut der Erzengel aufzufassen ist. Obwohl Hubbuch Hitler nicht als Satan darstellte, der die Deutschen zu bösen Taten verführt hat, wirkt die Verwendung des biblischen Engels als Überwinder Hitlers verunklärend.

Karl Hubbuch, *Des tausendjährigen Reiches Ende nach 12 Jährchen* (Kat.-Nr. 91)

Die apokalyptische Landschaft – eine Landschaft des 20. Jahrhunderts?

Richard W. Gassen

Fernab jeglicher Idylle präsentiert sich die apokalyptische Landschaft. Ein scheinbar widersprüchlicher Begriff, versteht sich der Terminus apokalyptisch als Synonym für Zerstörung und Untergang, während Landschaft in ihrer traditionellen bildkünstlerischen Bedeutung weitgehend, vom Schönheitswert der Natur ausgehend, der ästhetischen Aneignung unterzogen wird. Der Landschaftsmalerei, wie sie sich in der Renaissance in der europäischen Kunst als autonomes Sujet entwickelte, war die Natur ein Mittel zur Erkenntnis. Der Mensch trat ihr als Subjekt entgegen und machte sie zum Gegenstand seiner Betrachtung. Die Landschaft als eigenständige Bildgattung bis etwa gegen Ende des 18. Jahrhunderts war Gegenstand der künstlerischen Reflexion über die »freie« Natur, die sich als Idylle, als heile Welt – auch in den Ruinenlandschaften des 17. und 18. Jahrhunderts, die selbst Sterbendes und Verfallendes als Zeichen eines Neuanfangs interpretierten – offenbarte und meist positive Stimmungswerte erzeugen sollte. Mit fortschreitender Zivilisation, Technisierung und Urbanisierung entwickelte sich zugleich ein komplexerer Landschaftsbegriff. Neben die romantisierende Tendenz zum »Traum vom Lande« als Gegensatz zur städtischen Existenz tritt eine Auffassung, die Landschaft letztlich als das Ergebnis aller Wechselwirkungen von natürlichen Gegebenheiten und gesellschaftlichen Zuständen versteht [1]. Damit wird auch die Stadt, das Industrierevier, die Müllhalde – als die »zweite Natur« des Menschen – zur Landschaft. Die Natur verläßt die Position des geheimnisvollen Gegenüber, sie ist total angeeignet und hat zugleich aufgehört, ein chiffrierter Gegenstand empfindender Sehnsüchte nach Besserem und Ewigem zu sein [2]. Die Natur als Landschaft vermittelt nicht mehr die Vorstellung von harmonischer Ursprünglichkeit, sondern ist eine Art Spiegel, in dem die vielfältigen subjektiven Facetten des Ichs erscheinen. Wie Hegel das Naturschöne als Reflex des Kunstschönen kategorisierte, so läßt sich im Hinblick auf das ständige Vordringen des Technischen in die Natur auch das Technisch-Schöne als Reflexion des Kunstschönen bezeichnen [3]. Das Technisch-Schöne meint in diesem Kontext *sämtliche* Erscheinungsformen der Mechanisierung, Industrialisierung und Urbanisierung, positive wie negative. Neben eine Fortschrittsgläubigkeit tritt bereits im 19. Jahrhundert eine Fortschrittsangst, die einen zu der gesellschaftlich-ökonomischen Entwicklung parallel einsetzenden Prozeß der Vereisung, Entfremdung und Erstarrung einsetzen sieht, der wiederum in der Dichtung und in der bildenden Kunst mit einer endzeitlichen Stimmung und Haltung Hand in Hand geht. In den *Fusées* von 1851 formulierte Charles Baudelaire: »Die Welt geht ihrem Untergang entgegen. Der einzige Grund für ihren Fortbestand ist ihr tatsächliches Vorhandensein. Wie schwach ist aber dieser Grund im Vergleich zu all dem, was das Gegenteil ankündigt, insbesondere zu der Frage: Was hat die Welt in Zukunft noch unter dem Himmel zu schaffen? Denn selbst gesetzt, sie würde in ihrer materiellen Existenz fortdauern, wäre dies noch eine Existenz, die dieses Namens und historischen Wörterbuchs würdig wäre?« [4]

Für zahlreiche Künstler wurde die Stadt *die* erfahrbare Landschaft all jener negativen Entwicklungen, Erscheinungen und existentiellen Ängste. In Georg Heyms *Umbra vitae* aus dem Jahre 1912 heißt es in den ersten Strophen:

»Die Menschen stehen vorwärts in den Straßen
Und sehen auf die großen Himmelszeichen,
Wo die Kometen mit den Feuernasen
Um die gezackten Türme drohend schleichen.

Und alle Dächer sind voll Sternedeuter,
Die in den Himmel stecken große Röhren,
Und Zauberer, wachsend aus den Bodenlöchern,
Im Dunkel schräg, die ein Gestirn beschwören.

Selbstmörder gehen nachts in großen Horden,
Sie suchen vor sich ihr verlorenes Wesen,
Gebückt in Süd und West und Ost und Norden,
Den Staub zerfegend mit den Armen-Besen.

Die Meere aber stocken. In den Wogen,
Die Schiffe hängen modernd und verdrossen,
Zerstreut, und keine Strömung wird gezogen,
Und aller Himmel-Höfe sind verschlossen.

Die Bäume wechseln nicht die Zeiten
Und bleiben ewig tot in ihrem Ende,
Und über die verfallenen Wege spreitzen
Sie hölzern ihre langen Fingerhände.« [5]

Im gleichen Jahr, in dem Georg Heyms Gedicht entstand, gab Ludwig Meidner einer Reihe von Gemälden und Zeichnungen, in denen sich seine Angst vor dem individuellen Ende und dem kollektiven Untergang ausdrücken, erstmals den Titel »apokalyptische Landschaft«. Mit diesen Bildern formulierte und begründete der Künstler ein neuartiges Bildthema, das – zwar kein eigenständiger ikonographischer Topos – in der Kunst des 20. Jahrhunderts aber immer wieder variiert wurde. Schreckensszenarien gibt es schon in den Bildern von Bosch und Brueghel, in den *Jüngsten Gerichten*, in den Höllendarstellungen und in den *Versuchungen des Heiligen Antonius*. Diese waren jedoch an die thematische Vorgabe gebunden, sie waren eine Art »Rahmenhandlung« zum biblischen Thema, welches sie

gewisse Dramatik und Theatralik das Bildgeschehen beherrschen, sind die endzeitlichen Landschaften bei Tanguy, Schreiter, Iseli oder Schwarz tot und erstarrt – eine Leere und Erstarrung, die den surrealen Szenarios Dalis oder den Plätzen beklemmender Leere de Chiricos nicht unähnlich ist. Lebende Menschen spielen keine oder nur eine untergeordnete Rolle, auch in Meidners Landschaften haben die Personen lediglich zitathaften Charakter. Es ist ein wesentliches Kriterium, daß der Mensch mehr oder weniger ausgespart ist – im Gegensatz zur romantischen Landschaftsdarstellung, in der nach der Interpretation von Hegel und Kleist ein Betrachter im Bild notwendig war, um die Landschaft als Projektion menschlichen Bewußtseins vor Augen zu stellen. Es bedarf seiner auch nicht, da es in einer endzeitlichen Landschaft keine Vorstellung von dieser mehr gibt.

mehr oder weniger aufwendig illustrierten, sie waren stets im Kontext eines heilsgeschichtlichen Programmes zu verstehen. Im 20. Jahrhundert löst sich dieser biblische Bezug, nicht mehr Dämonen und böse Geister sind die gefürchteten Mächte. Die biblische Apokalypse wird säkularisiert, der Weltuntergang findet ohne jegliche Anbindung an die Prophezeiungen der Johannesoffenbarung statt. Der Terminus apokalyptisch wird zum Synonym für endzeitlich. Der Bildtypus der apokalyptischen Landschaft beschreibt die künstlerischen Visionen einer untergehenden bzw. untergegangenen Welt. Während bei Meidner noch eine

Die Entstehung von apokalyptischen bzw. endzeitlichen Landschaften korreliert stark – wie allgemein Bilder zum Weltenende, sei es aus einem biblischen oder einem säkularisierten Apokalypseverständnis heraus – mit den jeweiligen Zeitumständen und -stimmungen. Oft sind es kriegerische Ereignisse, welche die Künstler in ihren Landschaften reflektieren, in der Vorausschau oder im Rückblick. 1933, im Jahr der Machtübernahme durch die Nationalsozialisten, malte Max Ernst die erste Fassung von *Europa nach dem Regen* (Abb. 49), eine groteske Parodie auf die Landkarte Europas. Anstelle der Landschaft präsentiert sich eine von Katastrophen verwüstete Erdoberfläche. Der Kontinent ist deformiert, alle Spuren der Zivilisation sind getilgt, die

Reste, die die Vernichtung hinterlassen hat, sind kaum zu erkennen. Als James Joyce das Bild sah, erfand er mit dem Wortspiel »Europe-Purée-Pyorrhée« ein verbales Äquivalent zum Untergang des Kontinents. Der Verfall Europas geht für Max Ernst mit dem Verfall der »Schönen Malerei« Hand in Hand: An ihre Stelle tritt eine rohe, zähflüssige Malweise, die die informelle Malerei der 50er Jahre bereits vorwegnimmt. Die zweite Fassung, *Europa nach dem Regen II*, vollendete Max Ernst im Jahr 1942 (Abb. Nr. 50). Das Bild ist das Panorama einer haltlosen, absterbenden Welt, quasi der Aufriß der ersten Regenlandschaft von 1933. Alles scheint in dieser Totenlandschaft zu vermodern; faulende Blätter bedecken die von Mineralien und Pflanzen beherrschte Landschaft, in der Vögel und vogelköpfige Menschen stranguliert, in Felsen versteinert oder zu Gnomen zusammengeschrumpft sind.

Ohne ein konkretes »Schlachtenbild« aufzuzeigen, wird die Darstellung zur endzeitlichen Vision erhoben, obwohl bereits Historie, suggeriert sie dem Betrachter ein allgemeines, »zeitloses« Gefühl von Untergang (Felix Vallottons *1914*, Werner Tübkes *Hiroshima*). In neuerer Zeit fördern aber auch die »friedlichen« Zerstörungen, Umweltverschmutzung, Waldsterben, Reaktorunfälle, Giftgaskatastrophen (Rolf Iselis *Endlandschaften*), so wie die Angst vor einer globalen Vernichtung durch einen Atomkrieg das Gefühl eines existentiellen Bedrohtseins (Christa Nähers und Enzo Cucchis Landschaften). Es ist mehr eine Stimmung als ein Wissen, das sich in den apokalyptischen Landschaften, den traditionellen Bestimmungen des Genres entsprechend, ausdrückt – die apokalyptische Landschaft als *ein* Reflex der Kunst auf die heutige Natur.

1 Vgl. Reader: Landschaft in Bildender Kunst, Literatur und Musik, Nürnberg, Ludwigshafen/Rhein, München 1981, S. 6
2 Vgl. Rolf Wedewer, Landschaftsmalerei zwischen Traum und Wirklichkeit, Köln 1978, S. 191 f
3 Vgl. Heinz Spielmann, Die vorgeblich ungewohnte Landschaft, in: Die neue Landschaft, Ausstellungskatalog Hamburg (65. B·A·T- Ausstellung) 1976, Hamburg 1976, o. S.
4 Charles Baudelaire, Œuvres complètes, S. 1262 f
5 Zit. nach Kurt Pinthus, Menschheitsdämmerung, Hamburg 1959, S. 39 f

Ludwig Meidner

92

Apokalyptische Landschaft

Öl auf Leinwand, 94 × 109 cm
Privatsammlung
Lit.: Thomas Grochowiak, Ludwig Meidner, Recklinghausen 1966

Die *Apokalyptische Landschaft* ist das erste Bild einer Reihe von Arbeiten gleichen Themas, die Ludwig Meidner in den Jahren 1912 und 1913 malte. Es stellt den Einbruch einer unerwarteten nächtlichen Katastrophe dar. Feuergarben zischen mit ungeheurer Gewalt vom Himmel nieder, Dachstühle stehen in Flammen, Hölzer werden durch die Luft geschleudert. Durch einen mächtigen Luftdruck geraten die Gebäude ins Wanken, stürzen zusammen wie Kartenhäuser. Im Vordergrund versuchen zwei Männer in panischem Schrecken dem Inferno zu entrinnen, während in der Bildmitte einzelne Menschenknäuel auswegsuchend hin und her hasten. Kontrastreich gegenübergestellte Flächen und dynamische Formen, die auf eine Auseinandersetzung mit kubistischen und futuristischen Kunstwerken schließen lassen, geben dem Bild das Kompositionsgerüst. Die relativ sparsame Farbgebung bindet sich in ein Gestaltungsprinzip ein, das seine Dynamik aus der Aufhebung gesicherter statischer Regeln, aus der Vermeidung der Horizontalen und Vertikalen bezieht, »... ein schmerzlicher Drang gab mir ein, alles Geradlinig-Vertikale zu zertreten«[1].

Während die frühen apokalyptischen Landschaften Untergangsvisionen im Rahmen eines städtischen Ambientes sind, überträgt sich Meidners Welt- und Zukunftsangst in den Monaten vor dem Ausbruch des Ersten Weltkriegs auch auf »beschaulichere« Landschaften. Die Stadt ist nicht mehr alleine der Schauplatz endzeitlicher Ereignisse. Auch wird in den Landschaften nicht mehr die Katastrophe selbst geschildert, sondern der Weltuntergang scheint bereits stattgefunden zu haben. Die real existierende Welt ist bereits abgestorben, es macht sich eine »apokalyptische Stimmung« breit (Abb. 51), die vage und unbestimmt Meidners innere Welt auf die Außenwelt überträgt.

Ob Meidner seine apokalyptischen Landschaften als konkrete Warnung vor der heraufziehenden Katastrophe des Ersten Weltkrieges verstand, sei dahingestellt. Es scheint vielmehr eine durch viele äußere und innere Faktoren bedingte individuelle Angst gewesen zu sein, die ihn zu seinen Untergangsvisionen veranlaßte: »... Ich malte Tag und Nacht meine Bedrängnisse mir vom Leibe, Jüngste Gerichte, Weltuntergänge und Totenschädelgehänge, denn in jenen Tagen warf zähnefletschend das große Weltengewitter schon einen grellen Schatten auf meine winselnde Pinselhand«[2]. Wie ihm damals zumute war, schrieb er in recht expressiven Worten neben sein Selbstportrait von 1917: »Ich L.M. zerhauener Erdenkloß, verfemt, apokalyptisch, Schädel zerweht im Winterwind!«

1 Ludwig Meidner, Septemberschrei, Berlin 1920, S. 8
2 Ludwig Meidner, Mein Leben, in: Lothar Breiger, Ludwig Meidner, Junge Kunst, Bd. 4, Leipzig 1919

Abb. 51 Ludwig Meidner, *Apokalyptische Stimmung*, 1913

Ludwig Meidner, *Apokalyptische Landschaft* (Kat.-Nr. 92)

Felix Vallotton

93

1914, paysage de ruines et d'incendies   1915

Öl auf Leinwand, 115,2 × 147 cm
Kunstmuseum Bern, Stiftung Gemäldesammlung Emil Bretschger
Lit.: Felix Vallotton, Ausstellungskatalog Kunsthaus Zürich 1965;
Felix Vallotton, Ausstellungskatalog Kunstmuseum Winterthur 1978

Vallottons Landschaft mit Ruinen und Feuersbrünsten
entstand unter dem Eindruck des Krieges. Es ist jedoch kein
Kriegs- bzw. Antikriegsbild in dem Sinne, daß es sich auf ein
konkretes Ereignis bezieht. Vielmehr ist die Gegend men-
schenleer, ein Gebäude im Vordergrund und eine Stadt am
Horizont stehen in Flammen, die Strahlen zweier Such-
scheinwerfer tasten den von dicken Rauchschwaden
verdeckten Himmel ab. Was letztlich zurückbleibt, ist verbrannte Erde.

Vallotton wurde 1914 während eines Sommerurlaubs in
Honfleurs vom Krieg überrascht. Er meldete sich als Freiwilli-
ger bei der französischen Armee, wurde aber zu seiner
Enttäuschung abgewiesen. Doch bald wurde ihm Gelegenheit geboten, am Krieg teilzunehmen. Die französische
Regierung erteilte ihm, wie auch zahlreichen anderen
Künstlern, die Erlaubnis, die Front zu besuchen. Es entstand
eine Reihe von Kriegsbildern und die Holzschnittfolge *C'est
la guerre.*

In *1914, paysage de ruines et d'incendies,* verarbeitet der
Künstler seine Kriegseindrücke in einer Landschaftsdarstellung, die eine Stimmung der materialistischen Leere suggeriert. Das wesentliche gestalterische Mittel ist für ihn die
Farbe, die er in ungewohnter Weise einsetzt. Er vermeidet
harmonische Farbklänge, häuft Dissonanzen und Inversio-
nen, wiederholt harte Übergänge und Abdrücke. Mit malerischen Mitteln werden so Distanzen im Bild geschaffen, das
Prinzip einer disharmonischen Farbgebung dient dem
Künstler zur Bewältigung des Sujets. Die Kriegslandschaft
erscheint als unorganische Einheit, die eine beunruhigende
Stimmung erzeugt.

Felix Vallotton, *1914* (Kat.-Nr. 93)

George Grosz

94

Punishment   1934

Aquarell, 69,8 × 52,1 cm
Museum of Modern Art, New York, Schenkung Mr. and Mrs. Erich Cohn
Lit.: Ulrich Becher, Der große Grosz und eine große Zeit, Hamburg 1962;
Uwe M. Schneede (Hrsg.), George Grosz. Leben und Werk, Stuttgart 1975

Grosz' Schreckensbild brennender und zerstörter Häuser
entstand ein Jahr nach seiner Ankunft im New Yorker Exil.
Durch seinen Weggang aus Deutschland war er dem Terror
der Nationalsozialisten und der Verfolgung entgangen: »Am
30. Januar wurde Hitler Reichskanzler in Deutschland...
Bald kamen Briefe, aus denen ich erfuhr, daß man in meiner
nun leeren Wohnung nach mir gesucht hatte, desgleichen in
meinem Atelier. Daß ich lebend davongekommen wäre, darf
ich wohl bezweifeln.«[1]

Annähernd 300 seiner Bilder wurden von den Nationalsozialisten aus deutschen Museen entfernt, in der Ausstellung
Entartete Kunst war er 1937 »repräsentativ« vertreten.

Grosz hatte nach dem Ersten Weltkrieg versucht, mit seinen
Arbeiten politisch aufzuklären, das Fortleben des Militaris-
mus, die damit verknüpften ökonomischen Interessen der
Herrschenden, das sich wohlig einrichtende satte Spießer-
tum und das Elend der Opfer dieses Systems aufzuzeigen
und zu entlarven. Die erschütternden Erfahrungen, die er als
Kriegsteilnehmer gemacht hatte, und sein politisches
Engagement – er war bis etwa 1923 Mitglied der KPD –
flossen in ätzend-satirische, anprangernde Zeichnungen,
Gemälde und Graphikzyklen ein. Gegen Ende der 20er
Jahre jedoch erwartete er vom Sozialismus nicht mehr die
Lösung gesellschaftlicher Probleme: Er ähnele dem Natio-
nalsozialismus in seinem »Willen, in Massen Befehle von
oben zu empfangen«[2]. Gleichzeitig begrub Grosz alle
Hoffnung, mit seiner Kunst gesellschaftlich wirksam sein zu
können. 1931 schrieb er resignativ: »Vielleicht haben wir
ein... neues Mittelalter vor uns. Jedenfalls scheinen mir die
humanistischen Ideen im Absterben, ebenso legt man auf
die Menschenrechte keinen allzu großen Wert mehr. Eher
geht mit der fortschreitenden Zivilisation an allen Fronten
eine gesunde Verachtung des Menschenlebens vor sich.«[3]

Der Künstler versuchte in Amerika, wo er sich wohlfühlte,
Abstand zu gewinnen, sich von seiner Vergangenheit zu
lösen, doch holte ihn das Schreckliche, das in Deutschland
geschah, in Form der Schicksale von Freunden wieder ein.
»Wenn ich zeitweise unter tiefen Depressionen litt, so hatte
das mit Amerika nichts zu tun. Es war wie ein zuckender und
bedrohlicher Wetterschein, wie ferne Feuersbrünste und
Blutgeruch. Ich malte diese Gesichte von Ruinen, in denen
der Brand noch wühlte. Das war lange vor dem Kriege.«[4]

Über den brennenden, zerstörten Häusern in *Punishment*
aus dem Jahre 1934 ist der Himmel durch aufsteigende
Rauchwolken verdüstert, zusammenbrechendes Dachge-
stühl, niederprasselnde, brennende Balken stürzen in die
Ruinen. In dieser Version der durch den (kommenden) Krieg
zerstörten Städte, der totalen Vernichtung, der durch
Bombenhagel entvölkerten urbanen Landschaft erscheinen
die Fensterkreuze als Zeichen des Todes. Die Zivilisation
zerstört sich selbst, löscht nicht nur jegliches Leben aus,
auch jegliche Hoffnung versinkt in den Ruinen.

1 George Grosz, Ein kleines Ja und ein großes Nein. Sein Leben von ihm
selbst erzählt, Reinbek bei Hamburg 1974, S. 230 f
2 Zit. nach: Schneede, a.a.O., S. 114
3 Schneede, a.a.O., S. 116
4 Grosz, a.a.O., S. 276

George Grosz, *Punishment* (Kat.-Nr. 94)

Fritz Winter

95
Zerstörung   1944

Öl auf Leinwand, 73 × 40,5 cm
Pfalzgalerie Kaiserslautern
Lit.: Joachim Büchner, Fritz Winter (Monographien zur rheinisch-westfäli-
schen Kunst der Gegenwart, Bd. 25), Recklinghausen 1963; Fritz Winter.
Triebkräfte der Erde, Ausstellungskatalog Westfälisches Landesmuseum
für Kunst und Kulturgeschichte, Münster 1982

Fritz Winter, von 1927 bis 1930 Schüler von Kandinsky, Klee
und Schlemmer am Bauhaus, erhielt von den Nationalsozialisten Malverbot. 1939 wurde er zur Wehrmacht eingezogen
und an die Ostfront geschickt. Während eines Genesungsur-
laubs nach einer schweren Verwundung im Jahre 1944
entstand, neben dem Zyklus *Triebkräfte der Erde,* der »die
ewig sich erneuernden Kräfte des Lebens, der Natur beschwört«[1], und neben anderen Ölbildern das spannungsreiche Gemälde *Zerstörung.*

Zwei formale Elemente bestimmen die Dynamik des Bildes:
dunkelfarbige, spitz zulaufende Keilformen, die aus der
oberen Bildhälfte nach unten gerichtet sind, und amorphe,
runde, weiche Formen in helleren Farben, die die von oben
herabstürzenden dunklen Partien kontrastieren. Nur eine
rote Keilform steigt aus dem unteren Bildteil auf, richtet sich
gegen die bedrohlichen Formen von oben. Zwei dunkle
Scheiben sind in der oberen Bildhälfte zu sehen, die an zwei
Gestirne – Sonne und Mond – erinnern und die über einer
von dunklen Kräften bedrohten Landschaft stehen. »Ich
scheine nicht an die Natur gebunden zu sein, und doch, der
Schein trügt. Ich bin an die Natur gebunden, aber nicht an
ihre Formäußerung, sondern an die meine..., es kommt
nicht darauf an zu zeigen, was da ist, sondern zu offenbaren,
was auch da ist.«[2]

Fritz Winter greift in seinen Bildern auf Strukturen und
Gesetze der Natur zurück, aber auch auf das zu Offenba-
rende, das Unsichtbare, das Wunder der Schöpfung, das
sich in dem immer wiederkehrenden Wachstum in der
Natur, dem ständigen Werden und Vergehen, verbirgt.
Gerade unter den Bedrohungen des Krieges wird dieser
Hoffnungsgedanke, der sich in seinen Bildern dem Prinzip
der Zerstörung entgegenstellt, erkennbar. »Nichts kann
einen tiefer erschüttern, als wenn einem so ganz ohne
Habe, so ganz ohne ziviler Mensch zu sein, eine Blüte, ein
Blatt begegnet und einem das Große dieser Schöpfung
zuteil wird.«[3]

1 Büchner, a.a.O., S. 8
2 Fritz Winter, in: Fritz Winter, Ausstellungskatalog Galerie Im Erker, St.
Gallen 1962
3 Ebd.

Fritz Winter, *Zerstörung* (Kat.-Nr. 95)

Yves Tanguy

96

Hekla   1952

Gouche, 73 × 59 cm
Galerie Beyeler, Basel

97

Ohne Titel   1952

Gouache, 82 × 67 cm
Von der Heydt-Museum, Wuppertal

Lit.: Katharina Schmidt (Hrsg.), Yves Tanguy, Ausstellungskatalog Kunsthalle Baden-Baden 1982/83

Die beiden Gouachen gehören der letzten Werkgruppe des 1955 verstorbenen Malers an. Im Gegensatz zu den Arbeiten der 30er und frühen 40er Jahre sind die Formen hier nicht mehr isoliert oder als Gruppe im Raum verteilt, sondern stehen wie eine massive Front unter einem illusionistischen Wolkenhimmel im Vordergrund. Neben knöchrige Röhren, kompakte Kugeln und schieferartige Platten treten Spitztürme und Rundformen. Die einzelnen Elemente wirken wie versteinerte Fundstücke oder Teile eines Baukastens, die einem bestimmten, jedoch nicht durchschaubaren Ordnungsprinzip folgend zu einem Emsemble zusammengefügt sind. Die phantastischen Formen der erfundenen Objekte haben nur vage assoziative Verbindungen zu natürlichen Dingen, erscheinen aber dennoch in vollem dinglichen Daseinsanspruch. Vor dem Hintergrund endloser Himmelsräume werfen sie kaum wahrnehmbare Schatten, die Lichtquelle ist unbestimmt, sie liegt außerhalb des Bildes.

Tanguys Landschaften sind innere bzw. geistige Landschaften, sogenannte *paysages mentaux,* in denen die Zerschlagung des Alltäglichen mit der Neuschaffung einer imaginativen Gegenständigkeit zu einer Einheit verschmilzt. Sie zeigen kurze zeitliche Ausschnitte aus einer gedachten Wirklichkeit, die sich von Minute zu Minute ändern kann; sie sind nicht endgültig, vielmehr reflektieren sie den Prozeß der Genese und Metamorphose. In den späteren Bildern Tanguys wird dieser Prozeß mit endzeitlichen Aspekten überlagert, das Prinzip der Schöpfung verbindet sich mit dem des Untergangs – etwa wie in Mauricio Kagels instrumentiertem Theaterstück *Die Erschöpfung der Welt* von 1980, ein Titel, der sich als Oberbegriff auf diese Arbeiten übertragen ließe. Die Bilder lassen an die erstorbene Erde oder das erstorbene Innere des Menschen denken *(Das Erlöschen der Arten II),* in ihnen drücken sich Angst und unheimliche Erwartung aus *(Die letzten Tage).* Das Unheimliche und Bedrohliche wird in einer verhärteten und dem Menschlichen auf äußerste entfremdeten Welt und Umwelt nicht direkt benannt, es hält sich stets außerhalb der Sichtweite des Bildes auf. Tanguys mentale Landschaften sind keine konkreten Untergangsvisionen, sie sind vielmehr Reflex, psychische Reaktion auf eine geschichtlich-zivilisatorische Entwicklung.

Yves Tanguy, *Ohne Titel* (Kat.-Nr. 97)

Yves Tanguy, *Hekla* (Kat.-Nr. 96)

Werner Tübke

98

Hiroshima I   1958

Öl auf Leinwand, 38,5 × 45,5 cm
Museum Moderner Kunst Wien, Leihgabe Sammlung Ludwig, Aachen

99

Hiroshima II   1958

Öl auf Leinwand, 69 × 100 cm
Zentrum für Kunstausstellung der Deutschen Demokratischen Republik,
Berlin (DDR)

Lit.: Werner Tübke. Gemälde, Aquarelle, Druckgraphik, Zeichnungen,
Ausstellungskatalog Dresden, Leipzig, Berlin 1976

Hiroshima I ist das erste aus einer Folge von drei Bildern des
in der DDR lebenden Künstlers zum atomaren Untergang
der japanischen Stadt. Der Bildraum, der sich aus mehreren
Darstellungsebenen zusammensetzt, wirkt ungeordnet,
unorganisch. Im Hintergrund neigt sich ein wie eine Festung
wirkendes Gebäudeensemble zur Seite, das unter der
durch die nukleare Detonation verursachten Druckwelle
zusammenzustürzen droht. Im Vordergrund suchen die
Menschen Schutz; Leiber wirbeln durch die Luft, einige
werden auf Stahlträgern aufgespießt, andere liegen leblos
und deformiert auf der Erde. In diese beiden Bildebenen
schiebt sich eine Leerfläche, die eine räumliche Distanz
zwischen den Geschehnissen vorne und hinten erzeugt.

In *Hiroshima II* und *Hiroshima III* (Abb. 52) setzt sich die
Schilderung der Schreckenslandschaft fort, wie eine Höllenszene wirkt nun die postatomare Landschaft. Mehr noch
als in *Hiroshima I* bedient sich Tübke hier einer retrospektiven Malweise, die an den Realismus und Verismus der 20er
Jahre, aber auch an die »alten Meister«, etwa an die Gemälde eines Hieronymus Bosch und Pieter Brueghel,
erinnert. Eine starke Farbigkeit und die Vorliebe für detailgetreue Wiedergabe prägen seine Bildsprache.

Indem Tübke auf die »alten Meister« zurückgreift (ein sein
gesamtes Werk bestimmendes Merkmal), geht er von
Konstanten der Kunst aus, der er die Variablen seiner
Einbildungskraft hinzufügt. Die radikal-konservative Hinwendung zu alten Kunstformen bedeutet für ihn – so paradox
dies scheinen mag – Aktualisierung und Kontinuität zugleich: Die Schreckenslandschaft von Hiroshima wird
historisch relativiert, in einen kontinuierlich ablaufenden
Geschichtsprozeß eingebunden. Das Genrehafte der
Darstellung, in der Art einer Weltgerichts- oder Höllenszene
des 15. Jahrhunderts, erfüllt sich hier mit sinnbildhafter,
verallgemeinerter Bedeutung. *Hiroshima* wird durch den
Rückgriff auf die Kunstgeschichte generalisiert und aktualisiert.

Abb. 52 Werner Tübke, *Hiroshima III,* 1958 (Prag)

Werner Tübke, *Hiroshima I* (Kat.-Nr. 98)

Werner Tübke, *Hiroshima II* (Kat.-Nr. 99)

211

Franz Radziwill

100

Der Kosmos kann in Trümmer fallen, der Himmel nicht 1953

Öl auf Leinwand, 96 × 100,5 cm
Landesmuseum Oldenburg
Lit.: Bernd Küster, Franz Radziwill (Katalog des Landesmuseum Oldenburg, Bd. 1) Oldenburg 1981; Franz Radziwill, Ausstellungskatalog Neue Gesellschaft für bildende Kunst Berlin 1982

Formal läßt sich Radziwills Gemälde in zwei Bildzonen einteilen, die auch inhaltlich kontrastieren. In der unteren Partie, in der helle und freundliche Farben vorherrschen, wird eine reale Küstenlandschaft geschildert. Zwei Krabben-kutter liegen auf dem schneebedeckten Strand, weitere Schiffe fahren auf dem mit Schaumkronen bedeckten Meer. Der Horizont begrenzt diesen »realen« Bildraum, die Masten und die Takelage der Kutter ragen in die obere, durch düstere Grau- und Schwarztöne bestimmte Bildzone hinein. Über die erstarrte Küstenlandschaft wölbt sich ein wildbewegter, Unheil verheißender Himmel. Die Vorstellung einer unseren Planeten umhüllenden Betonverschalung drängt sich auf, die in einer kosmischen Katastrophe auf-platzt und den Blick in das schwarze Nichts freigibt. Einzelne Brocken lösen sich von den Riesenschollen, um auf die Erde herunterzuprasseln. Aus der rechten oberen Ecke stürzt ein Flugzeug herab, weiter unterhalb ein deformierter Vogel. Wie eine Art energetisches Zentrum, eine Zusammen-ballung kosmischer Kräfte, schwebt ein kugelförmiger, einem Auge ähnelnder Körper vor den Trümmern des auseinanderberstenden Himmelsraumes, der in seiner vertrauten Gestalt zerbricht und der sich in einer Dunkelheit verliert, die absolut ist.

Sehr detailfreudig setzt Radziwill seine Schreckensvision vom Weltenende in Szene – in einem »anderen«, sein gesamtes Œuvre durchziehenden Realismus, der Elemente der Malerei der Neuen Sachlichkeit mit Bildformen des Surrealismus und des magischen Realismus vereint. Er kreiert eine eigene, in sich geschlossene Bildwelt, die das scheinbar Reale und Alltägliche in Einklang mit dem Außer-gewöhnlichen bringt, das seinerseits denselben Wirklich-keitsanspruch erhebt. Das gemeinhin Unsichtbare wird in gleichem Maße real wie das visuell Wahrnehmbare. Radziwill stellt in zahlreichen Bildern eine mit Gegenständen verstellte Leere vor, in der stets dieselben Requisiten gebraucht werden, um den gewünschten spirituellen Effekt zu erzeu-gen. Flugzeuge, Flugobjekte, Himmelskörper, schwaden-hafte Wolken oder Dunstformationen gehören zu seinem bevorzugten Inventar. Insbesondere durch die Verfremdung des Himmels verstärkt der Künstler seine Wirkungsabsicht, die vermeintliche Ruhe und Sicherheit der dargestellten Landschaft zu stören und in Frage zu stellen. Stets schwingt ein Moment der Beunruhigung, ein Empfinden von Ungebor-gensein mit. Landschaft ist keine Zuflucht, ein in sich unpro-blematisches und selbstverständliches Verhalten gegen-über der Natur gibt es nicht mehr.

Radziwills Bildwelt entwirft ein Weltbild, das Naturge-schichte mit Verfallsgeschichte gleichsetzt. Es verweigert die Vorstellung ewigen Neuanfangs, bleibt linear: Das Vergehen ist endgültig.

Franz Radziwill, *Der Kosmos kann in Trümmer fallen, der Himmel nicht* (Kat.-Nr. 100)

Johannes Schreiter

101
Introversion 5/1959/C
Apokalyptische Landschaft II 1959

Brandcollage, 55 × 76,5 cm,
Privatbesitz

102
Introversion 65/1962/C
Apokalyptische Landschaft 1962

Brandcollage, 70 × 50 cm
Städtische Galerie Wolfsburg

103
Introversion 4/1963/C
Apokalypse übt 1963

Brandcollage, 85 × 48 cm
Privatbesitz

Lit.: Johannes Schreiter. Die Fumage-Collagen 1958–1978 (mit einer
Einführung von Klaus Hoffmann), Hamburg 1979; Informelle Landschaften.
Ausstellungskatalog Saarland-Museum Saarbrücken 1979

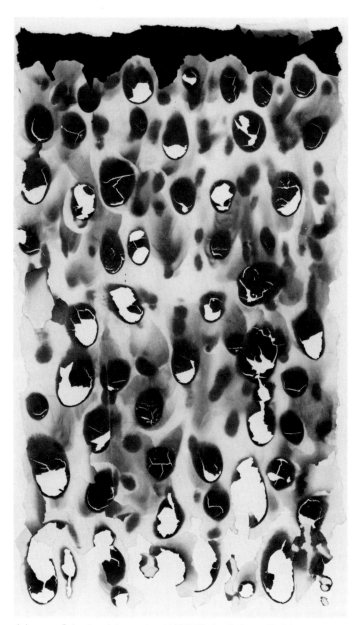

Johannes Schreiter, *Introversion 4/1963/C–Apokalypse übt* (Kat.-Nr. 103)

Zwischen 1959 und 1963, zur Zeit des späten Informel,
entstanden acht Brandcollagen mit Titeln aus dem Themen-
kreis der Apokalypse, die Schreiters Werkreihe der *Introver-
sionen* zuzurechnen sind. Der Zyklus der Introversion
verdankt seinen Namen einer Begegnung Schreiters mit
Kurt Leonhard, der Schwarz als die »totale Introversion«
definiert. Die Arbeiten zeigen Felder mit amorphen Gruppie-
rungen, große Schwarzzonen und gerissene »Rahmungen«,
die von Brandflecken benagt sind. Bei der Brandcollage
verursacht die Kerzenflamme bei den dafür ausgewählten
Papieren kleine Brände, die durch Ausblasen gelöscht
werden müssen. Es entstehen so Löcher, Aufsprengungen,
Risse und Sprünge, welche dem Papier die bizarre Oberflächenstruktur verleihen.
Daß Schreiter einigen seiner »Introversions«-Bilder die
Bezeichnung »apokalyptische Landschaft« gab, entsprang
einer Kongruenz von künstlerischer Technik und inhaltlicher
Benennung. Für ihn sind Brand und Feuer *auch* Synonyme
für die Apokalypse, die für das künstlerische Medium
verwandte Technik legt ihrerseits Assoziationen mit Feuer-
stürmen und verbrannter Erde frei. In *Apokalypse übt* wird
eine kleine Brandkatastrophe an die andere gefügt – eine
Feuerprobe, die sich im Bereich ästhetischer Kriterien
aufhält. Der Hinweischarakter dieser Arbeit ist jedoch
unverkennbar. Sie versteht sich als Warnung vor der seit
geraumer Zeit ebenso seriell betriebenen Einübung in die
endgültige Selbstauslöschung der Menschheit.
In seinen Brandcollagen schafft Schreiter eine Bildrealität
mit den Mitteln der Destruktion. Seiner Meinung nach ist die
Zerstörung der Kunst, d.h. traditioneller Bildformen, analog
zu setzen mit der Zerstörung der Welt. »Es ist merkwürdig«,
sagt er, »daß sich parallel zu dieser globalen Entwicklung
auch die Künste mit ihrer Selbstvernichtung befassen und
alles Erdenkliche für ihr eigenes Ableben inszenieren: Die
Auflösung aller Kriterien, in der Meinung, Freiheit zu vermehren, gehört dazu genauso wie gewisse stereotype Behaup-
tungen, daß alles Kunst sei. Ihre Vermarktung leistet schließlich den Rest. – Vergleicht man diesen Trend einmal mit der
Feststellung Hegels, daß das Ende der Kunst mit der Vollendung der Geschichte zusammenfalle, dann begreift man,
daß eschatologische Erfüllung nicht nur aus politischen
Beiträgen besteht, sondern daß es viele Ebenen gibt, auf
denen sich vollzieht, wovon in der Geheimen Offenbarung
die Rede ist.«

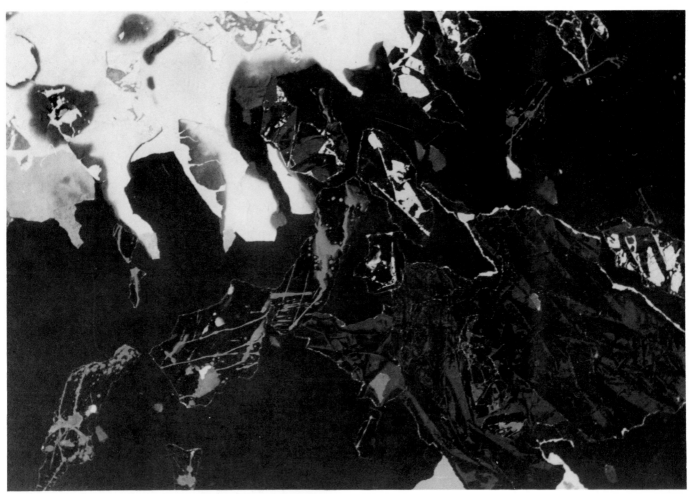

Johannes Schreiter, *Introversion 5/1959/C–Apokalyptische Landschaft II*
(Kat.-Nr. 101)

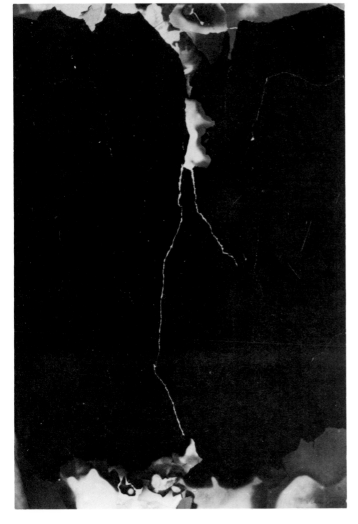

Johannes Schreiter, *Introversion 65/1962/C–Apokalyptische Landschaft*
(Kat.-Nr. 102)

Enzo Cucchi

104

Paesaggio barbaro (Barbarische Landschaft)
1982

Tusche auf Papier auf Leinwand aufgezogen, 272 × 339 cm
Galerie Paul Maenz, Köln
Lit.: Enzo Cucchi. Zeichnungen, Ausstellungskatalog Kunsthaus Zürich/
Groninger Museum 1982; Zdenek Felix (Hrsg.), Enzo Cucchi. Un' immagine
oscura, Essen 1982

Enzo Cucchis großformatige Zeichnung *Paesaggio barbaro*
ist durch wenige figurative Zeichen bestimmt. Totenschädel
liegen zu beiden Seiten eines vom Betrachter in den Bildhin-
tergrund wegführenden Weges, der im rechten Winkel auf
eine Horizontlinie stößt. Eine Baumreihe bildet die obere
Begrenzung dieser Landschaft, deren Kolorit sich auf
wenige Braun- und Gelbtöne beschränkt. Cucchi verzichtet
auf alles Narrative und erreicht dadurch den Eindruck
feierlicher Stille und Bedeutsamkeit. Er bedient sich vielmehr
einer poetischen Sprache, voll von Metaphern und Symbolen. Es sind Chiffren, deren Inhalte, ähnlich wie in den
antiken Mythen und Legenden, mehrschichtig sind und die
unterschiedlichen Interpretationen offenstehen – Chiffren
jedoch, die mit den traditionellen ikonographischen Bedeutungen nichts gemein haben.

Enzo Cucchi gehört neben Sandro Chia, Francesco
Clemente, Nicolo de Maria und Mimmo Paladino zu jenen
jungen italienischen Künstlern[1], die sich in ihren Bildern
wieder herkömmlicher Kunstformen und traditioneller
Techniken besannen, das Bild zum Träger von Inhalt *und*
Ausdruck machten und zu einer neuartigen Symbolsprache
fanden. Sie kreierten einen Kanon einfacher, manchmal naiv
anmutender Chiffren, weshalb ihrer Kunst auch die Bezeichnung *Arte Cifra* verliehen wurde. So einfach die einzelnen
Bildelemente an sich erscheinen, so schwer erschließen sie
sich der Deutung. Die Kunst-Chiffren bringen nichts zur
Sprache, sondern versuchen selbst, Sprache zu sein: »Das
Bild als Chiffre, als ein Zeichen, das nicht mehr ikonischer
Abbild-Reflex und noch nicht kulturell verfestigtes Symbol
ist, das sich unterhalb der identifizierbaren Benennbarkeit
und zugleich oberhalb des Zufalls bewegt.«[2]

Auch die *Paesaggio barbaro* wirkt auf den ersten Blick
einfach lesbar. Die Bedeutung der Totenschädel, die in der
unbelebten Landschaft wie für den Betrachter arrangiert
liegen, ist offenkundig (das Thema des Todes und der
existentiellen Bedrohung ist im Werk Cucchis häufig anzu-
treffen).

Doch bleibt die Frage offen, welcher Art diese »barbarische
Landschaft« ist. Ist sie eine Totenstätte früherer Kulturen
oder will sie als eine visionäre Szene verstanden sein? Der
Künstler enthält sich einer eindeutigen Antwort, er konfrontiert den Betrachter mit einem Bilderrätsel, das unerwartet
auftaucht, sich wie ein Orakel befragen läßt und ein Gefühl
der Beunruhigung, der Unsicherheit und der Irritation
hinterläßt. Wenn Cucchi sagt: »Die Malerei hat zwei, drei
einfache Probleme: wie ein Mensch mit beiden Beinen auf
der Erde stehen und vor der Welt staunen kann, wie ein
Mensch das Wunder in allen Dingen suchen und daraus ein
Bild machen kann«[3] – so mag dies vielleicht einem Ohn-
machtsgefühl, einem Rückzug von der Wirklichkeit entsprechen, einer Erkenntnis, daß die Komplexität der heutigen
Welt vor dem Hintergrund ihrer existentiellen Gefährdung
nicht mehr verstandesmäßig erfaßbar und nicht mehr
darstellbar ist. Es ist zugleich aber auch ein Vorstoß in eine
neue Bildrealität, die sich, in ihrer Anlehnung an traditionelle

Kunstformen und Techniken und ihrer Verwendung einer
privaten, archaisch wirkenden Bildsymbolik, als künstlerischer Gegenentwurf zur Wirklichkeit verstanden wissen will.

1 7 junge Künstler aus Italien, Ausstellungskatalog Kunsthalle Basel/
Museum Folkwang, Essen/Stedelijk Museum, Amsterdam 1980/81
2 Wolfgang Max Faust, Arte Cifra? Neue Subjektivität? Trans-Avantgarde?
Aspekte der italienischen Gegenwartskunst in: Kunstforum International
Bd. 39, 3/1980, S. 162
3 Ausstellungskatalog Zürich/Groningen, S. 16

Enzo Cucchi, *Paesaggio barbaro* (Kat.-Nr. 104)

Robert Schwarz

105
Verbrannte Erde　　　　1984/85

Farblithographie auf Leinwand auf Holz (7teilig)
je 117,5 × 77 cm
Im Besitz des Künstlers
Lit.: Robert Schwarz. Lithographien, Ausstellungskatalog Pfalzgalerie
Kaiserslautern 1985

Verbrannte Erde ist eine Folge von sieben Farbvarianten
einer Lithographie, die jeweils auf Leinwand gedruckt und
auf Keilrahmen aufgezogen sind. Auf den ersten drei Druk-
ken dominieren Grün- und Brauntöne, der zweite ist eine
Variante in Rot und Leuchtorange; die drei folgenden Arbeiten sind in Weiß- und Grautönen gedruckt und anschließend
schwarz eingefärbt.

Die Bildtafeln I–III zeigen eine Landschaft in der Art eines
genormten Tarnmusters, das für militärische Operationen
verwendet wird. Aufgedruckte Wörter wie Fluß, Sand,
Quelle, Feld, Acker etc. »öffnen« die getarnte Landkarte für
den Betrachter, die kartographischen Symbole sind mittels
sprachlicher Bezeichnungen ins Bild gesetzt. Die vierte
Tafel, die im Mittelpunkt der Folge steht und eine räumliche
wie zeitliche Zäsur zwischen links und rechts, vorher und
nachher markiert, zeigt den Moment der Zerstörung. Rot
und Orange stehen für Feuer und Verbrennung oder auch
für chemische Vernichtungswaffen, etwa das im Vietnamkrieg eingesetzte Kampfmittel Agent Orange. Die Tafeln V–VII
dokumentieren die Überreste der Zerstörung. Die Tarnfarbe
hat sich in Grau und Schwarz verwandelt, die Landschaft –
d.h. ihre Bezeichnungen – liegt in Asche und Dunkelheit.

Der Terminus »verbrannte Erde« entstammt der Sprache der
Kriegsführung und meint urspünglich jene Gegenden, die
der Aggressor bei seinem Rückzug aus den eroberten
Gebieten in Schutt und Asche zurückläßt. Robert Schwarz
verwendet den Begriff in Entsprechung zu der Wirkung
moderner Vernichtungswaffen. Seine zerstörte Landschaft
ist topographisch unbestimmt, durch die sprachlichen
Bezeichnungen wird sie abstrakt und allgemein, sie ist
global. Die Folge der sieben Bilder in ihrer unterschiedlichen
Farbigheit, wobei der jeweiligen Farbe ein symbolischer
Bedeutungswert zukommt, suggeriert einen zeitlichen
Ablauf. Das Ende der Welt wird sich in sieben Schritten
vollziehen – in Analogie zu den sieben Schöpfungstagen in
der Bibel.

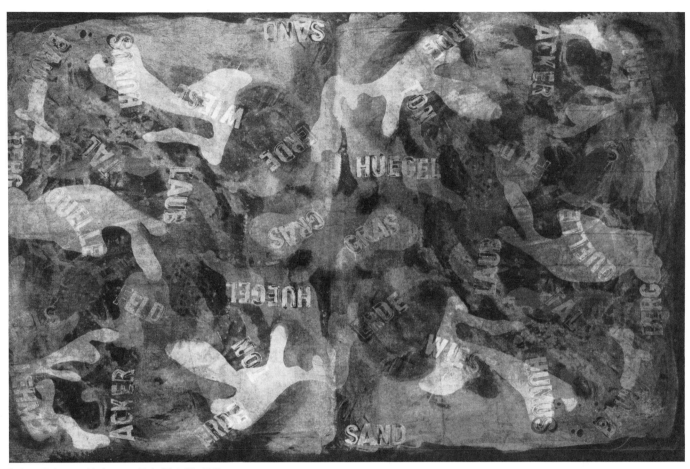

Robert Schwarz, *Verbrannte Erde* (Kat.-Nr. 105)

Rolf Iseli

106

Endlandschaft mit Figur   1984

Erde, Aquarell, Acryl, Kohle, Graphit, 106 x 164 cm
Privatsammlung Zürich

107

Endlandschaft mit Torferde   1984/85

Erde, Kohle, Acryl, Aquarell, 105 × 194 cm
Kunsthaus Zürich

Lit.: Rolf Iseli. Arbeiten seit 1971, Ausstellungskatalog Sprengel Museum
Hannover u.a. 1984/85

Die Arbeiten Rolf Iselis handeln von der Einbezogenheit des
Menschen in seine Welt und in die Natur. Sie thematisieren
zugleich sein Ausgeschlossensein, seine Entfremdung, die
Versehrtheit und der Zerstörung der Natur. »Meine Arbeiten
sind Spuren der Auseinandersetzung mit unserer Umwelt,
mit unserer Flucht in eine verfressene luxuriöse Wohlstands-
und Konsumgesellschaft, die im Begriff ist, alles zu verseu-
chen, zu vergiften und zu zerstören. Die Vereinsamung,
Isoliertheit und Verlorenheit des einzelnen in unserer »Zivilisation« beschäftigen mich in meinen Figurenbildern, und Erde
verkörpert hier mehr als das materiell Greifbare dieser
Situation.«[1]

Die *Endlandschaften,* die aus den früheren *Erdbildern*
hervorgegangen sind, bilden keine Landschaft ab, sondern
sind selber Landschaften. Indem der Künstler »natürliche«
Materialien und Fundstücke (Erde, Holz, Kohle, Graphit)
verwendet, wird das bildnerische Mittel zur Botschaft. Das
Material ist das Motiv und das Motiv ist das Material, Erde ist
Erdbild und Landschaft – und umgekehrt. In den *Endlandschaften* herrscht ein dunkler Grundton vor, schwarze,
graue, braune und blaue Farbpartien treten in einen sanften
Kontrast. Der Horizont ist leicht gekrümmt, er trennt die mit
kräftigen Farb- und Materialschichten skizzierte Landschaft
von einer Himmelszone, die trotz ihrer Strukturiertheit
undurchsichtig und undurchdringlich erscheint. Der Mensch
tritt lediglich in seiner Negativ-Form, seinem Schatten, als
nicht-reale Existenz in Erscheinung (Kat.-Nr. 106). In der
zweiten *Endlandschaft* (Kat.-Nr. 107) fehlt jeglicher Hinweis
auf menschliche Lebensformen. »Der Mensch, die Natur
zerstörend, zerstört sich selbst« (Rolf Iseli).

Iselis Arbeiten verstehen sich keineswegs nur als negative
Utopien. Indem sie archaisches, ursprüngliches, natürliches
Material und gedanklichen Entwurf in der Bildrealität tendenziell zu einer umfassenderen Einheit verschmelzen lassen
und in dieser bildnerischen Metamorphose Unbekanntes
durch Bekanntes erkennbar und sichtbar machen, erteilen
sie die mögliche Antwort auf die Frage nach einem möglichen Zukunftsentwurf.

1   Rolf Iseli in: Katalog der Galerie Jörg Stummer, Zürich 1976, und zitiert
bei Hartmut Kraft, Erde wird gebraucht – Archaische Erdbilder von Rolf
Iseli, Deutsches Ärzteblatt, Hft. 9, 1976

Rolf Iseli, *Endlandschaft mit Figur* (Kat.-Nr. 106)

Rolf Iseli, *Endlandschaft mit Torferde* (Kat.-Nr. 107)

Christa Näher

108

Ohne Titel   1985

Dispersionsfarbe auf Nessel (3teilig), 250 x 630 cm
Galerie Bärbel Grässlin, Frankfurt/Main
Lit.: Christa Näher, Ausstellungskatalog Kunstmuseum Luzern 1984

Christa Nähers letzte Landschaften sind Bilder aus einer unwirklichen, ur- und endzeitlichen Welt, jenseits von Tag und Nacht. Sie sind Orte dämmrigen Zwielichts, in denen sich Raum und Zeit in unfaßlichen Dimensionen bewegen. Schwarz ist der den Bildraum dominierende Grundton, der durch sparsam eingesetzte Lichteinfälle – diffuse, atmosphärische Strahlen – strukturiert wird. Dunkelheit beherrscht die Fläche, es ist, als würden Nacht und Wasser die vom Menschen verlassene Erde überfluten.

Nur Pferde bevölkern die Landschaft, die wie lemurenhafte Wesen verschwommen und mitunter schattenhaft in Erscheinung treten. Sie sind zwar von einer beunruhigend jenseitigen Präsenz, haben aber ein irdisches Auftreten. Neben dem ganzen sinnbildhaften Assoziationsschatz, der das Pferd seit jeher umgibt, hat es für die Künstlerin eine eigene Bedeutung. Es bezeichnet »das Animalische im Menschen, eine Lebensenergie, welche die zivilisierte Welt

mit Abscheu auszutreiben sich bemühte und die doch weiter wühlt und über den Tod hinaus weiter gebären wird, bis das Leben gegen den normierenden Zivilisations-Wahn sein Recht wiedergewinnt«[1].

Die Pferde sind Gestalten aus dem Bereich der Mythologie, sie entspringen einer traumatischen Urvorstellung von animalischer Kraft. Sie sind Sinnbild einer Sehnsucht nach ursprünglichem Leben, Symbole für die Kraft zum Widerstand und die tödliche Bedrohung zugleich. Sie ähneln nur wenig der dem Menschen geläufigen Spezies, ihnen haftet wenig Vertrauliches, eher Dämonisches und Monströses an.

»Warum ich solche Bilder male«, sagt Christa Näher, »weiß ich nicht. Ich weiß nur, daß ich sie malen muß«.

1 Annelie Pohlen, Die Gewalt der Bilder und die Gier nach Leben, in: Ausstellungskatalog Luzern, S. 5

Christa Näher, *Ohne Titel* (Kat.-Nr. 108)

Christa Näher, *Ohne Titel* (Detail)

Der Untergang der Titanic

Chiliasmus und Weltenende im 20. Jahrhundert

Richard W. Gassen

Die Apokalypse hat viele Gesichter. Und seit der Mitte unseres Jahrhunderts nimmt sie eine Vorstellung in sich auf, die bis dahin nicht bekannt war: daß sich das Ende der Welt auch ohne jedes höhere Zutun vollziehen kann. Der Mensch selbst ist in der Lage, die Katastrophe auszulösen. Dies ist ein absoluter Schnitt. Die Apokalypse ist kein Übergang mehr, dessen Grauen durch die Hoffnung auf eine neue Schöpfung gemildert würde.

Wenn auch seit dem Beginn der Neuzeit und seit der Entstehung des kopernikanischen Weltbildes das religiöse Interesse an der Apokalypse im allgemeinen zurückgeht, bleibt doch weiterhin das Problem der Eschatologie bestehen. Die Lehre vom Heilsgeschehen, die bislang aufs engste mit den Vorstellungen der Apokalypse verbunden war, kehrt in säkularisierter Gestalt wieder: als Botschaft vom Fortschritt. Dem Fortschritt stellen sich zwar Hindernisse entgegen, die seinen Gang hemmen, jedoch bedarf es keines endgültigen Untergangs, um den Sinn der Geschichte zu vollenden. Daß sich dieser Sinn erfüllt ist eine Überzeugung, die bis zu Hegel nachwirkt. Bereits Leibniz glaubt eine geheime Ordnung zu kennen, nach der die Historie ihren Weg zum Besseren geht. Lessing und Herder begründen eine Philosophie der Erziehung, die die Epoche auf die Prinzipien der Humanität zurückführen soll. Auch bei Karl Marx ist der Gedanke der Endzeit von universalhistorischer Bedeutung. Das »Kapital« als die Apokalypse der bürgerlichen Gesellschaft wird durch die Revolution des Proletariats beseitigt, die den Weg zu einem innergeschichtlichen Jenseits der klassenlosen Gesellschaft ebnet. So ist die Apokalypse selbst in ihrer säkularisierten Gestalt bis ins späte 19. Jahrhundert durch ein Gegenüber, ein als Sinnfigur wirkendes »Danach« begrenzt. Doch dann verschwindet auch diese Vorstellung, und es bleibt, als Möglichkeit, eine Welt, die nach ihrer Apokalypse keine mehr ist.

Die skizzierte philosophisch-historische Entwicklung läßt sich im Bereich der bildenden Kunst nachvollziehen. Löst sich seit der Renaissance und der Etablierung bürgerlicher Herrschaftsformen die Kunst mehr und mehr aus ihrem kirchlichen Kontext und findet zu autonomen Formen, so werden genuin religiöse Themen aus ihrem bibelgeschichtlichen Bezug herausgenommen und säkularisiert. Für die Darstellungen zur Apokalypse heißt dies, daß sich die Künstler tendenziell eher für die Schilderung der in der Johannesoffenbarung beschriebenen Katastrophen im Sinne von profanierten Weltuntergangsbildern zu interessieren beginnen; die Visualisierung des Heilsgeschehens als Ganzes ist nicht mehr ihr hauptsächliches Anliegen. Diese Tendenz verstärkt sich im 20. Jahrhundert.
Neben der Weiterführung traditioneller Apokalypsemotive in Einzelbildern, meist aber in Zyklen kirchlich gebundener Künstler, die sich häufig an Dürers Darstellungen anlehnen, entsteht eine große Zahl von Arbeiten, die als »apokalyptisch« zu bezeichnen sind: »apokalyptisch« im (weltlichen) Sinne von »endzeitlich«, ohne Anbindung an die literarische Vorlage. Neben den »Katastrophenbildern« englischer und amerikanischer Maler (John Martin, Francis Danby, Benjamin West) und den Kriegsallegorien Arnold Böcklins, Henri Rousseaus und Franz von Stucks finden sich in der Folge von Max Klinger und James Ensor zahlreiche Gemälde, Graphiken und Skulpturen, in denen sich ein Gefühl von »fin du monde«, eine resignative Todes- und Untergangsstimmung breitmacht. In Alfreds Kubins zeichnerischem Frühwerk, das kurz nach der Jahrhundertwende entstand, fehlt jegliche Perspektive auf einen neuen Himmel und eine neue Erde. Wo es ihm um das Chiliastische, die Erwartung der tausendjährigen Herrschaft am Ende der geschichtlichen Zeit geht, schildert er ein Himmlisches Jerusalem des Absurden, das bereits im Aufbau zum Untergang verdammt ist. So ist sein 1908 erschienener Roman *Die andere Seite* eine säkularisierte Umdichtung der Apokalypse, ohne ein »Happy-End«. In der Traumstadt *Perle*, die irgendwo in Asien liegt, regiert ihr Schöpfer Patera mit mystischen Kräften. Es ist ein Reich von Menschen, die im scheinbar Sinnlosen den verborgenen Sinn zu sehen glauben, bis der Widersacher in der Gestalt eines Managers einfällt, bis der Antichrist regiert und in sich steigernden Perioden des Untergangs ein Siegel nach dem anderen geöffnet wird. Tierhorden fallen über das kleine Land und seine Hauptstadt her, alles verkommt unter diesen Plagen. Als schließlich die »Befreier« herannahen, leben nur wenige noch auf den Trümmern. Über den Leichenbergen aber erscheint, wie bei Johannes, der weißgekleidete Sieger an der Spitze seiner himmlischen Reiterschar. Nun »dehnt sich der Boden wie Kautschuk, ein betäubender Knall erschüttert die Luft, der Palast Pateras stürzt ein . . .« Der Chronist vernimmt ein Donnern, »als stürmten unsichtbar die apokalyptischen Reiter daher«. Ein Vulkan bricht auf, und man schaut auf einen endlosen »Blutozean«.

Es gibt nicht *die* apokalyptische Kunst des 20. Jahrhunderts. Eine direkte Beziehung zwischen historischer Entwicklung und gesellschaftlich-politischen Ereignissen einerseits und der künstlerischen Beschäftigung mit der Apokalypse andererseits läßt sich nicht herstellen, ohne Gefahr zu laufen, einem platten, methodisch eingleisigen Widerspiegelungstheorem anheimzufallen. Bilder, die neben der Anbindung an die traditionelle Ikonographie das Thema des Weltenendes, des Weltenbrandes, des Verfalls, der Verbrennung, der kollektiven Vernichtung — all dies sei unter dem Begriff »apokalyptisch« subsumiert — visualisieren, finden sich in zahlreichen nationalen und internationalen Stilrichtungen, wobei eine Vorliebe für die gegenständliche Darstellung festzustellen ist. Um einige Beispiele zu nennen, die in der Ausstellung nicht gezeigt werden können, die aber dennoch nicht unerwähnt bleiben sollen: 1908 malte Carlo Carrà seine *Apokalyptischen Reiter*, aus dem Jahre 1914 datiert Franz Marcs Untergangsbild *Tirol* (Abb. 53). Von Ernst Ludwig Kirchner stammen zwölf – erst kürzlich wiederentdeckte – aquarellierte Federzeichnungen zur Apokalypse (1917), die er auf die Rückseiten von blaugrauen Zigarettenetiketten auftrug.[1] Kirchner hatte ursprünglich geplant, diesen Zyklus in Holz zu schneiden, zur Ausführung gelangten jedoch nur zwei Blätter. Auch Marc Chagalls *Engelssturz* von 1923/33/47 orientiert sich thematisch an der literarischen Vorlage (Abb. 55), während Scipiones Ölbild *Apokalypse* von 1930 eine freie Variante mit symbolischen Bezügen darstellt (Abb. 54). Peter Blumes *Eternal City* (Abb. 58) ist eine phantastische Vision, die mit Mitteln des Surrealismus und magischen Realismus die Vorstellung eines Himmlischen Jerusalem entwirft. Breiten Raum nehmen Darstellungen zur Endzeit im Œuvre des deutschen Surrealisten Edgar Ende ein. 1933, im Jahr der Machtübernahme durch die Nationalsozialisten, malte er *Die Barke*, 1953 das *Apokalyptische Interieur* (Abb. 56 und 57), ein Jahr später *Die Letzten*, alles Bilder, die von den letzten Tagen der Menschheit handeln.

Läßt sich zwar nicht eine unmittelbare Verbindung von der Zeit- zur Kunstgeschichte herstellen, so ist doch eine Tendenz unverkennbar: In Zeiten von Kriegen und Krisen häufen sich Bilder apokalyptischen Inhalts. Oder: Die steigende Anzahl apokalyptischer Darstellungen im Laufe unseres Jahrhunderts kennzeichnet den »Pegel der Beunruhigung«[2] und charakterisiert unsere Epoche als eine Krisenzeit, in der das Gefühl einer Weltangst immer mehr Menschen erfaßt. Im Gegensatz zu früheren Zeiten werden auch die entferntesten Kriege, bedingt durch die sich stets weiterentwickelnde Medientechnologie, für den einzelnen Menschen direkter erfahrbar, so daß sich in der jüngeren Zeitgeschichte das Bewußtsein einer kontinuierlichen Folge von kriegerischen Auseinandersetzungen einstellt: Erster Weltkrieg, Spanischer Bürgerkrieg, Zweiter Weltkrieg, Koreakrieg, Kubakrise, Suezkrise, Vietnamkrieg, arabisch-israelischer Krieg, Krieg zwischen Iran und Irak – über 130 Kriege hat man seit 1945 gezählt. Betrachtet man Geschichte unter diesem Aspekt, so darf einen die große

Abb. 53 Franz Marc, *Tirol*, 1914 (Bayerische Staatsgemäldesammlungen, München)

Abb. 54 Gino Bonici Scipione, *Apokalypse,* 1930 (Museo Civico, Turin)

Anzahl apokalyptischer Bilder während der letzten 70 Jahre nicht verwundern. Zum Teil reagieren die Künstler auf konkrete historische Ereignisse, zum Teil dokumentieren sie in ihren Bildern des Krieges, des Todes und des Weltuntergangs auch individuelle und kollektive *Gefühle* der Angst und der Bedrohung.

Zu Beginn des Jahrhunderts ist eine weitverbreitete, aus der Kritik an Materialismus und Positivismus resultierende negative Stimmung zu verzeichnen. Aus dieser erwächst aber auch eine entgegengesetzte Tendenz, die, entsprechend der christlichen Prophetie, ein positives, ein Hoffnungsmoment enthält: den chiliastischen Gedanken einer neuen Welt, wie ihn bereits die »Drei-Zeiten-Lehre« Joachims von Fiore (1130–1202) im »dritten Reich«, dem Reich des Hl. Geistes, formulierte[3]. Eine neue Welt, die sich nicht etwa im Materialismus einer »neuen Erde«, sondern in dem Bau einer besseren Welt aus dem Geist manifestiert. Religiöse und parareligiöse Bewegungen entstehen, Rosenkreuzertum und Theosophie melden ihre mystisch-reformatorischen Ansprüche an[4]. So prophezeit die Theosophin Helene Blawatzky, »daß im 21. Jahrhundert die Erde ein Himmel sein werde im Vergleich zu dem, was sie gegenwärtig ist«. Jugendstil, der Monte Verità bei Ascona und die de-Stijl-Bewegung in den Niederlanden versuchen diese Vorstellungen einer besseren Welt zu verwirklichen. Wassily Kandinsky stellt in seiner 1910 verfaßten Schrift über das *Geistige in der Kunst* die Behauptung auf, daß sich der Künstler als Diener höherer Zwecke fühlen solle, »dessen Pflichten präzis, groß und heilig sind«[5], und hebt dabei auf die Rolle ab, die der künstlerisch-ästhetischen Produktion für die Schaffung einer neuen Welt zukommt. Er wendet sich mit Nachdruck dagegen, daß die »reine Kunst nicht für spezielle Zwecke dem Menschen gegeben, sondern zwecklos sei, daß Kunst nur für Kunst existiere«[6]. Die Kunst ist zwar »ein Reich für sich«, das »durch eigene und nur ihm eigene Gesetze regiert wird«, aber mit »den anderen Reichen zusammen« bildet »es im Grund das große Reich, das wir nur dumpf ahnen können«. Und Ludwig Rubiner, ein Literat des Expressionismus, schreibt: »Alle Abbilder des Gewesenen kauern dem Menschen auf dem Buckel . . . der Maler . . . steht noch im Dunkel, schon schmeißt er mit Sonnen . . . Er schafft neu. Neue Welten, neue Körper, neue Wesen . . . der Maler ändert die Welt. Die alte Welt ist vorbei, er macht die neue.« Diese Dynamik kommt aus einer Weltgerichtsstimmung: »Sähen wir nur endlich einmal die Explosion, die völlige Zerschmetterung des Gewesenen; dies ungeheuerliche neu Aufgetane. Die neue Welt. Und den

Abb. 55 Marc Chagall, *Der Engelssturz*, 1923/33/47 (Kunstmuseum Basel)

Lawinenabgrund zur alten . . . Der Maler . . . hat diesen Krieg einmal vorhergesehen . . . die Vernichtung des Bodens . . . den Mord, die Wurmexistenz der Überlebenden in Urhöhlen . . . da schuf er schnell und viel, Jahre vor der Tatsache des Krieges seine Paradiesbilder für Menschen. Hier sind Bäume Kristallgewächse . . . Zuchtplätze für ein Menschengeschlecht, das in den Paradiesen dieses utopischen Genies einzig wohnen darf . . . Menschen, göttliche Glanzwesen, geschaffen für Paradiese.« Die ganze neue Malerei sei Zeichensetzung einer neuen Welt: »Sind wir nicht Geistige, um alle feurigen Flüsse in den Bund des Geistes zu gießen!«[7] Diese Vorstellungen vom »Tausendjährigen Reich des Geistes« konnten nicht von Bestand sein, sie konnten sich im politischen und sozialen Klima der 10er und 20er Jahre, der Zeit des Ersten Weltkrieges, der Oktoberrevolution und der Weltwirtschaftskrise nicht behaupten. Endgültig verdrängt wurde der geistig-künstlerische Chiliasmus durch den politischen im Jahre 1933.

Das »Tausendjährige Reich«, das sich zwischen 1933 und 1945 etablierte, setzte allen chiliastischen Bestrebungen in der Kunst ein Ende, erst in Deutschland, später nahezu im gesamten Europa. Apokalyptische Darstellungen hatten im Programm der offiziellen NS-Kunst keinen Platz. Zum einen war das »Tausendjährige Reich« ja schon angebrochen, so daß der Chiliasmus-Gedanke obsolet war; zum anderen paßte die Vorstellung von der bildhaften Darstellung apokalyptischer Katastrophen nicht in das Konzept einer Staatskunst, die selbst noch im »totalen« Krieg in den ganz im Stil eines althergebrachten Akademismus gehaltenen Akten Ivo

Saligers, den verlogenen Familienidyllen Paul Mathias Paduas oder den heroisierenden Monumentalskulpturen Arno Brekers und Josef Thoraks schwelgte. (Einzige Ausnahme ist der vierteilige, in »altdeutscher« Manier gemalte Zyklus *Die apokalyptischen Reiter* des systemkonformen Künstlers Werner Peiner.) Demgegenüber formierte sich eine oppositionelle Kunst im Widerstand und im Exil, deren prominenteste Vertreter, George Grosz, Felix Nussbaum, Karl Hubbuch, Frans Masereel, Hans und Lea Grundig und Otto Pankok, zum Kampf gegen das NS-Regime aufriefen. Nicht unerwähnt bleiben sollen im Hinblick auf die Themenstellung jene Zeugnisse des Schreckens und der Vernichtung, die in den Konzentrations- und Todeslagern Europas entstanden: künstlerische Dokumente eines Holocaust, die weder zu Entstehungszeiten bekannt wurden noch bis heute auf großes Interesse gestoßen sind (Abb. 59), sei es aus Gründen notorischer Vergangenheitsverdrängung oder aus einem mangelnden kunsthistorischen Interesse. *Bilder der Apokalypse* nennt Mary S. Costanza in ihrer 1983 veröffentlichten Publikation[8] diese Arbeiten aus Buchenwald, Mauthausen, Dachau, Theresienstadt, Auschwitz, Treblinka, Sobibor, Chelmno, Majdanek und anderen Konzentrations- und Vernichtungslagern. Die »Endlösung«, wie sie 1942 in der Wannseekonferenz beschlossen wurde, sollte die Apokalypse des jüdischen Volkes werden. Die Geschichte des Holocaust ist bekannt. Zahlreiche Künstler haben die Greuel der als Duschräume getarnten Gaskammern, der Krematorien, der Einsatzgruppen, der pseudomedizinischen Experimente und der Massenerschießungen im Bild festgehalten.

Diese Arbeiten können nicht mit herkömmlichen Maßstäben gemessen werden, eine rein künstlerisch-ästhetische Betrachtungsweise wäre angesichts der Unmittelbarkeit der Aussage unzureichend. Vielleicht zeugt die künstlerische und geistige Betätigung der Betroffenen im Angesicht der Vernichtung von ihrem Lebenswillen und ihrem Glauben an die Rückkehr in eine geistig und moralisch intakte Welt. Die Bilder von der Vernichtung als Hoffnungsbilder für die Nachwelt?

Fast zeitgleich mit dem Ende des Genozids entstand ein neues »Bild« der Massenvernichtung:
Am 6. August 1945, 8.15 Uhr Ortszeit, wurde über Hiroshima die erste in einem Krieg eingesetzte Atombombe gezündet. In einem Umkreis von einem Kilometer Durchmesser wurde alles Leben vernichtet, in einem Umkreis von zwei Kilometern Durchmesser gab es für die Menschen kein Entrinnen vor dem Verbrennungstod. 80000 Menschen wurden in den ersten Sekunden getötet, 100000 starben in den folgenden Tagen, Wochen und Monaten. Bis 1978 wurden in Japan 370000 amtlich registrierte Opfer gezählt, die als Überlebende der Bombardierung von Hiroshima und Nagasaki unter den Folgeschäden der Radioaktivität leiden.

In einer Folge von 57 Blättern versuchte Arnulf Rainer das Grauen von Hiroshima zu visualisieren (Abb. 60A und 60B). Gestisch übermalte anonyme Photovorlagen schufen eine neuartige Bildrealität, die das reportagehafte Grauen in tiefe Betroffenheit überführen sollen. Der Problematik seines Vorhabens war sich Rainer bewußt:

»Ich wußte genau, daß ich eine auch nur provisorische künstlerische Form dafür nicht finden könnte. Jetzt, nach dem Vorliegen der Blätter, sehe ich ihr Uneingelöstes, Verfahrenes, Obergründiges, Verschleiertes. Sie sind bestenfalls Anläufe in ein Nichts, Nebelsprünge . . . Das Inferno ist dem verweilenden Auge unfaßbar . . . Die Nähe des Schrecklichen, die unmittelbare Betroffenheit, sind Kategorien, an die die Kunst nicht herankann . . . Wir ahnen heute alle, daß damals in Hiroshima das Ende der Menschheit eingeläutet wurde . . . Es war der Anfang. Ob wir uns es eingestehen oder nicht, so wird das unabwendbare Ende der Menschheit geschehen . . .«[9]

Das Ende des Zweiten Weltkriegs leitet eine neue Epoche ein, die Thomas Mann im August 1945 mit folgenden Worten charakterisiert: »Es sieht bedrohlich aus in der Welt. Der Friede hat einen düsteren Aspekt, niemand kann recht an ihn glauben, will es auch gar nicht, und um die Menschheit steht es so unheimlich wie nie«.[10] Mit dem ersten Atombombenabwurf kristallisiert sich allmählich ein allgemeines Bewußtsein davon heraus, daß der Mensch selbst

Abb. 58 Peter Blume, *Eternal City,* 1934/37 (The Museum of Modern Art, New York)

die Apokalypse herbeiführen kann. »Die Atombombe ist heute für die Zukunft der Menschheit drohender als alles sonst. Bisher gab es wohl irreale Vorstellungen des Weltenendes . . . Jetzt aber stehen wir vor der realen Möglichkeit eines solchen Endes« (Karl Jaspers)[11]. Für Günther Anders [12] zeichnet sich die heutige Epoche im Unterschied zu früheren Zeitaltern durch ihre Bestandlosigkeit aus. Menschen sind jederzeit imstande, die gesamte Realität – Gegenwart, Vergangenheit und Zukunft – auszulöschen. In der heutigen Zeit ist das Wesen der Zeit – die Vergänglichkeit – zum Wesen der Epoche geworden. Der atomare Untergang ist kein Selbstmord, sondern Ermordung der Menschheit. Die Menschheit ist zu einer einzigen großen Opfermasse geworden.
Atomwaffen sind im Grunde keine Waffen mehr, sondern Vernichtungsmonstren. Das Neue der atomaren Epoche liegt in der Wesensbestimmung der Waffen: Die Atombombe unterscheidet sich von allen bisherigen Waffen, weil die Differenzierung – den Feinden schaden, den Freunden nutzen – hinfällig wird. Atomwaffen bieten keinen Schutz, Verteidigung wird zur Selbstaggression. Der radioaktive Fallout macht vor keiner Grenze halt. Die Universalität der Bedrohung verhindert im Grunde deren Erkennbarkeit, sie ist zu einem Abstraktum, zu einer nicht erfaßbaren Größe geworden, die die Gefahr einer »Apokalypse-Blindheit« birgt. Neben die faktische Bedrohung als Folge der politischen und gesellschaftlichen Entwicklung tritt eine destruktive Moral, die, so Friedrich Dürrenmatt, die Selbstzerstörung der Menschheit unausweichlich macht: »Die Menschheit ist als ganze schuldig geworden, ein jeder will mit den

Abb. 56 Edgar Ende, *Die Barke,* 1933 (Privatbesitz)

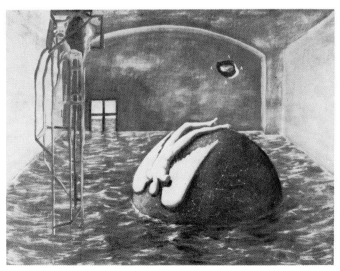

Abb. 57 Edgar Ende, *Apokalyptisches Interieur,* 1953 (Privatbesitz)

Idealen auch die Kehrseite retten: die Freiheit und die Geschäfte, die Gerechtigkeit und die Vergewaltigung. Der Mensch, der einst vor der Hölle erzitterte, die den Schuldigen im Jenseits erwartete, hat sich ein Diesseits errichtet, das Höllen aufweist, die Schuldige und Unschuldige in einer Welt gleichermaßen verschlingen, in der sich Gog und Magog nicht als Verbündete treffen, sondern als Feinde gegenüberstehen«.[13]

Es ist nicht gerade ein rosiges Welt- bzw. Zukunftsbild, das Literaten, Philosphen und Politiker, so auch John F. Kennedy, der in einer Rede vor der Uno am 25. September 1961 von einem »nuklearen Damoklesschwert«[14] sprach, entwerfen. Der Gedanke des Chiliasmus, die Hoffnung auf eine bessere Welt scheinen seit 1945 ins Abseits gedrängt zu sein. Man sucht vergeblich nach dem »pure(n) Lichtschloß Paradies«, das Ernst Bloch »neben dem gräßlichen und nachher der Kirche so dienlichen Pfuhl der Hölle« als »das höchste aller Luftschlösser« stehen sah[15]. Die säkularisierte Apokalypse versteht sich vornehmlich als negative Utopie, ohne Perspektive. »Die heutige Menschheit«, schreibt Siegfried Hagl, »hat paradoxerweise eigentlich nur noch eine einzige Hoffnung: Die Erwartung der Apokalypse im Sinne der Bibel«.[16]

Sprach schon 1938 Walter Schubart von der »apokalyptischen Stimmung, die über der Erde liegt«, so ist die heutige Endzeitstimmung mehr als nur Stimmung, denn dieses »Bild« will noch eine andere Realität und eine andere Vorstellung von Realitätsveränderungen vermitteln. Bislang war die Zusammengehörigkeit von Apokalypse und Utopie auf eine Realität bezogen, die vom Menschen verfügbar oder doch zumindest begreifbar war. Die jetzige Entwicklung hebt jedoch auf eine »surreale« Ebene ab, die kaum noch lebensweltlich, wissenschaftlich oder künstlerisch erfaßbar ist.

Abb. 59 Karel Fleischmann, *Theresienstadt*, 1943

Durch Verdrängung, Selbsttröstungen und Durchhalteparolen wird versucht, dieser »neuartigen« Variante der endzeitlichen Bedrohung Herr zu werden; ihre Eindeutigkeit wird durch (sprachliche) Umschreibungen verschleiert.[17] Sind nicht auch die No-future-Parole und die »Lust am Untergang«[18] (so ein Buchtitel des Literaturkritikers Sieburg aus den 50er Jahren) Ausdruck eines Weltgefühls, dessen Utopien sich in einer Mixtur aus George Orwells Überwachungsstaat *1984* und Aldous Huxleys sich zu Tode amüsierender *Schöner Neuer Welt* erschöpft zu scheinen haben?

Christa Wolf schreibt zu ihrer Erzählung *Kassandra*: »Jetzt muß man nicht mehr ›Kassandra‹ sein: Die meisten beginnen zu spüren, was kommen wird. Ein Unbehagen, das viele als Leere registrieren, als Sinn-Verlust, der Angst

macht. Eine neue Sinngebung durch die verbrauchten Institutionen – woran viele gewöhnt waren – ist nicht zu erhoffen. Zickzacklaufen. Aber ein Fluchtweg ist nicht in Sicht. Man fühlt sich gestellt. Australien ist kein Ausweg . . . Die Nachrichten beider Seiten bombardieren uns mit der Notwendigkeit von Kriegsvorbereitungen, die auf beiden Seiten Verteidigungsvorbereitungen heißen. Sich den wirklichen Zustand der Welt vor Augen zu halten, ist psychisch unerträglich. In rasender Eile, die etwa der Geschwindigkeit der Raketenproduktion beider Seiten entspricht, verfällt die Schreibmotivation, jede Hoffnung, ›etwas zu bewirken‹. Wem soll man sagen, daß es die moderne Industriegesellschaft, Götze und Fetisch aller Regierungen, in ihrer absurden Ausprägung selber ist, die sich gegen ihre Erbauer, Nutzer und Verteidiger richtet: Wer könnte das ändern. Der Wahnsinn geht mir nachts an die Kehle.«[19]

So unterschiedlich das heutige Apokalypsegefühl gegenüber früheren Zeiten zu sein scheint, so andersartig, aber auch vielfältig ist die künstlerische Beschäftigung mit dem Thema. Die Apokalypse stellt sich in der jüngeren Kunst in vielfältiger Gestalt dar. Viele negative Entwicklungen und Erscheinungen verdichten sich zu einem Konglomerat von Ängsten und Gefühlen des Bedrohtseins, welche die Künstler in ihren Bildern zur Sprache bringen: Waldsterben, Vergiftung der Flüsse und Seen, Reaktorunfälle, chemische Katastrophen, Genmanipulationen, die Zerstörung der Ozonschicht, die Vision vom elektronischen Überwachungsstaat, Neutronenbombe, Atomtod, die Perspektive eines »nuklearen Winters«, wie ihn die sogenannte TTAPS-Studie als Folge eines Nuklearkrieges prognostiziert[20]. »Auf viele Namen«, so Hans Magnus Enzensberger, »hört unser siebenköpfiges Ungeheuer: Polizeistaat, Paranoia, Bürokratie, Terror, Wirtschaftskrise, Rüstungswahn, Umweltvernichtung«.[21] *Endzeitgefühle* nennt Astrid Klein ihre großformatige Photoarbeit (Abb. 77), die unlängst auf einer für Werbetafeln vorgesehenen Wandfläche in der Hamburger U-Bahn angebracht wurde. Endzeitgefühle schwingen auch in den *Totenmasken* und *Mumienbildern* Arnulf Rainers, in den »Verbrennungen« Werner Knaupps, den Aktionsrelikten Peter Gilles', den Feuersturm-Bildern Robert Morris', den Bombenbildern Gerhard Richters, den Figurenbeugungen Jürgen Brodwolfs, den Portfolios Jonathan Borofskys und Martin Dislers, den Skulpturen Agenore Fabbris, den Endlandschaften Rolf Iselis, den *Miracoli* Marino Marinis, den Reiterbildern von Karl Marx mit. Die Arte-Cifra-Künstler Mimmo Paladino und Enzo Cucchi thematisieren das Gefühl des Untergangs und des Todes mit einer der archaischen Symbolik entlehnten Bildsprache. Auf der Biennale in Paris im Frühjahr 1985 ist die *Dirosapocalypse* des jungen Franzosen Hervé di Rosa zu sehen, eine 8 x 4 m große Mystifikation des Untergangs. Auch die neue deutsche Malerei bemächtigt sich des Sujets. In ihrer offenkundigen Ab- und Entwertung der Kunstwelt und dem Infragestellen vermeintlicher Werte kultureller Überlieferungen finden Künstler wie Peter Bömmels, Walter Dahn, Georg Jiri Dokoupil oder Rainer Fetting zu Formulierungen, die ihre Vorstellungen von Ende und Untergang in ungewohnten, »unakademischen«, häufig der Sphäre der Trivialkultur entnommenen Bildzeichen visualisieren.

Apokalypse-Bilder sind Bilder aus Krisenzeiten. Wie sich schon im zeitlichen Umfeld der beiden Weltkriege zahlreiche Künstler in Einzeldarstellungen und graphischen Zyklen dem Thema widmeten – Max Beckmann, Wassily Kandinsky, Frans Masereel, Fritz Winter, Richard Oelze, Marc Chagall, Otto Pankok –, so ist auch seit dem Beginn der 80er Jahre eine neue Konjunktur an Weltenende-Darstellungen zu konstatieren. Die in der Ausstellung gezeigten

Abb. 60A Arnulf Rainer, Hiroshima-Zyklus, 1982

Abb. 60B Arnulf Rainer, Hiroshima-Zyklus, 1982

Arbeiten, die nur einen begrenzten Ausschnitt aus dem gesamten Material vorstellen können, haben wenig Tröstliches, bieten wenig Hoffnung auf ein »Tausendjähriges Reich«, auf eine bessere Welt. Sie sind bildhafte Deutungen in Sinne von Günther Anders säkularisierter »nackter Apokalypse«, die ohne Einbindungen in ein christozentrisches Weltbild im »blanken Nichts« endet und so einem Weltgefühl korrespondiert, das Hans Magnus Enzensberger in dem Gedicht *Der Untergang der Titanic* wie folgt beschreibt:

»Wir ersticken einander
Die eingezwängte Wut
zerfetzt sich die Haut
und wird ohnmächtig
Entsetzlich viele
sind wir auf einmal
Wir zertreten
die Zertretenen
massenhaft weich
Ein panischer Pudding
der nach Angst riecht
scharf und rattenhaft
quellen wir und versinken
sackig und sanft.« [22]

16 Siegfried Hagl, Die Apokalypse als Hoffnung, München 1984, S. 392
17 Hans Jürgen Heinrichs, Die katastrophale Moderne. Endzeitstimmung, Aussteigen, Ethnologie, Alltagsmagie, Frankfurt am Main/Paris 1984, S. 16 f
18 Michael Nagula / Manfred Riepe (Hrsg.), No Future. Die Lust am Untergang, Basel 1982
19 Christa Wolf, Voraussetzungen einer Erzählung: Kassandra, Frankfurter Politik-Vorlesungen 1983, S. 97
20 Richard P. Turco, Owen B. Toon, Thomas P. Ackermann, James B. Pollack, Carl Sagan, Die klimatischen Auswirkungen eines Nuklearkrieges in: Spektrum der Wissenschaft, Oktober 1984, S. 36–50
21 Hans Magnus Enzensberger, Apokalypse heute, in: Leonard Reinisch (Hrsg.): Das Spiel mit der Apokalypse. Über die letzten Tage der Menschheit, Freiburg 1984, S. 86
22 Hans Magnus Enzensberger, Der Untergang der Titanic. 11. Gesang. Frankfurt am Main 1981, S. 45 ff

1 Waltraut Neuerburg, Der graphische Zyklus im deutschen Expressionismus und seine Typen. 1905–1925, Dissertation Bonn 1976, S. 99 f
2 Max Peter Maass, Das Apokalyptische in der modernen Kunst, München 1965, S. 45
3 G. Wendelborn, Gott und Geschichte. Joachim von Fiore und die Hoffnung der Christenheit, Wien 1974
4 Peter Anselm Riedl, Wassily Kandinsky (rororo Bildmonographien), Reinbek bei Hamburg 1983, S. 49 f
5 Wassily Kandinsky, Über das Geistige in der Kunst, München (3) 1912, S. 118
6 Kandinsky, a. a. O., S. 117
7 Ludwig Rubiner, Der Mensch der Mitte, Berlin 1917, S. 74 ff
8 Maria S. Costanza, Bilder der Apokalypse. Kunst in Konzentrationslagern und Ghettos, München 1983
9 Arnulf Rainer in: Hiroshima, Ausstellungskatalog Bochum u. a. 1982–85
10 Thomas Mann, Briefe 1937–1947 (Hrsg. von Erika Mann), Frankfurt a. M. 1963, S. 438
11 Zit. nach: Totaler Untergang? in: Der große Ruf 12 (1960), S. 104
12 Günther Anders, Die atomare Drohung, München 1981
13 Friedrich Dürrenmatt, Menschen von heute vor den Bildern der Apokalypse, in: Du (11) 1951, S. 49
14 Bernhard Philberth, Christliche Prophetie und Nuklearenergie (14. Aufl.), Wuppertal 1982, S. 58 f
15 Ernst Bloch, Das Prinzip Hoffnung, Bd. 3, S. 1332 f

Alfred Kubin

109

Des Menschen Schicksal (Variante)
um 1902/03

Tuschfeder über Bleistift, braunviolett und hellgelb laviert, rot gespritzt
23,3 x 27,5 cm
Städtische Galerie im Lenbachhaus, München

110

Der Tritt   um 1902/03

Tuschfeder, grau laviert, gespritzt, 30,5 × 24,5 cm
Graphische Sammlung Albertina, Wien

Lit.: Alfred Kubin. Das zeichnerische Frühwerk bis 1904, Ausstellungkatalog
Staatliche Kunsthalle Baden-Baden u.a. 1977

Die beiden Zeichnungen entstammen dem Frühwerk des
Künstlers. Charakteristisch für diese Arbeitsperiode, die bis
etwa 1904 währte und die sich durch einen sorgfältigen, fast
akademischen Stil auszeichnet, ist die Vorliebe für skurrile
und makabre Themen. Fast immer werden diese Bilder von
einer existentiellen Abgründigkeit beherrscht, ihnen haftet
der Geruch des Todes an. »Man weiß nicht«, schrieb die
Magdeburger Zeitung anläßlich einer Ausstellung bei Paul
Cassirer im Januar 1902 in Berlin, »bedeuten diese Blätter
bloß das Ende eines gewollt sensationellen Anfangs oder
schon den Anfang eines verhängnisvollen Endes?«

In künstlerischer Hinsicht war Kubin das zeichnerische Werk
von Goya, Klinger, Redon, de Groux und Rops Vorbild;
weltanschaulich beeinflußten ihn neben Schopenhauers
pessimistischer Lebensphilosophie vor allem Friedrich
Nietzsches Schriften. Wie zahlreiche avantgardistische
Künstler und Literaten um die Jahrhundertwende war er
beeindruckt von der Heroisierung des großen und einsamen
Menschen fernab jeglicher Bindung an gesellschaftliche
Zusammenhänge und von der damaligen Vorstellung vom
»Übermenschen«. Dabei schwingen in Kubins Werk neben

Reflexionen über das individuelle Sein auch kritische Auseinandersetzungen mit Zeitphänomenen mit: Angriffe gegen
die bürgerliche Moral, gegen die Kirche und Wissenschafts-
gläubigkeit, ein Infragestellen des von Positivismus und
Evolutionismus begleiteten Fortschrittsoptimismus. Sexualität, der Traum und das Unbewußte, Hauptthemen der
zeitgenössischen Psychologie, beschäftigen den Künstler.
Freuds Theorien über die Traumarbeit und das Unbewußte
finden in seinen frühen Zeichnungen eine Übertragung ins
Bildhafte.

Kubin entwirft ein pessimistisches Welt- und Lebensbild,
das dem Bedrohlichen und Rätselhaften zugewandt ist und
in dem er seine Erfahrungen von Vereinsamung, Gefährdung, Verlorenheit und Trostlosigkeit in menschlichen
Grundsituationen festhält. Kurz nach der Jahrhundertwende und während einer nun vielfältig einsetzenden
Umorientierung auch in der Kunst entsteht sein Frühwerk,
das mit den Hauptakzenten der Neuromanik symphatisiert,
mit »dem Pessimismus, dem Heroenkult, dem Mythos vom
korrumpierten zivilisierten Menschen der Großstadt, dem
Kult des Ästhetizismus, dem Spiritualismus, Okkultismus
und vagen Mystizismus, dem Kult der Erotik und der sexuel-
len Perversion. Mit seinem künstlerischen, stilisierten Natur-
verständnis, seiner Verfallsmentalität, seiner Volksferne und
seinem Narzißmus und der individuellen Mythenbestim-
mung nimmt er auch teil an der geistigen Pervertierung
romantischer Ideen.«[1]

In Kubins berühmter Zeichnung *Hungersnot* (Abb. 61)
verbinden sich zwei traditionelle Motive: das des Apokalyptischen Reiters, mit dem Blake, Böcklin, Klinger, Rousseau
und von Stuck den Schrecken des Krieges ins Bild setzten,

Abb. 61 Alfred Kubin, *Hungersnot,* 1901/02 (Privatbesitz)

Alfred Kubin, *Des Menschen Schicksal* (Kat.-Nr. 109)

und die mehr literarische Vorstellung vom tod- und unheil-
bringenden gespenstischen Reiter, etwa Theodor Storms
Schimmelreiter. Ein Pferd-Reiter-Gespenst überfliegt eine
weite Landschaft, die leergefegt und abgestorben ist. Die
Gestalt ragt weit über den Horizont hinaus, sie wächst ins
Riesenhafte und überschreitet alles menschliche Maß.
Vorne als geschecktter Leib eines Apfelschimmels, über
dessen Haupt der abgeschlagene Kopf des Reiters auf
einer langen Lanze vorgehalten wird, hinten als Skelett
gezeichnet stellt sich das Gespenst als wesenhafte Erscheinung an der Grenze zwischen Leben und Tod dar.

In *Des Menschen Schicksal* steht eine nackte Frauengestalt
oberhalb eines Abgrunds, mit einem riesigen Rechen harkt
sie die fliehenden Menschen zusammen und treibt sie dem
Abgrund entgegen. Mit einem Tuch über dem Kopf steht die
Frau, als Allegorie des blinden Schicksals, mit dem Rücken
zu einem Bergmassiv, ähnlich wie eine mittelalterliche
Kathedralplastik der »Frau Welt« ist sie Sinnbild des Vanitas-
Gedankens. Schließlich symbolisiert die nackte junge Frau
die Erotik und die ihr anhaftende destruktive Macht, steigert
sie ins Mythische. Auch dieses Blatt thematisiert die Grat-
wanderung zwischen Leben und Tod. Welcher Art die
Bedrohung, die Vernichtung des Lebens ist, bleibt offen –
als Sinnbild für die Einsicht in die Unabänderlichkeit des
individuellen Schicksals oder Ausdruck eines allgemeinen
nihilistischen Weltgefühls?

Noch knapper und eindringlicher zeichnet Kubin die brutale
Gewalt des Schicksals in *Der Tritt*. Ein verzerrter, breit
gespreizter Fuß tritt aus dem Weltraum auf den Globus,
stößt ihn beiseite, wirft ihn aus seiner Bahn. Es scheint dies
das Ende der Welt, von überirdischen Kräften vollzogen,
aber nicht ganz ohne Beteiligung der Menschen verursacht.

1   Christoph Brockhaus, Das zeichnerische Frühwerk Alfred Kubins bis
1904, in: Ausstellungskatalog Baden-Baden, S. XXVIII

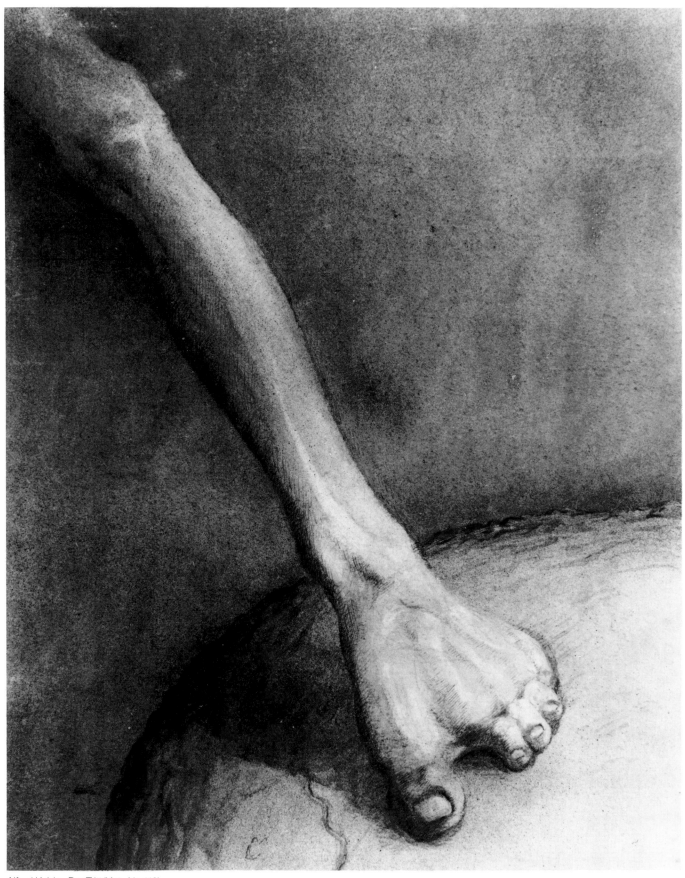

Alfred Kubin, *Der Tritt* (Kat.-Nr. 110)

Otto Friedrich

111

Der Jüngste Tag   um 1908

Farblithographie, 35,7 × 25 cm
Galerie Michael Pabst, München
Lit.: Der 1. Weltkrieg, Ausstellungskatalog Galerie Michael Pabst, München
1982; Experiment Weltuntergang. Wien um 1900, Ausstellungskatalog
Hamburger Kunsthalle 1981 (Hrsg. Werner Hofmann)

In seiner Farblithographie *Der Jüngste Tag* aus dem Jahre
1908 verknüpft der österreichische Maler Otto Friedrich die
christliche Erlösungshoffnung nach dem Kreuzestod Christi
mit dem Thema des Weltgerichts.

Eine Wolkendecke trennt den in die Ferne blickenden
Gottessohn und Weltenrichter von einer aus großer Höhe
gesehenen öden Erdkruste. Einzig das Kreuz mit dem toten
Erlöser stellt die Verbindung zwischen den beiden gegeneinander abgegrenzten Bildhälften her, es ragt aus der wasser-
umspülten Küstenlandschaft durch die Wolkendecke
empor und reicht bis unter die verschränkten Arme des in
meditativer Haltung schauenden Gottessohnes. Die Men-
schenleiber in der unwirtlichen, steinigen Landschaft liegen
verkrümmt über- und untereinander, wie nach einer großen
Katastrophe – wie sie sechs Jahre nach Entstehung des
Blattes ja auch eintreten sollte.

Otto Friedrich, *Der Jüngste Tag* (Kat.-Nr. 111)

Max Beckmann

112

Auferstehung 1908/09

Staatsgalerie Stuttgart
Öl auf Leinwand, 395 × 250 cm
Lit.: E.G. Güse, Das Frühwerk Max Beckmanns, Bern 1977
Max Beckmann – Retrospektive, Ausstellungskatalog Haus der Kunst,
München 1984; Max Beckmann, Das graphische Werk, Ausstellungskatalog Wilhelm-Hack-Museum, Ludwigshafen/Rh. u.a. 1984

»Mein Herz schlägt mehr nach einer roheren, gewöhnlicheren, vulgäreren Kunst, die nicht verträumte Märchenstimmungen lebt zwischen Poesien, sondern dem Furchtbaren, Gemeinen, Großartigen, Gewöhnlichen Grotesk-banalen im Leben direkten Eingang gewährt. Eine Kunst die uns im Realsten des Lebens unmittelbar gegenwärtig sein kann.«[1]

Der 24jährige Max Beckmann schreibt dies in seinem Berliner Tagebuch vom Winter 1908/09, während er an der Auferstehung arbeitet. In dieser Eintragung manifestiert sich der Wunsch und Anspruch des jungen Malers an seine Kunst: Leben zu erfassen und darzustellen, und zwar, wie es in einer weiteren Tagebuchstelle heißt, »wildes grausames, prachtvolles Leben«[2]. Die Auseinandersetzung mit den Gedanken Schopenhauers und vor allem Nietzsches ist für ihn, wie für viele seiner Zeitgenossen, prägend. Ihr Einfluß kann in frühen Werken und Schriften nachgewiesen werden, sie scheinen ihm auch schmerzhaft bewußt gemacht zu haben, welcher Zwiespalt sein Leben als Künstler begleiten und bestimmen sollte und wie begrenzt seine Mittel, seine Zerrissenheit zu überwinden, noch waren. Es ist das Gefühl des Abgetrenntsein von den Dingen, die er als Maler darstellt, es ist das Problem der Authentizität. Für Beckmann, dessen Streben auf sehr persönliche und dennoch allgemeingültige künstlerische Formulierungen von Leben gerichtet ist, ein unerträglicher Zustand, den er nicht bereit ist hinzunehmen: »Vor mir liegt der Schopenhauer pflichtschuldigst und trotz ihm habe ich gar keine Lust weiter in diese stumpfsinnigen blöden Mysterien eines Menschen einzudringen, der bei lebendigem Leib vertrocknet scheint. Ich will leben, ich schreibe es tausendmal.«[4]

Vor dem Ersten Weltkrieg entsteht eine Reihe großformatiger Vielfigurenbilder, denen allen gemeinsam ist, daß sie Grenzbereiche menschlichen Lebens thematisieren. Die Rahmenhandlungen entnimmt Beckmann unterschiedlichen Bereichen. Es gibt Sterbeszenen, die den privaten natürlichen Tod und seine Wirkung auf anwesende Beobachter behandeln. Die Katastrophenberichte, die Beckmann nach Zeitungsmeldungen phantasiert, zeigen den Überlebenskampf von Menschen nach einem Schiffsuntergang oder einem Erdbeben, Schlachtenbilder nach mythologischen Stoffen wimmeln von Kämpfenden und Besiegten. Auch aus der christlichen Bildtradition bezieht Beckmann seine Themen, wobei dem Neuen Testament mit der Passion Christi als Paradigma menschlichen Leidens eine besondere Rolle zukommt[5]. Anläßlich einer Ausstellung 1928 in der Mannheimer Kunsthalle urteilt Hartlaub: »In einer zähflüssigen Malweise, in schweren, oft rauschhaften Trauerfarben, nicht selten stockend und ungelöst, in Einzelheiten oft genialisch, oft von höchstem Können und Geschmack, entstehen Kolossalbilder wie die Auferstehung, Amazonenschlacht, oder das Erdbeben von Messina, Versuche, das heute Gegenwärtige unmittelbar an das Zeitlose-Mythische anzuschließen. Im Ganzen betrachtet bedeuten diese Riesenwerke – in ihrem nicht zu bewältigenden Format, ihrer unfröhlichen Farbigkeit, ihrem oft ungelösten Aufbau – ehrenvolle Niederlagen eines Anfängers.«

Max Beckmanns Auferstehung von 1908/09 scheint auf den ersten Blick eine konventionelle Bearbeitung des neutestamentlichen Themas. Dieser erste Eindruck wird durch die formale Einhaltung der in Italien entwickelten Tradition von Weltgerichtsbildern hervorgerufen, zu deren Höhepunkten Michelangelos Fresko in der Sixtina, das Große Jüngste Gericht von Rubens in München sowie El Grecos Begräbnis des Grafen Orgaz in Toledo zählen. Auffällig ist das sehr steile Hochformat, das die Aufwärtsbewegung in der Komposition unterstreicht. Das Gemälde ist klar in einen oberen und einen unteren Bereich gegliedert, der obere weist eine weitere Unterteilung in drei etwa gleich große Felder auf, der Teilung in die aufsteigenden Seligen, den Weltenrichter und die herabstürzenden Verdammten entsprechend. Bei Beckmann ist die Dreiteilung inhaltlich nicht begründet, denn zum einen blendet er die eigentliche Gerichtsszene mit dem im Zentrum thronenden Weltenrichter aus, zum anderen gibt es bei ihm keine herabstürzenden Gestalten. Alle Toten steigen gleichermaßen zu der Lichterscheinung in der Himmelszone empor. Daß an ihrer Anordnung zu einer Doppelreihe festgehalten wird, kann als Verweis darauf verstanden werden, daß hier ein herkömmlicher Bildtypus mit neuem Sinn erfüllt werden soll.

Die nackten Leiber der Auferstehenden türmen sich zu zwei Menschensäulen. Ein Sog scheint von der Lichtquelle auszugehen und sie immer stärker emporzuziehen, während sie sich ihrem Ziel nähern. Die Körper derer, die den Aufstieg eben erst begonnen haben, sprechen noch von ungeheurer Anstrengung und Qual, die die Loslösung von der Erde ihnen bereitet. Sie scheinen all ihrer Muskelkraft zu bedürfen, die Verhaftung mit der Erde zu überwinden, welche vor allem in den unteren, dunkleren Körperpartien sichtbar wird. Ausnahmslos werden die Emporsteigenden als schöne, unversehrte und lebendig wirkende Menschen dargestellt, Anatomien und Ausdrucksgebärden lassen Michelangelos Sixtina-Fresko als Vorbild vermuten. Die Anregung durch Rodins Höllenpforte, die auch als ein »säkularisiertes Jüngstes Gericht«[6] bezeichnet wird, liegt ebenfalls nahe. So erinnern nicht nur die oben zusammenlaufenden Menschensäulen an die Form eines Tores, auch Gebärden und Modellierung einzelner Figuren weisen Parallelen auf. Die leidvolle Hinwendung des Verlorenen Sohnes zum Himmel mit emporgereckten Armen bei Rodin hat ihre Entsprechung in den unteren Aufsteigenden bei Beckmann. Zum oberen Bildrand hin werden die Körper mit zunehmender Helligkeit scheinbar leichter und schemenhafter bis zur völligen Auflösung im Licht. Ob ihr weiterer Weg dem Blick des Betrachters nur entzogen wird oder ob sie tatsächlich körperlos geworden sind, bleibt offen.

Der untere Bildteil wird vollständig von der dichtgedrängten Menge der die Auferstehung erwartenden Toten und der Lebenden eingenommen. Sie ist nur zum unteren Bildrand hin aufgelockert. Hier sind einzelne Personen erkennbar, individuelle Gesichtszüge auszumachen. Über die Breite des Bildes verteilt befinden sich auf dieser Ebene sieben identifizierbare, porträthaft ausgeführte Personen, die anhand ihrer festlichen Kleidung als zusammengehörig ausgewiesen sind. Es sind Freunde Max Beckmanns, seine Familie und der Maler selbst. Am rechten Bildrand die Gräfin Hagen, mit gefalteten Händen zum Himmel gewandt.

Neben ihr Dr. Franz Kemper, dahinter mit gesenktem Kopf der Maler Wilhelm Giese. Eine kniende Frau, vermutlich Beckmanns Schwägerin Annemarie, verbindet diese drei durch eine Ergebenheitsgeste ihrer Hände mit der zugehörigen Gruppe auf der linken Seite. Dort drüben steht im weißen Kleid Beckmanns Frau Minna Beckmann-Tube. Sie ist in Betrachtung zweier nackter, gebeugter Rückenfiguren versunken, die Hände hält sie unter dem Kinn gefaltet. Hinter ihr verfolgt ihre Mutter in ruhiger und zuversichtlicher Haltung das Auferstehungsgeschehen. Am Bildrand schließlich Max Beckmann selbst. Er ist zu zwei Gestalten im Vordergrund gewendet, die zu den Verdammten gehören könnten, da der eine resigniert zu Boden sieht, während der andere sich verzweifelt die Ohren zuhält, als müsse er sich vor einem schrecklichen Getöse schützen. Beckmann selbst scheint kein Geräusch wahrzunehmen. Blick und Haltung lassen seinen Wunsch nach Teilnahme erahnen, die schützende, selbstbezogene Geste der Rechten nimmt dies aber wieder zurück und stellt Distanz her.

Die Anwesenheit dieser Gesellschaft ist irritierend. Sind sie die Lebenden, die mit den Toten auf die Auferstehung warten? Handelt es sich um die Materialisation religionsphilosophischer Gespräche, wie Beckmann sie häufig im Hause Tube geführt hatte? Sind hier nur zwei »harmlose Bildkonzeptionen«[7] ineinandergeschoben worden, eine Salonszene und die Imagination der Auferstehung im christlichen Sinne?

Auffällig ist die Kommunikationslosigkeit innerhalb der Gruppe, durch die unterschiedlichen Blickrichtungen

Abb. 62 Auguste Rodin, *Die Höllenpforte,* 1880/1917

deutlich hervorgehoben. Es scheint, als liefere Beckmann ein Schaubild seiner eigenen Lebensphilosophie und der ihm Nahestehenden, mit der jeder von ihnen allein ist und bleiben muß. Die offensichtliche Einsamkeit der Lebenden bildet hier einen Gegensatz zu der einheitlichen Hinwendung der Toten zum Himmel, ihrer Verschmelzung zu einer unüberschaubaren Masse im Mittelgrund des Bildes und schließlich ihrer gemeinsamen Auflösung im Licht. Nichts weist darauf hin, daß Beckmann, seine Familie und seine Freunde daran teilhaben werden.

Die Frage, ob Beckmann das Motiv der Verdammten ganz ausspart oder sie in den gequälten Gestalten der untersten Bildebene gibt, kann nicht eindeutig geklärt werden. Sie lassen aber den Schluß zu, daß es auch einen Sog nach unten geben könnte, der die Schwachen und Mutlosen in den Erdboden hinabzieht. Die unteren Körperpartien der sich quälenden Figuren sind dem Blick entzogen, ob sie knien oder versinken, bleibt unentschieden. Halten sie die Köpfe im reuigen Gebet gesenkt, oder blicken sie in die Richtung, in die sie gehen müssen? Sie sind als einzige unter den Toten nicht auf die Lichterscheinung ausgerichtet.

Die Lichtquelle an der Stelle des Weltenrichters bildet den zentralen Punkt, auf den das Geschehen inhaltlich und formal ausgerichtet ist. In der Beckmann-Literatur wird sie immer wieder mit dem Sonnengleichnis in Nietzsches »Zarathustra« in Verbindung gebracht. Zarathustra vergleicht sich mit der Sonne, deren Glück es sei, ihren Lichtüberfluß an die abgeben zu können, denen sie leuchtet. Als erkenntnisbringender Lehrer des Übermenschen ist er jetzt das Licht der Welt, was vordem Gott war[8]: »Wahrlich, der Sonne gleich liebe ich das Leben und alle tiefen Meere. Und dies heißt mir Erkenntnis: alles Tiefe soll hinauf – zu meiner Höhe.«[9] Der Denker Zarathustra verweist wieder auf die *Höllenpforte.* Rodins *Denker* nimmt dort ebenfalls die zentrale Stelle ein. Er befindet sich in der Mitte des Tympanons, auf dem das Lebensmartyrium dargestellt ist, in das die Menschen wie im Rausch hineingetrieben werden[10]. Die Lebenden und Toten im unteren Bildbereich wären demnach die »Bruchstücke und Gliedmaßen und grausen Zufälle«[11], die Zarathustra anstelle von Menschen auf Erden vorfindet. Die Lichtzone wäre also der Schauplatz jener Vision vom zukünftigen, erlösten Menschen; das Auferstehungsgeschehen wäre als Sinnbild der Entwicklung des Menschen zum Übermenschen zu verstehen.

1 Max Beckmann, Leben in Berlin, München 1983, S. 22
2 Ebd., S. 36
3 H. Belting, Max Beckmann – Die Tradition als Problem in der Kunst der Moderne, München 1984, S. 21
4 Zit. nach: Ausstellungskatalog Ludwigshafen/Rh., S. 11
5 Ebd., S. 11
6 Schmoll-Eisenwerth, Rodin-Studien, München 1983, S. 230
7 Fr.-W. Fischer, Max Beckmann. Symbol und Weltbild, München 1972
8 Ausstellungskatalog Ludwigshafen/Rh., S. 15
9 Fr. Nietzsche, Werke II, Schlechta-Ausgabe, München 1955, S. 380
10 Schmoll-Eisenwerth, a.a.O., S. 230
11 Fr. Nietzsche Werke II, a.a.O., S. 393

Max Beckmann, *Auferstehung* (Kat.-Nr. 112)

113
Auferstehung   1918

Radierung auf Bütten, 23,8 x 33,4 cm
Städtische Galerie im Städelschen Kunstinstitut, Frankfurt/Main

114
Auferstehung   1918

Tusche mit Feder, 25,3 × 30,8 cm
Privatbesitz

Lit.: Dietrich Schubert, Max Beckmann. Auferstehung und Erscheinung der
Toten, Worms 1985; Max Beckmann. Retrospektive – Ausstellungskatalog
Haus der Kunst München 1984; Max Beckmann, Briefe im Kriege,
München 1984

Zwischen der 1908/09 entstandenen *Auferstehung* und
dem unvollendeten Ölgemälde gleichen Titels der Jahre
1916–18 (Abb. 63) sowie der danach radierten Fassung und
der Federzeichnung von 1918 liegt für Max Beckmann das
Erleben des Ersten Weltkrieges als deutliche Zäsur in seinem
Dasein als Mensch und Künstler.

1914 meldet er sich freiwillig zum Militärdienst und nimmt als
Sanitäter an der Front die grausame Realität aus nächster
Nähe und mit der ihm eigenen Intensität wahr. Die an seine
Frau Minna gerichteten Briefe aus dem Kriege zeugen
davon, daß Beckmann das ihn umgebende Geschehen als
Erscheinungsform des Lebens betrachtet, bis zu deren
Grenzen er in seinem Streben nach Authentizität vordringen
muß: »Alles ist Leben, wunderbar abwechslungsvoll und
überreich an Einfällen. Überall finde ich tiefe Linien der
Schönheit im Leiden und Ertragen dieses schaurigen
Schicksals.« [1] Alles drängt ihn zur Verbildlichung seiner
Wahrnehmungen, und in dem »wilden, fast bösen Lust-
gefühl... zwischen Leben und Tod zu stehen« [2] zeichnet er
unaufhörlich: »Meine Kunst kriegt hier zu fressen.« [3] Die
Unfaßbarkeit der Eindrücke schlägt sich in wiederholten
»wunderbaren Weltuntergangsträumen« [4] nieder, die
Existenz des Lebens empfindet er zeitweise als »paradoxen
Witz« [5].

Nach seiner Entlassung aus dem Militärdienst aufgrund
eines psychischen Zusammenbruchs beginnt Beckmann
1916 in Frankfurt auf einer riesigen Leinwand die Arbeit an
der zweiten *Auferstehung*. »Zur Sache« schreibt er in das
Bild, als Mahnung an sich selbst, nicht in eine reine Illustration des erfahrenen Grauens zu verfallen, sondern eine
überzeitliche, gültige Formulierung zu erarbeiten. Er beabsichtigt, sie zusammen mit vier weiteren vergleichbaren
Bildern in modernen »Andachtshallen« [6] auszustellen. Doch
schon die *Auferstehung* bleibt unvollendet. Beckmann
selbst mag sie als unvollendbar betrachtet haben, denn als
er 1918 das Motiv für einen Radierzyklus bearbeitet, verändert er weder die Konzeption, noch fügt er ihr etwas hinzu,
sondern verdeutlicht lediglich einige Details – eine Notwendigkeit, die sich aus der exakteren Linienführung und der
Unfarbigkeit der Radierung ergibt. In diesem Sinne kann
das Offenbleiben der Komposition als ein ihr wesentlicher
Bestandteil verstanden werden und somit einen wichtigen
Interpretationshinweis liefern. Es gibt eine Frage, für die der
Künstler keine Lösung anbieten kann: »Wir müssen eben
annehmen, daß das Leben nicht alles ist. Wie, wieso und
warum, das geht uns eben nichts an. Man muß auf alles
gefaßt sein.« [7] Daß dies nicht Kapitulation bedeutet, belegt
eine Äußerung Beckmanns, die sich gerade auf die *Auferstehung* zu beziehen scheint: »Ich werfe in meinen Bildern Gott
alles vor, was er falsch gemacht hat«. [8]

Das querformatige Bild ist deutlich symmetrisch angelegt,
die beiden Seiten werden – an Triptychonflügel erinnernd –
von jeweils zwei Gruppen eingenommen, die in Maßstab
und Ausführung stark differieren. Der Mittelteil wird von der
diagonal verlaufenden Bewegung der großen auferstehenden Figur bestimmt. Unter einer sich apokalyptisch verfin-
sternden Sonne versinken Ruinen zwischen beunruhigend
verschobenen, aus dem Gleichgewicht geratenen Hügeln.
In dieser wie ein expressionistisches Bühnenbild gestalteten
Landschaft sind mehrere gleichzeitige und aufeinander-
folgende Sequenzen des Auferstehungsgeschehens dargestellt.

Die bizarr verrenkten Menschen im oberen Bildteil lassen
erst bei näherem Hinsehen die traditionsgemäße Aufteilung
in Verworfene und Angenommene erkennen, denn sie sind
alle gleichermaßen von Krieg und Hunger gekennzeichnete,
mitleiderregend ausgemergelte Gestalten. Die spiegelbild-
liche Radierung unterschlägt im Gegensatz zum Gemälde,
daß Beckmann die Seiten vertauscht, er also seinen eigenen
Standpunkt als Maler für den des Weltenrichters setzt, zu
dessen Rechter die Seligen und Linker die Verdammten
gegeben werden.

Saturn als Planet des Krieges und der Zerstörung bildet den
düsteren Hintergrund für das Leiden der Verworfenen,
seiner Kinder. Die stark vergrößerten Extremitäten der
überlängten Figuren verweisen auf die Bedeutungsperspektive in christlichen Darstellungen des Mittelalters, wie etwa
in Grünewalds *Isenheimer Altar* (um 1513–15, heute in
Colmar). Die so betonten Gebärden sprechen von Schmerz,
Verzweiflung und Hoffnungslosigkeit. Eine in Trauer über
den Untergang der Welt und ihr besiegeltes Schicksal
verhüllte Gestalt entlehnt Beckmann vermutlich Claus
Sluters *Pleurants* vom Grabmal Philipps des Kühnen
(1404–05, in Dijon) [9]. Darunter liegt langgestreckt eine
ausgezehrte weibliche Figur, ihren toten Säugling neben
sich. Ihre zum Himmel gerichtete Geste bringt die Klage
über die Unausweichlichkeit der Verbindung von Geburt
und Tod zum Ausdruck. Eine zweite weibliche Gestalt
neben ihr hält die gekreuzten Hände abwehrend gegen den
Wind, der ihr Gewand nach oben schlägt. Es fällt auf, daß
diese Gruppe im Gemälde weiter ausgearbeitet ist und
auch in der Radierung ausdrucksstärker bleibt als die
gegenüberliegende Gruppe der Angenommenen. Hier sind
als empfindende Individuen einzig die zum Betrachter
gewandte Frau mit den Strümpfen und der ekstatisch
weitausschreitende Mann kenntlich gemacht. Als Paar
stehen sie stellvertretend für alle Menschen, sie werden
auch als Adam und Eva gedeutet, denen – wie auch bei
Michelangelo und Rubens – der Platz der ersten Erlösten
zukommt. [10] Die Angenommenen sind als solche durch
Adorantengesten gekennzeichnet, zwischen ihnen lagern
Tiere. Die Szene suggeriert dennoch keineswegs paradiesi-
schen Frieden.

Hier liegt das Ziel der männlichen Figur, anhand derer
Beckmann die Auferstehung in einzelnen Handlungsschrit-
ten veranschaulicht. Die Größe des Mannes stellt auch hier
wieder einen Hinweis auf seine zentrale Bedeutung dar. Am
unteren Bildrand liegt er noch als Leichnam mit verdrehten
Gliedern, von einer schwarzen Katze beklagt, vor dem
Eingang zu einem mit wartenden Toten angefüllten keller-
artigen Gewölbe. Mühsam erhebt er sich schließlich und

Max Beckmann, *Auferstehung* (Kat.-Nr. 113)

beginnt zu schweben. Sein Körper kreuzt in diesem Zustand den eingeschlagenen Weg in der Bildmitte und deutet so an, daß an dieser Stelle eine Richtungsänderung möglich ist. Endlich steht er auf, die Binden sind von ihm abgefallen, und er erwacht langsam zum Bewußtsein.

Wie in dem Bild vom 1908/09 ist auch hier der Maler selbst, begleitet von Familie und Freunden, anwesend. Sie stehen eng beieinander in einer Art Falltüre im Boden, und im Kontrast zu eben dieser räumlichen Nähe betonen ihre unterschiedlichen Blickrichtungen ihre voneinander abweichenden Haltungen zu dem Alptraum, der sie umgibt. Eine Rückenfigur, die Beckmann aus seiner *Großen Sterbeszene* von 1906 in die Radierung und die Zeichnung übernimmt, kauert vor ihnen. An der Stelle des Verstorbenen, den sie betrauert, ist hier ein zweites Gewölbe gegeben, in dessen Finsternis eine weitere Menschenmenge angedeutet ist. Der Abgrenzung durch den Umriß der Falltüre entspricht der Rahmen, der in der linken unteren Bildhälfte des Gemäldes einige stark verkleinerte Figuren umgibt. Es ist anzunehmen, daß es sich hierbei um eines der vor dem Krieg entstandenen Gesellschaftsbilder Beckmanns handelt, und ist in diesem Kontext ein Hinweis darauf, daß der Maler diese Kunst angesichts einer solchen vom Untergang bedrohten Welt nicht mehr als die seine betrachten kann, über sie hinausgewachsen ist.

Mag die *Auferstehung* von 1916–18 auch den Einfluß der Gedanken Jean Pauls oder spätmittelalterlicher Darstellungen des Jüngsten Gerichtes erfahren haben[11], so stellt sie doch vor allem die Verschmelzung des Gesehenen und Erlebten mit einer Vision dar: »Heute früh war ich an der

staubigen, weißgrauen Front und sah wunderbare verzauberte und glühende Dinge. Brennendes Schwarz, wie goldenes Grauviolett zu zerstörtem Lehmgelb, und fahlen, staubigen Himmel und halb und ganz nackte Menschen mit Waffen und Verbänden. Alles aufgelöst. Taumelnde Schatten. Prachtvoll rosa und aschfarbene Glieder mit dem schmutzigen Weiß der Verbände und dem düsteren Ausdruck des Leidens.«[12]

1 Max Beckmann, Briefe im Krieg, München 1984, S. 67
2 Ebd., S. 42
3 Ebd., S. 43
4 Ebd., S. 67
5 Ebd., S. 64
6 Reinhard Piper, Nachmittag, München 1950, S. 320
7 Wolf-Dieter Dube, Zur Auferstehung, in: Ausstellungskatalog München S. 85
8 Reinhard Piper, Nachmittag, a.a.O., S. 33
9 Carla Schulz-Hoffmann, Gitter, Fessel, Maske, in : Max Beckmann, Retrospektive, a.a.O., S. 46
10 Wolf-Dieter Dube, Zur Auferstehung, a.a.O., S. 86
11 Ebd., S. 89–91
12 Max Beckmann, Briefe im Kriege, a.a.O., S. 72

Abb. 63 Max Beckmann, *Auferstehung,* 1916–18 (Staatsgalerie Stuttgart)

Max Beckmann, *Auferstehung* (Kat.-Nr. 114)

Wilhelm Lehmbruck

115
Große Auferstehung   1913

Kaltnadelradierung, 39,5 × 29,5 cm
Sprengel Museum Hannover
Lit.: Erwin Petermann, Die Druckgraphik von Wilhelm Lehmbruck, Stuttgart
1964, Nr. 67

Auf der 1913 in Paris entstandenen Radierung werden
neben einigen weiteren Kopf- und Figurenstudien besonders drei stehende weibliche Akte durch den Grad ihrer
Bearbeitung hervorgehoben. Die nach links oben aufblik-
kende Hauptfigur der Dreiergruppe hat das steil an den
Körper gewinkelte rechte Bein auf eine Erhebung gestellt.
Ihr rechter Arm wird von diesem Bein verdeckt, der linke
hängt entspannt, leicht an die Hüfte gelegt, herab. Die
kraftvolle linke Hand zitiert im Einklang mit der selbstbewuß-
ten Körperlichkeit Michelangelos *David* von 1504. Diese
formale wie inhaltliche Übertragung –die Skulptur versinnbildlicht die Republik Florenz als die seinerzeit fortschrittlich-
ste, freieste und dadurch starke Regierungsform– gibt
einen ersten Hinweis zum Verständnis der scheinbar im
Widerspruch zum Inhalt stehenden Benennung des Blattes.
Auch die den linken Arm der vorderen unterfassende, mit
wenigen Strichen konturierte Figur rechts außen und mehr
noch ein weitgehend durchgestalteter dritter Akt mit nach
hinten abgewinkeltem linken Bein betonen und erweitern
die anklingende Aussage. Für die Entstehungszeit – in
Deutschland bestimmten Kriegshetze und auf dem Gebiet
der Kunst ein rückschrittlich-sentimentaler Heroismus,
verbunden mit einem schwülstigen Naturalismus, das
Geschehen – verweisen die zusammenstehenden Frauen
auf ein ungewöhnlich befreites Körperbewußtsein. In der
aufrechten Haltung manifestiert sich der Gedanke einer
Auferstehung des Bewußtseins als Einheit von Körper und
Geist. Ebenso wie in der Personifikation der Freien Republik
Florenz und in den von Befreiung sprechenden nackten
Körpern des *Jüngsten Gerichts* in der Sixtina in Rom, deren
Ausstrahlung schnell erkannt und entschärft wurde, sind
auch die Akte Lehmbrucks als sinnliche Wiederauferste-
hung der verleugneten Untrennbarkeit von Körper und
Seele zu deuten. Gerade in der Kontrastierung des zumeist
auf die traditionelle christliche Interpretation bezogenen
Titels mit einer ganz diesseits gerichteten Körperlichkeit liegt
der Schlüssel zum Verständnis der Radierung. Genau wie
Albrecht Dürer im letzten Blatt seiner Apokalypse das
Himmlische Jerusalem in die real existierende Welt verlegt,
so interpretiert auch Lehmbruck die christliche Auferstehung in diesem Sinne um. Daß die als erstrebenswert
erkannte Entfesselung des Körpers zugleich »den tragi-
schen Urschmerz des Daseins, den Wandel (mit Heraklit),
die Verwandlung und Zerstörung, den Wahnsinn, Tod und
mythische Wiederauferstehung miteinschließt«[1], verdeutlicht zum einen die gesenkte Kopfhaltung der linken Figur
und mehr noch die rohe, »unfertige« Bearbeitung der
Zinkplatte selbst.

Im gleichen Jahr mit der Radierung entsteht auch die Plastik
des *Emporsteigenden Jünglings*. Hier wie dort findet die
Philosophie Friedrich Nietzsches, vornehmlich in Gedan-
kensplittern des Zarathustra, ihre Konkretisierung. Die Akte
der *Auferstehung* wenden sich wie der *Emporsteigende
Jüngling* gegen alle Verächter des Leibes, gegen die traditio-
nell-christliche Spaltung von Körper und Geist.[2] Mit Zarathustra scheinen sie sich zu erklären: »Leib bin ich ganz und gar,
und nichts außerdem; und Seele ist nur ein Wort für Etwas
am Leibe. ...Hinter deinen Gedanken und Gefühlen, mein
Bruder, steht ein mächtiger Gebieter, ein unbekannter

Weiser – der heißt Selbst. In deinem Leibe wohnt er, dein
Leib ist er. Es ist mehr Vernunft in deinem Leibe, als in deiner
besten Wahrheit. ...Der schaffende Leib schuf sich den
Geist als eine Hand seines Willens. Noch in eurer Torheit und
Verachtung, ihr Verächter des Leibes, dient ihr eurem Selbst.
Ich sagt euch: euer Selbst will sterben und kehrt sich vom
Leben ab. ...Denn nicht mehr vermögt ihr über euch hinaus
zu schaffen. Und darum zürnt ihr nun dem Leben und der
Erde. ...Ich gehe nicht euren Weg, ihr Verächter des Leibes!
Ihr seid mir keine Brücken zum Übermenschen.!-«[2]

1 Dietrich Schubert, Nietzsche und seine Einwirkungen in die Bildende
Kunst, in: Internationales Jahrbuch für die Nietzsche-Forschung, Berlin
1980, Bd. 9, S. 380
2 vgl. ders., Die Kunst Lehmbrucks, Worms 1981, S. 163 ff
3 Friedrich Nietzsche, Schlechta-Ausgabe 1955, Bd. II, S. 300 f.

Wilhelm Lehmbruck, *Große Auferstehung* (Kat.-Nr. 115)

Wassily Kandinsky

116

Jüngstes Gericht (Studie zu Komposition VII) 1913

Öl auf Leinwand, 78 × 99,5 cm
Städtische Galerie im Lenbachhaus, München

117

Große Auferstehung   1913

Farbholzschnitt, 21,9 × 21,8 cm
Wilhelm-Hack-Museum, Ludwigshafen/Rh.

118

Jüngster Tag   1912

Holzschnitt, 16,4 × 21,2 cm
Städtische Galerie im Lenbachhaus, München

Lit.: Erika Hanfstaengl, Wassily Kandinsky. Zeichnungen und Aquarelle der Städtischen Galerie im Lenbachhaus, München 1974; Hans K. Roethel/ Jean K. Benjamin, Kandinsky. Werkverzeichnis der Ölgemälde, Bd. I 1900–1915, München 1982; Peter Anselm Riedl, Wassily Kandinsky, Reinbek bei Hamburg 1983

»Das Malen ist ein donnernder Zusammenstoß verschiedener Welten, die in und aus dem Kampfe miteinander die neue Welt zu schaffen bestimmt sind, die das Werk heißt. Jedes Werk entsteht technisch so, wie der Kosmos entstand – durch Katastrophen, die aus dem chaotischen Gebrüll der Instrumente zum Schluß eine Symphonie bilden, die Spärenmusik heißt. Werkschöpfung ist Weltschöpfung.«[1] Die gefühlsbetonte Beschreibung veranschaulicht Kandinskys Bildfindungsprozeß in den entscheidenden Jahren vor dem Ersten Weltkrieg. In seinen Werken aus dieser Zeit finden sich zahlreiche Studien, Graphiken und Gemälde, die Themen der Johannesoffenbarung zum Inhalt haben. Während in den Bildern um 1910 noch figurative Elemente vorherrschen, ist in den darauffolgenden Jahren die immer stärker werdende Tendenz zur ungegenständlichen Gestaltung unverkennbar. Durch die Verquickkung abstrakter und figurativer Formen erreicht Kandinsky Ausdrucksqualitäten, die seiner »Neigung zur absichtsvollen Verrätselung, zum Verbergen von Vertrautem in Unbekann-

Abb. 64 Wassily Kandinsky, *Allerheiligen I*, 1911 (Städtische Galerie im Lenbachhaus, München)

tem«[2] entgegenkommen. In dem Maße, in dem das Gegenständliche an Wiedererkennbarkeit verliert, vergrößert sich das Spektrum möglicher Deutungen und Bedeutungen.

Diese Tendenz zeigt sich beispielsweise in den beiden Hinterglasbildern *Apokalyptische Reiter I* aus dem Jahre 1911 und *Apokalyptische Reiter II* aus dem Jahre 1914 (Abb. 65). Während in der früheren Fassung der Bildaufbau noch stark gegenständlich strukturiert ist, läßt sich in der späteren Komposition eine Gewichtung zugunsten freier Gestaltungsprinzipien feststellen. Beide Arbeiten umfassen in etwa die zeitliche Spanne, in der Kandinsky sich mit dem Thema der Apokalypse auseinandersetzte. Bildtitel wie *Sintflut, Jüngstes Gericht, Jüngster Tag* (Kat.-Nr. 118) und *Auferstehung* lassen vermuten, daß Kandinskys Beschäftigung mit der Offenbarung aus einer chiliastischen Haltung heraus erfolgte. Wie zahlreiche andere Künstler in den Jahren vor dem Ersten Weltkrieg war er überzeugt, in einer End- und Wendezeit zu leben.

Die *Studie zu Komposition VIII* (Kat.-Nr. 116) ist eine der zahlreichen Vorarbeiten zu dem Gemälde *Komposition VII*, das als eines der Hauptwerke seiner Münchner Zeit gilt. Mehrere Motive dieses Bildes finden sich bereits in den *Allerheiligen*-Darstellungen. Das Hinterglasbild *Allerheiligen I*, das 1911 in der Ausstellung »Der Blaue Reiter« gezeigt wurde, schildert das religiöse Thema in einer an volkstümliche Malereien erinnernden Manier (Abb. 64). Neben einem den Bildraum dominierenden posauneblasenden Engel sind verschiedene Heilige, die Arche Noah und der gekreuzigte Christus auf einem Hügel versammelt. Auf ungewöhnliche Weise verbindet hier Kandinsky das Thema des orthodoxen Allerheiligenfestes mit eschatologischen Elementen. In dem Ölgemälde *Allerheiligen II* aus dem gleichen Jahr wird das Motiv des Posaunenengels weitergeführt, indem er gleich dreimal in Erscheinung tritt. Durch diese Wiederholung und eine zusätzlich gesteigerte Unruhe in der Gesamtkomposition wird der Eindruck eines endzeitlichen Chaos hervorgerufen. Zahlreiche der um 1911 erarbeiteten Bildelemente finden sich in abgewandelter Form in der *Studie zu Komposition VII* (Kat.-Nr. 116), die auch den Titel *Jüngstes Gericht* enthielt, wieder. Diese Zitate gelangen zu einer neuen Synthese mit den den gesamten Bildaufbau bestimmenden Farb- und Formrhythmen. Hinter Neuem verbirgt sich Vertrautes, Bekanntes wird durch die Einbindung in Unbekanntes verrätselt. Kandinsky besaß offensichtlich die seltene Gabe der Synästhesie, er war fähig, Farbe in Form von Klängen, Strukturen und anderen Sinnesreizen wahrzunehmen und hoffte durch seine Bilder ähnliche Erlebnisse beim Betrachter hervorzurufen. Der 1913 in den *Klängen* erschienene Farbholzschnitt *Große Auferstehung* (Kat.-Nr. 117) veranschaulicht in doppelter Hinsicht sein künstlerisches Bemühen: Sowohl der in narrativer Weise auf die Johannesoffenbarung anspielende Engel wie auch das aus den synästhetischen Fähigkeiten abgeleitete Farb- und Formempfinden bilden den dualistischen Gehalt des Blattes.

Kandinskys chiliastische Weltsicht gründet sich auf Joachim von Fiores »Drei-Zeiten-Lehre«, die dem Menschen die Erfüllung in einem diesseitigen »dritten Reich« prophezeit. Diese Verwirklichung vollzieht sich in einem von der Freiheit

Wassily Kandinsky, *Jüngstes Gericht* (Studie zur Komposition VII) (Kat.-Nr. 116)

Abb. 65 Wassily Kandinsky, *Die Apokalyptischen Reiter II,* 1914 (Städtische Galerie im Lenbachhaus, München)

des Geistes durchstrahlten Zustand – eine Prophezeiung, von der Kandinsky überwältigt zu sein schien: »Heute ist der große Tag der Offenbarungen dieses Reiches. Die Zusammenhänge dieser einzelnen Reiche wurden wie durch einen Blitz beleuchtet; sie traten unerwartet, erschreckend und beglückend aus der Finsternis. Nie waren sie so stark miteinander verbunden und nie so stark voneinander abgegrenzt. Dieser Blitz ist das Kind der Verdüsterung des geistigen Himmels, der schwarz, erstickend und tot über uns hing. Hier fängt die große Epoche des Geistigen an, die Offenbarung des Geistes.«[3]

1 Zit. nach: Luther und die Folgen für die Kunst, Ausstellungskatalog Kunsthalle Hamburg 1983/84 (Hrsg. Werner Hofmann), S. 593 f
2 Riedl, a.a.O., S. 62
3 Ausstellungskatalog Hamburg, S. 594

Wassily Kandinsky, *Große Auferstehung* (Kat.-Nr. 117)

Wassily Kandinsky, *Jüngster Tag* (Kat.-Nr. 118)

Wladimir Baranoff-Rossiné

119

Apocalypse bleue　　　　　　1911

Öl auf Leinwand, 104 × 150 cm
Mr. Mme. Eugène Baranoff-Rossiné, Paris

120

Essai pour Apocalypse　　　1911

Gouache auf Karton, 52 × 70 cm
Galerie Brusberg, Berlin

121

Essai pour Apocalypse　　　1911

Gouache auf Papier, 50 × 69 cm
Galerie Brusberg, Berlin

Lit.: Wladimir Baranoff-Rossiné, Sonderdruck aus Brusberg Berichte 29,
Berlin 1983

Während seines Aufenthaltes in Paris zwischen 1910 und
1914 beschäftigten den jungen russischen Maler Wladimir
Baranoff-Rossiné vor allem zwei biblische Themen: die
Genesis und die Apokalypse. Die neuen avantgardistischen
Bewegungen des Futurismus und Kubismus sind Baranoff-
Rossiné vertraut, am stärksten beeinflussen ihn die Farbun-
tersuchungen von Robert Delaunay, dessen »plans circu-
laires« und »disques colorés«. Ein weiteres konstituierendes
Stilelement sind die »Farbakkorde« in der Art František
Kupkas.

In *Apocalypse bleue,* der zwei Gouachen aus dem gleichen
Jahr zugrunde liegen, verbinden sich die Visionen des
Johannes mit diesen neuen Form- und Farbauseinanderset-
zungen. Die räumliche Struktur des Bildes wird durch
sieben Kreisbahnen gebildet, die in einzelne Segmente
unterteilt sind. Den Mittelpunkt der Kreise bildet eine helle,
weiße Lichtquelle. Ausgehend von diesem immateriellen

Licht wird das Blau, das mit Weiß und sparsamen Rottönen
unterzogen ist, zu den Bildrändern hin dunkler, verändert
sich nach unten hin in Grün-Braun. Die Kreissegmente
verwandeln sich im Vordergrund in Steinquader, bilden
einen treppenartigen Aufstieg zur Lichtquelle. Rechts vorne
öffnen sich die Steine, die nackten Leiber der Auferstandenen
zwängen sich hindurch, quälen sich, vom Lichtschein
geblendet, nach oben. Einzig die Frau im Vordergrund steht
aufrecht, in der Körperhaltung und im Gestus entspricht sie
der angeklagten Hetäre aus dem Bild *Phryne vor dem
Areopag* von Jean Léon Gérôme von 1861 (Hamburger
Kunsthalle), in dem die griechische Hure vor ihren Richtern
schonungslos bloßgestellt wird. Über den oberen Bildrand
jagen die Apokalyptischen Reiter, einer in der Gestalt des
posauneblasenden Engels, der das Weltgericht ankündigt,
ein anderer als Heiliger Michael erkennbar, der mit der
Fahne über der Schulter den Sieg des Gottessohnes symbolisiert.

Der Jüngste Tag ist angebrochen; die sündigen Menschen,
in deren Mittelpunkt die Hetäre/Eva steht, sind durch die
Lichterscheinung des Weltenrichters geblendet. Baranoff-
Rossiné verbindet mehrere Szenen aus der Johannesoffenbarung zu einem Bild voller Gestik und Dynamik. Die prominentesten Motive der Apokalypse – die Reiter, der Hl.
Michael, das Weltgericht und die Auferstehung – fügen sich
zu einer neuartigen Bildkomposition zusammen, die chrono-
logische Abfolge der Visionen wird aufgehoben und wie in
einem großen Finale nebeneinandergestellt.

Wladimir Baranoff-Rossiné, *Essai pour Apocalypse* (Kat.-Nr. 120)

Wladimir Baranoff-Rossiné, *Essai pour Apocalypse* (Kat.-Nr. 121)

Wladimir Baranoff-Rossiné, *Apocalypse bleue* (Kat.-Nr. 119)

Ernst Barlach

122

Panischer Schrecken   1912

Bronze, 47 × 44,5 × 29 cm
Städtische Kunstsammlungen Gelsenkirchen
Lit.: Ernst Barlach. Das plastische Werk (bearb. von Friedrich Schult),
Werkverzeichnis Bd. I, Hamburg 1960

Die Bronzeskulptur *Panischer Schrecken* entstand im
Jahre 1912 nach einem Werkmodell aus Gips unter Schel-
lack. Neben einer weiteren Fassung in Holz existiert ferner-
hin eine Lithographie gleichen Motivs, die Barlach 15 Jahre
später anfertigte.

Zwei Männer, die von einem plötzlichen Ereignis überrascht
werden, halten den Schritt an und werfen ihre Körper weit
zurück. Starr blicken sie in die Höhe, in Furcht und instinkti-
ver Abwehr ballen sie die Fäuste, während sich ein Hund
schutzsuchend an die Gruppe drängt. In der Gruppe kommt
ein Gefühl existentieller Lebens- und Weltangst zum Ausdruck: Es kann ein reales Ereignis sein, unter dessen Eindruck die Männer stehen, ein Sturm, ein Gewitter oder
irgendeine andere Naturkatastrophe. Es kann sich aber
auch um etwas Unwirkliches bzw. Überwirkliches handeln,
eine Vision oder eine Erscheinung. Ähnlich wie in Richard
Oelzes Gemälde *Die Erwartung* (Kat.-Nr. 129) ist die Bedrohung unbestimmt; sie kommt aus dem die Figuren umgebenden Raum, der sich ihnen wie ein spannungsgeladenes
Feld übersinnlicher Kräfte entgegenstellt.

123

Aus einem neuzeitlichen Totentanz   1916

Lithographie, 29 × 20,3 cm
Wilhelm-Hack-Museum, Ludwigshafen/Rh.

124

Mors Imperator   1919

Holzschnitt, 27,5 × 36 cm
Germanisches Nationalmuseum, Nürnberg

125

Der neue Tag   1932

Lithographie, 31 × 43,2 cm
Wilhelm-Hack-Museum, Ludwigshafen/Rh.

Lit.: Ernst Barlach. Das graphische Werk (bearb. von Friedrich Schult),
Werkverzeichnis Bd. II, Hamburg 1958

In der Lithographie *Aus einem neuzeitlichen Totentanz* steht
breitbeinig ein gigantischer Dämon vor einer dunklen, den
Himmel verdeckenden Wolke. In seinem Arm schwingt er
einen Hammer, zu seinen Füßen liegen Schädel, Hippe und
ein Stundenglas, als Symbole der Vergänglichkeit.
Der Titel der Lithographie bezieht sich auf eine mittelalterliche Bildtradition, die den Tanz der Toten bzw. den Tanz des
Todes zum Inhalt hat. Anders als bei diesen und »neuzeit-
lich« in Barlachs Version ist, daß nicht getanzt wird, daß es

Ernst Barlach, *Aus einem neuzeitlichen Totentanz* (Kat.-Nr. 123)

Ernst Barlach, *Panischer Schrecken* (Kat.-Nr. 122)

keinen Reigen von Gerippen und Lebenden gibt, wie etwa im Totentanz von *La Chaise Dieu* (1400–1410), daß keine Skelette die zum Sterben bestimmten Menschen fortführen, wie in Hans Holbeins d. J. 1538 in Lyon erschienenen 41 Totentanz-Holzschnitten. Barlach löst sich in seinem Bild von dieser in einen religiösen Kontext eingebundenen ikonographischen Tradition und profaniert das Thema. Während den mittelalterlichen Totentanzdarstellungen auch ein tröstliches Moment zukam, indem nämlich soziale Ungerechtigkeiten zu Lebzeiten mit der Gleichheit aller Menschen im Tod und der Vorstellung einer göttlichen Gerechtigkeit im ewigen Leben kaschiert wurden, stellt sich der tanzende Tod in der »neuzeitlichen« Version Barlachs als ein brutal dreinschlagendes Monstrum dar, das einen Haufen von Knochen und Schädeln zurückläßt, ohne die Perspektive auf eine jenseitige Existenz zu eröffnen (s. auch Max Klingers *Dritte Zukunft*, Kat.-Nr. 64).

In dem unter dem Eindruck des Ersten Weltkrieges entstandenen und kurz danach erschienenen Holzschnitt *Mors Imperator* illustriert Barlach die Schreckensherrschaft des Todes mit Motiven aus der apokalyptischen Bildtradition. Auf einer flachen Feldmulde liegt ein ausgestreckt ruhender Mann, der wie in einer Vision das über ihm stattfindende Geschehen wahrnimmt: Aus einer Wolke bricht ein apokalyptischer Reiter auf einem mageren Pferd hervor. In seinen Händen hält er ein von einer Glorie umgebenes, geprägtes Rundbild mit einem lorbeergekrönten Totenkopf. Hinter ihm verkündet ein posauneblasender Engel das Jüngste Gericht, das mit der Herrschaft des Todes hereinbricht.

Das Motiv des posauneblasenden Engels findet sich auch in der Lithographie *Der neue Tag*, in der zwei hornblasende Gestalten vor einem Strahlenkranz auf einer Bergkuppe stehen. Das Blatt entstand nach einer Zeichnung aus dem Jahre 1911, die als Vorlage für einen Apokalypsezyklus bestimmt war. Insgesamt 27 Zeichnungen fertigte Barlach eigenen Tagebucheintragungen zufolge zu diesem Thema an, und die Apokalypse sollte nach den Illustrationen zu seinem Drama *Der tote Tag* von 1912 die nächste umfangreiche Graphikfolge werden. Die Realisation des Projekts als Ganzes wurde jedoch durch den Kriegsausbruch vereitelt, einzelne Blätter konnten erst Jahre später lithographiert werden und erhielten andere Titel, die den ursprünglichen Zusammenhang nicht mehr erkennen lassen. *Der neue Tag* von 1932, mit dem die Reihe der Zeichnungen zur Apokalypse zwanzig Jahre früher eingeleitet wurde, ist die letzte druckgraphische Arbeit Ernst Barlachs.

Ernst Barlach, *Der neue Tag* (Kat.-Nr. 125)

Ernst Barlach, *Mors Imperator* (Kat.-Nr. 124)

Julius Diez

126

Die Apokalyptischen Reiter   1932

Öl auf Leinwand, 120 × 136 cm
Wilhelm-Hack-Museum, Ludwigshafen/Rh.

Im Gegensatz zu Albrecht Dürers berühmtem Holzschnitt
der vier Apokalyptischen Reiter von 1498, der bei allen
späteren Darstellungen dieser Szene direkt oder auf Umwe-
gen beeinflussend gewirkt hat, prescht die Vierergruppe in
Julius Diez' Gemälde von 1932 von rechts nach links über
die Landschaft. Damit wird zum einen ihr destruktiver
Charakter betont – sie bewegen sich der gewohnten Lese-
und Sehrichtung entgegen –, zum anderen wird die natürliche Dynamik der von links nach rechts produzierenden
Schreibhand konterkariert. Die Pferde sind wie bei Dürer
durch die Bildkante angeschnitten, die Zone ihres Absprungs bleibt unbenannt. Auch die Zusammenfassung der
in der Johannesvision einzeln entlassenen Streiter zu einer
gemeinsam vorstürmenden Truppe ist ein Rekurs auf die
Bildfindung des ausklingenden 15. Jahrhunderts.

Über ein durch tiefe Schluchten scharf zerklüftetes, felsiges
Hochplateau jagen die vier Reiter des IV. Kapitels der Apokalypse, jeder ein spezielles Übel verkörpernd. Rechts zeigt
sich auf einem fahlen, unnatürlich muskulösen Pferd zuerst
der Tod. Ungewöhnlich ist die Darstellung des zumeist als
Gerippe gezeigten Sensenschwingérs. Diez malt ihn als
nackten, muskulösen Krieger, der mit der rechten Hand die
fliegende Mähne des sattellosen Reittieres gegriffen hat und
mit der linken die zum Schnitt ausholende Sichel schwingt.
Sein Gesicht ist durch eine schwarze Maske verhüllt, die
erntende Klinge wird einem Wurfanker gleich mit peitschen-
artig geschwungenem Seil gesichert. Rechts neben dem
jugendlichen Tod reitet der, der »den Frieden von der Erde
wegnahm, damit die Menschen sich gegenseitig umbringen
sollten«[1]. Scharfe, gelb-rot aufzüngelnde Flammen bilden
die Mähne des mit krallenähnlichen Nageleisen beschlage-
nen Tieres. Der Reiter selbst wird durch eine plumpe Rüstung effektvoll kontrastiert. Beide Hände greifen das
schwere, zum Schlag erhobene Schwert, eine Krone –
formal die Umkehrung der wehrhaften Pferdehufe – brennt
gleich einer Fackel auf seinem Kopf. Mit einer Waage in der
erhobenen linken Hand schließt sich der auf einem Rappen
vorstürmende dritte Reiter des dritten Siegels an. Wie in ein
weit zurückfliegendes Leichentuch gewickelt, gleicht er mit
seinen blassen Gesichtszügen, geschlossenen Augen und
abwesend geöffentem Mund noch am ehesten der geläufigen Vorstellung vom Tod. In der gängigen Interpretation
verkörpert er aber das Übel der Teuerung mit all ihren
verheerenden Folgen. Schließlich der letzte Reiter mit einem
zum Bersten gespannten Bogen. Wie der erste Streiter wird
er athletisch nackt dargestellt, mit leuchtendblauem Turban,
aus dem heraus drei dünne Schlangen in aufgerichteter
Kampfstellung seinem Angriff assistieren. Anscheinend
mühelos hockt er auf dem Pferd, einen lose um die Schulter
gehängten Köcher im Sog der Geschwindigkeit nach sich
ziehend.

Das dramatisch gestaltete Gemälde von Julius Diez erhält
seinen Reiz weniger durch eine malerische Qualität als
durch die effektvolle Übertreibung des Dynamischen.
Bemerkenswert ist, daß der in München arbeitende Maler
mit seinem Bild ein für die Zeit ungewöhnliches Thema
wählt. Unter der Herrschaft der Nationalsozialisten von
1933–1945 wurde dann – von einer Ausnahme abgesehen[1] –
die offizielle Behandlung dieses Stoffes unterbunden.

1 Apk 6,4
2 Werner Peiner, *Die Apokalyptischen Reiter.* Abbildung in: Bertold Hinz,
Die Malerei im deutschen Faschismus, München 1974, S. 204 f

Julius Diez, *Die Apokalyptischen Reiter* (Kat.-Nr. 126)

Paul Klee

127

Nach dem Brand   1938

Kleisterfarben auf Papier/Karton, 32,5 × 48,7 cm
Sprengel Museum Hannover
Lit.: Paul Klee, Die Ordnung der Dinge, Stuttgart 1975 (2. Aufl. 1979);
Christian Geelhaar, Reise ins Land der besseren Erkenntnis. Klee-Zeich-
nungen, Köln 1975; Udo Liebelt, Lebenszeichen. Botschaft der Bilder
(Werke aus dem Kunstmuseum Hannover mit Sammlung Sprengel),
Hannover 1983, S. 128 ff

In den Jahren vor seinem Tode – Klee litt seit 1935 an einer
unheilbaren Krankheit, an der er 1940 verstarb – wird die
Zeichenhaftigkeit seiner Bildsprache immer ausgeprägter.
Die Dynamik dieser Zeichensprache manifestiert sich in der
Gleichnishaftigkeit ihrer Elemente, die zwischen der Realität,
die sie bezeichnen, und ihrer dinglichen und formalen
Selbständigkeit stehen. Die Chiffren aus sich gabelnden
und verästelnden Elementen, die sich bisweilen Buch-
stabenformen – O, P, T, Y – nähern, verteilen sich auf der
Bildfläche in rhythmischer Gliederung, sie verdichten sich zu
schriftartigen Strukturen. Sie enthalten eine Symbolik, die
sich dem Betrachter nicht durch die visuelle Wahrnehmung
alleine erschließt. Sie assoziieren oder beschreiben sich
selbst, dechiffrieren Bedeutung, liefern jedoch nicht den
Schlüssel dazu.

So wie Klee in jungen Jahren seine Tagebücher verfaßte, so
waren jetzt die Tagebücher seine Bilder und Zeichnungen,
die er, wie er öfter bemerkte, *schrieb.* »Das Kalligramm
gehört zum medialen Niederschreiben, Zeichnung nach
innen, zur Manifestierung der typischen Eigenart der Handschrift... Das Wesen der Kalligraphie besteht nach chinesi-
schen Begriffen nicht etwa in der Sauberkeit und Gleich-
mäßigkeit der Handschrift, die leicht zur Erstarrung führen
kann, sondern wohl darin, daß man das, was man auszudrücken hat, in möglichster Vollkommenheit, aber mit dem
geringsten Aufwand an Mitteln darstellt.«[1]

Das Blatt *Nach dem Brand* ist ein solches »Tagebuchblatt«.
Die Zeichen sind bedeutungsmäßig verfestigt, sind von
unterschiedlicher Form und wirken schwer. Manche erscheinen lapidar, einige ähneln Buchstaben – ein O, ein M, ein C,
ein J, ein π –, andere lassen an ein Tor oder an einen Schlüssel denken. Der Titel der Arbeit ruft Assoziationen an eine
vergangene Gesellschaft, an eine versunkene Kultur wach,
die sich nach einer Katastrophe durch ihre Hieroglyphen der
Nachwelt mitteilt. Als Klee dieses Blatt anfertigte, war seine
Krankheit in einem bereits fortgeschrittenen Stadium, der
Ausbruch des Zweiten Weltkriegs war abzusehen. Die
Bildzeichen als die einzigen Relikte einer untergegangenen
Kultur symbolisieren ein Hoffnungsprinzip: daß es nach der
zu erwartenden Katastrophe trotzdem noch weitergeht. So
gesehen sind sie auch eine persönliche Botschaft, ein
Vermächtnis eines Künstlers, der sich bereits in den Tod und
seine überzeitliche und außerweltliche Dimension hineinge-
fühlt hat:

»Diesseitig bin ich gar nicht faßbar,
denn ich wohne so gut bei den Toten
wie bei den Ungeborenen,
etwas näher dem Herzen der Schöpfung als üblich
und noch nicht nahe genug.«

1 Paul Klee, Das bildnerische Denken. Form- und Gestaltungslehre Bd. I
(Hrsg. und bearb. von Jörg Spiller), Basel/Stuttgart 1956, S. 455

Paul Klee, *Nach dem Brand* (Kat.-Nr. 127)

Salvador Dali

128

Der Todesritter   1934

Tinte auf Papier, 98,4 × 72 cm
Museum of Modern Art, New York, Schenkung Ann C. Resor
Lit.: Salvador Dali. Retrospektive 1920–1980, Ausstellungskatalog Centre
Pompidou Paris 1980, S. 206–208

Salvador Dalis *Todesritter* thematisiert das Motiv des todbringenden Reiters, das seine ikonographischen Wurzeln
im vierten apokalyptischen Reiter hat, das sich aber auch
seit der spätmittelalterlichen Kunst in zahlreichen Einzeldarstellungen findet.

Dali behandelt das Sujet, das außer in dieser Fassung noch
in einer Tuschzeichnung von 1933 und als Gemälde von
1935 vorliegt, in traditioneller Manier. Unverkennbar ist der
stark allegorische Bezug der Zeichnung, in dem der
»memento mori«-Gedanke mitschwingt. Die im Mittelalter
und auch in der Renaissance weitverbreitete Vorstellung
vom Tode mitten im Leben (»media vita in morte sumus«),
wie sie in den *Totentänzen* oder in der *Legende der drei
Lebenden und drei Toten* zum Ausdruck kam, mag Dali zu
dieser eine alte Bildtradition aufgreifenden Arbeit angeregt
haben. Ein frühes prominentes Beispiel für die Darstellung
des Todes als Reiter ist Albrecht Dürers Kohlezeichnung
König Tod zu Pferde aus dem Jahre 1505 (British Museum,
London), die mit den Worten »me(m)ento mei« überschrie-
ben ist (Abb. 66).

Abb. 66 Albrecht Dürer, *König Tod zu Pferde,* 1505 (British Museum,
London)

Salvador Dali, *Der Todesritter* (Kat.-Nr. 128)

Richard Oelze

129

Die Erwartung   1935/36

Öl auf Leinwand, 81,5 × 100,5 cm
Museum of Modern Art, New York
Lit.: Richard Oelze, Ausstellungskatalog Kestner Gesellschaft Hannover
1964; Wieland Schmied, Richard Oelze, Göttingen/Berlin/Frankfurt/Zürich
1965; Realismus. Zwischen Revolution und Reaktion 1919–1939, Ausstellungskatalog Staatliche Kunsthalle Berlin 1981, S. 34

Die »metaphysischen« Themen der Einsamkeit und der
Erwartung nehmen einen breiten Raum in den Bildern der
sogenannten neoklassizistischen Malerei der 20er und 30er
Jahre ein. Strömungen wie die *Pittura metafisica, Valori
Plastici, Neue Sachlichkeit, Präzisionismus* und *Magischer
Realismus* stehen für eine Rückkehr zur neoklassizistischen
Ordnung, die mehr die Vergangenheit als die Zukunft als
Träger von Hoffnung sah. Die Verfremdung und Isolierung
von Gegenständen, Situationen und Personen beschwört
den Eindruck des Unheimlichen, ein Merkmal, das für jede
neoklassizistische Haltung charakteristisch ist, da vergangene Formen in zeitgenössischer Gestalt wiederbelebt
werden. Beliebte Bildthemen sind Portraits, Stilleben,
Stadt- und Architekturansichten, Interieurs und Landschaften – meist leblos, isoliert und erstarrt.
Während seines Aufenthalts in Paris von 1933–36 malte
Richard Oelze eine Reihe von Gemälden, die sich als »Land-
schaftsbilder« charakterisieren lassen. Landschaft bedeutet
im Œuvre Oelzes Wald – der Wald als Synonym für das
Unheimliche, das Bedrohliche, das Ungewisse. In dem
1936 gemalten Bild *Die Erwartung* steht eine von hinten
gesehene Menschenmenge inmitten einer Waldlandschaft,
über der sich dunkle Gewitterwolken türmen. Die Personen
kommunizieren nicht, sie betrachten schweigend den
Himmel. Ein Blick in die Zukunft, der, entsprechend dem
Kolorit des Gemäldes, wenig Hoffnung verspricht.
Die Datierung läßt keinen Zweifel an der Art dieser – unheimlichen – Erwartung und an der Mahnung, die der Künstler
hier geben wollte. Marcel Brion merkt zu Oelzes *Erwartung*
an[1]: »Alles scheint völlig banal auf diesem Bild, in dem uns
die Leere und das Unbekannte an der Kehle packen wie bei
manchen Gemälden Chiricos. Hier aber sind wir im Bereich
des Alltäglichen, Gewöhnlichen, schon Gesehenen. Es ist
da weiter tatsächlich nichts als eine Menge von Männern
und Frauen, mit dem Rücken zum Betrachter, die nach dem
Himmel im Hintergrund des Bildes blicken, auf dem sich
schwere und düstere Gewitterwolken ballen. Niemand
vollführt eine Geste, zeigt Angst oder Erstaunen; diese
Personen sind da – für wie lange, seit wie lange? – unbeweglich, schweigend, wartend.
Worauf? Das werden wir nie erfahren, da das Bild nur diesen
Augenblick festhält und keine Zukunft verrät. Wird es bloß
regnen, naht ein Tornado, eine Invasion, eine Katastrophe
mit Menschheitsvernichtung? Alles ist möglich; das scheint
die resignierte Geduld all dieser Menschen zu besagen, die,
den Mantelkragen aufgestellt und den Hut in die Stirn
gedrückt, in ihrer Erwartung versteinern. Da ist nichts
materiell Befremdliches oder Seltsames.
Der phantastische Realismus ist aber nie so weit gegangen,
weder im Realismus noch in der Phantastik, weil das Ende
dieser Geschichte – falls man unbedingt eines begehrt –
das »alles ist möglich« ist: besonders das Schlimmste, das
Außerordentliche. Vielleicht wird dies die Haltung der Menschen am Tage des Weltunterganges sein. Jedenfalls hat
kein Visionär einer Apokalypse das gestaltlose Entsetzen so
tragisch ausgedrückt wie Richard Oelze.«

1 Marcel Brion in: Jenseits der Wirklichkeit. Phantastische Kunst, Wien
1962

Richard Oelze, *Die Erwartung* (Kat.-Nr. 129)

Todesfestlichkeit   1967/69

130

Öl auf Leinwand, 80 × 100 cm
Privatbesitz
Lit.: 100 Jahre Kunst in Deutschland. 1885–1985,
Ausstellungskatalog Ingelheim 1985, S. 86 f

Die *Todesfestlichkeit* ist eines der letzten Bilder Richard
Oelzes. Wie in seinem gesamten Spätwerk erscheint hier
die Welt in einem dämmrigen Zwielicht, zwischen Tag und
Nacht. Harte Kontraste von Hell und Dunkel sind weitgehend vermieden, statt dessen bestimmen zarte, subtile
Übergänge das Kolorit, das sich vorwiegend aus gebroche-
nen Tönen – Grau, Olivgrün und Braun – zusammensetzt.
Durch die unmerklichen Übergänge der Formen und Farben
wirken Personen und Gegenstände schemenhaft und
unwirklich. Phantasie und Realität verschmelzen zu einer
bedrückenden Traumwirklichkeit, in der unheimliche Meta-
morphosen stattzufinden scheinen. Aus Felsen, Steinen
und Bäumen blicken angstvolle Gesichter oder auch einzelne Augen heraus. Menschen- und Tierformen scheinen
versteinert, wie Bestandteile einer erstarrten Welt. Der
Bildraum wird durch amorphe Wolken-, Gesteins- und
Waldformationen strukturiert, die keine Durchblicke auf
Hintergründe zulassen.

Richard Oelze, *Todesfestlichkeit* (Kat.-Nr. 130)

Marc Chagall

131
Weissagung von der Zerstörung Babels 1957
(Oracle sur Babylone)

Radierung, 31,4 × 24,5 cm
Herzog August Bibliothek, Wolfenbüttel

132
Weissagung von der Zerstörung Jerusalems 1957
(Prise de Jerusalem)

Radierung, 30,7 × 25,6 cm
Herzog August Bibliothek, Wolfenbüttel

Blatt 93 und Blatt 101 aus: Die Bibel, 2 Bände. Paris, Tériade Editeur 1956.
Bd. 1: 33 Doppelblätter und 57 Radierungen; Bd. 2: 29 Doppelblätter und
48 Radierungen, Blattformat 44 × 34 cm

Lit.: Hans Martin Rotermund, Marc Chagall und die Bibel, Lahr 1970; Marc
Chagall. Druckgraphische Folgen 1922–1966, Ausstellungskatalog und
Bestandsverzeichnis Sprengel Museum Hannover 1981;
Marc Chagall. Illustrationen zur Bibel, Ausstellungskatalog Mittelrheini-
sches Landesmuseum Mainz 1978

Zahlreiche Gemälde, Tapisserien, Glasfenster, Steinreliefs
und Keramikplatten von Marc Chagall enthalten religiöse
Motive. In ihrer Mehrzahl beziehen sie sich auf Begebenheiten des Alten Testaments, auf die Patriarchen und Propheten. Auch die zwischen 1932 und 1965 entstandenen
druckgraphischen Folgen – 105 Radierungen, 64 farbige
und 108 schwarzweiße Lithographien – illustrieren ausschließlich die Geschichts-, Lehr- und Prophetischen
Bücher. Vorbereitet durch 39 Gouachen hatte Chagall die
Bibel zwischen 1931 und 1939 im Auftrage des Pariser
Kunsthändlers und Verlegers Ambroise Vollard begonnen.

Der Tod Vollards 1939 sowie Chagalls Exil in den USA
unterbrachen die Fertigstellung der Bibel. Erst 1952 konnte
er den insgesamt 105 Radierungen umfassenden Zyklus
vollenden, indem er den eher erzählenden Stoffen des Alten
Testaments eine Fortsetzung der Bücher der Könige und
der Propheten hinzufügte. Die Entstehung seines Radierzyklus fiel in die Zeit, in der in Deutschland der Nationalsozia-
lismus seine Herrschaft etablierte. Gleichzeitig verstärkte
sich in der Sowjetunion die Repression gegenüber den
Juden, so auch in seiner Heimatstadt Witebsk. Während
seines Aufenthalts an der polnischen Ostgrenze im Jahre
1935 gelang es Chagall nicht, seine Heimat wiederzusehen.
Die Zeitereignisse bedrückten den Künstler, so daß ohne
Zweifel eine Ahnung von der bevorstehenden Vernichtung
des Volkes der Juden bei der Konzeption und Durchführung
eine wesentliche Rolle spielte. Dies zeigt sich in der Auswahl
der Bibeltexte: Im Gegensatz zur christlichen Deutung des
Alten Testaments nimmt in seiner Bibel die sogenannte
Landnahme des Volkes Israel relativ breiten Raum ein.

Während sich die ersten Teile des Zyklus durch eine gewisse
Intimität auszeichnen, findet Chagall im letzten, ab 1952
entstandenen Bildteil zu einer dramatischeren Bildsprache.
In vielen Blättern bedient er sich des barocken Lichtillusionis-
mus, Figuren und Landschaft werden durch kreisrunde
Aureolen, Strahlenkränze und Lichtkegel akzentuiert und
strukturiert.

Die beiden dem Teil der prophetischen Bilder zugehörigen
Radierungen *Weissagung von der Zerstörung Babels* und
Weissagung von der Zerstörung Jerusalems illustrieren die
Prophezeiung vom Weltenende aus alttestamentlicher
Sicht. Die entsprechenden Bibelstellen bei Jesaja und

Jeremia sind – neben dem Buch Daniels – Bestandteile
jüdischer Apokalyptik, in den Bilderkanon christlicher
Bibelillustratoren haben sie nur vereinzelt, etwa in Gustave
Dorés *Bible Illustrée* (Kat.-Nr. 63), Eingang gefunden. Die
Weissagung von der Zerstörung Babels bezieht sich auf
Jesaja 13, Vers 2–5: »Auf dem hohen Berge erhebt das
Banner, ruft laut ihnen zu, winkt mit der Hand, daß sie
einziehen durch die Tore der Fürsten. Die kommen aus
fernen Landen, vom Ende des Himmels, ja, der Herr selbst
samt den Werkzeugen seines Zorns, um zu verderben die
ganze Erde«. Die *Weissagung von der Zerstörung Jerusalems* illustriert Jeremia 21, Vers 5–6: »Ich selbst will wider
euch streiten mit ausgesteckter Hand, mit starkem Arm, mit
Zorn und Grimm und ohne Erbarmen und will die Bürger
dieser Stadt schlagen, Menschen und Tiere, daß sie sterben
sollen durch eine große Pest.«

Marc Chagall, *Weissagung von der Zerstörung Babels* (Kat.-Nr. 131)

Marc Chagall, *Weissagung von der Zerstörung Jerusalems* (Kat.-Nr. 132)

A. Paul Weber

133

Die Apokalyptischen Reiter   o.J.

Lithographie, 46,5 × 61,7 cm
Christian Weber, Mölln

134

Die Apokalyptischen Reiter   1965

Lithographie, 55,1 × 71,2 cm
Christian Weber, Mölln

Lit.: Werner Schartel (Hrsg), Kunst im Widerstand. A. Paul Weber, West-
Berlin 1979; A. Paul Weber. Handzeichnungen, Lithographien, Ausstellungskatalog Städtische Galerie Albstadt 1979

A. Paul Weber bediente sich bei der Gestaltung seiner
Zeichnungen und Lithographien verschiedener gattungs-
spezifischer Typen der Karikatur und Satire. Neben der
»Mensch-Tier-Karikatur«, der ältesten Form der bildlichen
Verspottung überhaupt, trägt sein Werk vor allem die Züge
der grotesken und visionären Karikatur, in der durch die
Aufhebung der natürlichen Ordnung, der Vermischung von
pflanzlichen, tierischen und dinghaften Elementen, der
Verzerrung der natürlichen Proportionen und Größenverhält-
nisse eine oft traumhaft-visionäre Bildform erreicht wird.
In dieser Art der Groteske liegen das Komische und das
Grauenhafte nahe beieinander.

Weber kolportierte in seinen Arbeiten nicht nur »Menschlich-
Allzumenschliches«, sondern verstand sich auch als politischer Karikaturist, der über einen Zeitraum von 50 Jahren
seiner Zeit den Spiegel vorhielt. 1932 entstand seine berühmte Federzeichnung *Das Verhängnis* (Abb. 67), die 1963
lithographiert wurde, in der ein unendlicher Zug von Menschen mit Hakenkreuzstandarten und -fahnen einen Hang
hinaufmarschiert, um in einen gigantischen Sarg zu stürzen.
Es sind die Deutschen auf dem unaufhaltsamen Weg ins
Massengrab, eine Vision des kommenden Grauens des
Massensterbens im Dritten Reich.

Visionen des Untergangs sind auch die beiden Lithographien der Apokalyptischen Reiter. Ohne auf konkrete
politische Situationen oder auf ein bestimmtes Zeitereignis
anzuspielen, personifizieren die Apokalyptischen Reiter all
jene Schrecknisse der Zeit, die den Menschen bzw. die
Menschheit bedrohen. Während sich Weber in der früheren
Version (Kat.-Nr. 133) noch an dem traditionellen Kompositionsschema der vier Reiter orientiert, bricht in der letzten

A. Paul Weber, *Die Apokalyptischen Reiter* (Kat.-Nr. 133)

Abb. 67 A. Paul Weber, *Das Verhängnis*, 1932/63

Fratzen, die Bomben in ihren Händen halten oder auf Raketen sitzen.

Die Apokalyptischen Reiter Webers – in ihrer Bildbedeutung ganz in der Tradition Dürers stehend – sind Allegorien der negativen Aspekte der Zeit: Krieg, Bedrohung und Massenvernichtung. Der Künstler verstand sich stets als »unbarmherziger Kritiker einer unbarmherzigen Zeit und ihrer unbarmherzigen Menschenlarven«, als ein »Gegner der Zeit«. Seine Arbeiten waren keine 24-Stunden-Karikaturen, ihm war vielmehr daran gelegen, mittelfristige Zeitläufe zu überwachen und politische Themen von überaktueller Bedeutung zu schaffen. Die Karikatur also als politische Waffe? Theodor Heuss merkte dazu an: »Daß die politische Karikatur die jüngste ist, erklärt sich aus der Geschichte, ebenso, daß sie überwiegend radikal, demokratisch, teils antimonarchisch, teil antiklerikal gefärbt erscheint. Freilich nicht durchgehend, aber doch im Grundcharakter; denn dem Konservatismus fehlt seiner Natur nach die Stoßkraft positiver Kritik. Dabei bleibt die Frage offen, ob die Karikatur nur Orchesterbegleitung zum Stück auf der Weltbühne ist oder ob sie eben erscheint auf den Brettern und teilnimmt am Kampf. Sie kann Eindruck und Anerkennung des Künstlers sein, sie kann aber, wenn der Künstler Parteimann ist, unmittelbar ins politische Leben eingreifen«.[1]

Fassung (Kat.-Nr. 134) wie eine unheilbringende Wolke ein Konglomerat von Abscheulichkeiten über eine berstende Stadtlandschaft herein, in der die Menschen in wilder Panik davonlaufen. Der Pferdekopf in der Mitte setzt sich in der amorphen Ansammlung von einzelnen Bildelementen fort: Rechts läutet eine posauneblasende Gestalt das Jüngste Gericht ein; daneben eine SS-Mütze, eine detonierende Granate, über dem Kopf des Pferdes ein deformierter Schädel mit Armen wie Tentakeln; links grinsende behelmte

1 Ausstellungskatalog Albstadt, S. 20

A. Paul Weber, *Die Apokalyptischen Reiter* (Kat.-Nr. 134)

Ernst Fuchs

135

Apokalyptische Vision   1947

Feder in Tusche auf Papier, 36 × 27 cm
Neue Galerie der Stadt Linz/Wolfgang-Gurlitt-Museum
Lit.: Ernst Fuchs. Grafik, Ausstellungskatalog Kärntner Landesgalerie
Klagenfurt 1968

Ernst Fuchs' Zeichnung entstand kurz nach dem Zweiten
Weltkrieg und ist eine der frühesten Arbeiten des 1930
geborenen Künstlers, der zu den Gründern der Wiener
Schule des Phantastischen Realismus gehörte. In seiner
Apokalyptischen Vision nimmt er bereits das vorweg, was
später zum bestimmenden Bildprogramm der 1959 gegrün-
deten Künstlergemeinschaft gehörte: Mit den Mitteln der
manieristischen und surrealistischen Malerei sollen die
Schreckensträume des »zivilisierten« europäischen Menschen visualisiert werden, Angstträume, die sich in Figuratio-
nen des Grauens, des Zerbrochenen, des Zusammenhang-
losen, des Abstrusen manifestieren. Moderne apokalyptische Infernovorstellungen verbinden sich mit Erinnerungs-
bildern des verlorenen Paradieses.

Als verlorenes Paradies, mehr noch als apokalyptische
Landschaft stellt sich das Szenarium in Ernst Fuchs' Zeichnung dar. Inmitten einer weiten Kraterlandschaft steht eine
hermaphroditische Gestalt mit einem vom Körper abge-
lösten dreigesichtigen Kopf. Die Gestalt – der Seher? der
Künstler, der Schreiber Johannes? – stellt eine Verbindung
zwischen dem Betrachter und dem übrigen Bildgeschehen
her. Bombenflugzeuge überfliegen die Ebene, die durch ein
Gebirge am Horizont begrenzt wird. Der Boden öffnet sich
in eine große schwarze Fläche, die an ein Rollfeld auf Flug-
häfen erinnert. Das schwarze Feld gewährt zugleich Einblick
in eine weitere Bildebene: Eingepaßt in die geometrische
Form liegt eine deformierte menschliche Gestalt mit einem
kahlen Schädel, Augen, Ohren und Mund sind weit geöffnet.
Aus dieser leblosen Körpermasse blickt ein Männerkopf,
wie aus einer Gefängniszelle, auf den Betrachter. Rechts
davon stehen einige nackte Menschen, eine Gestalt kniet
nieder und hebt die Hände zu einem amorphen Gebilde aus
Fleisch und Knochen empor, eine Form, die an Gemälde
von Salvador Dali erinnert. Das Bildgeschehen wirkt chao-
tisch und zusammenhanglos. Das Irreale und das optisch
Wahrnehmbare verbinden sich auf verschiedenen Bild- und
Realitätsebenen zu einer Einheit, in der die Grenzen zwischen Traum und Wirklichkeit fließend sind.

Ernst Fuchs, *Apokalyptische Vision* (Kat.-Nr. 135)

Maurits Cornelis Escher

136

Andere Welt   1947

Dreifarbholzschnitt, 31,8 × 26,1 cm
Haags Gemeentemuseum, Den Haag
Lit.: Leben und Werk M.C. Escher, Eltville am Rhein 1984

Die Vision einer anderen, uns ungewohnten, fremden Welt
gibt Escher in seinem Holzschnitt von 1947. Der Künstler
entwirft mit den Mitteln der perspektivischen Darstellung,
die meist auf mathematischen Prinzipien beruhen, eine
Phantasielandschaft, in der die gehäuften Dimensionen von
Raum und Zeit aufgehoben zu sein scheinen.
Der Betrachter des Holzschnitts befindet sich in einem
merkwürdigen Zimmer, in dem, je nachdem, ob er durch
das eine oder das andere Fenster nach außen blicken will,
oben, unten, links, rechts, vorne und hinten vertauscht
werden können. Die Mitte des Bildes ist immer der Fluchtpunkt; dieser wird zum »Fernpunkt«, wenn man durch die
Fenster links und rechts und in der Mitte gucken will. Und
dieses ist genau das Bild, das man normalerweise erwartet.
Sieht man durch das Fenster oben und das sich anschließende rechte Fenster, so wird derselbe Fluchtpunkt zum
»Nadir«, einem Punkt gerade unter den Füßen des stehenden Betrachters. Man blickt jetzt von oben auf eine Mond-
landschaft herab. Das zentrale Fenster ist auf einmal der
Boden des Zimmers. Blickt man durch die beiden Fenster
rechts unten, dann ist der Fluchtpunkt zum »Zenit«, einem
Punkt gerade über dem Kopf des Betrachters, geworden:
Man steht jetzt auf dem Mond und richtet den Blick auf den
Sternenhimmel. Auch das zentrale Fenster hat eine andere
Funktion übernommen: Es ist jetzt die Decke.

Eschers »andere Welt« ist eine »unmögliche Welt«. In dem
Holzschnitt, wie auch in einer ganzen Gruppe ähnlich
gestalteter Arbeiten, entwirft er eine »Quasiräumlichkeit«:
ein dreidimensionales Bauwerk, das sich zwar auf einer
ebenen Fläche zeichnen läßt, aber als räumliche Figur
unmöglich bestehen kann. Das Unmöglichkeitselement ist
für Escher konstituierendes Moment für die Projektion einer
»anderen Welt« (einer besseren?), indem es die herkömmlichen Seh- und Darstellungskonventionen über Bord wirft.
In einem 1963 in Hilversum gehaltenen Vortrag, der dem
»Unmöglichen« gewidmet war, sagte der Künstler: »Manchmal kommt es mir vor, als ob wir alle mit einem Drang
behaftet sind, als ob wir von einem Verlangen nach dem
Unmöglichen besessen sind. Die Wirklichkeit, die uns
umgibt, die dreidimensionale Welt, die uns umringt, ist uns
zu gewöhnlich, zu langweilig, zu alltäglich. Wir sehnen uns
nach dem Un- und Übernatürlichen, nach dem Irrationalen,
dem Wunder«.

M. C. Escher, *Andere Welt* (Kat.-Nr. 136)

Marino Marini

137

Il Miracolo   1953

Bronze, 255 × 80 × 80 cm
Städtische Kunsthalle Mannheim
Lit.: Patrick Waldberg und G. di San Lazzaro, Marino Marini. Leben und
Werk, Berlin 1971; Marino Marini, Ausstellungskatalog Städtische Kunst-
halle Mannheim 1984

Bereits im Jahr 1943 taucht im Werk Marino Marinis erstmals
der Titel »Miracolo« auf, der dann acht Jahre darauf Anlaß zu
mannigfaltigen Variationen bietet. Das Sujet ist, wie auch in
den späteren Reiterbildnissen, die den Titel »Krieger«
tragen, immer dasselbe: die Darstellung des Reiters mit
seinem Pferd, jedoch nicht in der Art des seit der Antike
bekannten repräsentativen Reiterstandbildes, sondern des
zu Boden stürzenden Menschen und Tieres.
Die Bezeichnung »miracolo« für diese Reiterbilder ist nach
Marinis Aussage das Ergebnis einer blitzartigen Offenbarung, einer poetischen Erleuchtung. Eine jede aus dieser
Epiphanie resultierende Plastik sei letztlich nur der zu Materie gewordene Bericht von dieser Offenbarung. Sieht man
die verschiedenen Reiterbildnisse in einer chronologischen
Reihe, so fällt eine Tendenz auf, die die ständig wachsende
innere Unruhe des Künstlers dokumentiert: Der Reiter wird
immer unsicherer und schließlich unfähig, sein Tier zu
bändigen, das seinerseits immer mehr außer Kontrolle
geraten zu sein scheint. Nach Marinis eigenen Worten ist es
das Gefühl vom »Ende einer Welt«, das ihm der Zustand
eben dieser Welt vermittelt und das seine Reiter allmählich
aus dem Sattel gehoben und seine Pferde zu Boden geschleudert hat[1].

Pferd und Reiter als Symbol, als Allegorien? Dazu Marino
Marini: »Ich möchte etwas Tragisches, eine Art Götterdäm-
merung, ein Zerbrechen der Einheit ausdrücken, eher also
eine Niederlage als einen Sieg... Ich glaube, und damit ist es
mir bitterernst, daß wir dem Ende einer Welt entgegen-
gehen... Das Gefühl, von dem ich spreche, gleicht dem der
Römer, die gegen Ende der Kaiserzeit den Zusammenbruch
einer jahrhundertealten Ordnung unter dem Druck der
Barbareneinfälle erlebten. Meine Reiterstatuen drücken die
Angst aus, die die Ereignisse meiner Epoche auslösen.
Die Erregung meines Pferdes steigert sich mit jedem neuen
Werk. Die Reiter sind immer machtloser und haben die
frühere Herrschaft über das Pferd verloren, und die Katastrophen, die über sie hereinbrechen, gleichen denen, die einst
Sodom und Pompeji in den Untergang rissen. Ich versuche
demnach, das letzte Stadium eines Zerfalls mit einem
Mythos zu symbolisieren, dem Mythos vom heroischen,
siegreichen Menschen, vom ›Uomo di virtù‹ der Humanisten. Mein Werk der letzten vierzehn Jahre verstehe ich
nicht als heroisch, sondern als tragisch«.[2]

1 Waldberg, a.a.O., 240 ff
2 Aus einem Interview des Jahres 1968, veröffentlicht in einem kleinen
Buch im Verlag der Arche in Zürich, hrsg. von Ernst Scheidegger

Marino Marini, *Il Miracolo* (Kat.-Nr. 137)

Agenore Fabbri

138

Atomisiertes Insekt (Insetto atomizzato) 1957

Bronze, 45 × 37 × 76 cm
Wilhelm-Lehmbruck-Museum, Duisburg (Leihgabe aus Privatbesitz)

139

Atomisierter Mensch (Uomo atomizzato) 1960

Bronze, zum Teil grün bemalt, 80 × 17 × 13 cm
Collection VAF

Lit.: Agenore Fabbri, Skulpturen, Graphiken, Ausstellungskatalog Wilhelm-Lehmbruck-Museum Duisburg 1983

Im Mittelpunkt des plastischen Schaffens von Agenore Fabbri steht als dominierende Figur der Mensch. Häufig präsent ist aber auch das Tier, das quasi als Ausweitung der menschlichen Existenz verstanden wird, indem es die Idee von der natürlichen Unschuld aufgreift.

Fabbris Werk, vor allem das der 50er und der 60er Jahre, ist stark vom Eindruck der Nachkriegszeit geprägt. Die erlittenen Ungerechtigkeiten, der Freiheitsentzug, die körperlichen Leiden bilden den zentralen Aspekt in der kreativen Imagination des Künstlers, der während des Zweiten Weltkrieges siebenmal zum Militär einberufen wurde und zudem in der Resistenza aktiv war. In seinen Skulpturen ist das Grauen des Krieges stets gegenwärtig, insbesondere aber die Angst vor der atomaren Vernichtung. Vielfach versuchte Fabbri die Folgen einer totalen und unwiderruflichen Katastrophe darzustellen: mit seinen »atomisierten« Hunden und Vögeln, seinen »atomisierten« Insekten (Kat.-Nr. 138), aggressiv-bösartigen Monstren mit langen Fühlern, mit dem *Atomisierten Menschen* (Kat.-Nr. 139), mit dem *Menschen von Hiroshima* von 1959 (Internationale Galerie moderner Kunst, Venedig), einem nackten Skelett, das, bis ins Innerste zerfressen, seine Verzweiflung in die unendliche Leere hinausschreit.

Für diese grauenerregenden Skulpturen verwendete Fabbri Bronze (anfänglich war sein bevorzugter Werkstoff Terrakotta), da sie ihm als das adäquate Material zur Schilderung des bis in die biologische Substanz bedrohten Lebewesens erscheint. Sie erlaubt ihm eine äußerst detailgetreue Wiedergabe durch Detonationen zersplitterter Knochen, durch nukleare Strahlung hervorgerufener eitriger Geschwüre und verbrannten Fleisches. Expressiv in ihrer Sprache bleiben

Agenore Fabbri, *Atomisiertes Insekt* (Kat.-Nr. 138)

Agenore Fabbri, *Atomisierter Mensch* (Kat.-Nr. 139)

die Skulpturen Fabbris – jede von ihnen ist ein Unikat – im Rahmen traditioneller Form- und Raumgestaltung. In einer naturalistischen Verzerrung des Ausdrucks werden Gefühle durch Aushöhlungen und Reliefbildungen an den signifikanten Stellen dargestellt; trotz ihrer perforierten und korrodierten Oberfläche fügt sich jede Skulptur zu einer organischen Einheit.

Fabbris Menschen, Bronzetiere und Insekten sind Symbole einer apokalyptischen Mahnung und Warnung, so als hätte T.S. Eliots *The Waste Land* (Das wüste Land) in den Skulpturen des Künstlers seine Gestalten gefunden, Verbrannte auf zu Asche gewordener Erde. Sie sind Visionen einer »atomisierten« Welt, in denen der Künstler die Urbilder des Menschen für Entsetzen und blinde Zerstörung in einer zeitgenössischen Ausdruckssprache verwendet. Für ihn ist die Skulptur ein Mittel, soziale und politische Wirklichkeit auszudrücken. Er will seine Arbeiten auch in diesen Dimensionen verstanden wissen, allerdings nicht im Sinne einer zweckgerichteten Politik, sondern im umfassenderen Sinn des Lebens überhaupt. Fabbri selbst sagt:
»In den Skulpturen kommt die Tragödie der Menschen, die wir alle erlebt haben, zum Ausdruck. Aber die alte Tragödie ist beendet. Die neue Tragödie wäre von gewaltigen Ausmaßen. Es besteht erstmalig die Gefahr der Ausrottung des Lebens überhaupt, durch Atombomben und durch Vergiftung (Seveso) [Agenore Fabbri lebt in der Nähe von Seveso, Anm. des Verfassers]. In früheren Zeiten konnte sich der Mensch noch verstecken, jetzt ist kein Ausweichen mehr möglich.«[1]

Fabbris Skulpturen stellen nicht in einer Art falsch verstandenem Realismus Geschichte als Abbildung und Wiederholung äußerer Formen und Objekte dar. Unvermeidbarer Ausgangspunkt ist für ihn die Objekthaftigkeit und Greifbarkeit der Figur, der menschlichen Gestalt, durch ein Modell. Seine Skulpturen zeugen nicht von Resignation und Fatalismus; in ihnen kommt vielmehr eine tiefe moralische Haltung zum Ausdruck, die mehr denn Revolte, die Aufruhr ist. Er spricht der Kunst Erkenntnisfunktion zu, wenn es ihm auch zweifelhaft scheint, daß das Medium Kunst ausreicht, diese wahrzunehmen[2]. Und seine Kraft ist Mahnung, Warnung und Hoffnung. Unter all den Trümmern und malträtierten Körpern, die trotz ihrer Situation aufrecht, standhaft und ungebrochen stehen, schimmert noch ein Hoffnungsfunke, der Glaube an die Moral und Vernunft des Menschen, hervor: das grüne Blatt, als Symbol der Hoffnung, am Kopf des *Atomisierten Menschen.*

Abb. 68 Georg Meistermann, *Der Krieg,* Glasfenster

1 Agenore Fabbri in einem Interview mit Siegfried Salzmann am 30. August 1983 in Mailand
2 Ausstellungskatalog Duisburg, S. 27

Georg Meistermann

140

Tod   1956

Kohle mit Kreide, teilweise laviert, 340 × 120 cm
Im Besitz des Künstlers
Lit.: Georg Meistermann, Ausstellungskatalog Germanisches National-
museum Nürnberg 1981

Aus der Zeit um 1940 stammen die ersten Glasfensterent-
würfe, mit denen Georg Meistermann nach dem Krieg
schnell bekannt wurde. Heute finden sich Wand- und
Fenstergestaltungen in zahlreichen Kirchen und öffentlichen
Gebäuden Westdeutschlands. Die für das Alte Rathaus in
Wittlich gezeichneten Entwürfe fallen durch eine außergewöhnlich zurückhaltende inhaltliche und formale Ausführung auf. Ist die dramatische Schilderung des vierten
Kapitels der Johannesoffenbarung den meisten Künstlern
Anlaß für eine temperamentvolle Interpretation nach dem
Vorbild Albrecht Dürers, so zeigt Meistermann hingegen
einen wenig kämpferischen »Krieger«, einen wie um Ent-
schuldigung bittenden »Hunger«, einen beschwichtigenden
»Sieger« und schließlich den vielleicht erschreckendsten
vierten Reiter, den sichelschwingenden Tod. Die Farbgebung ist insgesamt sparsam und zurückhaltend, aus
einer weichen Graublau-Stufung der die Figuren umgebenden Felder sticht einzig die Personifikation des Krieges
durch rotleuchtende Partien seines Pferdes heraus. Gleichmäßig getönte Glassegmente wirken zumeist nicht aus
einem Kontrast, sondern stehen insulär im Licht. Mit dieser
wenig malerischen Behandlung reagierte Meistermann auf
den umgebenden Architekturbestand und die den Fenstern
immanente Funktion als lichtspendende Wandöffnung.
Dominiert in vielen Glasfenstern die Farbe die strukturie-
rende Zeichnung, so steht in den vier Apokalyptischen
Reitern Meistermanns die Linie gleichberechtigt neben der
raumgreifenden Kolorierung.

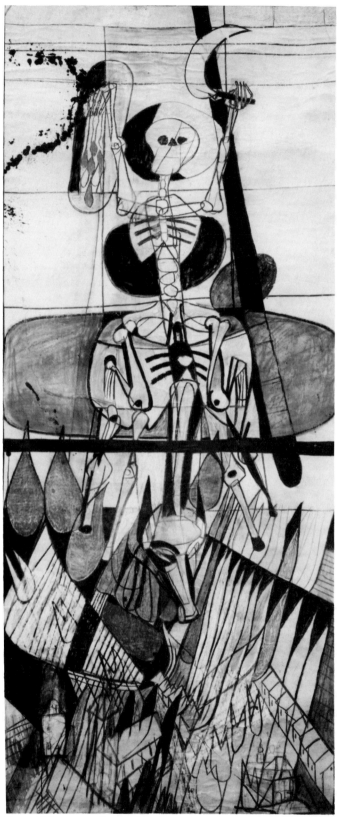

Georg Meistermann, *Der Tod* (Kat.-Nr. 140)

277

Francis Bacon

141

Portrait du pape　　　　1957/58

Öl auf Leinwand, 145 × 109 cm
Thomas Ammann Fine Art, Zürich
Lit.: Francis Bacon – Schreiender Papst 1951, Ausstellungskatalog
Mannheimer Kunsthalle 1980

Das *Portrait du pape* ist eines von etwa vierzig Bildern bzw.
Serien dieses in den 50er Jahren entwickelten Figurentypus.
Angeregt durch Velazquez berühmtes Porträt Papst Inno-
zenz' X. von 1650 (Rom, Galleria Doria Pamphilii) und durch
ausdrucksstarke Momentaufnahmen der modernen Photographie, beispielsweise der eines grölend agierenden
Goebbels oder der häufig zitierten Sequenz einer schreien-
den Krankenschwester aus Sergej Eisensteins Film *Panzer-
kreuzer Potemkin* von 1925, findet Bacon in der Figur des
Papstes ein im doppelten Sinne reizvolles Konglomerat
menschlicher Extreme.

In dämmrigem Ambiente sitzt die hagere Figur des höchsten
kirchlichen Würdenträgers in weißgehelltem purpurfarbe-
nem Ornat leicht zurückgelehnt auf einem gleichfarbigen
Thronsessel. Die Gestalt mit gestisch zweideutig hochgeris-
senen Unterarmen, hängenden kraftlosen Schultern, in
einer dem Herrscherstuhl nicht angemessenen unkontrol-
lierten Sitzhaltung betont aufs Äußerste die Diskrepanz
zwischen dem Anspruch des Amtes und der menschlich-
körperlichen Wirklichkeit. Die rechtwinklig konstruierte, bis
hinter den Kopf des Sitzenden hochreichende Rückenlehne
des großen Petrusstuhls trägt an Stelle der zu erwartenden
Zierformen rechts und links außen zwei Eulen. Im heidnischen Altertum Attribute der Weisheit (Pallas Athene),
bezeichnen sie in diesem Zusammenhang eher lichtscheue,
nur noch auf Haltung bedachte dümmliche Wesen und
verstärken somit die Zwiespältigkeit der Situation. Der
Hintergrund des Bildes ist im oberen Teil mit einer vertikal
gewellten, weißlich-violetten Stoffbespannung flächig
strukturiert, das untere Drittel bleibt ebenso wie die Beinpar-
tie der Sitzfigur weitgehend undefiniert. Alle Blicke fokussieren in den Gesichtszügen, hier noch einmal besonders in
der Mundpartie. Der halbgeöffnete, sowohl durch Schmerz
wie durch ein Lachen angespannte Mund gibt unter den
roten Lippen die obere und einen Teil der unteren Zahnreihe
frei. Die Zähne, starke Backenknochen, tiefliegende Augen
und das insgesamt fleischlose Gesicht lassen einen Totenkopf assoziieren. Vielleicht ist es das dem Glauben entge-
genstehende Wissen, welches sich hier Ausdruck ver-
schafft, denn »...hinter dem Sterben wurde noch keiner als
anwesend gesehen, es sei denn als Leiche« und »Grinsen
mengt sich ein, gleich dem des Totenkopfs selbst; denn daß
der lange planende Mensch abfährt wie Vieh, ist auch
gleichsam witzig«[1]. Im Einklang mit der hilflos fragenden
Arm- und Körperhaltung deutet der krampfhaft wahnsinnige
Gesichtsausdruck auf die Hilflosigkeit gegenüber den
psychisch-physischen Kräften des Seins. Es ist das Verlangen nach absoluter Macht, der wahnwitzige Anspruch auf
Unfehlbarkeit und auf das widersinnige Versprechen ewiger
Glückseligkeit; es ist der Ausdruck eines seiner Funktion
ledigen Papstes, ein Paradigma für alle verblendeten Son-
derlinge, für »...all diese höheren Menschen, die zwei Könige, der Papst außer Dienst, der schlimme Zauber, der
freiwillige Bettler, der Wanderer und Schatten, der alte
Wahrsager, der Gewissenhafte des Geistes und der häßlich-
ste Mensch: Sie lagen alle gleich Kindern und gläubigen
alten Weibchen auf den Knien und beteten den Esel an.«[2]

In den destruktiven Impulsen, die häufig von den apokalyptischen Menschenbildern Francis Bacons ausgehen, mag

ein positiver Zweck begründet liegen. Ein solcher kann
vielleicht in der Auflehung gegen lebenshemmende, über-
holte moralische Vorstellungen und regressive Bestrebungen gesehen werden.

Die Gefahr, den Aspekt des Narrativen in den Bildern über-
mäßig stark zu betonen, ist groß. Häufig kommen dadurch
die malerischen Qualitäten nicht zu ihrem Recht. Hier sei
deshalb noch kurz auf den prozessualen Charakter des
Farbauftrages hingewiesen. Der Malvorgang als Herstel-
lungsprozeß wird für den Betrachter spürbar. Handschrift,
Duktus und die Qualität des Malmaterials werden nicht
hinter einer glänzenden Oberfläche kaschiert und ermögli-
chen so in der Rezeption das geistige Nachvollziehen des
Entstehungsvorgangs. Auf die Frage, warum er so oft das
Bild von Velazquez variiert habe, antwortete Bacon ganz in
diesem Sinne ausgleichend: »Ich wollte nur einen Vorwand
finden, um diese Farben anzuwenden;...«[3]

1 Ernst Bloch, Das Prinzip Hoffnung, Bd. III, S. 1299
2 Friedrich Nietzsche, Werke in drei Bänden, Hrsg. Karl Schlechta,
München 1955, Bd. II, S. 546 (2)
3 Francis Bacon, Ausstellungskatalog Mannheim, S. 24

Francis Bacon, *Portrait du pape* (Kat.-Nr. 141)

Manolo Millares

142

Cuadro 66   1959

Öl auf Leinwand, 160 × 130 cm
Wilhelm-Hack-Museum, Ludwigshafen/Rh.
Lit.: Peter Iden/Rolf Lauter (Hrsg.), Bilder für Frankfurt. Bestandskatalog
des Museums für Moderne Kunst, München 1985

Millares beginnt Anfang der 40er Jahre als Autodidakt.
Die prägendsten Einflüsse der Zeit sind die besondere
Situation Spaniens im Bürgerkrieg und die Auswirkungen
des Zweiten Weltkrieges. Seit der Mitte der 50er Jahre
entstehen unter diesen Voraussetzungen im Umfeld des
Tachismus und des Action Painting Arbeiten im abstrakt-
expressionistischen Stil, in einer unverwechselbaren,
aggressiv wirkenden Formensprache. Die groben Leinwände dienen Millares nicht mehr in der traditionellen Rolle
als unversehrter Träger einer Darstellung, vielmehr sind sie
selbst zu einem plastisch formbaren Gestaltungsmittel
geworden. Sie werden aufgeworfen, zerschnitten, gerissen,
grob wieder zusammengenäht, in Farbe getaucht und so
verklebt. Die Bemalung beschränkt sich auf die Farben Rot
und die Nichtfarben Schwarz und Weiß.

Das zum Relief erweiterte Bild *Cuadro 66* von 1959 gehört
zu einer Werkgruppe von Arbeiten gleichen Titels, die
zwischen 1956 und 1962 entstanden sind. Millares spannt,
reißt und vernäht das grobe Leinwandgewebe über einem
Keilrahmen, meist auf eine Art, die schließlich eine Kreuzform spürbar werden läßt. In der Bildmitte, dem Schnitt-
punkt imaginierter Balken, fokussieren alle Blicke in einer
roten Farbballung. Die scheinbar spontan erzeugte Zerstörung im Zentrum erweist sich im Vergleich mit anderen
Arbeiten dieser Werkgruppe als genau kalkulierte Wirkungs-
zone. Diese zerschnittene, gerissene, gefärbte Herzstelle
des Bildes wird außerdem noch durch knotenartig verdich-
tete Leinwandfetzen hervorgehoben. Über einem vergilbten
Weiß verläuft die im heftigen Gestus aufgespritzte schwarze
Farbe, überall Spuren hinterlassend, hauptsächlich nach
oben und unten, und gibt so Aufschluß über den Herstel-
lungsprozeß. Die mandelförmige Öffnung links unten läßt
die Spannung der Leinwand sichtbar werden und eine
Empfindung des verletzenden Schnittes aufkommen.
Kreuzsymbole, Farbwolken und Leinwandbemalung lenken
die vielfältigen Assoziationsmöglichkeiten über einen
gemeinsamen Nenner in die unterschiedlichsten Richtungen.

Die Kreuzigung Christi klingt an, als Paradigma menschlicher Grausamkeit und qualvollen Sterbens. Hier anschließend kann das verlaufende Rot als der Seitenwunde des
Gekreuzigten zugehörig interpretiert werden, ebenso wie
die geschnittene Leinwand an die aufgerissene Haut seines
Brustkorbes denken läßt. Die Verletzung ist darüber hinaus
auch sinnbildlich eine Geburtsöffnung, ihr entspringt das
Neue, die befreite Ekklesia. In der profaneren Ausdeutung
wäre es analog hierzu der das Martyrium erleidende Revolutionär, aus dessen stellvertretendem Tod neues Leben in
einer besseren Welt entstehen soll. So wie in der antiken
Mythologie der Adler dem gebundenen Prometheus die
Leber abfrißt, im Neuen Testament der blinde Greis
Longinus dem Gekreuzigten die Lanze in die rechte Seite
stößt, so kann auch *Cuadro 66* als Sinnbild der Auseinandersetzung des Menschen mit dem Unmenschlichen verstanden werden. Nicht zuletzt werden häufig ganz persönliche
Erlebnisse und Vorstellungen belebt, wird an die Wirklichkeit
der Schützengräben oder an spezifisch weibliche Erfahrungen angeknüpft; gemeinsam aber ist allen Interpretationen
eine Paraphrasierung menschlichen Leidens. Der schwarze

Hintergrund verweist auch auf verbrannte Erde mit den
Spuren des vernichteten Lebens in der Farbe Rot. So wie
der Mühlstein in der Vision des Johannes ins Meer geworfen
wird und untergeht, so wird die Stadt Babylon, als Symbol
verfehlten Lebens schlechthin, untergehen. Was nach dem
schrecklichen Gericht Gottes übrigbleibt, sind wenige
Reste grausam zerstörter Welt, nur noch Erinnerungen
menschlichen Daseins in Form von Zeichen und Bildern.

Manolo Millares, *Cuadro 66* (Kat.-Nr. 142)

Max von Moos

143

Die Verdammten   1952

Öl auf Pavatex, 87 × 120 cm
Kunstmuseum Thun

144

Die Angst   1963

Tempera und Öl auf Pavatex, 110 × 300 cm
Kunstmuseum Luzern
Lit.: Ernst Maass/Max von Moos, Ausstellungskatalog Kunstmuseum
Luzern 1973; Max von Moos, Ausstellungskatalog Kunsthaus Zürich 1979

Die Angst und *Die Verdammten* gehören zu den prominentesten Werken des Schweizer Surrealisten Max von Moos – sie sind zugleich wichtige Belege seiner »Individualmythologie« wie auch Zeitdokumente, die die »rein persönlichen inneren Probleme zu einer allgemein verbindlichen Aussage verdichten, zu Aussagen, die ein Zeitspiegel sind, die etwas über unsere Zeit sagen, das anders nicht gesagt werden kann« (Max von Moos).

Angst und Bedrohung, Zerstörung und Selbstzerstörung sind die Leitmotive in seinen Bildern, die immer vom verfluchten Menschen und vom Fluch des Menschen handeln. In den 50er Jahren entstehen die großformatigen *Dämonenbilder* und die großen *Köpfe der geschundenen Zeugen,* halb Totenkopf, halb Katastrophenpräparat, Mißgeburten, die sich als Erben des Untergangs präsentieren. In den *Gliederstilleben* und den *Figurenschaufenstern* der 60er Jahre werden die Figuren äußerst plastisch gezeichnet. Die Extremitäten sind besonders stark hervorgehoben: unten Elefantiasis von Füßen, Beinen und Unterleib, oben ein stummes Gestikulieren von nagel-, hammer- und zangenförmigen Fortsätzen. Es sind Folterwerkzeuge, die den Menschen in einer unterirdischen Grabkammer, im Milieu des Totenkults, bedrohen – eine Projektion des Untergangs in eine erschreckende Zukunft der Auferstehung oder Ausgrabung.

Das Thema der Bedrohung verweist auf die »Individualmythologie« von Max von Moos, eine Grundthematik, die sich in stets neuen Symbolen und Formprogrammatiken manifestiert und nach C.G. Jung Inhalte des kollektiven Unbewußten – Archetypen – personifiziert. Inhalt seiner »Individualmythologie« ist der Mythos von der Gefangenschaft des Sohnes im Reich der Furchtbaren Mutter, der Todesmutter, der großen Kastriererin [1]. Als Gegensatz zum Lebendig-Weiblichen ist sie von Natur aus zerstörerisch, sie ist negatives Prinzip. Der Sohn kann ihr nicht entfliehen, er bleibt gefangen in der Unterwelt, im Totenland.

Max von Moos versuchte durch Malen und Zeichnen seine eigenen Angstzustände zu sublimieren, sie wurden für ihn zum Antrieb eines unermüdlichen Schaffensdranges. Obwohl ihm der selbsttherapeutische Aspekt seiner künstlerischen Kreativität bewußt war, verstand er sein Werk im wesentlichen immer als Zeitdokument. In seinen Arbeiten spricht er nicht von sich als Person, sondern als menschliche Existenz, als Mensch schlechthin in seinen Ängsten und Nöten. Max von Moos' Bilder sind düstere Visionen, pessimistische Bestandsaufnahmen, existentielle Infragestellungen. Wie der Künstler seine Zeit einschätzt, hat er in seinem Artikel *Der schöpferische Vorgang in meinem Werk* beschrieben: »Schöpferisch wäre, wenn es mir gelänge, Unheil abzuwenden und dem Leben zu dienen. Es werden jährlich 150 Milliarden Dollar für Kriegsrüstungen ausgege-

ben. Gemessen an dieser Summe sind alle Friedenskonferenzen und -organisationen eine Lächerlichkeit. Es gäbe keine unterentwickelten Völker, wenn nur 10 Prozent dieser Summe für sie verwendet würden. Weder wirtschaftliche noch politische Fakten vermögen diese Situation restlos zu klären. Dagegen gähnt uns eine blinde und böse Lebensgier, die Individuen und Gruppen dirigiert, entgegen. Dies ist schon im Tierreich nicht anders. Ja man kann sagen, daß vom Urnebel bis zur Wasserstoffbombe Millionen Beweise für die Grauenhaftigkeit jeden Geschehens vorliegen und daß jeder Frühling nur eine Täuschung ist. Wie kann Einhalt geboten werden? Grenzenlose Güte, die täglich der widerstrebenden Natur abgerungen werden müßte, wäre das Heilmittel. Doch wer hat sie? Und vor allem habe *ich* sie nicht. Und zudem ist der Feind übermächtig. Wie kann ich schöpferisch sein? Als Maler kann ich nur Warnungstafeln aushängen.«[2]

1 Ausstellungskatalog Kunsthaus Zürich, S. 16
2 Ebd., S. 18

Max von Moos, *Die Angst* (Kat.-Nr. 144)

Max von Moos, *Die Verdammten* (Kat.-Nr. 143)

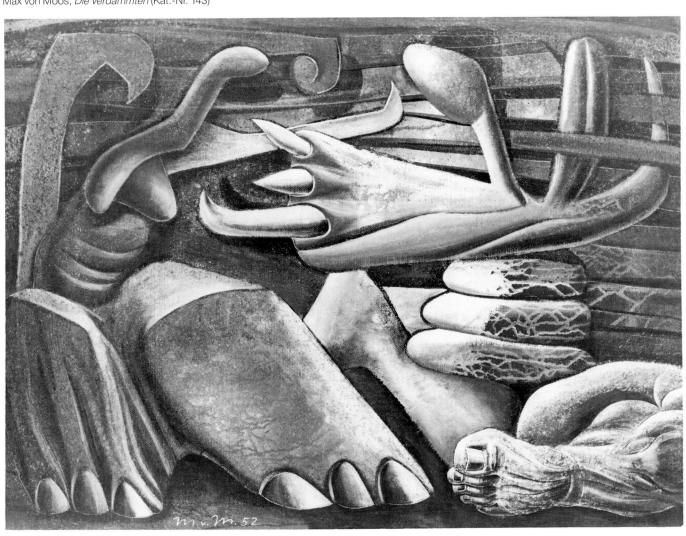

Gerhard Richter

145

Bomber 1963

Öl auf Leinen, 130 × 180 cm
Städtische Galerie Wolfsburg
Lit.: Gerhard Richter. Arbeiten 1962 bis 1971, Ausstellungskatalog Kunst-
verein für die Rheinlande und Westfalen, Düsseldorf 1971

Abbildungen aus Zeitschriften, kurzlebigen Werbedruck-
sachen und private Schwarzweiß-Photographien bilden für
Gerhard Richter in den frühen 60er Jahren die Arbeitsvor-
lagen seiner Malerei. Das ausgewählte Material wird in der
künstlerischen Umsetzung in große Formate gesteigert.
Hintergrund und Randzonen erscheinen nun wie leicht
verwischt, die in modernen drucktechnischen Verfahren
sorgfältig erarbeitete Brillanz wird wieder zurückgenommen,
das ungewöhnliche diffuse Grauschwarz der Ölbilder reizt
paradoxerweise wieder das verwöhnte Auge. Somit gelingt
die Aktivierung eines durch die alltägliche Bildflut der
Massenmedien abgestumpften Interresses.

»In den zufälligen Wirklichkeitsausschnitt, der im Foto
gleichgültig, gleichmäßig erscheint, bringt der Maler eine
Spur von Zentralisierung, von Gestaltenzusammenhang,
die grenzenlose Erscheinung der Wirklichkeit wird unserem
Erlebnis-Focus zubereitet.«[1] Die an einem grenzenlos
erscheinenden Himmel ihre tödliche Last säenden *Bomber*
versinnbildlichen in zeitgemäßer Form die ein Großteil des
Lebens vernichtenden Engel und Reiter der Johannesoffenbarung. Mühelos lassen sich die Textbilder der Vision aus
dem ersten Jahrhundert nach Christus auf moderne Ge-
schehnisse übertragen, Aussagen wie »und es ward ein
Hagel und Feuer, mit Blut gemengt, und fiel auf die Erde...«[2]
kommen in ihrer Bildkraft den realen Ereignissen des Zweiten Weltkrieges, den Katastrophen in Hiroshima und Nagasaki sehr nahe. Die anscheinend willkürlich gewählten
Ausschnitte der Papiervorlage, der Rekurs auf eine Welt aus
zweiter Hand, entsprechen in ihrer Beliebigkeit einer unter-
schiedslosen Vernichtung des Individualismus in der Hölle
eines Infernos. Das Symbol Christi wird in der Kreuzform der
Bomber pervertiert und zum ambivalenten Zeichen des
apokalyptischen Gerichts.

1 Dietrich Helms, Über Gerhard Richter, in: Ausstellungskatalog Düsseldorf
1971, o.S.
2 Apk 8, 7

Gerhard Richter, *Bomber* (Kat.-Nr. 145)

Renato Guttuso

146

Triumph des Krieges 1966

Öl auf Leinwand, 135 × 190 cm
Privatsammlung Italien
Lit.: Guttuso, Ausstellungskatalog Neue Gesellschaft für bildende Kunst
Berlin 1972

Im Winterhalbjahr 1965/66 malt Renato Guttuso eine Serie
von ca. dreißig überwiegend großformatigen Bildern, die er
selbst als »Autobiographie« bezeichnet. Die in diesen
Gemälden behandelte Thematik läßt sich in zwei bzw. drei
Komplexe unterteilen. Der erste Themenbereich setzt sich
mit den Erinnerungen an die Jugendjahre in Sizilien auseinander, der zweite Teil befaßt sich mit der Zeit seines Aufenthaltes in der italienischen Metropole ab 1930. Hier beginnt
dann auch, angesichts der politischen Entwicklung und der
italienischen Beteiligung auf Seiten der Truppen Francos im
Spanischen Bürgerkrieg, Guttusos antifaschistisches
Engagement. In der verbotenen Kommunistischen Partei
wird er 1940 Mitglied und arbeitet bis zum Kriegsende als
Verbindungsoffizier im Untergrund. Der dritte Bereich der
autobiographischen Serie überschneidet sich mit dem
vorgenannten und wird hauptsächlich durch die geistig-ma-
lerische Auseinandersetzung mit Bildern von Courbet,
Picasso, van Gogh und Seurat charakterisiert – alles Künstler, die sich neben ihrer Malerei politisch interessiert und
engagiert haben. »Man sagt, daß der Maler die Welt befragt.
Das ist nicht richtig: der Maler wird von der Welt befragt, und
er muß antworten.«[1] Eine Erwiderung auf die drängenden
gesellschaftspolitischen Fragen der bewegten späten 60er
Jahre ist auch das Bild *Triumph des Todes* von 1966. Es
steht anklagend gegen die offiziellen Verlautbarungen der
italienischen Regierung, die wie viele andere westeuropäi-
sche Staaten ihr Verständnis für die »verantwortliche Haltung« der USA in Vietnam betonte[2].

Ein Druck des Bildes *Der Krieg* von Franz Marc aus dem
Jahre 1913, das auch das *Tierschicksale* genannt wird,
diente Guttuso als Vorlage für sein Gemälde (Abb. 69).
Marcs kurz vor dem Ersten Weltkrieg gemalte Vision eines
bevorstehenden Weltenendes ist der »...Ausdruck der
Sehnsucht nach Zerstörung der gegenwärtigen Welt in ihrer
ganzen Verderbnis, Bosheit und Entartung«, aber auch
gleichzeitig die Hoffnung, diese gehaßte Welt einst »durch
eine Welt der Unschuld, Güte und Reinheit zu ersetzen«[3].
Direkte Übernahmen aus der Arbeit von Marc sind die
kristalline Struktur des Hintergrundes und das sich in der
Mitte bäumende blau-weiße Reh. Im übrigen erweitert
Guttuso die Komposition durch Zitate thematisch verwandter Bildfindungen anderer Künstler. So wandelt sich eines
der grünen Pferde von Marc in das Pferd aus Rousseaus
Bild *Der Krieg* von 1894 (Abb. 42), und auf der linken Seite
unten zeigt sich aus dem *Triumph des Todes,* einem Gemälde des 15. Jahrhunderts im Palazzo Sclafani in Palermo,
der Pferdekopf des Reittieres des Todes. Oben rechts
bezieht sich ein dritter Pferdekopf auf Picassos *Guernica*
von 1937. Ein Selbstzitat aus seiner Mappe *Gott mit uns* von
1943 sind die Köpfe der beiden SS-Männer mit Stahlhelm.
Zwischen ihren Maschinengewehren ist nach einer häufig
reproduzierten Photographie das mit erhobenen Armen
und Schirmmütze dargestellte Kind aus dem Warschauer
Getto zu sehen. Das nicht ausgemalte Gesicht und die im
ganzen nur auf das für die Wiedererkennbarkeit Notwendig-
ste reduzierte Übernahme versinnbildlichen den Symbolge-
halt dieser umfassenden Anklage der faschistischen Greueltaten. Durch die Verflechtung persönlicher Erlebnisse mit
übergreifenden, allgemeingültigen Geschehnissen, durch
die Verquickung der in den Bildzitaten anklingenden Einzel-

Abb. 69 Franz Marc, *Tierschicksale,* 1913 (Kunstmuseum Basel)

werke verwandter Thematik gelingt Guttuso eine Verdichtung inhaltlicher und formaler Art. Seine autobiographischen
Bilder sind niemals nur persönliche Reflexionen, sondern
stellen in der Besonderheit des Einzelschicksals allgemein-
verbindliche Bezüge zur politischen und gesellschaftlichen
Wirklichkeit her.

»Kunst entsteht nicht durch ›Gottesgnade‹ oder durch
Offenbarung. Weder Gott noch Gnade sind darin, sondern
nur wir selbst in unserm Blut, unserer Intelligenz und unserer
Moral.«[4]

1 Renato Guttuso, Ausstellungskatalog Berlin, S. 20
2 Italienische Realisten 1945 bis 1974, Ausstellungskatalog Neue Gesellschaft für bildende Kunst und Kunstamt Kreuzberg Berlin 1974, S . 4, 14
3 Frederick Spencer Levine, zit. nach: Robert Rosenblum, Die moderne
Malerei und die Tradition der Romantik, München 1981, S. 151
4 Renato Guttuso, Ausstellungskatalog Berlin 1974, S. 2, 15

Renato Guttuso, *Triumph des Krieges* (Kat.-Nr. 146)

Equipo Crónica

147

Der Sockel (El zocolo)   1969

Acryl auf Leinwand, 100 × 90 cm
Sprengel Museum Hannover
Lit.: Guernica, Ausstellungskatalog Neue Gesellschaft für Bildende Kunst
Berlin 1975 (Hrsg. Manfred Bardutzky u.a.); Udo Liebelt, Lebenszeichen.
Botschaft der Bilder, Katalog Kunstmuseum Hannover mit Sammlung
Sprengel 1983

Die unter dem Namen Equipo Crónica gemeinsam arbeitenden spanischen Künstler Manuel Valdés und Rafael Solbes zitieren in mehreren Arbeiten Picassos *Guernica* (Abb. 70) aus dem Jahre 1937. Das großformatige Gemälde entstand unter dem Eindruck der Zerstörung des baskischen Ortes durch die Legion Condor während des Spanischen Bürgerkrieges. Der Bombenangriff galt nicht militärischen Zielen, sondern der Zivilbevölkerung. Dies wird in Picassos Bild durch die Frauen und das tote Kind versinnbildlicht. Darüber hinaus ist »das Wirkliche der Schrecken des Bombenangriffs auf die Stadt Guernica ... in keiner Hinsicht durch ein Abbild illusioniert, wohl aber ist es in einer durch ein Bild erweckten Vorstellung beschworen. Diese in der Vorstellung beschworene Wirklichkeit des historischen Ereignisses aber ist aufgehoben enthalten in der Vorstellung eines Mythischen über aller historischen Zeit: Gerade in seiner Aufgehobenheit im Mythischen ist und bleibt das historische Ereignis des Bombenangriffs auf Guernica in schlechthinniger Aktualität gegenwärtig, und gerade das Mythische macht die Unfaßlichkeit dieser Untat in ihrer Unfaßlichkeit faßbar.«[1]

Das Bild von Equipo Crónica zeigt den linken unteren Teil von *Guernica,* das an der Wand eines Museumsraums hängt. Der Betrachter sieht so nur das tote Kind und den Kopf des gefallenen Kriegers – letzterer ist eine Motivübernahme Picassos aus der Apokalypse von Saint-Sever aus dem 11. Jahrhundert. Aus dem Kopf und der Brust des

Kindes sowie dem Arm des Mannes rinnt Blut in einer langen Spur über die helle grünliche Wand, den graublauen Sockel und sammelt sich am Boden in einer Lache. Den beiden Künstlern geht es nicht in erster Linie um das Bild Picassos, sondern um den Ort, an dem es hängt, das Museum. Und es bezieht so den mit ein, den es nicht darstellt: den Betrachter des Kunstwerks.

Guernica »als [der] moderne Kalvarienberg, der Todeskampf in den zerbombten Ruinen menschlicher Zärtlichkeit und Treue ... [ein] religiöses Gemälde nicht in derselben Manier, aber mit derselben Glut gemalt, die Grünewald inspiriert hat...«[2], wehrt sich stellvertretend gegen die Vereinnahmung als rein ästhetisches Objekt, gegen seine Neutralisierung als teures Museumsstück.

Das Bild will als Symbol, als Anklage der Vernichtung des Menschen durch den Menschen, lebendig bleiben. Nach Picassos Willen sollte das Bild erst nach der Wiederherstellung der Demokratie in sein Heimatland gebracht werden. Als der *Der Sockel* im Jahre 1969 entstand, befand sich *Guernica* immer noch im New Yorker »Exil«. Das Bild von Equipo Crónica mag so auch eine Mahnung an den Betrachter sein, die Greuel des Spanischen Bürgerkriegs nicht zu vergessen; zudem war es zum Zeitpunkt seiner Entstehung ein Protest gegen die Fortdauer der Franco-Diktatur, zu deren Beginn die Zerstörung Guernicas gestanden hatte.

1 Max Imdahl, Picassos Guernica, Frankfurt 1985, S. 95 f
2 Herbert Read, Picassos Guernica, in: London Bulletin, Oktober 1938,
zit. nach: Ausstellungskatalog Berlin, S. 122

Abb. 70 Pablo Picasso, *Guernica,* 1937 (Museo del Prado, Madrid)

Equipo Crónica, *Der Sockel (El zocolo)* (Kat.-Nr. 147)

Curt Stenvert

148

Opus 535: Null Null – Zukunft 2000   1971

Objekt mit verschiedenen Materialien, 122,5 × 200 × 12 cm
Im Besitz des Künstlers
Lit.: Curt Stenvert, Die Funktionelle Kunst des 21. Jahrhunderts, München
1968; Willy Rotzler, Objektkunst, Köln 1972, S. 98 f; Marzio Pinotti, Curt
Stenvert – or of Allegory, Turin 1975

Der 1920 in Wien geborene Curt Stenvert sieht in zahlreichen
seiner Arbeiten Meditationsobjekte, die zum Anlaß genommen werden sollten, über Werden und Vergehen nachzu-
denken. Das Wesen seiner Objektkunst liegt nicht allein in
einem surreal anmutenden poetischen Reiz, der in der
Akkumulation und Konfrontation heterogener Gebrauchs-
gegenstände im Objekt entsteht, sondern auch in einer
eindeutigen, mitunter programmatischen inhaltlichen
Aussage.

Das Objekt *Null Null – Zukunft 2000,* auch als *Weltzerstörung* betitelt, gibt sich als düstere Vision zu erkennen. Die
Akkumulation – in der Tradition von Kurt Schwitters' *Merzbil-
dern* und Armans *Poubelles* (Anhäufung von Müll in Glaskä-
sten) – vereinigt Dinge des alltäglichen Abfalls zu einem
Ensemble: deformierte Gefäße, Nägel, Kabel, Zahnräder,
Teile von Sprühdosen, Zifferblätter, Federn, Plastiktiere und
-menschen mit abgebrochenen Gliedmaßen, leere Batte-
rien, Widerstände und Kondensatoren, ein Skelettarm – das
Ganze lackiert und mit Farbe übersprüht. Ein plattgetretener
Blechbehälter »Null Null Reinigungsmittel für WC« weist auf
den Titel des Objekts hin. Die mehrfach auftauchende
Produktwerbung »Ideal« verfremdet und ironisiert das
Thema: Die ideale Zukunft liegt in einer weggeworfenen
Putzmitteldose, umgeben von Abfallprodukten, deformier-
ten Menschen und Tieren in einer abgestorbenen Natur.

Die Gegenstände sind aus der Banalität des Alltags heraus-
gerissen, ihrer jeweiligen Bestimmung entfremdet, und
erhalten so durch die Befreiung aus ihrer Zweckgebunden-
heit eine neue ästhetische Qualität. Zur Funktion seiner
Objektkunst bemerkt Stenvert: »Ich… meine, daß eine
solche Kunst ein (wenn vielleicht auch utopisches) Modell
für eine künftige Gesellschaft sein könnte. Und dieser
Gesellschaft auch ›Antwort‹ auf die sich ständig verän-
dernde Welt geben und damit Lebens-, resp. Überlebens-
hilfe bieten würde (Vielleicht im 21. Jahrhundert?!?!).« [1]

1 Curt Stenvert in: Curt Stenvert. Objekte 1962–74, Österreichische
Galerie im Oberen Belvedere Wien 1975, S. 7

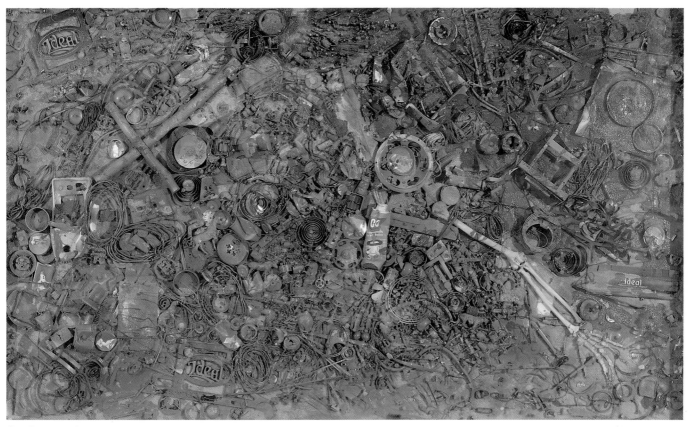

Curt Stenvert, *Opus 535: Null Null – Zukunft 2000* (Kat.-Nr. 148)

Jochen Hiltmann

149

Kampf der Supermächte um die Weltherrschaft
1977

7 Siebdrucke, je 26 × 36,2 cm
Wilhelm-Hack-Museum, Ludwigshafen/Rh.
Lit.: Jochen Hiltmann, Ausstellungskatalog Rolandseck (Bahnhof) 1979;
Schrecknisse des Krieges, Ausstellungskatalog Wilhelm-Hack-Museum
Ludwigshafen/Rh. 1983

»Modern gesprochen ist die Apokalypse metaphysische
Atomphysik. Gegenstand ihrer Lehre bildet die Kernspaltung
des christlichen Kraftfeldes, die zu einer Explosion der
gesamten Struktur unserer planetoiden Sozietät führen
kann. In diesem Sinne interessiert uns vor allem die Charak-
terisierung der apokalyptischen Dialektik, in der die Entwicklung der gesamten Weltgeschichte seit Christi Geburt
gipfelt. Diese Dialektik wird durch die beiden Supermächte
USA und UdSSR profiliert. Sie bilden die beiden apokalyptischen Faktoren und werden im 13. Kapitel der Geheimen
Offenbarung, wie wir glauben, durch die Symbole des
Tieres aus dem Meere und des Tieres aus dem Lande
charakterisiert.«[1]

Dieser extrem aktualisierten Johannesvision liegen die
realen Erfahrungen des Zweiten Weltkrieges und der hieraus
resultierenden politischen Gegebenheiten zugrunde. Ganz
ähnlich reduziert Jochen Hiltmann in seinem siebenteiligen
Zyklus komplizierte politische Verhältnisse auf das Hegemo-
niestreben zweier Supermächte. Die bereits zum letzten
Kampf um die Weltherrschaft angetretenen Kräfte werden
als maskenbewehrte, gespenstisch anmutende Krieger
personifiziert. Über einem entfesselten Wirbel, der alles zu
verschlingen droht, in einem schwer definierbaren Raum,
belauern sich die beiden Rivalen. Zwei Blätter Hiltmanns
sind inhaltlich identisch, formal allerdings durch ihre Positiv-
Negativ-Umkehrung voneinander unterschieden. Wie das
Licht einer atomaren Explosion zuerst aufleuchtet und im
selben Moment das beleuchtete Leben vernichtet, Druckwellen die lebensspendende Erde aufwirbeln, die dann als
tödlicher Staub zurückfällt, so stellt die formale Umkehrung
ein und desselben Motivs die Ambivalenz dieses Lichts
sinnfällig dar. Erinnerungen an Hiroshima und Nagasaki
werden wach, Erinnerungen an den Donner der Explosio-
nen, an die von Druckwellen zerstörten Häuser und Städte.
In dem Versuch der sukzessiven bildnerischen Darstellung
des in Sekundenbruchteilen verglühenden Lebens liegt die
Warnung vor dem mittlerweile Menschenmöglichen.

1 Kurt Becsi, Aufmarsch zur Apokalypse, Wien/Hamburg 1971, S. 24 f

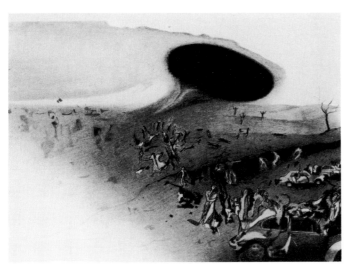

Jochen Hiltmann, *Kampf der Supermächte um die Weltherrschaft* (Kat.-Nr. 149)

Markus Lüpertz

150

Apokalypse – dithyrambisch   1973

Leimfarbe auf Leinwand

Linker Flügel: 260 × 207 cm
Mittelteil: 260 × 320 cm
Rechter Flügel: 260 × 207 cm

Galerie Michael Werner, Köln

151

8 Skizzen zur Apokalypse   1973

Aquarell, Kohle, Farbkreide, je 30 × 40 cm
Galerie Michael Werner, Köln

Lit.: Markus Lüpertz. Bilder 1970–1983 (Hrsg. Carl Haenlein),
Ausstellungskatalog Kestner-Gesellschaft Hannover 1983;
Markus Lüpertz. Gemälde und Handzeichnungen 1964–1979,
Ausstellungskatalog Josef-Haubrich-Kunsthalle Köln 1979

»Ich lehne Thematik ab. Ich mag den Terror der Thematik
nicht. Ich will, daß das Bild offen ist, daß der Betrachter die
Thematik erfindet...«[1] beansprucht Markus Lüpertz grundsätzlich für die Auseinandersetzung mit seiner Malerei. Aber
dann sind da nicht zuletzt immer auch noch ein programmatisch gemeinter Bildtitel, eine deutbare Form und eine
bezeichnende Farbe, finden sich Gegenstände, die nicht frei
von allgemeinverbindlichen Konnotationen bleiben können
und sollen. *Apokalypse – dithyrambisch* ist das Triptychon
von 1973 benannt, und das ist neben der gewählten Bildform des mittelalterlichen Flügelaltars Programm im umfas-
sendsten Sinne. Die Form des dreigeteilten Bildes kann als
eine ironische Paraphrasierung des weltabgewandten

Leidens- und Erlösungsgedankens der christlichen Kirchen-
lehre verstanden werden, ebenso wie die Wiederholung des
immer gleichen Grundmotivs dem wiederholten Auftreten
der Figur Christi in Darstellungen der Passion analog erscheint. Aufschlußreicher ist vielleicht noch das in den 60er
und 70er Jahren durchgängig beigegebene Adjektiv ›dithyrambisch‹.

Der klassische Dithyrambos ist ein hymnisches Chorlied,
das durch einen strophisch gegliederten Vortrag zur Musik
charakterisiert ist, bei dem ein Chor dem Vorsänger ant-
wortet. Die Aufführungen fanden zunächst nur zu Ehren
Dionysos' statt. Bei Markus Lüpertz ist dithyrambisch die
Entsprechung für ein Lebensgefühl, eine Einstellung zur
Welt, die sich in seiner Malerei als ständiger Wechsel zwi-
schen Formlosem und Geformtem äußert, die bemüht ist,
auch mythische Inhalte und Ziele mit einzuschließen. Der
Begriff verweist weiterhin auf die verschiedenen Formen der
Ekstase, ein nach innen und außen gewandtes rauschhaftes
Erleben, ein vom Schöpfungswillen erfülltes Sein. »Im
dionysischen Dithyrambus wird der Mensch zur höchsten
Steigerung aller seiner symbolischen Fähigkeiten gereizt;
etwas Nieempfundenes drängt sich zur Äußerung, die
Vernichtung des Schleiers der Maja, das Einssein als Genius
der Gattung, ja der Natur. ...; eine neue Welt der Symbole ist
nötig, einmal die ganze leibliche Symbolik, nicht nur die
Symbolik des Mundes, des Gesichts, des Wortes, sondern
die volle, alle Glieder rhythmisch bewegende Tanzge-

Markus Lüpertz, *Apokalypse – dithyrambisch* (Kat.-Nr. 150)

Markus Lüpertz, *Apokalypse – dithyrambisch* (Mittelteil)

bärde.«[2] Demgegenüber steht der Begriff der Apokalypse, der in seiner einfachsten Auslegung die Vorstellung des Weltenendes und die hiermit verknüpfte Hoffnung auf eine neue, gesteigerte Form des Seins umfaßt. Dithyrambisch und apokalyptisch verbinden sich in ihrer Bedeutung als Überwindung des Individuellen, in beiden Vorstellungen kommt nicht der einzelne Mensch zur Geltung, sondern etwas Größeres, Allgemeineres: die Einheit alles Seienden.

In der Wiederholung des immer gleichen Motivs erreicht Lüpertz eine Steigerung und gleichzeitig eine Relativierung des behandelten Stoffes. Überhöhung und Ironisierung bedingen sich, der Gegenstand verliert in der Multiplikation an Bedeutung, ohne daß er als Helm, Schnecke oder Hahn beliebig austauschbar wäre. Es bleibt eine Balance zwischen Ungewissem und Gewußtem. Widersprüchlich zur wuchtigen Präsenz der raumbeherrschenden Bild-Dinge im Triptychon von 1973 ist auch die Leichtigkeit des Farbauftrages.

Jede der drei Bildtafeln zeigt ein rechtsgewundenes Schneckenhaus über einer gleichfarbigen Dreiecksform. Ein starker Schlagschatten verweist auf eine imaginierte Lichtquelle links oben. Der Unterbau des Schneckenhauses wird jeweils von sechs sich kreuzenden Stäben überlagert und zum Teil durchdrungen. In der breiteren Mitteltafel ist hinter dem Schneckenmotiv ein Konglomerat aus rundverschliffenem Felsgestein, Hahnenkopf, Stahlhelm und einem schwer bestimmbaren Etwas, das scheinbar auch gegenständlich zu verstehen ist, angehäuft. Zumindest der Stahlhelm ist durch die deutsche Vergangenheit ideologisch stark belastet, die Deutung der anderen Gegenstände hingegen bleibt ungesichert und letztlich offen. Der Hahn kann als Symbol der Kampfeslust und besonders der Hoffnung interpretiert werden. Als Erwecker der Welt verkündet er die Auferstehung. Auch die Schnecke ist ein Zeichen des Erwachens vom Tod: Sie sprengt den Deckel ihres Gehäuses im Frühling und belebt sich neu. Die vielfältigen Auslegungsmöglichkeiten reizen zum Erzählerischen, doch vielleicht nimmt der Betrachter die eingangs erwähnte Aufforderung des Malers ernst und erfindet seine eigene Thematik.

1 Markus Lüpertz, Ausstellungskatalog Hannover, S.12
2 Friedrich Nietzsche, Die Geburt der Tragödie, Schlechta-Ausgabe 1954, Bd. I, S. 28

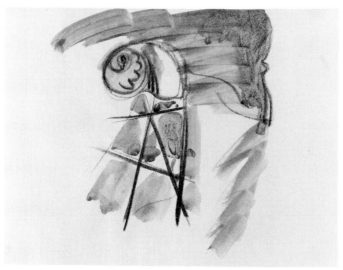

Markus Lüpertz, *Skizzen zur Apokalypse* (Kat.-Nr. 151)

Karl Marx

152

Gasmaskenreiter I   1974

Öl auf Leinwand, 185 × 150 cm
Privatsammlung Bonn

153

Gasmaskenreiter II   1974

Acryl und Kohle auf Leinwand, 200 × 160 cm
Im Besitz des Künstlers

Lit.: Karl Marx. Bilder von 1951 bis 1981, Ausstellungskatalog Rheinisches
Landesmuseum Bonn 1981

In seinen beiden Bildern *Gasmaskenreiter I* und *Gasmaskenreiter II* variiert Karl Marx das Sujet des Reiterbildnisses.
Statt expressiver Dynamik, wie sie Marinis *Miracolo* eigen ist
(Kat.-Nr. 137), dominiert hier das Moment des Statischen;
Parallelen zum »klassischen« repräsentativen Reiterstand-
bild lassen sich, sowohl in seiner formalen Gestaltung wie
auch in seiner inhaltlichen Intention, konstatieren.

In ihrer heroisierenden Pose verkörpern die Reiter von Marx
Macht, sie sind Personifikationen der Bedrohung. Wie auch
in anderen Gemälden des Künstlers sind die Gestalten
identitätslose, entmenschte Wesen, häufig überlebensgroß,
deren Form und Volumen alleine durch Farbe konstituiert
werden. Die Körper setzen sich aus umrißlosen Farbballun-
gen zusammen, die im scharfen Gegensatz zu flächigen
Hintergründen stehen. Die Gliedmaßen sind überzeichnet,
die Proportionen verzerrt. Dadurch, daß die als Farb- und
Formgebilde intonierten Körper im Vordergrund des Bildes
agieren, dadurch, daß keine räumliche Distanz erzeugt wird,
rufen sie beim Betrachter Gefühle des Bedrohtseins hervor.

Bedrohung, Angst, physische und psychische Gewalt sind
ständig gegenwärtige Themen in den Bildern von Marx.
Die Angst der Bildakteure ist eine offene, existentielle Angst,
die sich aus dem Bildraum heraus auf den Betrachter
übertragen soll. Angst als eine Kategorie des Nichtseins, die
die psychische und soziale Lage des Individuums in einer
übertechnisierten und durchrationalisierten Wirklichkeit
bestimmt. »Das Geworfensein des Menschen in den Raum
– diese Heideggersche Bestimmung umreißt Marx als das
übergreifende Thema seiner Gemälde. Der Raum wird zum
Synonym des Nichtseins. Noch dominieren die wesen-
haften Gestalten der Bilder den Raum, allerdings in verzerrter, verrückter Gebärde – doch es fragt sich, wie lange
dieser Zustand währt.«[1]

Marx' Gasmaskenreiter sind als Synonyme für ein künstlich
aufrechterhaltenes Leben in einer abgestorbenen, verseuchten Welt zu deuten, in der es keine Luft zum Atmen
gibt. Sie aktualisieren den traditionellen Typus des
Reiterstandbildes, das Würde und Macht symbolisiert,
zugleich aber auch dem Untergebenen bzw. Betrachter ein
Gefühl von Respekt und Furcht suggerieren will. Die Verdop-
pelung der Reiterfigur, der dreigeteilte, vertikal verlaufende
Hintergrund, die frontale Zuwendung zum Betrachter in
Gasmaskenreiter II intensivieren diesen Eindruck. Die Reiter
erinnern aber auch an den Todesritter, etwa bei Salvador
Dali (Kat.-Nr. 128), oder an den vierten Reiter der Apoka-
lypse, dem nicht selten in Bildern und Graphikfolgen jüngeren Datums die Gasmaske, quasi als ein repräsentatives
Attribut des 20. Jahrhunderts, beigegeben wird.

Karl Marx, *Gasmaskenreiter II* (Kat.-Nr. 153)

1 Klaus Honnef, Bilder aus mythischem Bezirk. Versuche zum künstlerischen Werk von Karl Marx, in: Ausstellungskatalog Bonn, S. 13

Karl Marx, *Gasmaskenreiter I* (Kat.-Nr. 152)

Arnulf Rainer

154

Mumienserie 1979/80

1. Mumien
Öl auf Photo, 59,5 × 47,4 cm

2. Mumie
Öl und Ölkreide auf Photo, 48,2 × 59,6 cm

3. Mumie
Ölkreide auf Photo, 47,8 × 59,6 cm

4. Mumie
Öl, Ölkreide und Graphitstift auf Photo, 59,8 × 46,6 cm

5. Mumie
Öl auf Photo, 59,7 × 47 cm

6. Mumie
Ölkreide auf Photo, 59,7 × 48,2 cm

7. Mumie
Ölkreide und Tusche auf Photo, 59,8 × 47,3 cm

8. Mumie
Öl auf Photo, 54,6 × 46,9 cm

9. Mumien
Öl auf Photo, 47,5 × 59,7 cm

10. Mumien
Öl und Ölkreide auf Photo, 48,5 × 59,7 cm

11. Mumie
Öl und Ölkreide auf Photo, 59,7 x 47 cm

12. Mumie
Öl und Graphitstift auf Photo, 59,5 × 47 cm

13. Mumie
Tusche und Ölkreide auf Photo, 59,7 × 48 cm

14. Mumie
Tusche und Ölkreide auf Photo, 59,4 × 47,3 cm

Im Besitz des Künstlers
Lit.: Arnulf Rainer. Tod-Death, Ausstellungskatalog Galerie Ulysses, Wien
1981; Arnulf Rainer, Ausstellungkatalog Nationalgalerie Berlin, Staatliche
Museen Preußischer Kulturbesitz, Berlin 1980/81

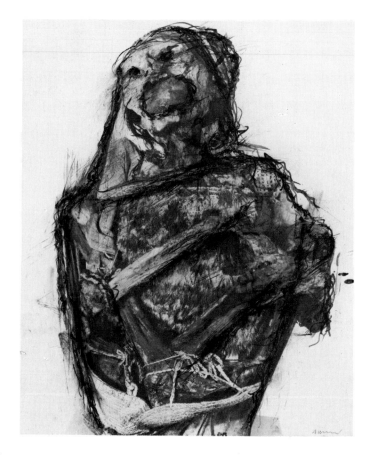

Seit 1978 übermalt Arnulf Rainer Photographien von Totenmasken, Totengesichtern und mumifizierten Körpern. Durch
eine gestisch impulsive Bearbeitung des vorgefundenen
Materials mit Ölfarbe, Ölkreide und Tusche gelingt ihm eine
Steigerung der dokumentarischen Vorlagen. »Nach 10
Jahren verkrampfter Selbstdarstellung berührt mich vor
allem die mimisch-physiognomische Sprache dieser Gesichter: das Hinübergeglittene und Gelittene, das Interesse-
und Affektlose im Ausdruck. Keine Grimassen, keine psy-
cho-physische Anpassung, keine dialogsuchende Zuwendung; keinen Beeindruckungsehrgeiz, keinen Verzerrungs-
willen, keinen Übertreibungsmanierismus gibt es hier.«[1]

Rainers Bemühungen um das »wahre« Gesicht des Todes
stehen im krassen Gegensatz zur geläufigen Auseinandersetzung mit diesem Thema. Von alltäglich apokalyptisch
anmutenden Schreckensmeldungen überflutet, abge-
stumpft und betäubt, werden die ehemals als existentiell
empfundenen Ereignisse des Alterns und Sterbens für die
meisten Zeitgenossen zu banalen Ärgernissen deklassiert.
Das als natürliches Daseinsende begriffene »Aus« wird
tabuisiert oder zumindest als hinausschiebbar verstanden.
»Angebrachte und unangebrachte Pietät machen es auch
heute dem Künstler fast unmöglich (etwa im medizinischen
Betrieb), an das wahre Gesicht des Todes heranzukommen.
Seitdem ich das erfuhr, warte und suche ich, lauere wie eine
Hyäne, um überhaupt dem Phänomen des leibhaftigen
Todes zu begegnen... Als Person will ich mich diesem
Geheimnis nähern, als Verwunderter, dieses Problem nicht
mehr beiseitelassen. Als Mensch wie alle anderen ist es
auch für mich die große Konfrontation.«[2]

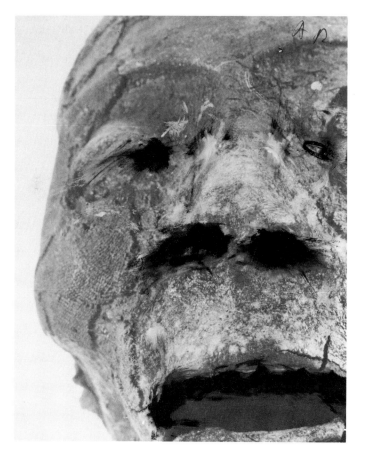

Arnulf Rainer, *Mumienserie* (Kat.-Nr. 154)

Die wie mit Pergament überspannten Schädelknochen der Mumien, die vereinzelt oder in Gruppen beerdigten Körper – mit geschlossenen Augen und durch den Schrumpfungsvorgang weitgeöffneten Mündern – werden durch die Bearbeitung in ihrer irritierenden Aussage verstärkt. Mit heftigen, schnell hingesetzten Farbübermalungen hebt Rainer Körperformen hervor, verdeckt gleichzeitig ganze Partien der präparierten Toten und verändert so die mimischen Züge dieser Hüllen vergangenen Lebens. Die zu Grimassen erstarrten, ausgetrockneten Menschenbilder werden überhöht und anklagend lebendig. Rainers gestisch-impulsives Linienwerk der Übermalung sensibilisiert und fokussiert den Blick auf das Dahinterliegende, das zugleich »Schreckliche und Erlöste«.

1 Arnulf Rainer, in: Ausstellungskatalog Galerie Ulysses, S. 5
2 Ebd.

155

Feuersturm   1981

Öl auf Karton, 51 × 73 cm
ak Galerie, Frankfurt/Main
Lit.: Arnulf Rainer. Handgeschmiertes, Ausstellungskatalog ak Galerie, Frankfurt/Main 1984; Arnulf Rainer, Ausstellungskatalog Nationalgalerie Berlin, Staatliche Museen Preußischer Kulturbesitz, Berlin 1980/81

»Und der Engel nahm das Rauchfaß und füllte es mit Feuer vom Altar und schüttete es auf die Erde.«[1] Noch glaubt man die Hitze in den schrundig gekerbten Strukturen des Bildes zu spüren, wie auf die Leinwand gefallene Glut muten die Fingerschmierereien Arnulf Rainers an.

Durch Schlagen und Wischen mit den in Farbe getauchten Händen und Füßen versucht Rainer seit Mitte der 70er Jahre die Dynamik körperlich-seelischer Prozesse auf Leinwand und Karton zu bannen. »Meistens ergaben sanfte Bildgrundbetastungen den Anfang. Nur wenn sich da nicht genügend Leben, d.h. Spurenintensität regte, streichelte, rieb und drosch ich allmählich. Trotzdem träumte ich weiter von sanften flüssigen Berührungen, um daraus eine Bildlebendigkeit zu erreichen und zu erwecken, die heftige Erregung widerstrahlt.«[2]

Nicht zufällig erinnern Farben, Gestaltung und Titel der 1981 entstandenen Arbeit darüber hinaus noch an die Feuerstürme des letzten Weltkrieges. Ein wie aus eigener Kraft erbarmungslos vordringendes Blutrot überdeckt das rechts oben im Bild nur noch in Spuren erscheinende Dunkel eines »Ehemals«. Die narbig zerfurchte Oberfläche, die auf den Bildrand übergreifende Bemalung, veranschaulicht lebendige Einheit psychischer und physischer Energie. In Auseinandersetzung mit dem Grenzbereich zwischen Leben und Tod gelingt eine visuelle Spannung, die den Textbildern der Johannesvision äquivalent ist.

1 Apk 8, 5
2 Arnulf Rainer, in: Ausstellungskatalog Berlin 1980/81, S. 106

Arnulf Rainer, *Feuersturm* (Kat.-Nr. 155)

Jürgen Brodwolf

156

Figurenbeugung   1982

6teiliger Figurenschrein
Holz, Pappmaché, Erdfarben, 125 × 230 × 8 cm
Sammlung Greisinger, Augsburg
Lit.: Franz Joseph van der Grinten/Friedhelm Mennekes, Menschenbild –
Christusbild, Stuttgart 1984

Um 1959 entdeckt Jürgen Brodwolf für sich die Ähnlichkeit
einer halbausgedrückten Farbtube mit dem menschlichen
Torso. Aus den Tubenformen entwickelt er alle weiteren
Kunstfiguren, so auch die im sechsteiligen Schrein von 1982
verwendeten. Den Sechserschritt thematisiert schon
Goethe in seiner naturwissenschaftlichen Schrift über »Die
Metamorphose der Pflanzen«[1]; in sechs Stadien vollzieht
sich dieser Untersuchung zufolge der Kreislauf alles Vegeta-
bilen. Die von Brodwolf für die Darstellung des Vergehens
entlehnte Unterteilung erinnert kontrapunktisch hier auch
an das Werden der Welt in sechs Tagen. Und wie in der
alttestamentlichen Überlieferung die Sechs eine Vorbereitung für die Ruhe oder Vollendung der Sieben ist, so blasen
sechs Posaunenengel in der Apokalypse, solange das
Gericht andauert, während der siebte erst blasen wird,
wenn das Geheimnis Gottes vollendet ist.

Brodwolfs Arbeiten haben generell die Tendenz zum Zyklischen und Seriellen. Mit dem Grundproblem der Vergänglichkeit wird ein Jahrhunderte altes Thema der Kunst aufgegriffen. Wie in Zeitrafferaufnahmen ist ein lang währender,
natürlicher Prozeß in einzelne Sequenzen gegliedert. Der
mit Tüchern umhüllte Körper beugt sich mit dem Verfall der
Materie sukzessiv zur Erde. Die Umhüllung erinnert an die
ehemals kunstvoll hergerichteten Leichen, deren Körper
durch das Balsam für lange Zeit konserviert werden sollten.
Gerade im Kontrast zu dieser Vorstellung wird das Vanitas-
Motiv, das in so unterschiedlichen Gattungen wie dem
Totentanz und dem Stilleben seine Ausprägung erfuhr,
besonders sinnfällig.

»Ich war fasziniert von diesen ganz toten Menschen. Das
waren keine Toten mehr, vor denen man Angst hatte. In
diesen ägyptischen Mumien ist ein Mensch durch die Zeit
hindurch Figur geworden, Plastik«[2], berichtete Brodwolf, als
er im British Museum in London die ersten ägyptischen
Mumien gesehen hatte. Rückwirkend betrachtet verweist
aber auch der gut mumifizierte Körper, und das verdeutlicht
das Objekt *Figurenbeugung,* auf die stark entwertende Kraft
des Todes. Ebenso wie die Toten in den Katakomben, die
bei leichter Berührung zerfallen, so sind die Figuren Brodwolfs leichte und verletzbare Hüllen, nur noch schemenhafte
Erinnerungen an ein aktives Leben.

»Die Kiefer des Todes zermalmen alles, und der Schlund der
Verwesung frißt jede Teleologie, der Tod ist der große Spedi-
teur der organischen Welt, aber zu ihrer Katastrophe.«[3]

1 J.W. Goethe, Die Metamorphose der Pflanzen, V. Artemis-Ausgabe,
Bd. 17, S. 42, 53
2 Franz Joseph van der Grinten/Friedhelm Mennekes, a.a.O., S. 176
3 Ernst Bloch, Das Prinzip Hoffnung, Bd. III, S. 1301

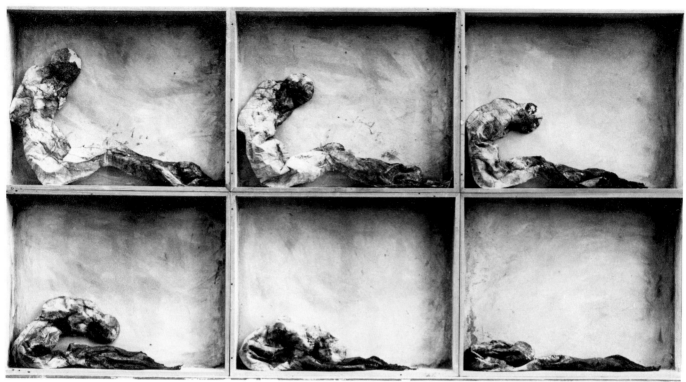

Jürgen Brodwolf, *Figurenbeugung* (Kat.-Nr. 156)

Albrecht Dürer

157

Traumgesicht 1525

Wasserfarben auf Papier, Handschrift, 30,5 × 42,5 cm
Kunsthistorisches Museum Wien
(hier: Farbreproduktion)

Josef Beuys

158

Was birgt die Wolke? 1981

Offsetdruck, 49 × 64 cm
Handnumeriert und signiert, Stempel des Künstlers; nach einem Aquarell
»Rote Wolke« von 1956
Galerie Schellmann & Klüser, München

Dürer und Beuys

»Darüber erschrak ich so schwer, daß ich davon erwachte.«
(Albrecht Dürer 1525)

»Eins nach dem andern, Beuys nach Dürer, der Alte vor dem
Jungen«, oder was würde Chronos wohl zu diesem Problem
der Kunstgeschichte sagen? Besteht heute noch jemand

auf der Auffassung, daß in der Kunst lediglich neue Gebilde,
d.h. Gebilde mit neuen Eigenschaften additiv zu den bereits
existierenden hinzukommen? Kann heute noch jemand
zweifelsfrei auf der »insularità« eines einzelnen Kunstwerkes
beharren oder glauben, daß es ein für allemal für sich und in
sich beendet ist? Wohl kaum.

Schon ein einziges gelungenes neues Werk verändert den
relativen Wert aller vormals geschaffenen verwandten
Arbeiten. Jede neuere Kunst ist zu einem Teil somit auch
gleichzeitig eine Kritik an der vorhergegangenen. Nimmt
man diese These als richtig an, die im übrigen nicht aus-
schließt, daß es Werke geben kann, die nur in ihrem rekon-
struierten historischen Kontext weiterleben, so wird man
sich bereit finden, ständig zu vergleichen, häufig neu zu
werten bzw. umwerten zu müssen. Und in der Tat liegt in
»der Trennung der beiden Kunstgeschichtsschreibungen,
die sich entweder mit historischer oder mit moderner Kunst
beschäftigen und dies mit ganz verschiedenen Paradigmen

Albrecht Dürer, *Traumgesicht* (Kat.-Nr. 157)

tun, ...kein Sinn mehr. Und genauso wenig dient uns noch ein starrer hermeneutischer Rahmen, in dem eine dogmatische Art von Interpretation veranstaltet wird. Adäquater wäre es, als ein permanentes Experiment zu verstehen, was man in der Befragung des Mediums Kunst unternimmt, in seiner Befragung nach dem geschichtlichen Menschen und den Bildern der Welt, die er in der Kunst erzeugt hat.«[1]

Wieso gerade die Konfrontation Beuys-Dürer? Wird doch die künstlerische Potenz des einen von den Liebhabern und Verehrern des anderen allzu häufig hinter einem scheinbar tolerant gemeinten »na ja« im Grunde stark angezweifelt oder umgekehrt mit einem vielsagenden »ja damals« abgetan. Gibt es außer Differenzen und einer auffallenden formalen und thematischen Gemeinsamkeit auch sinnstiftende Übereinstimmung? Beide Arbeiten entspringen natürlich diametral entgegengesetzten künstlerischen Konzeptionen. So ist zum einen Albrecht Dürer einer der ersten deutschen Künstler, die im Bemühen um eine rationale Weltsicht

umfassende naturalistische Studien betreiben. Er hinterläßt ein Œuvre, in dem (fast) alle Werke durchorganisierte Arbeiten darstellen. Die Welt wird aus veschiedenen Fluchtpunktperspektiven betrachtet und erfaßt, aus einem distanzierten Selbst und nach einer bestimmten Vorstellung geordnet. Ein Sehen, das mehr die Arbeit des Intellekts als der bewegten Augen ist, wird gepflegt, die Konstruktion einer Illusion nach einer bestimmten Vorstellung setzt sich durch.

Dagegen steht der konzeptionelle Anspruch eines Joseph Beuys. Seine Arbeiten sind (fast) alle irrational und utopisch angelegt, ihr Wirklichkeitsbezug ist dementsprechend vage und offen. In der Wirkungsgeschichte sind sie deshalb nicht weniger aufwühlend und irritierend als die Blätter Albrecht Dürers, und letzlich wird die »Intensität seiner Wirkung nur der leugnen, der für kühne Gegenentwürfe zur durchorganisierten und rationalisierten Welt unserer Tage kein Gespür hat.«[2] Gemeinsam ist den beiden hier konfrontierten Aquarellen vor allem eine Qualität, die sich weitgehend dem

Joseph Beuys, *Was birgt die Wolke?* (Kat.-Nr. 158)

wissenschaftlichen Denken entzieht und viel dringlicher ein die Komplexität des Zusammenhangs ahnendes Auge fordert. Weiterhin hat der Inhalt beider Blätter nur in der Sicht des Visionärs stattgefunden, jeder Versuch seiner definitiven Deutung muß letztlich zu kurz greifen. So wie es Albrecht Dürer gelingt, aus den rätselhaften Bildern seines Traumes Einsichten zu gewinnen, ohne die Vision schlüssig deuten zu können, so wird es dem Betrachter ergehen, der sich auf die »labyrinthischen Phantasien«[3] von Joseph Beuys einläßt. »Ach, wie oft sich ich die große Kunst im Schlofe, dergleichen mir wachens nit fürkummt«[4], schreibt Dürer vor einem halben Jahrtausend und verweist damit auf ästhetische Kriterien zur Beurteilung eines Traumes, die den modernen kunstkritischen Kriterien nicht unähnlich sind. Die Zeilen unter dem Aquarell, aus dem auch das einleitende Zitat stammt, beschreiben eine große Sintflut, wie sie für 1525 von verschiedenen Seiten vorhergesagt worden war:

»Im Jahre 1525 nach dem Pfingsttag zwischen dem Mittwoch und dem Donnerstag in der Nacht im Schlaf habe ich dies Gesicht gesehen, wie viele große Wasser vom Himmel fielen. Und das erste traf das Erdreich ungefähr 4 Meilen von mir (entfernt) mit einer solchen Grausamkeit, mit einem übergroßen Rauschen und Zersprühen und ertränkte das ganze Land. Darüber erschrak ich so schwer, daß ich davon aufwachte, eh dann die anderen Wasser fielen. Und die Wasser, die da fielen, die waren ziemlich groß. Und es fielen etliche weiter (entfernt), etliche näher, und sie kamen so hoch herab, daß sie scheinbar langsam fielen. Aber als das erste Wasser, das das Erdreich traf, schnell näher kam, da fiel es mit einer solchen Geschwindigkeit, Wind und Brausen, daß ich so erschrak, als ich erwachte, daß mir all mein Körper zitterte und ich lange nicht recht zu mir selbst kam. Aber als ich am Morgen aufstand, malte ich hier oben, wie ich's gesehen hatte. Gott wendet alle Dinge zum Besten. Albrecht Dürer.«[5]

Die Wundergläubigkeit und die Hoffnung, aus den Sternen oder aus ungewöhnlichen Naturereignissen die angstvoll erwartete Zukunft vorauszubestimmen, war damals allgemein weit verbreitet. In diesem Kontext ist das Aquarell von Albrecht Dürers Angsttraum entstanden, den Wölfflin treffend ein »Stück Apokalypse« genannt hat. Im Vordergrund wird mit raschen Pinselstrichen eine leicht hügelige Landschaft gegeben. Vereinzelt stehen Bäume, und die Konturen eines Dorfes in der Ferne verweisen auf kultiviertes Land. Hinter der Ansiedlung stürzen unheimliche Wassersäulen vom Himmel. Der voluminöseste dieser wulstartig eingeschnürten Schläuche hat gerade den Boden erreicht und platzt explosionsartig auseinander. Unvorstellbare Wassermassen werden in den nächsten Sekunden das Dorf, dann die Landschaft und schließlich den ganzen Kontinent überfluten.

Der Druck von Joseph Beuys aus dem Jahre 1981 geht auf ein Aquarell von 1956 zurück. In der ursprünglichen Arbeit, die den konnotativen Titel »Rote Wolke« erhält, fehlt die gedruckte Frage ganz. Der neuere Zusatz »was birgt die Wolke?« erklärt sich wohl aus einem didaktischen Bemühen, das spätestens immer dann nötig ist, wenn auf einen größeren Rezipientenkreis gezielt wird. Dem singulären Aquarell stehen die dreihundert Blätter der Auflage gegenüber. In der Regel brauchen »Informationen von ästhetischen Produkten ... keine Begriffe. Aber weil heute schon die Kinder im naturwissenschaftlich-positivistischen Materialismus erzogen werden, liefere ich Begriffe mit. Ein begabter Mensch aber versteht spontan.«[6] Formal erinnert die »Rote Wolke« an eine Qualle, suggeriert durch den der Wasserfarbe eigentümlichen lasierenden Verlauf feuchte Umgebung, laufend bewegte, lose zusammengehaltene

Verbindungen, wolkiges Werden und Vergehen. Die Rotfärbung läßt an verwässertes Blut denken und dominiert deutlich das kühle Hellblau. Aus der Mischung auf dem Papier entstehen an verschiedensten Stellen vereinzelt grau-violette Tönungen. Die Pointe des suchenden Hineinsehens liegt, wie zum Teil auch in dem *Traumgesicht* Dürers, in der Mehrdeutigkeit. Das in beiden Bezeichnungen der Blätter von Beuys verwendete Wort »Wolke« heißt in seinem ursprünglichen Sinn soviel wie »die Feuchte«, »die Regenhaltige« und kann in dieser Bedeutung als Interpretationshinweis verstanden werden. Wolken wurden fast immer mit dem Höchsten und Schicksalhaften, mit einer Vorstellung vom Göttlichen in Verbindung gebracht. So schleuderte Zeus seine Donnerkeile aus den Wolken, und in den Visionen des Alten Testaments zeigt sich der Gott der Juden häufig in Verbindung mit diesen unfaßbaren Erscheinungen. In einer Wolkensäule zieht der Herr vor seinem Volk aus Ägypten, eine Wolke verwehrt Moses den Eingang zum Offenbarungszelt und damit die Sicht auf seinen Gott (2. Moses 40, 34). In der Apokalypse heißt es dann: »Siehe, er kommt mit den Wolken« (Apk 1, 7). Stets bergen die Wolken ein Geheimnis, von dem bis zuletzt unentschieden bleibt, ob es heilvolle oder schreckliche Folgen für die Menschen haben wird. Wolken verhüllen ihren Kern, so wie sich der mächtige Engel im X. Kapitel der Vision des Johannes mit Wolken verhüllt. Schließlich schwebt der Herr mit goldenem Kranz und scharfer Sichel auf einer Wolke zum Gericht. »Und der auf der Wolke saß, legte seine Sichel an die Erde und die Erde wurde abgeerntet.« (Apk 14, 15)

Was verbindet beide Künstlerpersönlichkeiten? Zum einen ist es wohl die Tatsache, daß sie bildende Künstler sind. Diese so banal klingende Feststellung versteht sich nicht von selbst, denn bei ausdauernder Betrachtung ist noch keineswegs derjenige ein Künstler, dem es in seinem Leben zufällig einmal gelingt, eine verbindliche Formulierung zu finden. So wie das *Traumgesicht* Dürers im Kontext seiner übrigen Arbeiten eine formale und inhaltliche Ausnahme ist, so gilt für das gesamte künstlerische Tun: Einmal ist keinmal! »Im Grunde sind es zwei Parolen, die sich gegenüberstehen: das Ein-für-allemal und das Einmal ist keinmal. ...Nur ist es nicht jedermann gelegen, auf den Grund der Praktiken und der Verrichtung zu dringen, in welchem diese Weisheit Wurzeln schlägt.«[7] Künstler sein bedeutet eine grundsätzliche und komplexe, meist lebenslänglich andauernde Einstellung zur Welt. Mit dem Ein-für-allemal ist es tatsächlich nur beim Tod getan, künstlerisch-ästhetische Erkenntniserweiterung erfordert wie jedes produktive Leben kontinuierliche Arbeit. Es ist dann auch die auffallende Ernsthaftigkeit und Unbedingtheit, mit der beide, Beuys genauso wie Dürer, für ihr Tun einstehen, es ist die Konsequenz ihres Lebens selbst, die sich in den Werken niederschlägt und beide Künstler verbindet.

Ein weiterer gemeinsamer Wesenszug ist ihre in den Werken deutlich spürbare Verstrickung mit deutscher Tradition und Geschichte. Da nach den Erfahrungen des Dritten Reichs deutschstämmige Vergleiche mit Recht nur noch schwer zu ertragen sind, mag der mit Vorsicht zu betrachtende Hinweis genügen, daß die kulturhistorische Abstammung beider Künstler deutlicher als bei vielen anderen zu spüren ist. Nebenbei: War Dürer nicht einer der ersten deutschen Künstler, auf den der Gehalt dieser heute gebräuchlichen Bezeichnung anzuwenden wäre, hat er sich nicht auf eine ähnlich selbstbewußte Art und Weise inszeniert, wie es in unserer Zeit Joseph Beuys tut? Und noch eins: Ist Joseph Beuys nicht vielleicht einer der letzten Künstler, auf den diese alte Bezeichnung paßt, einer der letzten, denen es gelingen konnte, sein gesamtes Leben auf ein ästhetisch-künstlerisches Wirken auszurichten?

Signifikant ist die ungewöhnlich hohe Sensibilität, die in beiden Blättern sinnfällig wird. Wie die freien Formen in der Arbeit von Joseph Beuys, so wurzelt auch das »Traumgesicht« von Albrecht Dürer im Sublimen. In beiden Blättern war der Gedanke des Prozessualen von immenser Wichtigkeit und für die Bildfindung konstituierend.

Die von Beuys gestellte Frage und die Traumbeschreibung Dürers bleiben bis zuletzt herausfordernd offen. »Bei allem, was ein Mensch sichtbar werden läßt, kann man fragen: was soll es verbergen? Wovon soll der Blick ablenken?«[8] Die Antwort ergibt sich aus dem hier geschaffenen Kontext, dem historischen Zusammenhang, der Persönlichkeit des Künstlers und nicht zuletzt aus der Präposition des Betrachters. Die Gegenüberstellung beider Blätter ist ein Experiment, das insgesamt den Herstellern und den Rezipienten mehr Gewicht einräumt als allen Begrifflichkeiten über »die Kunst«. Leben und Kunst sind prozessuale Verläufe und als solche nur sehr bedingt in Systemen zu spiegeln. Kunst ist immer auf das Leben zu beziehen und niemals auf einen vermeintlichen Selbstzweck. »Kunst ist das große Stimulans zum Leben: wie könnte man sie als zwecklos, als ziellos, als l'art pour l'art verstehen?«[9] Und selbst noch der tragische Künstler, der angst- und furchtvolle Arbeiten voller Fragen formuliert, kann auf das Leben nachhaltig stimulierend wirken. »Die Tapferkeit und Freiheit des Gefühls vor einem mächtigen Feind, vor einem erhabenen Ungemach, vor einem Problem das Grauen erweckt – dieser siegreiche Zustand ist es, den der tragische Künstler auswählt, den er verherrlicht.«[10]

1 Hans Belting, Das Ende der Kunstgeschichte?, München 1984, S. 51
2 Peter Anselm Riedl, Joseph Beuys – Zirkulationszeit, Worms 1982, S. 5
3 Ebd.
4 zitiert nach: Wilhelm Waetzoldt, Dürer, Leipzig 1938, S. 81
5 Hochdt. Übers. v. M. Mende aus: Peter Strieder, Dürer, Königstein o.J.
6 Joseph Beuys, zitiert nach: Riedl, a.a.O., S. 7
7 Walter Benjamin, Denkbilder, Frankfurt am Main 1974, S. 133
8 Friedrich Nietzsche, Werke in 3 Bd., hrsg. von Karl Schlechta, München 1954, Bd. I, S. 1254 (523)
9 Friedrich Nietzsche, a.a.O., Bd. II, S. 1004 (24)
10 Friedrich Nietzsche, a.a.O., Bd. II, S. 1005 (24)

Werner Knaupp

159

Braune Wand   1981/82

Kohle, Leim, Asche auf Papier
12 Bilder, je 75 × 105 cm
Staatliche Museen Preußischer Kulturbesitz, Nationalgalerie, Berlin
Lit.: Werner Knaupp. Bilder 1977–1982, Ausstellungskatalog Nationalgalerie, Staatliche Museen Preußischer Kulturbesitz, Berlin 1983; Peter
Anselm Riedl, Todes-Horizonte, in: Pantheon, Jahrgang XLII Januar-März
1984, S. 43 ff

Fast ein Jahrzehnt vor Mitscherlichs berühmten Auseinandersetzungen mit der gesellschaftlichen Unfähigkeit zu
trauern[1] schreibt Ernst Bloch im *Prinzip Hoffnung* in der
Einführung zum Kapitel über den Tod: »Wie drängt man die
letzte Angst von sich? Heute fällt das vielen nicht so schwer
wie in unaufgeklärten Tagen. Die Uhr schlägt, wieder ist es
eine Stunde näher zum Grab. Doch der Blick auf dieses ist
zerstreut, oder er wird künstlich kurzsichtig gemacht. ...Er
soll nicht erinnert werden, billige Bilder verdrängen ihn.
...Das Sterben wird weggeschoben, nicht als ob man so
gerne lebte, aber auch nicht, als ob man irgendwo gern in
ein Kommendes sähe oder sehen ließe, auch nicht an
diesem persönlichen Punkt. Man lebt derart in den Tag wie
in die Nacht hinein, des dicken Endes soll nirgends gedacht
werden. Gewünscht wird lediglich, nichts davon zu hören
und zu sehen, selbst wenn das Ende da ist.«[2] Sieht man von
periodisch immer wieder auftretenden gefühlsüberladenen,
meist wenig ernsthaften Auseinandersetzungen einmal ab,
so wird man feststellen, daß die Analyse Ernst Blochs ihre
Gültigkeit bis heute behalten hat.

Mit dem Thema Sterben/Vergehen konfrontiert sich Werner
Knaupp als Maler seit fast zwanzig Jahren. Seine Arbeiten
unterscheiden sich deutlich von den Produkten einiger
missionarisch ambitionierter, in theatralischen Selbstdarstel-
lungen und ziellosem Aktionismus sich verlierender Zeitgenossen; sie sind bezeichnenderweise immer noch die
anscheinend unzeitgemäße Ausnahme in der aktuellen
Kunst. Knaupps Bilder spiegeln die leidvolle Konfrontation
mit den Grenzbereichen des Lebens, darüber hinaus und
nicht zuletzt sind sie anspruchsvolle Auseinandersetzungen
mit Farbe und Form, mit den Möglichkeiten der traditionellen
Tafelmalerei.

Als Helfer auf der Kranken- und Sterbestation der Mutter
Theresa in Kalkutta sucht Werner Knaupp die Hinfälligkeit
und Vergänglichkeit menschlicher Existenz möglichst direkt
zu erfahren. Es mögen ähnliche Gründe gewesen sein, die
Otto Dix veranlaßt haben, aktiv den gesamten Ersten Weltkrieg zu erleben, Gründe, die auch Werner Knaupp immer
wieder zu einer unmittelbaren Anschauung und Auseinandersetzung mit dem Sterben treiben. In einem Nürnberger
Krematorium erfährt er als Helfer den alltäglichen Betrieb
wieder aus nächster Nähe. Kurz darauf entstehen die ersten
Verbrennungsbilder. Die schwarzen und braunen Malereien
der folgenden Jahre zeigen alle verkohlte Körper, teilweise
reliefartig vom Untergrund abgehoben mit meist spröden,
lichtschluckenden Oberflächen.

In der *Braunen Wand* von 1982 liegen verbrannte Leiber
direkt auf dem Boden, Reste menschlicher Körper kleben
auf erdig-braunem Grund. Es ist die Schädeldecke , der im
Feuer resistenteste Teil, der die Torsi noch als menschliche
ausweist, der Rest des zusammengesunkenen Körpers läßt
solche Assoziationen nicht mehr zu. Die *Braune Wand*
besteht aus zwölf einzeln schwarz gerahmten Bildern, die
im Block drei hoch vier breit angeordnet sind. Zwölf ist das
Produkt der beiden mythologisch bedeutsamen Zahlen drei

und vier, das Himmlische Jerusalem hat zwölf Tore und
ebenso der Himmel: Zwölf mal zwölf Auserwählte nehmen
an der Anbetung des Lammes teil. Die zeitliche Abfolge der
Entstehung wird in der Anordnung zugunsten ästhetischer
Kriterien vernachlässigt. Die als Einzelbild schon sehr
intensiv wirkende Malerei führt in der Massierung zu einer
Verstärkung der Aussage. Gleichzeitig schafft das serielle
Moment auch wieder Distanz, indem das Besondere des
Einzelbildes entrückt wird.
Die Konfrontation mit dem meist als schmerzhaft empfundenen Thema hat zum Ziel das Leben: »Je mehr du dich mit
dem Tode auseinandersetzt, desto lebendiger wirst du,
atmest freier, schöpfst Kraft.«[3] Leben und Sterben sind
untrennbar eins.

1 Alexander und Margarete Mitscherlich, Die Unfähigkeit zu trauern,
München 1967
2 Ernst Bloch, Das Prinzip Hoffnung, Bd. III, S. 1298 ff.
3 Werner Knaupp, zit. nach Norbert Neudecker, Der alltägliche Tod, in:
Nürnberg Heute, Heft 37/Dezember 1984

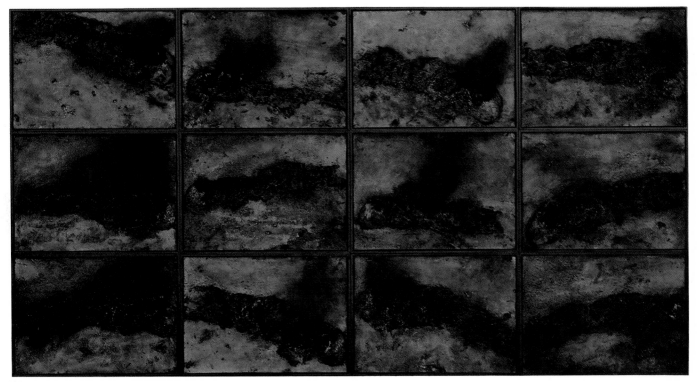

Werner Knaupp, *Braune Wand* (Kat.-Nr. 159)

160
Adamah 14. 9. 82

Gouache, Leim, Asche, Kohle, Acryl auf Leinwand auf Preßspanplatte, 104 × 144 cm
Galerie Defet, Nürnberg

Den Bildern der Braunen Wände formal und thematisch sehr nahestehend schließen sich ab 1982 die *Adamah*-Darstellungen an. Der dem Hebräischen entliehene Titel bedeutet soviel wie Ackerboden, die Erde. Ergänzend und differenzierend wird der allgemeinen Benennung noch das Datum der Fertigstellung beigegeben.

Wieder liegt der verbrannte Körper direkt auf dem ausgedörrten Boden, wieder wird die Angabe eines Horizontes vermieden, bleibt der Blickpunkt des Betrachters unterschiedlich interpretierbar. Allein das Lagern des Torsos in der unteren Hälfte des Bildes kann in diesem Falle als Hinweis für eine schräge Aufsicht gewertet werden. Der Verbrennungsprozeß ist im Vergleich zu den vorhergehenden Arbeiten weiter fortgeschritten, das vernichtende Feuer hat fast gänzlich gleichsam Erde mit Erde verbunden, das aus dem Boden gewonnene Leben in seinen Ursprung zurückgeführt. Mit diesen Bildern gelangt Knaupp formal an die Grenze des Darstellbaren, der nächste Schritt wäre die visuell nicht mehr trennbare Vermischung von Verbranntem und Boden. Bezeichnend sind die größere Ruhe und die durch die formale Reduktion weniger aufwühlende Erinnerung an die eigene Körpergebundenheit. Das unausweichliche Schicksal scheint vollzogen, der letzte Widerstand des sich im Feuer noch einmal aufbäumenden Körpers für immer gebrochen. Schließlich ist Übereinstimmung mit Natur wieder hergestellt und so das Leben versöhnlich eingebettet in seinen Ursprung.

Werner Knaupp, *Adamah 14. 9. 82* (Kat.-Nr. 160)

161
12er Reihe (Lebensspuren)   1984

12 Eisenskulpturen, max. Höhe 33 cm, max. Breite 40 cm, max. Länge 138 cm
Im Besitz des Künstlers
Lit.: Werner Knaupp, Skulpturen, Ausstellungskatalog Galerie Hermeyer, München 1984

»Ausgangspunkt der Figuren sind dickwandige Rohre und Gasflaschen. Dieses Material wird in der Esse bei etwa 1400° bis 1500° zum Brennen gebracht. Konzentration und rasches Reagieren sind notwendig, um die durch das Feuer entstehenden Löcher, Risse und Verschmorungen unter Kontrolle zu halten. Quetschungen, Stauchungen etc. entstehen durch die Bearbeitung im glühenden Zustand mit dem Schmiedehammer.

Das Ganze ist eine aufregende und kräftezehrende Arbeit. Die größte Plastik bis jetzt ist eine Reihung (Lebensspuren), bestehend aus 12 Figuren. Hier wird für mich das Gleiche und das gleichzeitig Ungleiche deutlich sichtbar.«[1]

Als lustvoll befriedigendes Tun beschreibt Werner Knaupp die Arbeit an seinen in der Schmiede entstandenen plastischen Figuren. Ursächlich aber ist es immer noch die Auseinandersetzung mit einem Thema, das zu oft als lästiger Betriebsunfall des Lebens betrachtet wird. Für die meisten Zeitgenossen ist heute der Tod nicht mehr Übergang zu einer die Wirklichkeit transzendierenden Form des Daseins, vielmehr spielt er sich weitgehend unbemerkt in Anstalten und Kliniken ab. Im Gegensatz zum Mittelalter nimmt darüber hinaus auch kaum noch jemand an, daß der Tod nur ein Dämmerzustand sei, der schließlich im Jüngsten Gericht wieder aufgehoben werde; der tröstende Aspekt für den Sterbenden entfällt meist ersatzlos. Knaupp stellt mit seiner konzentrierten Auseinandersetzung mit dem Phänomen des Sterbens ein Gegengewicht zur weitverbreiteten öffentlichen Einstellung dar. Das allen gemeinsame Schicksal findet in den Arbeiten seinen Ausdruck und seine auf das Leben bezogene Wirkung. »Dabei denke ich nicht an KZ, Vietnam oder Hiroshima, sondern an die Hunderttausende von Menschen, die täglich auf der ganzen Welt in Krematorien verbrannt werden.«[2] In der direkten Konfrontation mit diesem meist angstvoll unterdrückten Thema kann ein Stimulans für das Leben liegen. Mit leichtem Genuß hat das allerdings wenig zu tun. Wer die Auseinandersetzung mit den Plastiken aber erträgt, wird sie schön nennen, so wie er auch die Schönheit der Radierungen Goyas zu erkennen vermag.

1 Werner Knaupp, Ausstellungskatalog Galerie Hermeyer, S. 11
2 Ebd.

Werner Knaupp, *12er Reihe (Lebensspur)* (Kat.-Nr. 161)

Peter Gilles

162
Loch   1983

Installation Galerie Koppelmann, Köln
Aktionsrelikte (menschliche Skelettreste), Körperabdruck (Blut) auf Tuch,
überarbeitet, 300 × 250 cm; Körperabgüsse in Beton, überarbeitet mit
Dispersionsfarbe, Graphit und Blut
Galerie Koppelmann, Köln
Lit.: Hartmut Kraft, Peter Gilles. Am eigenen Leibe, in: Kunst Köln 1/85,
S. 15–30

Grenzsituationen menschlicher Existenz, Randzonen
menschlicher Erfahrung, das Verdrängte, Verschwiegene,
aus der Kultur Ausgeschlossene, sozusagen »die andere
Seite« (so der Titel von Alfred Kubins Roman aus dem Jahre
1908) des Menschen beschäftigen den Kölner Aktionskünst-
ler Peter Gilles. In seinen Performances stellt er die mehr
oder minder tabuisierten Grenzzonen individueller und
kollektiver Praxis »am eigenen Leibe« dar, Verwesung,
Verfall, Verbrennung stehen im Zentrum seiner künstlerischen Arbeit. Dabei ist für ihn der eigene Körper, das am
eigenen Leib Erfahrene von außerordentlicher Wichtigkeit,
um sich, seine Erfahrungen und seine Vorstellungen dem
Publikum und später dem Betrachter mitzuteilen. Gilles legt
Wert auf ein hohes Maß an Authentizität: Authentisch, d.h.
echt und kein »als-ob«-Theater, sind seine Aktionen (in
seiner Performance *R.E.M.* im Jahre 1982 führte er den
eigenen Kollaps herbei), bei denen das Publikum, anders als
bei den Happenings der Wiener Aktionisten Muehl, Nitsch,
Brus und Schwarzkogler aus den 60er Jahren, in der Rolle
des betrachtenden und miterlebenden Teilnehmers verbleibt. Authentisch ist auch das Material, das er verwendet:
menschliche Skeletteile und Schädel, Würmer, Verwesungs-

reste, eigenes Blut, Tierkadaver, Textilien, Beton. Die
Aktionsreste bleiben nicht als eigenständige Kunstobjekte
zurück, sondern bilden den Grundstock für weitere Bearbei-
tungen, in denen die emotionalen Spannungen der Performances noch gesteigert werden. Leinwände und Tücher
werden aufgerissen, durchlöchert, verknotet, die ein-
gearbeiteten Aktionsrelikte werden mit einem Gemisch aus
Erde, Farbe und eigenem Blut, das Gilles als das »am
stärksten emotional aufgeladene Material« empfindet,
übermalt. In einer Art Dreischritt findet der Werkprozeß
von Peter Gilles, so auch in der Arbeit *Loch*, ihren Abschluß
in der Installation. Einzelne Performance-Relikte werden
hier mit aus Aktionsresten zusammengesetzten Leinwän-
den kombiniert, so daß sich der Eindruck eines spannungs-
geladenen Ganzen ergibt.

Peter Gilles versteht seine Arbeiten als »Fragmente zur
Klärung meiner eigenen Identität«, die in ihrer Authentizität
und ihrer die Themenbereiche Leben – Tod – Wiedergeburt
umkreisenden Archaik die Sphäre des lediglich Privaten
verlassen und dem Betrachter die Möglichkeit des Selbst-
erkennens, der Erkenntnis der eigenen Verletzlichkeit, der
Gefährdungen in existentiellen Grundsituationen bieten.
Daß Gilles »die andere Seite«, die Schattenzonen menschlicher Existenz, in den Mittelpunkt seiner Arbeit stellt, ist –
angesichts der gegenwärtigen Situation, in der gigantische
Destruktionspotentiale jegliche kollektiven und individuellen
Lebensformen in Frage stellen und angesichts des psychischen Drucks, den diese ständige Bedrohung auf den
einzelnen Menschen ausübt – ein konsequent gedachter
Weg zeitgenössischer Kunstpraxis, die Gegenwart kreativ
zu verarbeiten und gleichzeitig auf sie einzuwirken. Für einen
Künstler, der in den Begriffen Leben und Kunst *kein* Gegen-
satzpaar sieht, bedeutet die Darstellung des Befremdlichen,
Unsympathischen, Häßlichen *eine* , wenn nicht *die* Möglichkeit der sinnlichen Aneignung der Welt. Indem Ästhetik als
die Lehre von der sinnlichen Erkenntnis von Wesen und
Erscheinungsformen des Schönen *und* des Häßlichen in
der erfahrbaren Wirklichkeit verstanden wird, macht Peter
Gilles auch »die andere Seite« ästhetisch erfahrbar.

Peter Gilles, *Loch* (Detail)

Peter Gilles, *Loch* (Kat.-Nr. 162)

Günter Maniewski

163

Apokalyptische Spuren   1984

Öl auf Holz, Vertiefungen, 71 × 33 cm
Im Besitz des Künstlers

164

Apokalyptische Spuren   1984

Öl auf Holz, Vertiefungen, 62 × 23 cm
Im Besitz des Künstlers

Die *Apokalyptischen Spuren* von Günter Maniewski entstammen seiner Serie der *Schlagbilder*. Bildträger dieser
Arbeiten ist Abfallholz, dessen Form und Struktur wie zum
Zeitpunkt der Auffindung belassen wurde. In spontanen
Aktionen erfolgen Einschläge mit einem hammerähnlichen
Gerät, die das Bild »öffnen« sollen. Wenn die Oberfläche
durch die Schläge an vielen Stellen vertieft ist, wird in einem
nächsten Arbeitsgang teils deckende, teils lasierende Farbe
aufgetragen; die entstandenen »Wunden« werden wieder
zugedeckt, die Oberfläche des Bildes wird »geschlossen«.
Auf diese Malschicht trägt der Künstler mit dem Pinsel den
realen Vertiefungen entsprechende Markierungen auf.
Indem so Vertiefungen vorgetäuscht werden, die in Wirklichkeit aus erhöhter Farbe bestehen, wird die Negativ-Form im
Positiv wieder aufgenommen, der Zerstörung wird ein
immanent positiver Aspekt der Negation entgegengesetzt.

Maniewskis Arbeiten beschäftigen sich mit Themen wie
Passion, Martyrium, schleichender Zersetzung, wobei das
Moment der Destruktion eine dominierende Rolle spielt:
»... in meiner Arbeit mache ich immer wieder die Erfahrung,
daß Zerstörungen, Störungen, auch zufällige, mir Wege zu
wesentlicheren Aussagen eröffnen. Die Destruktion ist
mindestens so ernst zu nehmen wie die Konstruktion, auch
im persönlichen Leben ist es manchmal sehr befriedigend,
den gordischen Knoten einfach durchzuschlagen. ... Daß
die Leute die Erde tendenziell vernichten wollen, ist klar, daß
wir nicht weit vor der Apokalypse stehen, auch. ...Die
Hoffnung auf ein vernünftiges Einlenken gegenüber dem
Wahnsinn ist sehr gering, und vielleicht müssen wir auch
durch die ganze Scheiße durch, wenn wir das lebendig
schaffen. Im übrigen glaube ich nicht daran, daß friedliche
Impulse von Leuten ausgehen, die vom Krieg profitieren,
und genaugenommen tun wir das alle. Man muß aber
zumindest bei dem Prinzip der Hoffnung bleiben, auch
wenn es sich als sinnlos erweisen wird. Im Grunde hofft ja
jeder auf den lösenden Zufall, auf ein Wunder,... Wenn ich
nicht mehr weiter weiß in meiner Arbeit, mache ich was
kaputt. Veränderungen können auch mit Destruktionen von
leeren und sinnlos gewordenen Inhalten oder Materialien
anfangen. Man muß sich entledigen, um weiterleben zu
können...«[1]

1 Günter Maniewski, Aus einem Gespräch über meine Arbeit mit mir
selbst, Frankfurt/Main, März 1985

Günter Maniewski, *Apokalyptische Spuren* (Kat.-Nr. 163)

Günter Maniewski, *Apokalyptische Spuren* (Kat.-Nr. 164)

Herbert Falken

165

Geburtstod-Triptychon   1983

Öl und Pastell auf Leinwand, 200 × 360 cm
Im Besitz des Künstlers
Lit.: Herbert Falken. Jakobs-Kampf, Ausstellungskatalog Obere Galerie/
Haus am Lützowplatz Berlin 1985

Das 1983 gemalte Triptychon *Geburtstod* folgt einer Serie
von gleichnamigen Zeichnungen aus dem Jahre 1981. »Der
Titel«, so schreibt Herbert Falken[1], »stammt von Heinrich
Böll, der in meinen Bildern einen Zusammenhang von
Geburt, Tod und Wiedergeburt sah. Und tatsächlich ging es
mir in dieser Bildserie um die nachbarschaftlichen Sinn-Be-
züge von Bauch und Erde, von Embryo und Leichnam, von
Geburt und Tod und Wiedergeburt. Auch der Gekreuzigte
stirbt schwanger und gebiert neues Leben. Wie ich eigentlich erst jetzt erfahre, gibt es eine mittelalterliche Vorstellung,
die von Reformation und Gegenreformation gestoppt
wurde und die von ›Jesus, unserer Mutter‹ spricht und sich
den Gekreuzigten schwanger vorstellt.« ...»Mein *Geburtstod-Triptychon* ist eine apokalyptische Landschaft. Es soll
und darf die depressive Stimmung unserer derzeitigen
Gesellschaft ausdrücken. Es soll dort aber auch eine mystische Wüsten-Sonne scheinen, die starke und verbindende
Schatten wirft und das Dreierbild schwerend nicht nur
formal zu einer Einheit werden läßt.«[2]

Der mit dem Tod Christi verknüpfte Hoffnungsgedanke wird
im *Geburtstod* nicht durch den am Kreuz triumphierenden
Gottessohn versinnbildlicht, auch schließt sich rechts der
Mitteltafel kein Hinweis auf die befreiende Auferstehung an,
vielmehr scheinen die mit Nimbussen ausgezeichneten
Mischwesen noch mit einem Äquivalent des Erlösungs-
gedanken schwanger zu gehen. Die Gekreuzigten erinnern
nur noch ganz entfernt an die historische Person Jesu von
Nazareth und die zwei gleichzeitig hingerichteten Schächer,
ihre Identität ist weitgehend aufgehoben oder in Frage
gestellt. »Gott ist tot« heißt hier: Gott stirbt immer noch, das
Sterben ist noch nicht vollzogen. Doch scheint in der ent-
stellten Körperlichkeit die Verabschiedung des Leibes kurz
bevorzustehen, die Geburt des befreiten Menschen und mit
ihr eine neue Welt als Form des gesteigerten Daseins kün-
digt sich an. Bis an den Rand des Ertragbaren reichen die
mit dieser Geburt verbundenen Schmerzen; Leid scheint
die notwendige Bedingung für die verheißene Erlösung. Die
alte Welt muß vor der neuen zugrunde gehen. »Das Eigentliche ist im Menschen wie in der Welt ausstehend, wartend,
steht in der Furcht, vereitelt zu werden, steht in der Hoffnung
zu gelingen. Denn was möglich ist, kann ebenso zum Nichts
werden wie zum Sein: das Mögliche ist als das nicht voll
Bedingte das nicht Ausgemachte. Daher eben ist dieser
realen Schwebe gegenüber von vorneherein, wenn der
Mensch nicht eingreift, ebenso Furcht wie Hoffnung angemessen, Furcht in der Hoffnung, Hoffnung in der Furcht.«[3]

1 Herbert Falken, Ausstellungskatalog Berlin, S. 18
2 Herbert Falken, Brief vom 22. 4. 1985 an das Wilhelm-Hack-Museum,
Ludwigshafen/Rh.
3 Ernst Bloch, Das Prinzip Hoffnung, Bd. I, S. 285

Herbert Falken, *Geburtstod-Triptychon* (Kat.-Nr. 165)

166
Nacht und Engel   1983

Öl auf Leinwand, 180 × 130 cm
Im Besitz des Künstlers

Nach elfjähriger Pause begann Herbert Falken 1983
wieder mit der Ölmalerei. Zwischenzeitlich waren fast
ausschließlich Zeichnungen entstanden. *Nacht und Engel*
gehört zu den ersten Bildern dieses Neubeginns. Falken
schreibt zu seinem Bild: »In den unteren Malschichten, die
später überarbeitet wurden, befindet sich ein Kreuz, auf das
von der Ferne eine Gestalt zueilt. Später wurde daraus ein
Kopf, der einen Engel sieht.«[1]

Nacht und Engel bedeutet aber nicht nur Mensch und Gott,
Nacht und Engel ist auch ein Synonym für Licht und
Schatten. Im Midrasch, einem alttestamentlichen Kommentar, ist Uriel (d.h.: Gott ist Licht) als einer der vier Erzengel
genannt. Er steht zur Linken des göttlichen Thrones, durch
ihn bringt Gott Israel Licht. Engel sind immer Boten Gottes
an die Menschen, von Gott geschaffene Geister, mit Verstand und freiem Willen ausgestattet. Körperlos können sie
jedoch jederzeit einen solchen annehmen, ohne seinen
Gesetzen unterworfen zu sein. Genau wie die Menschen
wurden sie einer Erprobung ausgesetzt, wobei nicht alle
bestanden. Es kam zum Engelssturz, und seitdem wird
zwischen guten und gefallenen Engeln unterschieden. In
der Vision des Johannes wimmelt es nur so von guten und
Unheil stiftenden Engeln.

Engel sind Personifikationen kollektiver und persönlicher
Vorstellungen und Phantasien, ihre Botschaften Reflektio-
nen eigener Wünsche und Träume. Wie auch ihre Darstellung ausfällt, ob mit großen Schwingen, flügellos, männlich,
androgyn, mit überirdischer Leiblichkeit, ungeschlechtlich,
lang gewandet, nackt oder schemenhaft körperlos, feierlich
oder dämonisch – immer sind sie eine Brücke zwischen
dem Vorstellbaren und dem nicht mehr Vorstellbaren. Als
Vermittler mit manchmal allzumenschlichen Zügen stehen
sie zwischen einem nur noch schwer verstehbaren Gott und
übernehmen teilweise verlorengegangene Funktionen der
antiken Götterwelt. Angst und Hoffnung werden mit Engeln
verbunden, und wer solchen entgegengesetzten Erwartungen und Vorstellungen ausgeliefert ist, wird mit dem Zwiespalt leben müssen. Zwischen Nacht und Licht muß der
Engel sich zurechtfinden, auf der Suche nach dem richtigen
Weg, nach dem Paradies. Für ihn gibt es kein Zurück zum
Ursprung, kein glückliches endloses Sein, nur immer wieder
erneute Hinwendung zu den im Menschen enthaltenen
Ursprüngen. Ein Text von Heiner Müller scheint die
gestisch impulsive Malerei Herbert Falkens treffend zu
umschreiben:

»DER GLÜCKLOSE ENGEL. Hinter ihm schwemmt Vergangenheit an, schüttet Geröll auf Flügel und Schultern, mit
Lärm wie von begrabnen Trommeln,während vor ihm sich
die Zukunft staut, seine Augen eindrückt, die Augäpfel
sprengt wie ein Stern, das Wort umdreht zum tönenden
Knebel, ihn würgt mit seinem Atem. Eine Zeit lang sieht man
noch sein Flügelschlagen, hört in das Rauschen die Stein-
schläge vor über hinter ihm niedergehn, lauter je heftiger die
vergebliche Bewegung, vereinzelt, wenn sie langsamer
wird. Dann schließt sich über ihm der Augenblick: auf dem
schnell verschütteten Stehplatz kommt der glücklose Engel
zur Ruhe, wartend auf Geschichte in der Versteinerung von

Flug Blick Atem. Bis das erneute Rauschen mächtiger
Flügelschläge sich in Wellen durch den Stein fortpflanzt und
seinen Flug anzeigt.«[2]

1 Brief Herbert Falkens vom 22. 4. 85 an das Wilhelm-Hack-Museum,
Ludwigshafen/Rh.
2 Heiner Müller, Der glücklose Engel, in: Arnulf Rainer. Hiroshima, Ausstellungskatalog Bochum u.a. 1982–85

Herbert Falken, *Nacht und Engel* (Kat.-Nr. 166)

Günther Uecker

167

Tor verlorener Trauer   1968/1981

Objektinszenierung, 2teilige Skulptur
1. Tor verlorener Trauer
Holzgestell, ca. 600 cm hoch, und Tuch, 300 × 300 cm
2. Verletzte Särge
6 Holzkästen, benagelt und schwarz gestrichen, je 60 × 60 × 180 cm
Im Besitz des Künstlers
Lit.: Dieter Honisch, Uecker, Stuttgart 1983

Günther Ueckers Objektinszenierung setzt sich aus zwei
Teilen zusammen: dem eigentlichen *Tor verlorener Trauer,*
einem Holzgestell mit einem darüberliegenden Tuch, und
den *Verletzten Särgen,* sechs schwarz gestrichenen und
benagelten Holzkästen. Die Arbeit, die erstmals 1981 in der
Düsseldorfer Kunsthalle gezeigt wurde, macht den Tod zu
einem »Aufruf gegen den Krieg«. In einem Flugblatt schrieb
Uecker zu seiner Inszenierung:

Eine Nachkriegsgeneration wird eine Vorkriegsgeneration.

Der Künstler ist ein seismographisch Wahrnehmender, ein
Menschendrama Vorausahnender –. Schwarz hatte bei
vielen Künstlern mit dem Krieg zu tun, mit dem damit verbundenen Wertverlust. Es gab da eigentlich kaum eine Rückbe-
sinnung auf das eigene Sein, sondern nur den Verlust, den
Verfall jeglicher Werte.
Schwarz wurde in der Suche nach dem Ursprünglichen
zum Drama, zum Drama des verlorenen Seins.

Die Frage, was der Mensch noch für eine Bedeutung hat,
wenn er sich so vernichtend gebärden kann, hatte damals
jeden tief betroffen, auch die amerikanischen Künstler, die
nicht auf den europäischen oder asiatischen Schlacht-
feldern an der Front waren.
In dieser Sensibilität um die Menschenvernichtung in der
Welt, die Massentötung, die dann glücklicherweise ein Ende
fand, konnte man nicht auf die Wiese gehen und Blumen
malen. Mit dem Ende waren auch für Künstler der jüngeren
Jahrgänge alle Werte in Frage gestellt. Einmal gab es die
Depression und die Verlogenheit der Alten und zum anderen
die Unbegreiflichkeit, daß man zu einer solchen Handlung
fähig war, daß die Ethik der Jahrhunderte, die durch Schule
und Bücher überliefert war, für die Menschen wohl keine
Gültigkeit mehr haben könne, also auch für einen selbst
nicht. Wir waren Verlorene innerhalb der menschlichen
Errungenschaften. Und diese Verlorenheit führte nicht zur
Trauer, sondern zur Sehnsucht des Nichtseins, zu einer
dramatischen Folge, sich lieber mit denen zu verbinden, die
im Kriege umgekommen waren.

In einer spontanen jugendlichen Empfindung wollte man
lieber Jude und vergast sein, als überlebt zu haben. Diese
Bereitschaft zum Nicht-Sein führte zu einer Art Nekrophilie.
Ich glaube, diese Weltablehnung traf viele suchende junge
Künstler unabhängig voneinander. Es war eine logische
Folge, da brauchte man nicht angeleitet zu sein, da war man
betroffen.

Wenn der Mensch die Würde des Menschen nicht bewahrt
und sich tötend an den Nächsten macht, dann geht etwas
verloren. Dann kann man auch nicht geliebt haben, also
kann man auch nicht trauern, deshalb war Trauer unmöglich, es gab keine Möglichkeit zum Trauern.

Das Tor verlorener Trauer, das ich in der Ausstellung
»Schwarz« zeige, ist eine »Hommage« an die Mehrheit der
Anwesenden; also derer, die sich über einen Sterbevorgang
in etwas anderes verwandelt haben, aber mehrheitlich
weiterhin existieren und sich weiterhin vermehren. Wir als
Minderheiten, die Lebenden, unterdrücken uns sowohl im
politischen wie im geistigen Sinn, soweit wir uns nicht mehr
an der Mehrheit der Toten orientieren. Die Toten gehören in
das Reich der Toten, doch kann die Autonomie des Menschen erst in einer bewußten Beziehung zu den Toten
erkannt werden; denn ohne diese Bindung versteht der
Mensch seine Autonomie falsch. Sie ist einfach eine willkür-
liche Trennung, die als kulturelle Herausforderung auch
fruchtbar sein kann, aber ich bezeichne sie doch als tödlich,
weil sie bereits im Leben tötet – auch ohne Gewalt anzuwenden.

So meine ich die verlorene Trauer auch als Unfähigkeit zu
lieben, auch den Tod zu lieben, über den Nächsten hinaus,
ich meine, einfach nekrophil zu sein. Sie entsteht in der
Zuwendung zum verwesenden Wesentlichen, und sie
bezieht sich auch auf Todesnähe, auf Zeit und Vergänglichkeit, auf das Alter des Menschen und ein philosophisches
Verständnis vom Menschen in seiner Anwesenheit und in
seinem Dasein.

So meine ich das »Tor verlorener Trauer« als einen Durch-
gangs- und Bewahrungsvorgang. Es geschieht etwas, man
spürt die Zeit, man hat etwas zurückgelassen, und es liegt
etwas vor einem, und doch gibt es die Eingeschlossenheit,
den Kasten, das Grab, den Sarkophag, die bewahrenden
Charakter haben, aber zugleich auch Öffnung sind.

Aufruf gegen den Krieg   Uecker 1981

Günter Uecker, *Verletzte Särge* (Kat.-Nr. 167.2)

Günter Uecker, *Tor verlorener Trauer* (Kat.-Nr. 167.1)

Arman

168

The day after   1984

12 Bronzeabgüsse

S.F. Chair
Verbrannter Stuhl, in Bronze gegossen
88 × 54 × 43 cm

Uncomfortable
Verbrannter Stuhl, in Bronze gegossen
88 × 56 × 46 cm

Horizontal Catastrophe (1982)
Verbranntes Sofa, in Bronze gegossen
101 × 140 × 66 cm

Spilled ashes
Verbranntes Schreibpult, in Bronze gegossen
47 × 96 × 60 cm

Nero's Banquet
Verbrannter Kaffeetisch, in Bronze gegossen
45 × 120 × 60 cm

Melted
Verbranntes Tablett mit Tee-Service, in Bronze gegossen
12 × 56 × 41 cm

Fried Chicken
Verbrannte Lampe, in Bronze gegossen
65 × 95 × 60 cm

Grandfather's Incineration
Verbrannte Standuhr, in Bronze gegossen
225 × 45 × 25 cm

One Day in Amsterdam
Verbrannter Sessel, in Bronze gegossen
82 × 56 × 60 cm

Open Space
Verbrannte Vitrine, in Bronze gegossen
182 × 90 × 46 cm

Pompei's Syndrome
Verbrannter Sessel, in Bronze gegossen
88 × 58 × 65 cm

Mirror, Mirror
Verbrannter Spiegel mit Rahmen, in Bronze gegossen
91 × 68 × 5 cm

Galerie Beaubourg, Paris
Lit.: Arman. The day after, Ausstellungskatalog Marisa del Re Gallery,
New York 1984

The day after ist eine Ansammlung ausgebrannter Reproduktionen von Louis-XV-Möbeln. Arman setzte eine komplette Zimmereinrichtung in Flammen, löschte die brennenden Gegenstände und goß sie in einem weiteren Schritt in Bronze. Ihn reizte es, gerade dieses Mobiliar, das Assoziationen zu gediegen-gutbürgerlicher Häuslichkeit herstellt, mit dem Gedanken der totalen und endgültigen Vernichtung zu konfrontieren. »It occurred to me that the idea of a totally catastrophic and destructive doomsday fantasy could legitimately be read into these pieces and related to the possible destruction of what we are.« (»Mir kam der Gedanke, daß die Vorstellung einer vollends katastrophischen Weltuntergangsphantasie mit Recht in diese Stücke hineininterpretiert und mit der möglichen Zerstörung dessen, was wir sind, in Verbindung gebracht werden könnte«).[1]

Arman versteht sein Möbelensemble, das zum einen Gegenstand einer Performance, zum anderen als Ansammlung einzelner ausstellbarer Aktionsrelikte konzipiert war, als eine »aufgehaltene Katastrophe«, wobei der Faktor Zeit von großer Bedeutung ist. Die Katastrophe ist nur für einen Moment unterbrochen, der Prozeß der Dematerialisierung ist noch nicht vollendet. Er vereint hier zwei im Grunde antithetische Richtungen seiner Kunst: ein destruktives

Moment der Verbrennung, das er bereits 1965 mit seinem verbrannten Stuhl *(Ulysses' Chair)* einführte, und der Zerstörung, so in den *Colères* (zertrümmerte, aufgeklebte Gegenstände), sowie das Prinzip der *Accumulation,* der Ansammlung gleichartiger Gegenstände.

Die verbrannten und in Bronze gegossenen Möbelstücke sind Gegenstände des alltäglichen Gebrauchs, ihnen haften die Spuren menschlichen Lebens an. Darüber hinaus kommt ihnen als Reproduktionen einer vergangenen Stilepoche der Charakter des Zeitlosen zu, sie sind universelle Objekt-Typen. Indem Arman einen bestimmten Bereich menschlichen Lebens, die Wohnkultur, die Privatsphäre, der Zerstörung preisgibt, wird die vermeintliche Stabilität unserer Welt in Frage gestellt. Dem Betrachter wird ein Gefühl der Fragilität der dinghaften Wirklichkeit suggeriert. Dieses ephemere Gefühl wird durch die Härte des Materials kontrastiert – und zugleich verstärkt; die konservierte Zerstörung manifestiert sich in geisterhaft wirkenden Skulpturen, die die Überreste einer endgültigen Vernichtung sein könnten.

1 Ausstellungskatalog New York, S. 3

Arman, *Verbrannte Kommode*

Arman, *The day after* (Kat.-Nr. 168)

Martin Disler

169

Endless modern licking of crashing globe by black
doggie time-bomb
Und der Mond hackt das Loch in den Schiffsbauch   1981

Mappe mit 8 Radierungen in Aquatinta, Vernis-mou, Aussprengverfahren,
Kaltnadel und Photoätzung auf Van Gelder-Papier

Blatt 1 ohne Titel, 53,3 × 73,3 cm
Blatt 2 ohne Titel, 53   × 73,3 cm
Blatt 3 ohne Titel, 53   × 36,5 cm (2 Platten)
Blatt 4 ohne Titel, 53   × 72,2 cm
Blatt 5 ohne Titel, 56   × 73,4 cm
Blatt 6 ohne Titel, 52,9 × 73,6 cm
Blatt 7 ohne Titel, 53   × 73,3 cm
Blatt 8 ohne Titel, 53,3 × 73,3 cm

Peter Blum Edition, New York
Lit.: Bilder der Angst und der Bedrohung, Ausstellungskatalog Kunsthaus
Zürich 1983, S. 65–101

Die 8 Blätter der Peter-Blum-Mappe thematisieren in knap-
pen figurativen Situtationen und Gefühle der Angst
und des Bedrohtseins: verstümmelte und bandagierte
Menschen (Blatt 6), Köpfe, aus denen pistolenschießende
Arme hervorwachsen (Blatt 7), entlaubte Bäume, auf deren
Äste dunkle Vögel hocken (Blatt 3), tierartige Wesen mit
riesigen Mäulern und Zähnen, die sich über Menschen und
Dinge hermachen (Blatt 2 und Blatt 4), ein hochgestellter
Sarg mit dem maskenhaften Antlitz des Todes als Ende der
Folge (Blatt 8). Nie ist ein Körper in seiner ganzen Form
wiedergegeben, sonden der Mensch erscheint immer nur in
Teilen. Die Körperfragmente überlagern sich mit anderen
figurativen Elementen, wodurch eine gesteigerte Tiefenwir-
kung erzielt wird. Wichtigster Ausdrucksträger ist der Kopf.
Oft ist er isoliert dargestellt, verbindet sich aber stets mit
bildhaften Zeichen, die in ihm entstehen, aus ihm heraus-
wachsen oder ihn von außen umklammern (Blatt 5). Für
Disler erwächst die Angst im Kopf; hier verdichten sich in
seinen Bildern die Formen und Eindrücke der äußeren
Bedrohung zu einer Sequenz von alptraumhaften Chiffren.
(So etwa bohrt sich auf dem 7. Blatt ein spitzer Schuh in ein
kleines Haus.)

Die Mappe mit dem Titel der »Zeitbombe« und dem »zer-
schmetternden Erdball« entstand 1981 in New York. Zu
dieser Zeit führte Disler ein Tagebuch, in dem er die aktuellen
Bedrohungen registrierte. Es sind dort Zeitungsausschnitte
eingeklebt, die im direkten Zusammenhang mit der Mappe
stehen: Photos von Bränden und Feuersbrünsten, von
Händen mit Messern und Pistolen, von Kriegsgreueln, und
ein Photo der Toten nach einer Exekution in Liberia, das den
Pulitzer-Preis gewonnen hat: «This photograph of the
execution of Government officials in the aftermath of a
military coup in Liberia won the Pulitzer Prize in spot news
photography for Larry C. Price of the Fort Worth Star-
Telegram.»[1]

1 Tagebuch mit dem Titel *Mr. Feels like a million. Seine Geschichte,* 1981
von Martin Disler – Zit. nach Ausstellungskatalog Zürich, S. 69

Martin Disler, *Endless modern licking of crashing globe by black doggie time-bomb/
Und der Mond hackt das Loch in den Schiffsbauch* (Kat.-Nr. 169)

Jonathan Borofsky
170
2740475   **1982**

Mappe mit 6 Kaltnadelradierungen und 7 Siebdrucken

Blatt 1 2739987, Siebdruck, 76 × 56 cm (Bildgröße)
Blatt 2 2739992, Kaltnadelradierung, 12,3 × 12,3 × 11,2 cm (Dreieck)
          (Plattengröße)
Blatt 3 2740152, Siebdruck, 76 × 56 cm (Bildgröße)
Blatt 4 2738104, Kaltnadelradierung, 5,4 × 4,5 cm (Plattengröße)
Blatt 5 2740225, Siebdruck, 76 × 56 cm (Bildgröße)
Blatt 6 2738105, Kaltnadelradierung, 6,3 × 5,4 cm (Plattengröße)
Blatt 7 2740287, Siebdruck, 76 × 56 cm (Bildgröße)
Blatt 8 2739976 und 2739977, 2 Kaltnadelradierungen, 7,5 × 6,3 cm
          bzw. 5,9 × 7,1 cm (Plattengröße)
Blatt 9 2740134, Siebdruck, 76 × 56 cm (Bildgröße)
Blatt 10 2740127, Kaltnadelradierung, 6,7 × 3,7 cm (Plattengröße)
Blatt 11 2740396, Siebdruck, 76 × 56 cm (Bildgröße)
Blatt 12 2740473, Kaltnadelradierung, 6,9 × 5,2 cm (Bildgröße)
Blatt 13 2740474, Siebdruck, 76 × 56 cm (Bildgröße)

Peter Blum Edition, New York
Lit.: Bilder der Angst und der Bedrohung, Ausstellungskatalog Kunsthaus
Zürich 1983, S. 11–32

Das Portfolio *2740475* enthält zwei Sequenzen – eine Folge
von 7 Siebdrucken und eine Folge von 6 Kaltnadelradierungen –, die jeweils einem bestimmten seriellen Konzept
folgen. Die Siebdrucke mit der anonymen Schattenfigur des
»Mannes mit Aktentasche« wechseln mit miniaturhaften
Kaltnadelradierungen ab, die Borofsky mit Hilfe eines
Vergrößerungsglases direkt auf der Platte entworfen hat. In
ihnen kommt die Traum- und Vorstellungswelt des Künstlers
zum Ausdruck, so daß sich Innenwelt und Außenwelt
gewissermaßen kontrapunktisch gegenüberstehen. Im
Hinblick auf seine Installationen merkt er an: »Wenn ich viele
Kritzeleien auf der einen Seite habe, so will ich auf der
anderen eine Silhouette, weil Gegensätze, die gegeneinander ausgespielt werden, Energie erzeugen«.[1] Der urbane
Typ des Mannes mit der Aktentasche – der übrigens stark
autobiographische Züge trägt –, ist im Werk Borofskys eine
häufig anzutreffende Metapher für Bedrohung und Be-
drohtsein. Als überdimensionales Deckenbild schwebt er im
Rotterdamer Museum Boymans-van Beuningen über dem
Betrachter, oder er läuft als monumentaler Schatten quer
über die Wand, so 1981 in der Ausstellung des Institute of
Contemporary Art in London. In dem Portfolio verkörpert
der Mann mit der Aktentasche die Außenwelt. Auf dem
ersten Siebdruck wirkt er, als den Bildraum beherrschende
Einzelfigur gesehen, selbst bedrohlich. Im Laufe der Folge
schlägt dieser Eindruck ins Gegenteil um. Seine Dimensionen werden kleiner, bis er im vorletzten Blatt zusammen mit
vielen ähnlichen Gestalten wie durch eine gewaltige Explosion auseinandergerissen und zerstückelt wird. Auf dem
letzten Blatt steht der Mann auf dem Kopf.

Die Innenwelt des Mannes stellt sich gleichermaßen in den
Radierungen dar. Dem Kopf, als dem Zentrum des »geistigen« Wesens Mensch, ist im ersten Blatt ein winziger, aus
Kreisen und Zahlen konstruierter Körper angehängt. Im
zweiten Kaltnadelblatt ist die Silhouette, im Gegensatz zur
festumrissenen Schattenfigur des Mannes mit Aktentasche,
aus locker gestreuten Molekülen aufgebaut, die insgesamt
wie kosmische Spiralen wirken. Das dritte Blatt stellt eine
Verbindung zwischen Kopf und All her. Wie die den Planeten
Saturn umkreisenden Ringe legen sich kreisförmige Energie-
linien um das Gesicht, die sich zu einem gitterartigen Netz
verdichten. Das vorletzte Blatt zeigt ein totenkopfähnliches
Gesicht inmitten kreisender Himmelskörper, um die Borofsky Namen und Telefonnummern aufgeschrieben hat.
Das letzte Blatt schließlich ist eine Aneinanderreihung von
Zahlen, der Kopf ist verschwunden. In beiden Sequenzen

vollzieht sich ein kontinuierlich lesbarer, in wechselseitiger
Entsprechung stehender Handlungsablauf. So wie sich die
bedrohliche Silhouette des Mannes allmählich auflöst und
letztlich als ihre Negation in Erscheinung tritt, so weicht der
»Geist« des Menschen einer Folge von Zahlen.

Borofskys Bilder thematisieren keine konkrete Furcht,
sondern sind Metaphern einer instinktiven und allgemeinen
Angst, die weite Bereiche individueller und kollektiver
Existenz umfaßt. »Einem Künstler«, sagte er, »sollte es
vielleicht möglich sein, diese instinktive Angst offenzulegen
und zeitlich zurückzugehen auf gewisse Wurzeln. Ich meine
heute, wenn man es auf eine sehr einfache Weise fassen
will: Alle Angst ist eigentlich Angst vor dem Tod – ich bin
nicht sicher, ob ich das richtig beurteile. Was ist es, wenn
eine Hündin Angst zeigt? Todesangst? Oder hat es mit
gefährdeter Sicherheit zu tun, was dazu führt, daß Eigentum
verteidigt wird – beim Tier wie beim Menschen, der ja auch
ein Tier ist? Wenn man darüber spricht und es in Bildern
zeigt, könnte es hilfreich sein.«[2]

1 Jonathan Borofsky. Zeichnungen 1960–1983, Ausstellungskatalog
Kunstmuseum Basel u.a. 1983/84, S. 135
2 Ebd., S. 175

328

Blatt 1

Blatt 2

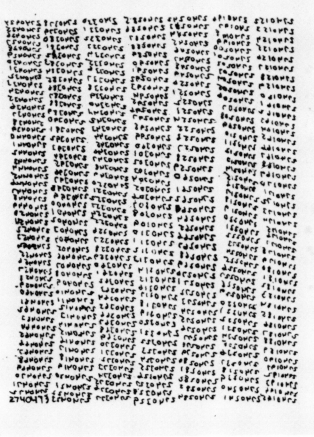

Jonathan Borofsky, *2740475* (Kat.-Nr. 170)

Blatt 11

Blatt 12

329

Harry Kramer

171

Die Offenbarung S. Johannis des Theologen, Kapitel I
D. Martin Luther »Biblia«, Wittenberg 1545
1979

Acryl auf Leinen, 200 × 260 cm
Im Besitz des Künstlers

Harry Kramers Bild hat das erste Kapitel der Apokalypse
zum Inhalt. Insgesamt 22 Bildtafeln im Format 200 x
260 cm soll die Folge, entsprechend den Kapiteln der
Johannesoffenbarung, umfassen; 16 sind bislang fertiggestellt. Vier oder fünf hintereinanderliegende Punkte entsprechen jeweils einem Buchstaben des Alphabets. Die
Leinwände sind also Schrifttafeln, die, wenn man den Kode
beherrscht, wie Druckseiten von links nach rechts zu lesen
sind. Da Buchstaben und Wörter nicht durch Freistellen
gegeneinander abgesetzt sind und auf Satzzeichen verzichtet wird, ist die Verschlüsselung ein Zufallsgenerator, der
52 000 farbige Punkte über die Fläche verteilt. Aber weder
die in farbige Punktreihen übersetzte Schrift noch der
Schlüssel werden mitgeliefert. So bleibt der den Bildern
zugrundeliegende Text unverständlich. In den Apokalypsetafeln, die an Gestaltungsprinzipien der Pointillisten erinnern,
wird das Schritt-für-Schritt-System der Schrift in die an-
schauliche Einheit eines Bildes übertragen, das der Betrachter, dem der Schlüssel zur Rückübersetzung nicht bekannt
ist, von oben nach unten, von rechts nach links oder auch
diagonal lesen kann. Indem so nicht nachvollziehbar ist, daß
es sich um in Bildzeichen verwandelte Texte handelt, ver-
schließt sich diese Kunst.

So wie Lucas Cranach im Sinne Martin Luthers den
mystisch-visionären Charakter der schwer verständlichen
Sprache der Johannesoffenbarung mit seinen Illustrationen
(s. Kat.-Nr. 20) erläutern wollte (der Vergleich über die
Jahrhunderte sei an dieser Stelle erlaubt), so wird bei Harry
Kramer, dieser Intention ganz entgegengesetzt, die Luther-
sche Bibelübersetzung in ein in sich geschlossenes System
von Bildzeichen übertragen, das für den Nichteingeweihten
unlesbar ist. Seine Apokalypsetafeln sind keine Textillustrationen, sind auch keine zu Bildern gewordene Schrift;
vielmehr entsteht, angeregt durch die literarische Vorlage,
eine autonome Bildrealität.

Harry Kramer, *Die Offenbarung S. Johannis des Theologen,* Kap. I (Kat.-Nr. 171)

Osvaldo Romberg

173

Neo-Genesis I   1985

Acryl und Kohle auf Leinwand, 153 × 183 cm
Galerie Linssen, Bonn

174

Neo-Genesis III   1985

Acryl und Kohle auf Leinwand, 183 × 153 cm
Galerie Linssen, Bonn

Lit.: Osvaldo Romberg, Ausstellungskatalog Tibor de Nagy Gallery,
New York 1985

In den Arbeiten der letzten Jahre schafft der argentinische
Künstler Osvaldo Romberg mit den Mitteln abstrakter
Formen Bildräume, die beim Betrachter den Eindruck von
Dramatik und Theatralik hervorrufen. Diese »super-semanti-
schen« Räume, wie er sie nennt, scheinen wie Bilder aus
dem All, in ihren Farb- und Formstrukturen erinnern sie an
Spiralnebel, an ferne Galaxien. Sie sind voller Dynamik und
Explosivität. Das Universum als Metapher für Leben und
Vergehen, für Anfang ohne Ende – in Bildern wie *The Arrival,
Resurrection, Starbirth* und *Stardeath* stellt Romberg eine
Beziehung zwischen menschlichen Seinskategorien und
kosmischen Urprinzipien her.

Unter diesem Gesichtspunkt entstanden auch die beiden
Serien der *Galaxy-* und *Genesis*-Bilder. Eine Vorstufe für die
Neo-Genesis-Reihe aus dem Jahre 1985 ist das Bild *Red
Genesis* von 1983, in dem auf einer vorderen Bildebene ein
wie auf einer Röntgenaufnahme sichtbar gemachter Em-
bryo im Mutterleib erscheint. Den Hintergrund bilden verti-
kale Farbstreifen, die an Rombergs »analysierende« Werk-
phase in den 70er Jahren erinnern, als er gestuelle, aus
Farbmusterkarten abgeleitete Progressionen an Farbrepro-
duktionen von Werken der Kunstgeschichte erprobte. *Red
Genesis* ist ein sehr privates »Familien«-Bild. Die Farbreihen
im Hintergrund verweisen auf die künstlerische Tätigkeit des
Vaters, die angedeutete Uterusform auf die Mutter, der
Embryo schließlich ist sein Sohn David. In kosmische
Dimensionen überträgt Romberg das Motiv des Embryos in
der *Neo-Genesis*-Serie, in der sich mehrere Bedeutungs-
ebenen vereinen. Es ist eine Geburt in dreifacher Hinsicht:
die Geburt seines Sohnes, die Geburt von Rombergs neuer
Malerei und die Geburt eines neuen Universums.

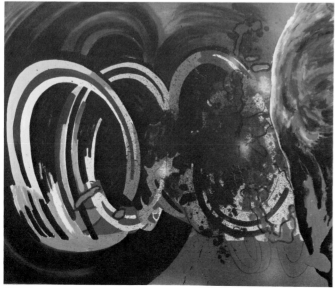

Osvaldo Romberg, *Neo-Genesis I* (Kat.-Nr. 173)

Osvaldo Romberg, *Neo-Genesis III* (Kat.-Nr. 174)

Rune Mields

172

Der Turm zu Babel   1982

18teilig, Letraset, Tusche, Papier, 222 × 150 cm
Galerie Philomene Magers, Bonn
Lit.: Rune Mields, Steinzeitgeometrie, Ausstellungskatalog der GEDOK,
Hamburg 1985

Es gibt den Eiffelturm und den Elfenbeinturm, Tatlins Turm
für die III. Internationale, den Jungfernturm und den Leucht-
turm von Pharos in Alexandria, die Türme des Giorgio de
Chirico und die von San Gimigniano, Gefängnistürme,
Bismarcktürme, Männer wie Türme und die Zwillingstürme
des World Trade Center... alles Herausforderungen der
unterschiedlichsten Art. Häufig ist die Verbindung zwischen
Himmel und Erde gemeint, so wie Maria mit dem Attribut
des Turmes als Vermittlerin zwischen den beiden Welten
fungiert. Der Turm aller Türme aber ist der Turm von Babylon,
das Symbol eitler Selbstüberschätzung des Menschen und
seiner anmaßenden Herausforderung Gottes. War das
ursprüngliche Vorhaben der Nachkommen Noahs noch ein
redliches Bemühen um Gemeinsamkeit, der Versuch, im
gemeinsamen Tun sich einen verbindenden und verpflich-
tenden Namen zu schaffen, so wurde es bald zur
unwiderstehlichen Versuchung, alle Grenzen zu sprengen
und bis in den Himmel als den Bereich Gottes vorzudringen.

Der historische Turm von Babylon, hebräisch Babel, war
vermutlich der größte Turm der damaligen Welt. Aufgrund
von Ausgrabungen und alten Überlieferungen kann man
sieben nach oben hin kleiner werdende Stockwerke annehmen (Abb. 71). Auch der Turm von Rune Mields zeigt sieben
Stufen. Die Sieben wurde häufig als Säule der Weisheit
bezeichnet, die Assoziationsmöglichkeiten sind vielfältig,
hier sei nur an die sieben Stufen des salomonischen Tempels erinnert, die den sieben Stockwerken in Babylon
entsprechen.

Als Gott das eitle Vorhaben der Menschen gewahr wurde,
verwirrte er ihre Sprachen und zerstreute sie in alle Winde
(1. Mose 11, 1–9). Rune Mields paraphrasiert das Chaos der
Sprache, indem sie unterschiedliche Buchstaben und

Zeichen verschiedenster Größen frei und anscheinend ohne
jedes System über die einzelnen Felder der Konstruktion
verteilt. Dieses buchstäbliche Wirrwarr wird wieder zurückgenommen durch die strenge geometrische Ordnung der
Rahmenarchitektur. Geometrie als göttliches Prinzip, Chaos
als Folge menschlicher Selbstüberschätzung? Mit der
Sprache hat der Mensch eine eigene Welt neben die von
Gott bestimmte gestellt, mit der Dialektik entsteht die
Möglichkeit der Verfügung und der Macht. Definitionen,
genaue sprachliche Bestimmungen sind für uns nützliche
Ordungsfaktoren, sind Inbegriffe der Logik. Mit aus Buchsta-
ben gebildeten Wörtern lassen sich Erkenntnisse gewinnen
und vermitteln, lassen sich theoretische und praktische
Systeme aufstellen. Der blinde Glaube an Systeme aber ist
ein ungeheurer Irrtum. Die Auseinandersetzung mit dieser
Problematik ist Rune Mields' Metier. Der Umsturz einer
Ordungsstruktur kann reinigende und letztlich konstruktive
Folgen nach sich ziehen. In diesem Sinne kann die Arbeit
Rune Mields' als ein Versuch bewertet werden, Undurch-
schaubares zu klären und der Gefahr sprachlicher Verwir-
rung eine sinnlich erfahrbare Ordnung entgegenzusetzen.

»Es gibt eine bestimmte Definition der Kunst, die besagt:
›Das Kunstwerk ist, was es ist.‹ So hat man sich inzwischen
daran gewöhnt, bei Bildern nicht mehr nach Inhalten zu
fragen, weil so oft gesagt wurde, daß hinter dem, was man
sieht, nichts anderes steht. Das ist bei mir anders: Man muß
bei meinen Arbeiten wissen, daß ein Quadrat nicht nur ein
Quadrat ist, sondern zugleich ein Zeichen für den Begriff
›Erde‹, entnommen einem bereits existierenden System.«[1]

So wie die Einheiten der Buchstaben im Wort, der Wörter im
Satz und der Sätze im Text noch nicht die Einheit des
Inhaltes ergeben, so ist auch jeder diskursive Versuch über
das Werk ein Vorurteil, das nicht die Einheit der Sache zur
Folge hat. In dem Bemühen um das, was der Autor/Künstler
hat sagen wollen, sollte man ein Werk rezipieren. Nur so
ergibt sich ein Zugang zur Schrift des Johannes und der
Paraphrasierung dieses Textes durch Rune Mields.

1 Rune Mields im Gespräch mit S. D. Sauerbier, in: Kunstforum, Bd. 37,
1/80, S. 120

Abb. 71 Rekonstruktion des Babylonischen Turms

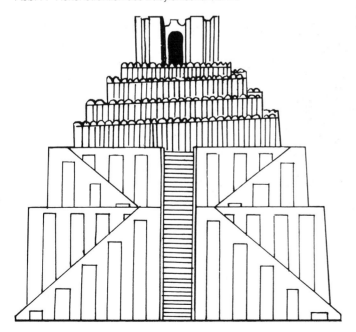

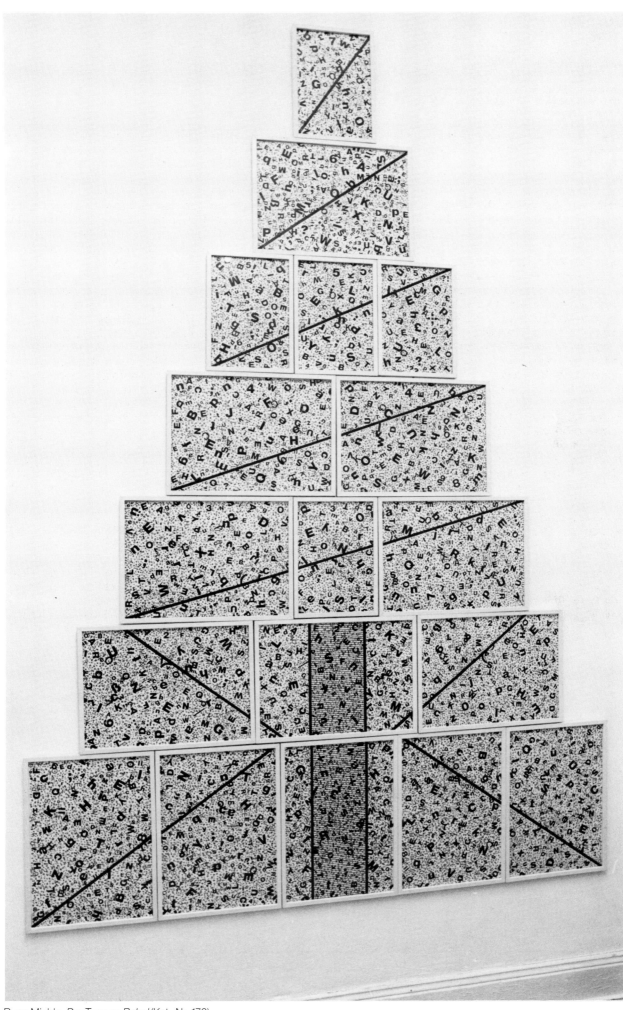

Rune Mields, *Der Turm zu Babel* (Kat.-Nr. 172)

Michael van Ofen

175

Weltuntergang   1982

Dispersionsfarbe auf Leinwand, 180 × 280 cm
Städtisches Kunstmuseum Bonn; längerfristige Leihgabe von Prof. Dr. Axel
Hinrich Murken, Aachen
Lit.: Bestandskatalog Städtisches Kunstmuseum Bonn, Bonn 1984, Bd. II,
S. 900; zu John Martin: Richard and Samuel Redgrave, A Century of British
Painters (Landmarks in art history), Oxford 1947, S. 393–403

Michael van Ofens *Weltuntergang* greift auf ein Bild des
19. Jahrhunderts zurück: auf John Martins *Der große Tag
Seines Zornes* (Abb. 72), das um 1853 entstanden ist (Tate
Gallery, London). John Martin (1789–1854) gilt als »Katastro-
phenmaler«, dessen apokalyptische Visionen auf einer rein
deskriptiven und szenographischen Ebene die noch bis ins
frühe 19. Jahrhundert überlieferten Bildvokabeln der Johannesoffenbarung nicht mehr direkt thematisieren. Seine
Bilder wirken eher wie Bühnenprospekte, die gewisse
dekadente, auf stimmungsvolle Momente bedachte Tendenzen der Spätromantik vorwegnehmen und die auch in
der Katastrophenfilmproduktion à la Hollywood wiederbelebt werden.
Im *Großen Tag Seines Zornes* stürzen gewaltige Berg-
massive in einer glutroten Atmosphäre wie um einen imagi-
nären Bildmittelpunkt rotierend auf die Erde herab. Die
Menschen versuchen dem Inferno zu entkommen, ihr
einziger Ausweg bleibt der Sturz in einen dunklen Abgrund.
Van Ofen greift das Kompositionsschema Martins auf: Von
links nach rechts fallen riesige Felsbrocken in ein schwarzes

Loch, die Schwerkraft der Erde scheint aufgehoben zu sein.
Seine kosmische Katastrophe findet ohne die Menschen
statt. Der Künstler integriert in seine Weltuntergangs-Version
noch ein weiteres Zitat, die Anamorphose. Die zerdehnte
Palette im Vordergrund spielt auf Hans Holbeins d.J. 1533
gemalte sogenannte Gesandtenbild, *Die Gesandten
Jean de Dinteville und Georges de Selve* (National Gallery,
London) an. Bei Holbein befindet sich an gleicher Stelle ein
verzerrt gezeichneter Totenschädel, ein Symbol für den
Vanitas-Gedanken.

Van Ofens manieristisches Arbeiten mit Zitaten mag als
Kritik der Sehnsucht nach Pathos verstanden sein, als Kritik
an einem fatalistischen Weltgefühl, als Kritik an der Lust am
Untergang und der Darstellung der Lust am Untergang.
Obwohl bereits historisch, wird dieses Gefühl bezeichnenderweise von rückwärtsgewandten Kreisen heute wieder-
entdeckt, um den Status quo aufrechtzuerhalten. Die
verzerrte Palette im Vordergrund kann auf einer weiteren,
innerkünstlerischen Bedeutungsebene interpretiert werden.
In Anlehnung an Holbeins Vanitas-Gedanken spielt sie auf
die Vergänglichkeit der jungen »wilden« Malerei an, deren
dauerhaften Bestand van Ofen in Frage stellt.

Abb. 72 John Martin, *The Great Day of His Wrath*, 1853 (Tate Gallery, London)

Michael van Ofen, *Weltuntergang* (Kat.-Nr. 175)

Felix Droese

176

Der Mensch verläßt die Erde   1983/84

Trilogie:
I Rot-Schwarz
II Rot-Grün
III Gelb-Blau
Dispersionsfarbe auf Leinwand, je ca. 215 × 220 cm
Privatsammlung
Lit.: Felix Droese. Über die menschliche Fleischfarbe,
Ausstellungskatalog Städtisches Kunstmuseum Bonn 1985

Felix Droeses formale Sprache, seine provokanten Form-
fragen, sein stetiger Wechsel zwischen Figuration und
Abstraktion zeichnen sich durch stark sinnlich-sinnhafte,
aber nicht leicht deutbare Eigenschaften aus. Mit unmittelbar und spontan wirkenden Konkretionen erreicht er durch
die Verquickung von Unbekanntem mit Vertrautem eine das
Auge reizende, wiewohl schmerzhafte Vieldeutigkeit. Die
formale Spannung zwischen verrätselter und wiedererkenn-
barer Durchbildung steht analog zu der in der Trilogie *Der
Mensch verläßt die Erde* behandelten inhaltlichen Thematik.
Ambivalente Übergangsstadien und Grenzsituationen
sowohl in der Zerrissenheit des Individuums selbst als auch
im Verhältnis des Menschen in und zur Welt bestimmen den
sich wechselseitig aufeinander beziehenden Handlungsbe-
reich.

In der Dreierfolge bleibt im Gegensatz zum mittelalterlichen
Programm des Triptychons die Selbständigkeit des Einzelbildes bei gleichzeitiger formaler und inhaltlicher Bezugnahme
stärker gewahrt. In *Rot-Schwarz,* dem ersten der quadra-
tisch angelegten Bildträger, bewegen sich nach Geschlechtern getrennt zwei Gruppen nackter Menschen vom rechten
und linken Bildrand her auf einen weiter zurückliegenden
türähnlichen Durchgang zu. Auf ihrem Weg be- oder entstei-
gen sie einer die Basis der Darstellung bildenden bootsähnli-
chen Form. Die Figuren durchdringen die zum Teil transparent und immateriell wirkenden Ränder und Wandflächen
der Eingangskonstruktion. Die Gruppe der Frauen links ist
im Unterschied zu der gegenüberstehenden Männergruppe
durch stärkere Konturen und differenziertere Körperbehand-
lung ausgezeichnet, schließlich noch durch ein angstvoll
aufblickendes Kind numerisch übergewichtet. Alle Figuren
strahlen eine dem Schattenreich eigene Schweigsamkeit
und Unbestimmtheit aus. In ihrer schemenhaften Körperlichkeit und zurückgenommenen Bewegung scheinen sie sich
ihres Zustands durchaus bewußt. Das Ungewisse des kurz
bevorstehenden Wechsels, das noch nicht Erkennbare des
Kommenden wird in der Tiefe suggerierenden schwarz-
blauen Türöffnung angedeutet. Daß der Übergang gleichbe-
deutend mit der Verabschiedung der alten und der Hoffnung
auf eine neue Welt verbunden werden kann, veranschaulicht
das aus einem Kreisrund auf alle Durchschreitenden wie in
einer Taufe fließende Blut. In diesem Sinne ist möglicherweise auch an eine apokalyptische Wende- und Heilsdeu-
tung zu denken. Formal nimmt der in seiner unteren Hälfte
rot gefüllte Kreis Bezug auf das letzte Bild der Folge; auch
hier gibt es in dem blau-gelb geteilten bildbestimmenden
Rund an gleicher Stelle eine Oberflächen- oder Grenzlinie.

Wie in einem pulsierenden Strudel rotieren im zweiten Bild
Rot-Grün die gestischen Malspuren um die wiedererkenn-
baren Formen. In dem in der Tiefe sich verdichtenden Strom
hält sich aufgrund seiner ausgewogenen Schmiegeformen
als manifester Bestandteil ein Schiff mit geblähten Segeln
mit zwei rechts und links stehenden Figuren. Die Beine der
sich in die kreisende Bewegung einpassenden Mutterwesen
zerfließen in den strömenden Elementen. Die Gegenüberstellung der beiden kindertragenden Gestalten und die

Felix Droese, *Der Mensch verläßt die Erde I* (Kat.-Nr. 176.1)

Felix Droese, *Der Mensch verläßt die Erde II* (Kat.-Nr. 176.2)

formal den Häuptern dieser Madonnen verwandten Bugen-
den des Bootes lassen in ihrer strengen Symmetrie das
Tormotiv des ersten Bildes wieder anklingen.

Droese selbst vergleicht die Kreisform des letzten Bildes
Gelb-Blau mit einem Bullauge. Der Blick durch dieses
Rundfenster ließe den eigenen Standort auf einem imaginier-
ten Schiff vermuten. Ein unruhiges, den Kreis rahmendes
Gespinst verbindet Himmel und Wasser zu einem zusam-
mengehörigen Ganzen, ebenso wie die von den kleinen
Quadraten in den Zwickeln ausgehenden Strahlen auf ein
gemeinsames Zentrum verweisen. Schließlich taucht vor
dem allmählich erkennenden Auge im unteren blauen
Halbkreis die Form eines versunkenen (?) Schiffes auf. Auf
der Grenzlinie zwischen dem warmen Gelbton und dem
kühleren Blau-schwarz des Wassers liegt ein wie durch
Geißelungen geschundener Leib. Der rücklings über den
Horizont gebeugte Mann erinnert an den vom Kreuz genom-
menen Korpus Christi auf dem Schoß der Mutter – ein
Paradigma des Erlösungsgedankens schlechthin. Aus dem
fahlen Leib wächst eine Blutknospe, die neben weiteren
floralen Assoziationen auch an Flügelwesen oder Wund-
blutungen denken läßt. Die schemenhaften Konturen eines
nackten, aus dem Meer aufsteigenden vitalen Frauenober-
körpers links der Mitte betonen auf einer anderen Ebene
noch einmal die grundsätzliche Dualität der gesamten
Bildaussage. Mit dem Aufstieg der aus dem toten männlichen Körper geborenen Rotform verläßt ein Symbol des
Lebens den hinfälligen Leib, so wie der hinfällige Mensch
selbst die Erde verläßt. Die zusammengehörige Bedingung
des Sterbens und Geborenwerdens, des Steigen und
Fallens, des Übergangs von einer auf die andere Seite
verdeutlicht der gesamte Themenkomplex der Trilogie. »Die
›Taufe‹ des Bildes I bedeutet Initiation, Kennzeichnung des
Schuldhaften, Einweihung in die Problematik des Auf-
bruchs, zugleich die Chance der Läuterung zum Wesentlichen – also der geprüfte Mensch. Die Polarität des Entsprechenden oder Gleichen in Bild II, die Richtungslosigkeit
bestimmt das Unterwegssein (und erinnert auch an Beuys'
Aussage über unser ›nomadisiertes‹ Zeitalter) – also der
unbehauste Mensch zwischen Abfahrt und unbekanntem
Ziel. Bild III stellt im ›Rätsel der Ankunft‹ die letzte aller
Fragen – die nach dem erlösten Menschen, wohin gehen
wir? Das Blut des Opfers wird in Bild I ausgeschüttet. Die
Trilogie als Zyklus.«[1]

1 Ausstellungskatalog Bonn, S. 101

Felix Droese, *Der Mensch verläßt die Erde III* (Kat.-Nr. 176.3)

Wolfgang Petrick

177

Der Bote   1983

Kunstharz, Eitempera, Öl auf Leinwand, 295 × 210 cm
Galerie Brusberg, Berlin

Feuertanz   1982/83
178

Mischtechnik auf Papier, 140 × 110 cm
Privatbesitz

Lit.: Wolfgang Petrick. Malerei, Zeichnungen 1979–1982, Ausstellungskatalog Galerie Poll, Berlin 1982

Der muskulöse, im Stechschritt ausschreitende *Bote* in
Wolfgang Petricks Gemälde von 1983 trägt als einzige
Bekleidungsstücke feste Militärstiefel und, einer indiani-
schen Kopfbedeckung vergleichbar, das zähnefletschende
Präparat eines Wolfskopfes. Wie die Unheil stiftenden Engel
aus der Johannesvision ist der Wolfsmensch gleichzeitig
schön, stark und grausam. Seine linke Körperhälfte und die
hohe Stirn spiegeln den rotglühenden Feuerschein der im
Hintergrund zerfallenden Stadtlandschaft. Die andere
Körperhälfte kontrastiert hierzu effektvoll in einem kühlen
Blau, die unverhältnismäßig große linke Hand unterstreicht
die animalische Kraft des aus großen Augen entschlossen
blickenden Vollstreckers. Die sinnlich gewölbten Lippen des
geschlossenen Mundes, eine sphinxähnliche Figur im

Hintergrund und nicht zuletzt die spannungsgeladene,
vornehmlich rot-blaue Farbgestaltung des gesamten Bildes
erzeugen trotz aller destruktiven Elemente eine sinnlich-ero-
tische Vibration. Tod und Eros scheinen miteinander ver-
schwistert. »Wer ist der Wolf«, sagt Augustinus, »wenn nicht
der Teufel«. Aber auch Luzifer, der von Gott verstoßene
Engel, ist noch »ein Teil von jener Kraft, die stets das Böse
will und stets das Gutes schafft«.

Petricks *Bote* erinnert aber nicht nur an die rachsüchtig und
erbarmungslos vollstreckenden Wesen aus der Johannesoffenbarung, sondern insbesondere hier noch einmal an die
Gestalt des zweiten Apokalyptischen Reiters. »Und es
wurde ihm ein großes Schwert gereicht«[1] heißt es von dem
ein feuerrotes Pferd reitenden Boten, dem die Aufgabe
zufällt, den Kampf aller gegen alle, die Selbstzerfleischung
des Menschen zu inszenieren.

Den »wüstesten aller geschriebenen Ausbrüche, welche die
Rache auf dem Gewissen hat« und »ein Buch des Hasses«[2]
nennt Nietzsche das letzte Buch des Neuen Testaments.
Und auch der *Feuertanz* (Kat.-Nr. 178) von 1982/83 ist nach
Petricks Worten ein Bild der »Rache«.

Abb. 73 Wolfgang Petrick, *Großstadt,* 1977

Wolfgang Petrick, *Feuertanz* (Kat.-Nr. 178)

»Die scheinbare Logik des Machbaren – der Wahnsinn des Sachzwangfiebers löst bei mir Verzweiflung und Widerstand aus, ...Malen von Obsession ist Lust, Leben.«[3] Ähnlich wie in dem *Großstadttriptychon* (Abb. 73) von 1977, einem großangelegten Assemblage-Environment, wird im *Feuertanz* die allgemeine Verrottung thematisiert. Die unter den dargestellten Bedingungen lebenden Menschen sind Täter und Opfer zugleich. Ein undurchdringliches Konglomerat von Schmutz und technischen Abfällen unserer Zivilisation, durchwoben mit Gewalt und Aggression, versinnbildlicht die Vernichtung des Menschen durch den Menschen. Dem »Siehe, ich mache alles neu« der Apokalypse scheint die Vernichtung der Welt zwingend vorauszugehen. Warum dann aber noch Bilder? »Ich male mit der Hoffnung, den Krieg in mir zu befrieden, das Denken zu ertragen und Wirklichkeit zu finden.«[4]

1 Apk 6, 4
2 Friedrich Nietzsche, Werke in drei Bänden, Schlechta-Ausgabe 1955, Bd. II, S. 795 (16)
3 Wolfgang Petrick in einem Brief vom 7. 7. 1985 an das Wilhelm-Hack-Museum, Ludwigshafen/Rh.
4 Ebd.

Wolfgang Petrick, *Der Bote* (Kat.-Nr. 177)

Peter Bömmels

179

Sprung aus der Geschichte   1982

Dispersionsfarbe und Goldbronze auf Nessel, 220 × 320 cm
Galerie Paul Maenz, Köln
Lit.: Klaus Honnef, Der neue Manierismus. Das Panorama des Zeitgeistes,
in: Kunstforum Bd. 56, Dezember 1982, S. 31–37; Zwischenbilanz II. Neue
deutsche Malerei, in: Kunstforum Bd. 68, Dezember 1983, S. 102–111.

Die Bildwelt von Peter Bömmels ist beunruhigend und
bedrohlich. Der *Autoesser*, 1982, verzehrt sich selber, *Die
Rückkehr der Seligmacher*, 1982, stellt sich als Labyrinth
menschlicher Extremitäten dar, in *Finis* (Abb. 74) hat der
Mensch längst seinen Lebensraum zerstört, sein Ende
findet in einem Fluß statt, in den er sich selbst hineinbeför-
dert, um dort zu ertrinken. Der Künstler, der neben Walter
Dahn, Jiri Georg Dokoupil, Hans Peter Adamski, Gerard
Kever und Gerhard Naschberger Mitglied der Kölner Atelier-
gemeinschaft »Mülheimer Freiheit« war, entwickelt einen
Formenkanon in der Art eines expressionistischen Symbolis-
mus, ein System von Zeichen, dessen Dechiffrierung wichtig
für das Verständnis seiner Arbeiten ist. Bei Bömmels stehen –
im Unterschied zu anderen Malern der »neuen Welle« – die
Bildtitel in enger Beziehung zum Bildinhalt, sie erfassen das
bildlich Dargestellte auf sprachlicher Ebene, ohne jedoch zu
beschreiben.

Seltsames geschieht im Bömmels' Bildwelt, einer Welt des
Fließens und Schwebens, in der die herkömmlichen biologi-
schen und physikalischen Gesetzmäßigkeiten total aufgehoben sind. Im *Sprung aus der Geschichte* wachsen die
Instrumente zum Handeln aus den Extremitäten der Figuren
heraus. Ausgangspunkt und Zentrum des Bildes ist ein
Mann in Pantoffeln, der in seiner rechten Hand eine Sichel
hält, die bald das Seil, an dem eine geköpfte Gestalt empor-
schwebt, durchschlagen wird. Der Zeitablauf erhält einen

Peter Bömmels' Bild ist eine persönliche Vision, es skizziert
zwar Lösungsmöglichkeiten, als Vorschlag zur praktischen
Konfliktbewältigung will es nicht verstanden sein. Der
Sprung aus der Geschichte reflektiert Walter Benjamins
Gedanken von der »existentiellen Ortsveränderung«; indem
der Mensch über seine eigene Dimension hinauswächst,
kann er sich lösen, von der Bedrohung befreien.

Abb. 74 Peter Bömmels, *Finis,* 1981

Sprung: Die geköpfte Gestalt ist er selbst. Darunter steht
eine Frauengestalt, an ihrer Kopfbedeckung als Wikingerfrau
erkennbar, die sich aus der Blockform herausarbeitet, dem
physischen Ende des Mannes so als – entwicklungsge-
schichtlicher – Beginn gegenübergestellt wird. Der Kreislauf
der Geschichte schließt sich im linken Bildrand. Die stei-
nerne Hülle hält eine »Hand« hin, als fordere sie das Leben
(oder den Tod) des Mannes. Dieser entzieht sich jedoch der
Geschichte, indem er aus ihr »herausspringt«, die Gesetze
der Entwicklung hinter sich läßt. Durch seinen symbolischen
Tod befreit er sich, er entzieht sich der Welt, die sich ihm als
eine bedrohte darstellt: Vor einem feuerroten Himmel findet
ein Panzerkampf statt, das vom Untergang bedrohte Szenarium wird durch einen Stacheldraht eingeschlossen.

Peter Bömmels, *Sprung aus der Geschichte* (Kat.-Nr. 179)

Jiri Georg Dokoupil

180

Szenen aus der postnuklearen Welt:
Auf der Suche nach der Ikone des 20. Jahrhunderts
1983

Acryl auf Nessel, 200 × 375 cm
Galerie Paul Maenz, Köln
Lit.: Zwischenbilanz II. Neue Deutsche Malerei, in: Kunstforum Bd. 68,
Dezember 1983, S. 132–143; Dokoupil. Arbeiten 1981–1984, Ausstellungs-
katalog Essen/Luzern/Groningen/Lyon 1984/85

Rot ist die Liebe, rot ist das Blut, rot ist der Erdbeermund.
Wer fliegen will, sollte es wie die Vögel machen oder es Zeus
gleichtun und an Leda denken. Wer Angst vorm Fliegen hat,
der lasse es lieber gleich, sonst verschlingt ihn der Schlund
der Erde. Das Oberhaupt der griechischen Götterwelt in
Schwanengestalt, das ist die verfeinerte Variante des Phal-
lus-Vogels, der wiederholt in der archaischen und klassischen Kunst auftaucht. Vögel aber sind Hinweise auf das
Paradies, auf den Garten der Lüste, und selbst Jesus
spricht in seinen Predigten von den leichtlebigen, glückli-
chen Vögeln, die nicht säen und ernten und sich doch
ernähren.

In Jiri Georg Dokoupils Gemälde *Auf der Suche nach der
Ikone des 20. Jahrhunderts* fliegt über einem brodelnden
Farbberg ein geflügelter Phallus, der als Agens der Frucht-
barkeit die vitale Kraft der Natur verkörpert. Die bei den
Griechen und Römern ganz ähnlich gestalteten Phallus-Vö-
gel waren Symbole des Gottes Priapus. Als Sohn des
Dionysos und der Aphrodite verkörperte sein Bild, in der
Form eines steinernen Phallus, den Aspekt der männlichen
Potenz des Dionysos. Die überall in Kleinasien geschaffenen
Plätze, an denen man die Phallusstelen errichtete, wurden
als Ort des Lebens und des Todes bezeichnet: mortis et
vitae locus. Leben und Tod sind unmittelbar in ein und
demselben Akt zusammengeschlossen, in der Zeugung
entsteht das neue Leben, und gleichzeitig geht die alte
Lebensform in ihr unter. Neben dieser Bedeutung des
Gottes Priapus als Symbol der Einheit von Leben und Tod
wird in ihm auf profanerer Ebene die männliche Potenz
verehrt, er erhielt den bezeichnenden Beinamen »Der
Treffer«. Wer aber treffen will, muß es auf ein Ziel abgesehen
haben! Auf Dokoupils Bild winkt ein Skelettarm aus einer am
Boden haftenden Vulva dem fliegenden Liebesgott zu.
Dieser hat den Ruf bereits verstanden und dreht seinen
»Kopf« in die Richtung der Verlockung und wird im nächsten
Moment auf ihren Kurs einschwenken.

Die angedeutete erotische Lust des Augenblicks, die Aus-
schweifungen im Garten der Lüste, verbindet sich mit einer
in der Landschaft und im Skelettarm ausgedrückten Endzeitstimmung. *Die Szenen aus der postnuklearen Welt*, so
der dieses und ein ähnliches Gemälde zusammenfassende
Titel, manifestieren sich in einer visionären Natur, in der sich
ambivalente Reize die Waage halten. Eros und Tod sind
enge Vertraute. Letztlich scheint jedoch das Bild keine
abschreckende apokalyptische Todesvision eines depressiv
gestimmten Malers zu sein, vielmehr findet eine humorvolle
Persiflage auf die heute inflationär gehandelten Endzeitstimmungen ihren Ausdruck.

Jiri Georg Dokoupil, *Scenes from the postnuclear world: Auf der Suche nach der Ikone des 20. Jahrhunderts* (Kat.-Nr. 180)

Rainer Fetting

181

2 Harrisburger   1982

Dispersionsfarbe und Öl auf Nessel, 400 × 285 cm
Galerie Raab, Berlin

182

Die Bombe   1982

Dispersionsfarbe und Öl auf Nessel, 400 × 300 cm
Galerie Raab, Berlin

Lit.: Klaus Honnef: Der neue Manierismus. Das Panorama des Zeitgeistes,
in: Kunstforum Bd. 56, Dezember 1982, S. 31–37; Zwischenbilanz II. Neue
deutsche Malerei, in: Kunstforum Bd. 68, Dezember 1983, S. 144–153.

In nicht wenigen Bildern des Berliners Rainer Fetting
offenbaren sich Aspekte von Gefahr und Bedrohung in
unterschiedlichen Nuancierungen. Neben eher privaten
Themen – meist männlichen Akten – gibt es Arbeiten, die
auf aktuelle Zeitereignisse und kollektive Bewußtseins-
formen Bezug nehmen. So steht neben dem Thema homo-
erotischer Spannung und sexueller Gefährdung die Angst
vor der physischen Vernichtung – ein Trauma à la Harrisburg.
Obwohl Fetting die Wirklichkeit zum Ausgangspunkt seiner
Darstellung wählt, bildet er nicht naturalistisch ab, sondern
verfremdet die Realität, indem er sie exotisiert. Ein Hauch
von Theatralik durchläuft alle seine Bilder, seine Menschen
werden nicht idealisiert, sondern erhalten die Aura exo-
tischer, fremden Kulturen zugehöriger Geschöpfe.

Rainer Fetting, *2 Harrisburger* (Kat.-Nr. 181)

Fetting bevorzugt – wie zahlreiche seiner Malerkollegen, die
den sogenannten Jungen Wilden zugerechnet werden –
das große Format, auf das er das dünnflüssige Farbmaterial
in großzügigen, relativ lockeren Gesten aufträgt. Der Farb-
auftrag erhält eigene Ausdruckskraft und avanciert zu einem
wichtigen Teil des Bildgegenstandes. Auch *2 Harrisburger*
bezieht seine – bedrohliche – Dynamik aus flächig gemalten
Farbfeldern und Strichpartien, die jeden räumlichen Illusionismus vermeiden. Das Bild, das auf den bisher schwersten
bekanntgewordenen Reaktorunfall, nämlich den im Kern-
kraftwerk Three Mile Islands in der Nähe von Harrisburg im
März 1979 anspielt, vereint real nicht zu Vereinbarendes in
einer fiktionalen Bildrealität. Es ist bewußt ahistorisch und
anachronistisch angelegt. Aus dem vorderen von zwei
hintereinander gestaffelten Kühltürmen blickt das grob
schematisierte und roh hingemalte Gesicht Adolf Hitlers
dem Betrachter entgegen, im hinteren »droht« – um jegliche
Mißverständnisse auszuräumen – ein Hakenkreuz. Das
scheinbar Disparate fügt sich zu einer inhaltlichen Einheit,
demonstriert eine – eventuelle – historische Linearität. Das
zerstörerische und weltvernichtende Potential des national-
sozialistischen Deutschland findet seine Entsprechung,
Fortsetzung und Steigerung in den Möglichkeiten der
Kernspaltung. Die Bedrohung, und die Angst vor der Bedrohung, ist die gleiche – vor 50 Jahren wie heute.

In dem Bild *Die Bombe* aktualisiert Rainer Fetting das
Thema der ständigen Bedrohung mittels der ironischen
Verfremdung. Wie in einen Freudentaumel tanzen drei
nackte Menschen, zwei Männer und eine Frau, letztere mit
einer Gasmaske, um ein Feuer. Mit den Messern bzw.
Spitzhacken in ihren Händen wirken sie wie Wesen einer
archaischen Gesellschaft, hinter denen in einer Art Welten-
brand Feuersbrünste himmelwärts lodern. Über ihren
Köpfen schwebt wie ein Damoklesschwert die Bombe. Der
Phallus des Mannes in der Mitte stellt eine Beziehung
zwischen Tod und Sexualität her.
Wie in anderen Bildern Fettings beherrscht auch hier das
Motiv des Tanzes das Bildgeschehen. Der Tanz mag in
diesem Kontext auf verschiedene Weise, jedoch unter
einem einheitlichen Aspekt, gedeutet werden. Es ist der
Tanz um das goldene Kalb, um die Bombe, als Symbol
für das heutige Vernichtungspotential. Oder es ist der Tanz
auf dem Vulkan, den die Menschen trotz oder gerade
wegen der ständigen Bedrohung tanzen, ein Tanz, der – die
Messer in den Händen der Männer und der Frau mögen es
andeuten – in die Selbstvernichtung mündet. Oder aber es
ist der primitive Ritus einer post-archaischen Gesellschaft,
die nach der Katastrophe wieder *die* menschliche Lebensform auf der Erde darstellt.

Rainer Fetting, *Die Bombe* (Kat.-Nr. 182)

Walter Dahn

183
Weltherz   1985

Acryl auf Leinwand, Ø 80 cm
Galerie Paul Maenz, Köln
Lit.: Walter Dahn. Ausstellungskatalog Galerie Paul Maenz, Köln 1982;
Zwischenbilanz II. Neue deutsche Malerei, in: Kunstforum Bd. 68, Dezember 1983, S. 120–131

Das *Weltherz* strahlt oder pulsiert auf goldfarbenem Tondo, blutrot, doch zu mehr als einem Drittel mit unregelmäßig verteilten, schwarzen Flecken beschmutzt; Flecken, deren Formen sich auch als die Kontinente der Erde entschlüsseln lassen. Die assoziativen Ausdeutungsmöglichkeiten von Welt + Herz sind vielfältig, die Symbolik der verwendeten Farben ist offen und abhängig vom jeweiligen interpretatorischen Zusammenhang. Ganz allgemein ist das Herz ein Sinnbild unendlicher (göttlicher) Liebe, im Volksglauben auch Sitz der Seele. Der Kreis des Tondos ist Symbol der Welt, das Rund ein Zeichen für das Ideal des Ganzen.

Seit dem Mittelalter gibt es eine besondere Form der Herzverehrung. Sie wird auf Jesus bezogen und hat in zahlreichen Darstellungen ihren Niederschlag gefunden. Auf einige in diesem Zusammenhang interessante ikonographische Bezüge sei kurz verwiesen: In der ehemaligen Klosterkirche zu Herz Jesu in Eichstätt wird in dem 1721 von Johann Georg Bergmiller gemalten Fresko das Herz Jesu von den Personifikationen der vier Erdteile verehrt. Diese halten ihr Herz in der Hand, eine Schale mit flammenden Herzen verdeutlicht außerdem das Herzopfer der Menschen. Ein Gemälde von Pompeo Girlamo Batoni aus dem Jahre 1780 in der Karmelitinnenkirche in Lissabon stellt ebenfalls die Verehrung des Herzens Jesu durch die vier Erdteile dar. Im Kuppelfresko der Kollegienkirche zu Ehingen wird das Herz Jesu in der Himmelsglorie von den Mauern des Himmlischen Jerusalems umschlossen. Die ideale

Abb. 75 Peter Apian, Weltkarte in Herzform, 1530

Stadt der Offenbarungsschrift wiederum ist ein Spiegelbild der idealen Welt.

Auch das Weltbild der messenden Wissenschaft zeigt schon früh formal interessante Parallelen. Unter der Fülle der Modelle, die in dem Bemühen um eine ideale Lösung

entstanden sind, fallen die Herz- oder Doppelherzprojektionen auf (Abb. 75). In ihnen kommt die Rundung der Erde besonders anschaulich zur Geltung, für die Nutzanwendung bieten sie allerdings einige Schwierigkeiten. Wurden die Weltkarten in Herzform auch aus dem wissenschaftlichen Interesse der Kartographen entwickelt, die Kugelgestalt der Erde in die Zweidimensionalität zu projizieren, so fällt doch ihr ästhetisch-künstlerischer Reiz sofort ins Auge. Der das Herz umschließende Rahmen ist wie das Quadrat ein Signum für den Begriff Erde und kann analog zu den erwähnten christlichen Darstellungen der vier Erdteile gedeutet werden.

Bei der durch den Kontext der Ausstellung naheliegenden Interpretation des Bildes von Walter Dahn darf jedoch nicht der Hinweis auf die immanente Ironie fehlen. Diese kommt besonders signifikant in der wenig andächtigen Malweise zum Vorschein. Die Verwendung von Gold bzw. Goldgelb ist uns auch heute noch ein Zeichen für das Kostbare. Gold bedeutet in mittelalterlichen Darstellungen jenes Licht, von dem die »Lichtstellen« der Bibel zahlreich sprechen. Gold ist die Farbe der Offenbarung des Heiligen Geistes, darauf verweisen der Goldgrund und die Nimbusse der Heiligen. Im *Weltherz* ist das Tondo selbst goldener Nimbus des Herzens. Die Welt als Herz, das Herz der Welt, rot als Farbe des Lebens, der Liebe, des Blutes; schwarz als Negation aller Farben, rot als Farbe göttlicher Liebe, rot und schwarz zusammengenommen aber auch als die Farben der Höllendiener. Die Kontinente schwarz, die Meere rot; rotgefärbt durch den Engel, der den feuerglühenden Berg ins Meer wirft? (Apk 8, 8)

Im zehnten Lied des Prinzen Vogelfrei, im *Rimus remedium,* heißt die zweite Strophe:

Welt ist von Erz:
Ein glühender Stier, – der hört kein Schrein.
Mit fliehenden Dolchen schreibt der Schmerz
Mir ins Gebein:
»Welt hat kein Herz,
Und Dummheit wärs, ihr gram drum sein!«[1]

1 Friedrich Nietzsche, Die fröhliche Wissenschaft, Schlechta-Ausgabe, München 1954, Bd. II, S. 269

Walter Dahn, *Weltherz* (Kat.-Nr. 183)

Das Gespenst der Apokalypse und die Lebemänner des Untergangs

Michael Schneider

A. Die Apokalypse als negative Utopie

1. Apokalypse now

Ein Gespenst geht um in Europa: Das Gespenst der Apokalypse. Obschon ein klassisches Nachtgespenst, geht es längst auch in unseren Tagträumen und Tagesgesprächen um. In immer neuen Formen und Verkleidungen auftretend – als religiöse Prophetie, als wissenschaftliche Prognose, als chiliastischer Weckruf, als künstlerische Vision, als Trivialmythos oder als schlichter Aberglaube –, scheint es seinen prominenten Rivalen, das Gespenst des Kommunismus, nahezu vollständig verdrängt zu haben. Beispiellos ist die Karriere dieses Gespenstes: Binnen weniger Jahre hat es sich vom Souterrain bis in die oberen Etagen der Gesellschaft hochgearbeitet und von all ihren privaten und öffentlichen Lebensäußerungen Besitz ergriffen. Wo man auch hinsieht oder hinhorcht, das Gespenst der Apokalypse ist schier omnipräsent: In den militärischen Planungsstäben wie in der Friedensbewegung, in den Parteizentralen wie am Stammtisch, im ›Club of Rome‹ wie im ›Club Voltaire‹, im Feuilleton der *Zeit* wie in der *Bild*-Zeitung, im ›Bundesprogramm der Grünen‹ wie in der *Deutschen Soldatenzeitung*, in Udo Lindenbergs Rockkonzerten wie in Dieter Hildebrands *Scheibenwischer*, in Heiner Müllers dramatischen Endspielen wie in Ruth Berghaus' Neuinszenierungen an der Frankfurter Oper, in Christa Wolfs *Kassandra* wie in Günter Kunerts Endzeit-Gedichten.

Noch häufiger als das Wort ›Wende‹ ist derzeit das Wort ›Ende‹ vernehmbar. Nicht zufällig gehören Michael Endes Geschichten vom Lande ›Phantásien‹, das am Ende der Welt liegt und rundum vom Nichts bedroht wird, zu den populärsten Mythen unserer ›Endzeit‹. »Ende gut, alles schlecht!« scheint der Wahlspruch der achtziger Jahre zu lauten, zumal das Jahr mit der magischen Zahl ›1984‹ Zeichen gesetzt hat. Wie nie zuvor ›blühen‹ die schwarzen Utopien und die schwarze Romantik, die Philosopheme der Hoffnungslosigkeit und der Vergeblichkeit, die adventistischen und apokalyptischen Stimmungen, in deren Gefolge eine Art Sonnenfinsternis des kollektiven Bewußtseins eingetreten ist.

Den 22. November 1983, an dem die Mehrheit der Abgeordneten des Deutschen Bundestages (gegen die Stimmen der Mehrheit der SPD und der Grünen) der Stationierung amerikanischer Mittelstreckenraketen auf deutschem Boden zugestimmt haben, wird man dereinst als den schwärzesten Tag in der Geschichte der Bundesrepublik bezeichnen, falls es sie dann noch gibt. Die selbstmörderische Vasallentreue der Bonner Regierungsparteien gegen-über ihren ›amerikanischen Freunden‹ erinnert fatal an jene ›Nibelungentreue‹, mit der seinerzeit die deutschen Volks- und Parteigenossen dem ›Führer‹ ins Verderben gefolgt sind. Man täte gut daran, die Zustimmung des Deutschen Bundestages zur Raketenstationierung auf den Namen ›atomares Ermächtigungsgesetz‹ zu taufen! Denn genau darum handelt es sich: um die »freiwillige Souveränitätsaufgabe« (Günter Anders)[1] einer demokratisch gewählten Regierung, die mit Beschluß vom 22. November 1983 die Entscheidung über Krieg und Frieden – und damit über Leben und Tod des deutschen Volkes – in das Ermessen eines amerikanischen Präsidenten gestellt hat, der gegen-über der Sowjetunion Drohungen ausspricht, die von Adolf Hitler stammen könnten. Zum Beispiel diese: »In einem künftigen Raketenkrieg handelt es sich darum, dem sowjetischen Huhn den Kopf abzuschlagen« oder »Es gilt, den Kommunismus zu erledigen.«[2] Nur kommt der neue ›Führer‹ eben diesmal aus Übersee, und die Bundesrepublik stellt in seiner militärischen Einkreisungs- und Offensiv-Strategie gegenüber der Sowjetunion die am weitesten gen Osten vorgeschobene Raketenbasis der USA dar. Worin unterscheidet sich eigentlich Hitlers Vision von 1938: »Endkampf gegen die jüdisch-bolschewistische Weltverschwörung« von Reagans apokalyptischer Vision von 1983: »Kampf des Guten gegen das Böse«, wobei er Moskau zum »Zentrum des Bösen in der Welt« erklärte? Nur dadurch, daß das antisemitische Element im paranoiden Weltbild des US-Präsidenten keine Rolle mehr spielt. Und daß sich der ›Führer‹ aus Übersee noch den Luxus einer demokratischen Öffentlichkeit und einer scheinbar noch funktionsfähigen Mehr-Parteien-Demokratie leisten kann und leisten muß, will er nicht mit seinem deutschen ›Bruder im Geiste‹ verwechselt werden.

Auch in den deutschen Buchhandlungen stapeln sich mittlerweile die Endzeit-Bücher. Wo sich die Bibliophilie mit der Katastrophilie paart, füllt die Lektüre über den Weltuntergang oft schon ein halbes IKEA-Regal. In der neuen deutschen Untergangs-Literatur hat inzwischen eine deutliche Akzentverschiebung stattgefunden. Die ›avanciertesten‹ Autoren haben den Atomschlag in der Phantasie längst hinter sich.

Sie beschäftigen sich vor allem mit dem ›Tag danach‹, mit den Problemen des Überlebens in einer zerstörten und radioaktiv verseuchten Welt. So etwa Udo Rabsch in seinem Roman *Julius oder der Schwarze Sommer*[3], Matthias Horx in dem Roman *Glückliche Reise*[4] und Anton Andreas Guha in seinem fiktiven *Tagebuch aus dem 3. Weltkrieg* mit dem endgültigen Titel *Ende*[5]. Daß mitten im zerbröckelnden Wohlstand eine neue Trümmer- und Ruinen-Literatur

gedeiht, klingt wie eine verspätete Absage an jene Generation, die inmitten von Ruinen vom Wohlstand träumte.
Der aus den USA importierte Untergangs-Boom hat längst auch die deutschen Kinos ergriffen. Filme wie *Apocalypse now*, *Malevil*, *Atomic café*, *War Games* und *The Day After* sind zu regelrechten cineastischen Knüllern geworden. ›Der Tag danach‹ wurde inzwischen von 70 Millionen Amerikanern gesehen, nachdem ihn die Herren des Pentagons gelinde zensiert haben, und verspricht, in der BRD die Einspielquoten der Romy-Schneider-Filme um ein Vielfaches zu übertreffen. Das Geschäft mit der Zukunftslosigkeit hat, wie man sieht, Zukunft. Und wo sich die Lust am Untergang mit dem Geschäftssinn paart, da scheint die Zukunft allemal gesichert. Die amerikanische Fernsehgesellschaft ABC, die *The Day After* produziert hat, wird man schon jetzt zu den Kriegsgewinnlern rechnen dürfen.

Obwohl von trivialer Hollywood-Machart, kommt diesem Film immerhin das Verdienst zu, die US-Bürger erstmals in aller bildhaften Ausschweifung mit der Möglichkeit eines Atomkrieges konfrontiert zu haben, der sich – entgegen den Äußerungen des amerikanischen Außenministers – eben nicht »auf Europa begrenzen« läßt, sondern auch das Mutter-»Land der unbegrenzten Möglichkeiten« in eine atomare Wüste verwandeln kann.

Zwar gründet sich die Vision des Weltuntergangs heute in erster Linie auf die Vorstellung eines Atomkrieges, der durch die NATO-Vorrüstung und die aggressive Außen-Politik der Reagan-Administration allerdings in bedrohliche Nähe gerückt ist; doch verknüpfen sich die apokalyptischen Phantasien mittlerweile mit nahezu allen ökologischen und sozialen Krisen, wirklichen oder bloß eingebildeten Katastrophen, politischen und militärischen Detonationen, sei es im eigenen Land, sei es in fernen Weltgegenden: mit den Giftskandalen (Seveso u. a.) wie mit den AKW-Unfällen (Harrisburg u. a.), mit dem Waldsterben wie mit dem Aussterben ganzer Tier- und Pflanzengattungen, mit dem möglichen Umkippen der Ozonschicht wie mit der Schreckvorstellung des Abschmelzens der Polarkappen (siehe den neuesten Wissenschaftsbericht ›Global 2000‹), mit der unaufhaltsamen Bevölkerungsexplosion wie mit der Hungerkatastrophe in der Dritten Welt, mit dem Terrorismus wie mit dem Orwellschen Überwachungsstaat, mit der zunehmenden Arbeitslosigkeit wie mit der ansteigenden Kriminalität usw. usf. Die Vorstellung, daß das ›ganze System‹ einem unvermeidlichen Zusammenbruch zutreibt und eines Tages kollabiert, ist wohl zur populärsten Vorstellung unserer Zeit geworden.

Man hüte sich jedoch davor, diese massenhaft umgehende apokalyptische Phantasie politisch oder moralisch schulmeistern zu wollen, wie es unter Linken oft zu geschehen pflegt. Hans Magnus Enzensberger hat durchaus recht, wenn er feststellt, daß »die linke Theorie für den Umgang mit dieser Art von (negativer) Utopie. . . nicht besonders gut gerüstet ist« und daß sie dazu neigt, die Katastrophen- und Untergangsvisionen ihrer Zeit als »bloße Lügen« zu verstehen und auf sie mit »Durchhalteparolen und Abwehrgesten« zu reagieren.[6] Freuds *Traumdeutung*[7] zufolge stellt fast jeder Alptraum einen verkappten, verschlüsselten Wunschtraum dar. Die betreffenden Wünsche werden vom Wachbewußtsein jedoch als so bedrohlich empfunden, daß sie der Zensur unterliegen und nur mehr in der angstvollen Form ihres Gegenteils zugelassen werden. Genau hier hat eine materialistische Analyse der heute umgehenden Untergangs-Phantasien anzusetzen. Vor aller Kritik handelt es sich darum, den ursprünglichen, verdrängten Wunschgehalt hinter der apokalyptischen Verschalung sichtbar zu machen.

2. Die apokalyptische Vision als Widerspiegelung einer epochalen Krise

»Nichts glauben freilich Zeitgenossen abergläubischer, als daß ihre Zeit keine Epoche sei unter den besonderen Bedingungen sozialer und geistiger Widersprüche, sondern ein politisch pervertiertes Jüngstes Gericht; daß sie kein Übergang sei, sondern ein Abgrund; daß sie keine Verwandlung sei, sondern ein Untergang«, schreibt der Bloch-Schüler Joachim Schumacher in seinem (erst kürzlich wiederentdeckten) Werk *Die Angst vor dem Chaos. Über die falsche Apokalypse des Bürgertums.*[8]
Die Apokalypse ist eine der ältesten Vorstellungen der Menschheit und begleitet ihre Geschichte, seit es eine schriftliche Überlieferung gibt. Kein Schöpfungsmythos, gleich welcher Religion und welchen Kulturkreises, der nicht zugleich seine mythische Negation, kein Paradies und kein Millenium, das nicht zugleich die Vorstellung vom Weltenende und Weltuntergang enthielte. Die Geschichte der Apokalypse im Wechsel der historischen Gezeiten, die Beschreibung ihrer zahllosen Imaginationen und Begründungen von der Antike bis zum Mittelalter, von der Neuzeit bis zur Jetztzeit würde ganze Bibliotheken füllen. In welchen Gestalten und Verkleidungen die Apokalypse historisch auch immer aufgetreten ist, immer war und ist sie, wie Schumacher nachweist, Ausdruck eines bevorstehenden oder bereits stattfindenden gesellschaftlichen Umbruchs, eines krisenhaften und daher Angst erzeugenden geschichtlichen Wandels, der von den betroffenen Menschen, Klassen und Völkern als ›Untergang‹ erlebt und visioniert wird.
Bevor die Römer das hellenische Reich eroberten, visionierten die Griechen den Zusammenbruch des antiken Götterhimmels, der ihnen jede Hoffnung auf ein Leben nach dem Tode genommen hatte, als universales Weltenende. Das nachhellenische Zeitalter war von Todesfurcht, von tief pessimistischen und nihilistischen Stimmungen geprägt; in das religiöse und ideelle Vakuum stieß dann das Christentum als humane Tröster-Religion vor und gab, vermittels seiner neuen Jenseits-Vorstellungen und Unsterblichkeitsmythen, dem frühmittelalterlichen Bewußtsein jene Geborgenheit zurück, die dem antiken in der Zeit der Diadochenkämpfe abhanden gekommen war. Doch auch das Christentum ging von Anfang an mit apokalyptischen Vorstellungen um (vgl. die berühmte Apokalypse des Johannes).
Krieg, Bürgerkrieg und Pest erschienen dem Menschen des Mittelalters als Geißel des göttlichen Strafgerichts. Schumacher: »Im elften Jahrhundert ging es wie ein Schauer durch die Welt der Christenheit. Plötzlich war auch die bebaute Erde keine Gottes mehr, sondern des Teufels. Auf Grund der inneren unverstandenen Zwistigkeiten (zwischen Land und Stadt, Klerus und Staat) und fürchterlicher Invasionskriege, Hungersnöte und allgemeiner Rechtlosigkeit verbreitete sich die Furcht vor dem Jüngsten Gericht, eine wahre Chaosangst vor dem unmittelbar bevorstehenden Untergang der Welt.«[9]
Dem Aufbruch in das neue wissenschaftliche Zeitalter und in die Selbstbewußtheit der Renaissance ging gleichfalls eine tiefe Glaubens- und Sinnkrise voraus. Die Religionskriege, erst recht der Dreißigjährige Krieg mit seinen »apokalyptischen Reitern« in Gestalt jener zahllosen Söldnerheere, die das »Heilige Römische Reich Deutscher Nation« in Schutt und Asche legten, wurden als katastrophaler Zusammenbruch nicht nur der bisherigen Weltordnung, sondern der Welt überhaupt empfunden. Desgleichen löste der Schock der bürgerlichen Revolution (erst in England, dann in Frankreich) bei vielen Vertretern des niedergehenden Adels und des Klerus apokalyptische Schuldprojektionen und Rachephantasien aus, die nicht selten als Einschüchterungsmittel gegen die aufständischen Klassen eingesetzt

wurden. Es gibt wohl in der Geschichte der europäischen Revolutionen keine herrschende Klasse, die nicht ohne die sentimentalische und pathetische Gebärde abgetreten wäre, daß mit ihr zugleich der Staat, das Abendland, ja, die ganze Welt unterginge. Das Paradebeispiel für solche säkularisierten Untergangsphilosophien liefert Oswald Spengler in seinem Buch *Der Untergang des Abendlandes,* eine zur Philosophie erhobene kollektive Rachephantasie, mit der die deutschen Junker und Militärs und die konservative Geisteselite die Niederlage des deutschen Imperialismus im Ersten Weltkrieg zu kompensieren sucht. Schumacher: »Deutschland hatte soeben den Untergang seines zweiten Kaiserreiches erlebt. Nun war das Bedürfnis denkbar groß, den Untergang einer noch halbfeudalen deutschen Beamten- und Militärkaste nicht nur etwa als Untergang der deutschen Zivilisation zu sehen, nein, das ganze Abendland sollte mit ihr fallen . . . Bei Spengler ging das Abendland unter, weil die Ausbeuter Deutschlands zeitweise von außen und innen bedroht waren. Bei Hitler geht gleich die ganze Welt unter, falls Hitler untergehen sollte . . . Kurz, jede ernstliche Bewegung in die Zukunft, in den Sozialismus hinein, wird von der abtretenden Klasse als ›Chaos‹ (und ›Untergang‹) erlebt und suggeriert.«[10]

Der Zusammenbruch des »Dritten Reiches« löste eine apokalyptische Flutwelle aus, die ebensosehr mit revanchistischen Rache-Phantasien gegenüber den Siegermächten wie mit kollektiven Schuld- und Strafphantasien (bezüglich der deutschen Verbrechen) aufgeladen war. Bis in die fünfziger Jahre hinein war der Wiederaufbau des zerstörten Landes von Untergangs-Phantasien durchwirkt, wie in der frühen Nachkriegsliteratur nachweisbar ist; hinzu kam, daß durch den Abwurf der Atombomben auf Hiroshima und Nagasaki die technische Möglichkeit der atomaren Menschheitsvernichtung zum erstenmal offenbar geworden war. Das beschwörende apokalyptische Pathos der Antiatombewegung der fünfziger Jahre bezeugt, wie tief den Menschen der Nachkriegszeit der Atom-Schock und die Angst vor einem dritten Weltkrieg in den Gliedern saß. Man lese nur die Schriften und Stücke von Hans Henny Jahnn, vor allem sein (derzeit viel gespieltes) Stück *Trümmer des Gewissens,* das wie eine Vorwegnahme der heutigen Atomproblematik mitsamt ihren geschichtsphilosophischen und wissenschaftsethischen Implikationen erscheint.[11] Die im Wiederaufbau und Wirtschaftswunder kollektiv verdrängten (Todes-)Ängste kehrten erst Ende der siebziger Jahre, dafür mit um so größerer Heftigkeit, wieder, als die NATO die »Nachrüstung« beschloß.

In der katastrophischen Zeitstimmung drückt sich zugleich die tiefe Verunsicherung und uneingestandene Ratlosigkeit einer Generation aus, die bis in die sechziger Jahre hinein geglaubt hat, ein wirklich funktionsfähiges und dauerhaftes Gemeinwesen (nach altem kapitalistischem Muster) aufgebaut zu haben, und die heute mit einer nicht abreißenden Krisen-Bilanz konfrontiert wird. Nicht genug damit: Das väterliche Aufbauwerk samt dem dazugehörigen Wertsystem wird oft sogar von den eigenen Kindern und Kindeskindern negiert.[12]

Viele der bisher gültigen Orientierungen, der Zukunfts-, Versorgungs-, Sicherheits- und Demokratievorstellungen, die bislang Vertrauen und politische Identität der Bürger gestiftet haben, sind, quer durch alle Generationen, ins Wanken geraten. Zuvörderst der Glaube an die Schutzfunktion der repräsentativen Demokratie gegen autoritärstaatliche und militaristische (Fehl-)Entwicklungen. Die parlamentarische Demokratie der Bundesrepublik spiegelt ja schon lange nicht mehr das politische Meinungsspektrum innerhalb der Gesamtbevölkerung wider, wie gerade am 22. No-

vember 1983 erschreckend deutlich geworden ist. Demoskopischen Umfragen zufolge haben zwischen 60 und 70 Prozent der Bundesbürger die Raketenstationierung abgelehnt. Trotzdem wurde sie von der Mehrheit der Bundestagsabgeordneten gegen die Mehrheit des Volkes beschlossen.

Viele Bürger stellen heute zu Recht die Frage, was eine Demokratie noch wert sei, unter deren vermeintlicher Schirmherrschaft sich eine militärische und nukleare Aufrüstung vollzieht, mit der verglichen Hitlers Aufrüstung nach 1933 sich wie ein Kinderspiel ausnimmt. Tatsächlich ähnelt die bundesrepublikanische Demokratie zunehmend der Büchse der Pandora, die – von außen wunderschön – in ihrem Innern tödliche Gifte birgt.

Daß die weitverbreiteten Kriegsängste und apokalyptischen Visionen Folge des Vertrauensschwunds in viele, bislang gültige Wertvorstellungen ist, beweist eine wissenschaftliche Studie, die die Friedensforscherin Ute Volmberg jüngst publiziert hat. Wie Frau Volmberg nachweist, zeigen Endzeitstimmungen wie die gegenwärtige den Zusammenbruch von Orientierungen an, die Angst im Leben des einzelnen binden konnten: angefangen von der Idee des Sozialstaates, des unbegrenzten Wachstums, der Naturbeherrschung, der Verfügung über die Technik, der Garantierbarkeit von Arbeit bis zur Friedenssicherung durch Abschreckung. Der Zusammenbruch solcher bedeutenden Vorstellungen, die zuvor, ob zu Recht oder Unrecht, von großen Mehrheiten geglaubt worden seien, erzeuge Angst, Verwirrung, Hilflosigkeit und enttäuschte Hoffnungen . . . Während die einen ihre Angst verleugneten und auf der Illusion der Abschreckung sowie der Vernunft der Großmächte beharren, die durch die waffentechnische und strategische Entwicklung schon jetzt in Frage gestellt sei, flüchteten die anderen in apokalyptische Visionen.[13] Zwar pflegen sich die apokalyptischen Visionen primär an der Atombedrohung und den nicht abreißenden Umwelt- und Giftskandalen festzumachen; doch signalisieren sie eine viel umfassendere Krise: die Krise unserer auf Wachstum und Weiterrüstung programmierten Industriezivilisation samt ihren politischen Organisationsformen und dem dazugehörigen Werte-Überbau. Sie sind mithin Ausdruck eines gesellschaftlichen Umbruchs, einer »Umwertung der Werte« (Nietzsche) in buchstäblich jeder Lebenssphäre. Die heute grassierenden Untergangsbilder sind die chiffrierte Widerspiegelung zweier Gesellschaftssysteme, die sich zwar ideologisch bis aufs Messer bekriegen, sich jedoch darin ähnlich sind, daß sie vor ihren inneren Krisen und historisch überfälligen Strukturveränderungen immer geflüchtet sind, alle notwendigen sozialen und politischen Veränderungen versäumt oder unterdrückt haben, – und die nun angesichts ihrer geschichtlichen Unterlassungssünden eine latente Bereitschaft zum Untergang entwickeln bzw. *sich Veränderung nur noch als Untergang vorstellen können.*

Vor dem geschichtlichen Hintergrund zweier Industriezivilisationen, die beide gewillt scheinen, nicht nur ihre jeweiligen Imperien und Einflußzonen, sondern auch ihre staatserhaltenden Mythologien und Systemlügen – hier den Mythos von »freedom and democracy«, dort den Mythos vom »real existierenden Sozialismus« – um jeden Preis, und sei es um den der Selbstvernichtung, zu verteidigen – vor diesem Hintergrund erweisen sich die heute umgehenden Untergangsängste als umgekippte Erlösungsträume, ja, als *negative Utopien.* Weder hat die westlich-christliche Zivilisation den »Geist der Bergpredigt« noch die östlich-»kommunistische« den originären »Geist der Kommune« verwirklicht. Und nun sucht jede der jeweils anderen den Teufel auszu-

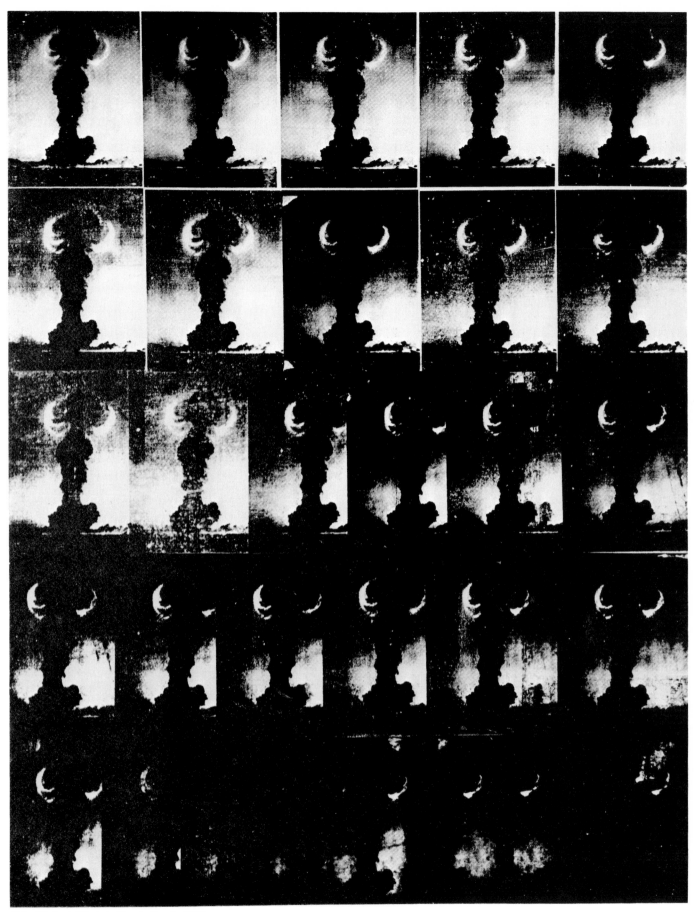

Abb. 76 Andy Warhol, *Atomic Bomb*, 1965

357

treiben, der in ihr selber steckt. Die in beiden Zivilisationen unerfüllt gebliebene Sehnsucht nach Freiheit, Gleichheit und Gerechtigkeit kann sich daher nur noch Ausdruck ex negativo verschaffen: als Wunsch nach »Befreiung« von der Zivilisation schlechthin, nach einem »gleichen« und »gerechten« Schicksal für alle: im Untergang. Die Vision des Weltuntergangs stellt sich westlicherseits als pervertierte christliche Eschatologie, östlicherseits als pervertierter kommunistischer Erlösungstraum dar. Und so erkennen wir im Gespenst der Apokalypse den schwarzen Zwillingsbruder, den düsteren Doppelgänger jenes anderen Gespenstes wieder, das immer noch, weil nie erlöst, als Wunschtraum in Europa umgeht.

Wenn auch die Apokalypse insofern eine negative Utopie darstellt, als der Weltuntergang alle Menschen wieder »gleich« macht, so kann es uns doch nicht gleichgültig sein, wer die apokalyptische Drohung für sich in Anspruch nimmt. Es stellt sich nämlich die Frage, ob hinter den verbreiteten Untergangs-Visionen nicht auch bestimmte, gut getarnte, bewußt oder unbewußt gehandhabte *Interessen* stecken. In einer Zeit, da jedermann die »Endzeit« im Munde führt, wird es Zeit, die apokalyptische Redeweise genauer zu untersuchen und auf ihre verschwiegenen Funktionen abzuklopfen. Auf den ersten Blick scheint es zwar keinen Unterschied zu machen, ob Vertreter der Friedensbewegung oder eine Partei wie die »Grünen« mit Untergangsvorstellungen operieren oder ob gewisse Professoren, Theologen, Publizisten, Feuilletonisten, Lyriker, TV-Matadoren usw. nicht müde werden, das nahende Weltenende zu beschwören. (Die religiösen Fanatiker und Adventisten lassen wir hier beiseite, denn die können nicht anders.) Auf den zweiten Blick jedoch ist der Unterschied ein sehr erheblicher: Während die »Grünen« und Friedensbewegten die Beschwörung der Katastrophe mit dem konkreten Votum für eine andere und alternative Politik verbinden, hat man bei jener anderen Spezies von Untergangs-Aposteln den Eindruck, daß sie nur deshalb sämtliche Register des Katastrophismus und der Zukunftsangst ziehen, damit sich in Zukunft nichts oder jedenfalls nichts Entscheidendes ändert. Während erstere mit Protestkundgebungen, gewaltfreien Demonstrationen und Blockaden amerikanischer Raketenstützpunkte aktiv gegen ihre Zukunftsängste angehen und dabei einiges aufs Spiel setzen, pflegen letztere von hoch dotierten Lehrstühlen, gut gepolsterten Redaktionssesseln und gesicherten Lebensstellungen aus eine Ohnmachts- und Vergeblichkeitserklärung nach der anderen abzugeben und die medialen Multiplikatoren mit ihrem moribunden »Nichts geht mehr!«-Geschrei zu erfüllen. Diesen professionellen Kassandras – und sie sitzen heute mit Vorliebe an den Schaltstellen der liberalen Öffentlichkeit – ist der *Katastrophismus längst zum Ideologie-Ersatz bzw. zur Ersatz-Religion geworden.*

B. Zur Kritik der apokalyptischen Redeweise

1. »Nichts geht mehr!« oder die falsche Apokalypse des Bürgertums

Zwar wirken sie gegenüber den neokonservativen Gesundbetern und technokratischen (Fort-)Schrittmachern, die die Gefahren ihrer fortgesetzten Wachstums- und Rüstungspolitik systematisch verdrängen und verleugnen, auf den ersten Blick wie kritische Störenfriede; zumal ihre düsteren Prophetien von den christdemokratischen Berufsverdrängern, Militärplanern und »Sicherheits«-Politikern als Ärgernis und »zersetzendes Gerede« empfunden werden. In Wirklichkeit jedoch erweisen sie sich als unfreiwillige Erfüllungs-gehilfen derer, die sie angeblich bekämpfen. Sie spielen nämlich nur auf einer anderen Klaviatur als die regierungsamtlichen Zweckoptimisten, eben auf der Klaviatur des Pessimismus und der schwarzen Utopien, doch mit demselben Ziel wie jene: durch ihre offensive Angst-Produktion das Sicherheitsbedürfnis der Menschen derart zu alarmieren, daß diese – um ihrer bedrohten Sicherheit willen – sogar bereit sind, auch entsprechende soziale Einbußen (Abbau des Sozialstaates usw.) hinzunehmen und *gleichzeitig* jeden radikalen politischen Veränderungswillen einzuschüchtern und sämtliche positiven Utopien und alternativen Gesellschaftsprojekte, einschließlich das Projekt ›Sozialismus‹, zu begraben. Der technokratische Zweckoptimismus und der scheinprogressive Katastrophismus, die neokonservative Aufschwungs- und Fortschritts-Rhetorik und die (links-)liberale Vergeblichkeits- und Ohnmachts-Rhetorik dienen, wenn auch mit entgegengesetzten Mitteln, dem gleichen Ziel: Der Erhaltung der bestehenden Herrschafts- und Eigentumsverhältnisse, d. h. des gesellschaftlichen Status quo! Darum spricht Joachim Schumacher in diesem Zusammenhang von der »falschen Apokalypse des Bürgertums«, die er – für seine Zeit – so charakterisiert hat: »Das heutige Bürgertum . . . stiert auf Schwarz, auf Abgrund und Chaos, und sieht im Morgenrot nur Flammen des Untergangs. Da sieht es rot und rechnet von nun an nur noch mit motorisierten Divisionen . . . (Sein) Pessimismus heißt, die asiatische Schlange und den Status quo anbeten. Es ist bequemer.«[14]

Woran erkennt man diese »falschen Propheten« der Apokalypse? Vor allem daran, daß sie nichts anderes als diese im Munde führen; daß sie sich besonders öffentlichkeitswirksame Angst-, Betroffenheits- und Verzweiflungsposen zugelegt haben und bei den schlichteren Gemütern, die noch immer den kleinen Sorgen und Freuden ihres Alltags nachgehen, den ehrfurchtgebietenden Eindruck erwecken, als seien sie buchstäblich Tag und Nacht, Stunde um Stunde von tiefster Sorge und Angst um das »Schicksal der Menschheit« erfüllt. Wo immer diese schwarzen Scheinheiligen hinkommen bzw. an die Öffentlichkeit treten, verbreiten sie die immer gleiche Begräbnisstimmung und haben für jeden, der noch nicht ganz die Hoffnung verloren hat oder für konkrete politische Änderungen plädiert, nur ein müdes Lächeln und bedauerndes Achselzucken übrig. Auch wenn sie glauben, mit ihrer pauschalen Absage an Fortschritt, Aufklärung und soziale Veränderungsdialektik Sand im Getriebe einer (selbst-)mörderischen Fortschrittsmaschine zu sein, so liefern sie ihr doch in einem ganz anderen Sinne wieder das weltanschauliche Schmieröl. Das einzige Credo dieser düsteren Biedermänner ist für gewöhnlich ein zum Weltgeist erhobener Misanthropismus und Geschichts-Nihilismus. Und die auf beiden Seiten aufgetürmten atomaren Overkillraten scheinen ihre zynische Philosophie zu bestätigen. »Die Bombe«, pflegen sie zu sagen, »ist das wahre Wesen der Menschheit. Sie ist das konsequente Endprodukt unserer Zivilisation. Vor ihr werden alle Utopien und Menschheitsträume zunichte. Sie ist das getreue Spiegelbild des ›Homo sapiens‹ und seiner glorreichen Zivilisation. Was wollt ihr also noch? Geht nach Hause und laßt alle Hoffnung fahren!«

Es gehört zur Methodik dieser Strategen der Demoralisierung, die akuten Bedrohungen unserer Zivilisation von der konkreten politisch-ökologisch-militärischen Ebene auf die anthropologische und metapsychologische Ebene zu verlagern und den mörderischen, gleichwohl *geschichtlichen* Systemkonflikt zwischen den atomaren Supermächten in die »menschliche Natur« zurückzuprojizieren. Ein Beispiel für dieses – mit beträchtlicher Resonanz betriebene – Verfahren bietet der Münsteraner Philosophieprofessor

Ulrich Horstmann in seinem Buch *Das Untier – Konturen einer Philosophie der Menschenflucht.*[15]

Es ist heute wieder schick, biologistisch zu ideologisieren und die Geschichte zu ontologisieren. Im ›Grand Hotel Abgrund‹ (Georg Lukács) Weltschmerz und Misanthropie zu kultivieren und prunkvolle schwarze Messen zu lesen, mag zwar von einem trendsetzenden Feuilleton[16] beklatscht werden, ist aber nur ein Symptom jener – auch selbstverschuldeten – Misere, aus der es einen Ausweg zu finden gilt. Ich meine jedenfalls, man sollte in Zukunft genauer unterscheiden zwischen der berechtigten Angst vor den drohenden ökologischen und atomaren Katastrophen – als kollektiver Realangst, die erst im politischen Widerstand, zum Beispiel gegen die Raketenstationierung, produktiv wird –, und jenem hysterischen Katastrophismus als Ideologieersatz, der von interessierten Kreisen künstlich geschürt wird, um jeden vitalen Veränderungswillen einzuschüchtern und sämtliche humanen und sozialen Utopien zu begraben.

2. Die Apokalypse als Gleichmacher und die neue Friedensinnerlichkeit

Nicht nur unsere sauerstoffarmen Seen und Flüsse, auch unsere Gedanken und Phantasien sind vom »Umkippen« bedroht – und in vielen Fällen bereits umgekippt. Die apokalyptische Redeweise hat zu einem Reduktionismus des politischen Denkens geführt, der erschreckend ist; bis in die Reihen der »Grünen« und Friedensbewegten hinein. »Leben« und »Friede« heißen die zentralen Losungen jenes politischen oder vielmehr existentialistischen Sparprogramms, das inzwischen Hunderttausende, ja, Millionen Menschen auf die Straßen führt. Freilich klingen diese an sich selbstverständlichen Forderungen in den Ohren gewisser Politiker und Militärs heute fast schon revolutionär. An die Stelle der großen alternativen Projekte ist ein unendlich bescheidener defensiver Existentialismus getreten: ein Existentialismus des schieren Überlebens. Aber geht es wirklich nur noch ums »Leben« und ums »Überleben«?

Das apokalyptische Denken, das ja in Wirklichkeit ein parareligiöses ist, hat jedoch nicht nur unsere politischen Wünsche, Ansprüche und Utopien auf ein Minimum zurückgeschraubt, es hat auch das politische Unterscheidungs- und Differenzierungsvermögen nachhaltig beeinträchtigt. Die apokalyptische Angstvision hat jene Eigenschaft, die Marx einst dem Gelde zuschrieb: sie stiftet scheinbare Gleichheit zwischen an sich Ungleichem, ebnet mithin alle Unterschiede ein. In dem universellen Bedrohungsszenarium, das sie entwirft, sind die Feinde und Feindbilder im Prinzip austauschbar. Die apokalyptische Münze verwandelt alles einander an, verkuppelt die unvereinbarsten Gegensätze, stiftet überall falsche und trügerische Gleichheitszeichen: Reagan = Tschernenko (bzw. Gorbatschow), US-Imperialismus = Sowjetimperialismus, Pershing 2 = SS 20 usw.

Daß die UdSSR aufgrund ihres geschichtlichen Invasionstraumas (Rußlandfeldzug Napoleons 1812, Intervention der weißen Konterrevolutionsarmeen aus 14 europäischen Ländern 1919, Überfall der Hitlerarmeen 1941) und infolge ihrer nahezu vollständigen militärischen Einkreisung[17] (360 US-Militärbasen rund um das sowjetische Territorium) ungleich mehr Grund und Berechtigung hat, sich von den USA bedroht zu fühlen als diese umgekehrt von der Sowjetunion; daß der sowjetische Einmarsch in Afghanistan die erste militärische Intervention der UdSSR nach 1945 außerhalb ihres eigenen Machtbereichs darstellt, während die USA im gleichen Zeitraum in Dutzenden von Ländern militärisch und politisch interveniert haben (in Korea, in Vietnam, im Kongo, in der Dominikanischen Republik, in Guatemala, in Chile, im Libanon usw., zuletzt in Grenada); daß der Rüstungsexport der USA doppelt so hoch ist wie der der UdSSR[18], daß die amerikanischen Waffen primär dazu dienen, die US-abhängigen Militärregime und Folterdiktaturen in den Ländern der Dritten Welt zu stützen, während die sowjetischen Waffen vor allem den sozialen und nationalen Befreiungsbewegungen in diesen Ländern zugute kommen; daß die USA eine klassische Vorrüstungs-Nation ist, während die UdSSR eine klassische Nachrüstungs-Nation ist, welcher der Rüstungswettlauf durch einen militärisch und technologisch stets überlegenen Gegner[19] historisch aufgezwungen worden ist; daß die sowjetische Rüstungsindustrie weitgehend dem Primat der Politik unterliegt und daher eher kontrollierbar ist, während mit Reagans Machtantritt die Vertreter des »Militärisch-Industriellen Komplexes« direkt die Staatsmacht übernommen haben; daß an der US-Rüstung alle großen US-Konzerne und Hunderttausende von Aktionären verdienen, während die sowjetische Rüstungsindustrie keine Gewinnabschöpfungsmaschine darstellt, vielmehr für die gesamte Volkswirtschaft eine unerträgliche Belastung darstellt (und mit ursächlich für ihre chronische Depression ist); daß auch Atomraketen mit der gleichen Anzahl von Sprengköpfen mitnichten einander gleich sind, weil die Bereitschaft, sie gegebenenfalls einzusetzen, im Weißen Haus und im Pentagon nachweislich größer ist als im Kreml, und, und, und – all diese »feinen Unterschiede« zwischen beiden atomaren Supermächten, die die westliche »Nachrüstungs«-Propaganda systematisch verschleiert hat, sind im apokalyptischen Bewußtsein der meisten Zeitgenossen, auch der pazifistischen, längst eingeebnet oder werden, wo sie sich hin und wieder Gehör verschaffen, als »quantités négligeables« behandelt. Denn in der Nacht der Apokalypse sind alle Katzen grau!

Abb. 77   Astrid Klein, *Endzeitgefühle*, 1982

Da unsere Apokalyptiker erstens keine Unterschiede mehr machen, sondern gewohnt sind, beide Supermächte über den gleichen imperialistischen und atomaren Leisten zu schlagen, und da sie zweitens die polit-ökonomischen Gesetzmäßigkeiten nicht kennen (oder nicht mehr kennen wollen), die zu Imperialismus, Aufrüstung und Krieg führen, bleibt ihnen auch nichts anderes übrig, als an die »Friedfertigkeit« der Menschen, vor allem der verantwortlichen Politiker und Militärs zu appellieren. Das Problem der Abrüstung wird von seinen komplexen politisch-ökonomisch-militärischen Interessenlagen gelöst und in ein ethisches bzw. religiöses, d.h. in ein *Gesinnungs*-Problem verwandelt. An die Stelle einer differenzierten Analyse und eines klaren Katalogs politischer Nah- und Fernziele tritt dann die neue christliche Friedensinnerlichkeit, der moralisierende Appell zu »Einkehr« und »Umkehr zum Leben«. Aus dieser parareligiösen Bußfertigkeit beziehen auch einige Widerstandsformen der Friedensbewegung, etwa das »Friedensfasten«, ihr Pathos.

Und doch dokumentiert die neue Friedensinnerlichkeit, wo sie des materialistischen Rüstzeugs entbehrt, nur ihre eigene Ohnmacht und Hilflosigkeit vor der Geschichte. So fordert etwa Franz Alt [20], dieser tapfere »Friedensstörer« in den Reihen des christlich-konservativen Aufrüstungslagers, die »Umkehr der Herzen«, da wir alle »bereits psychisch atomar verseucht« seien, und die »Rückkehr zum Geist der Bergpredigt« – statt die politische Kontrolle über den »Militärisch-Industriellen Komplex« und die Expropriation der Rüstungsprofiteure. Der friedliche und sympathische »Geist der Bergpredigt« hat nämlich noch keinen christlichen Kapitalisten, Bankier oder Aktionär daran gehindert, sein Geld dort anzulegen, wo es sich am schnellsten vermehrt: in der Rüstungsindustrie.

Nach einer Untersuchung von Michael Brzoska [21] über die deutsche Rüstungsindustrie lag die »Eigenkapitalrente«, sprich: die Profitrate der deutschen Rüstungsaktiengesellschaften zwischen 1970 und 1977 bei durchschnittlich 43 Prozent, während die der zivilen Aktiengesellschaften durchschnittlich 29 Prozent betrug. Wer wundert sich noch bei diesen Verhältnissen, daß das anlagehungrige Kapital mit Vorliebe in den Rüstungssektor strebt, diesem wahrhaften Eldorado, diesem Midasreich der westlichen Industriegesellschaften!

Nicht allein die christlichen Pazifisten neigen dazu, die Abrüstungs- und Friedensproblematik als eine Frage der seelischen Hygiene aufzufassen. Die fatale Verinnerlichung und Gleichmacherei vermittels einer neuen »Wir sind die Bombe«-Metaphysik wird inzwischen auch von vielen pazifistischen Laien betrieben.
So beklagte kürzlich Ulrich Greiner in der ZEIT die Unfähigkeit der Rüstungsgegner, sich selbst als das größte Friedenshindernis zu begreifen: »Die Teufel (für die Friedensbewegung) heißen Reagan und Weinberger. Von den Teufeln in ihrer eigenen Brust weiß sie nichts. Die Wurzeln allen Unheils sieht sie in den Militärs, in der Rüstungsindustrie, in den Politikern.« Aber – so mahnt der feuilletonistische

Kanzelprediger – »der Krieg beginnt in uns selbst«, und kein Friede auf Erden wird sein, wenn wir nicht endlich erkennen, »daß wir die Bombe sind«.[22]
Im Grunde haben wir es hier mit einer pazifistischen Neuauflage der alten »Kollektivschuld«-These zu tun, die schon damals die Nachkriegsdeutschen daran gehindert hat, die gebotenen politischen Konsequenzen aus zwölf Jahren NS-Diktatur, Krieg und Zusammenbruch zu ziehen. Die »Seele des Menschen« wird zur eigentlichen Giftmülldeponie erklärt und alle Gewalt, auch die Bombe, in die Mördergrube des menschlichen Herzens verlagert. Also heißt es zuerst unsere Seelen entgiften und unsere Herzen abrüsten, bevor wir berechtigt sind, die Zufahrtswege zu amerikanischen Raketendepots zu blockieren. Und wehe dem, der nur ein Quentchen Gewalt, eine Spur von Aggression und Feindseligkeit – und sei es gegen die knüppelnde Staatsgewalt – in sich selber entdeckt! Solche »bösen Buben« sind nämlich nicht besser als die amerikanischen Militärplaner und Rüstungsindustriellen. – So lautet der eigentliche Text dieser bombastischen Innerlichkeit, hinter der unschwer der warnende Zeigefinger liberaler Ordnungshüter zu erkennen ist. Sollte sich dieser zur Staatsschutz-Philosophie pervertierte »Geist der Bergpredigt« (Jesus hat bekanntlich die Händler mit Gewalt aus dem Tempel vertrieben) hierzulande durchsetzen, dann wird sehr bald nicht die Bundesrepublik, sondern die Friedensbewegung »abgerüstet« sein.

3. Die Apokalypse und der Eurozentrismus

Es scheint, als habe die unheilige Allianz von Pershing 2 und SS 20 den längst totgeglaubten Eurozentrismus wieder zum Leben erweckt, freilich in weniger angreifbarer Form als früher: nämlich als Eurozentrismus der (Untergangs-)Angst und der grandiosen Opferrolle, auf die gerade wir Deutsche uns umso lieber kaprizieren, als sie uns unsere historische Täter- und Angreiferrolle gegenüber der Sowjetunion und unsere wirkliche (wenngleich verschleierte, weil bloß noch ökonomisch vermittelte) Ausbeuterrolle gegenüber den Ländern der Dritten Welt vergessen macht. Unsere Atomkriegs-Ängste, so real auch immer sie begründet sein mögen, haben eine deutliche Entlastungs- und Verdrängungsfunktion gegenüber dem realen Untergang, der tagtäglich in den Elendsquartieren Afrikas, Lateinamerikas

Abb. 78 Robert Morris, *Firestorm Series,* 1982 (Museum für Moderne Kunst, Frankfurt/Main)

und Asiens stattfindet, und gegenüber den politischen »Querelen«, die sich vor der eigenen Haustür abspielen. Bürgerkriege wie der in Mittelamerika und sogenannte konventionelle Kriege wie der zwischen Iran und Irak verblassen angesichts des möglichen nuklearen Holocausts zu harmlosen Scharmützeln, auch wenn sie Hunderttausende von Toten fordern und, ganz nebenbei, eine ökologische Katastrophe auslösen. Alles, was unterhalb der Atomschwelle liegt, bleibt sozusagen außen vor.

Angesichts der Tatsache, daß etwa 600 bis 800 Millionen Menschen in den Entwicklungsländern chronisch unterernährt sind, 50 bis 70 Millionen allein im Jahr 1981 verhungerten und im Jahr 1990 ca. eine Milliarde Hunger leiden werden[23], haftet den Untergangsängsten der Europäer und Amerikaner allerdings etwas Luxuriöses und Parasitäres an.

Es ist, als wollten die westlichen Industrienationen die Todesschreie derer, welche die Opfer ihres Wirtschaftssystems sind, dadurch überhören, daß sie nun selber lauthals zu jammern und zu klagen anfangen.

Allein die US-Monopole ziehen heute nahezu die Hälfte ihrer Profite aus dem Kapitalexport (vor allem in die Länder der Dritten Welt). Und auch die bundesrepublikanischen Unternehmen investieren immer mehr im Ausland, mit Vorliebe in den Billiglohnländern Südeuropas, Lateinamerikas und neuerdings auch Asiens. Den größten Reibach machen derzeit die deutschen Rüstungsexporteure. Bekanntlich hat sich die Bundesrepublik in den letzten Jahren zum fünftgrößten Waffenexporteur der Welt gemausert. 1980 wurden mit Genehmigung der Bundesrepublik 2,18 Milliarden DM Rüstungsgüter exportiert, davon 30 Prozent in Staaten der NATO und 70 Prozent in Staaten der Dritten Welt.[24] Diese Zahlen sind noch weit untertrieben, denn es ist kein Geheimnis, daß deutsche Rüstungsfirmen Kriegsgüter aller Art exportieren, die als »Zivilgüter« deklariert werden und daher gar keiner Genehmigung bedürfen. Dank der Tatsache, daß die gesetzlichen Bestimmungen für den Rüstungsexport in sogenannte Spannungsgebiete sukzessive gelockert worden sind[25] – F. J. Strauß plädiert für ihre völlige Aufhebung –, gibt es heute kaum noch einen konventionellen Krieg, an dem nicht auch deutsche Waffen beteiligt sind. Über der politischen Auseinandersetzung um die NATO-»Nachrüstung« ist die Tatsache allgemein in Vergessenheit geraten, daß die Länder der Dritten Welt die eigentlichen, die Hauptleidtragenden der Aufrüstung sind. Infolge der weltweiten Inflation als Folge der Hochrüstung sind sie immer weniger in der Lage, die Importwaren und technischen Dienstleistungen aus den westlichen Industriegesellschaften zu bezahlen, die sie so dringend benötigen. Schon heute muß ein afrikanischer Staat z. B. für einen Traktor aus der BRD oder den USA das Doppelte an Devisen hinblättern wie vor zehn Jahren. Auch sind es nicht bloß unsere Steuergelder, es ist vor allem der den armen Bevölkerungen Lateinamerikas, Afrikas und Asiens abgepreßte Mehrwert, der dann »zu Hause« in riesige Waffenarsenale verwandelt wird, wovon ein großer Teil wiederum gewinnbringend an die Militär- und Folterdiktaturen der Dritten Welt verschachert werden. Obwohl die Herren des Weißen Hauses und des Pentagons eigentlich wissen, daß »Rüstung« und »Entwicklung« einander ausschließen und sich die Lage der Menschen in den Entwicklungsländern drastisch verschlechtert, hat sich der US-Rüstungsexport mit dem Machtantritt Reagans sogar verdoppelt. Im Jahr 1982 ist er auf rund 25–30 Milliarden Dollar angestiegen.[26] Wenn unserer Zivilisation eine mörderische und selbstmörderische Tendenz innewohnt, dann liegt diese vor allem in jenem tödlichen Mißverständnis unseres westlichen Begriffs von (Gewerbe-) »Freiheit« begründet, der es erlaubt, daß das

»Geschäft mit dem Tod« inzwischen zum blühendsten Geschäftszweig der westlichen Industrienationen geworden ist.

Noch bevor die exportierten Waffen zum Einsatz kommen, haben sie schon getötet: und zwar all jene Menschen in den Ländern der Dritten Welt, die nicht hätten verhungern oder an heilbaren Krankheiten hätten krepieren müssen, wenn ihre korrupten Regierungen, die in den meisten Fällen Marionetten-Regierungen der USA sind, Getreide statt Granaten, Butter statt Munition, Medikamente statt Maschinengewehre, Traktoren statt Panzer eingekauft hätten. Jene Konzernherren, Politiker und Militärs aber, die mit dem Verkauf dieser Waffen nicht nur Rekordgewinne erzielen, sondern auch jene sozialen und politischen Verhältnisse stabilisieren helfen, die für den Hunger und das Elend in der Dritten Welt verantwortlich sind, sind die wahren Schreibtischtäter, die Eichmanns von heute. Diese Herren predigen nicht den Untergang, sie vollstrecken ihn Tag für Tag, aus der sicheren Distanz ihrer Konzern-Etagen, ihrer ministeriellen Amtsstuben und militärischen Planungsbüros und werden dafür allerorten noch als »Biedermänner« und »Demokraten« anerkannt.

Von diesem Blickwinkel aus betrachtet, erweisen sich die heute umgehenden Untergangsvisionen als kollektiv verschobene Strafphantasien und Strafängste einer Zivilisation, die nicht bloß den Aufstand der vergewaltigten Natur und Biosphäre, sondern erst recht den Aufstand und die Rache jener Völker zu fürchten hat, auf deren alltäglichen Hungertoten unser westlicher Wohlstand und unsere Hochrüstung gedeihen. Hierbei werden wieder einmal nur die Ängste und Schuldgefühle sozialisiert, nicht dagegen die Monopolprofite derer, die mit dem Elend der Dritten Welt ihr Geschäft machen. Vor allem die in den Vereinigten Staaten angebrochene Endzeit-Hysterie deutet auf die verdrängten Schuldgefühle und (unbewußten) Strafbedürfnisse einer Gesellschaft hin, die »eigentlich« längst weiß (auch wenn ihre Machthaber es niemals zugeben werden), daß ihr blitzblankes Firmenschild mit der Aufschrift »Freedom and democracy« nur noch die Fassade für die blutigste Unterdrückung und Ausbeutung in den Ländern der Dritten Welt darstellt. Vom Ausmaß der amerikanischen Hochrüstung läßt sich auf das Ausmaß des Reichtums schließen, der gegen die Armen in der Welt verteidigt werden soll. Doch auch für die bigotte amerikanische Upper Class, deren Wahlspruch noch immer lautet: »In God we trust« (Trust!), gilt das gute alte Bibelwort: »Eher kömmt ein Kamel durch ein Nadelöhr, denn ein Reicher in das Himmelreich!«

Epilog

Wie J. Schumacher nachweist, gab und gibt es keine epochale Krise oder Erschütterung in der Geschichte der Menschheit, die nicht mit apokalyptischen Bildern gebannt, überhöht, verteufelt oder vorangetrieben worden wäre. Wo immer ein Staat oder eine Kultur sich im Niedergang befand, erzeugte sie fatalistische und apokalyptische Weltbilder. Wo immer eine alte Überbau- oder Gesellschaftsformation mit einer neuen schwanger ging, wurden ihre Geburtswehen zuerst als Untergangs- und Todesängste vernehmbar. Wo immer sich in der Geschichte eine radikale »Umwertung der Werte« vollzog, stellte und stellt sich die Apokalypse als Begleitmusik ein.
Verglichen mit allen früheren Krisen der Menschheit, scheint die heutige allerdings ungleich bedrohlicher zu sein. Die »Umwertung der Werte« treibt im Atomzeitalter nämlich auf die endgültige Negation zu; wird doch im Prinzip selbst derjenige Wert negiert, der in allen bisherigen Wertordnungen obenan stand: das *Leben* der Gattung. Das ist ein

geschichtliches Novum. In allen früheren Werthierarchien war das Leben als Wert sakrosankt, und nur die Adjektive davor waren geschichtlichen Wandlungen unterworfen. Das Mittelalter faßte das diesseitige Leben als Vorstufe zum jenseitigen auf. Renaissance und Aufklärung sahen in einem humanen und nach den Regeln der Vernunft bestimmten Leben Sinn und Zweck des menschlichen Daseins. Der Sozialismus vertraute (und vertraut) auf das »Prinzip Solidarität« als Antrieb eines sozial bestimmten Lebens. Das Atomzeitalter aber verneint im Prinzip das Leben selbst; es ist daher das mephistophelische Zeitalter schlechthin. »Denn alles, was entsteht / ist wert, daß es zugrunde geht!« – dies scheint der eigentliche und einzige Text zu sein, den die Atombombe in ihrer zerstörerischen Allmacht, in ihrer negativen Gottähnlichkeit für die Menschheit bereithält. – Ist es wirklich ihr einziger Text, wie so viele Zeitgenossen meinen?

Wenn die Apokalypse ihrem Wesen nach eine »negative Utopie« darstellt, dann ist vielleicht auch der geschichtliche Umschlagspunkt nicht fern, da der ursprüngliche Wunschtraum in dem kollektiven Alptraum dechiffriert, wiedererkannt und in jenen politischen Text zurückübersetzt wird, der allen Revolutionen der Neuzeit – von der Französischen bis zur Oktoberrevolution – Pate gestanden hat und doch von allen verraten, vergessen oder bis zur Unkenntlichkeit verstümmelt wurde. Dieser nie eingelöste Text, der wie ein Palimpsest *hinter* der Atomdrohung steht, lautet in Kurzfassung: Freiheit, Gleichheit, Brüderlichkeit! Die heutige Menschheit ist insofern einem Erstkläßler vergleichbar, als sie die einzelnen Worte dieses Textes zwar buchstabieren und aussprechen kann, aber den *Sinn* des *ganzen* Textes noch immer nicht erfaßt hat. Die westliche Welt hat vielleicht eine Ahnung davon, was »Freiheit« und »Gleichheit« bedeutet; doch das Wort »Brüderlichkeit« ist für sie noch immer ein Fremdwort. Die östliche Welt hat vielleicht eine Vorstellung von »Gleichheit« und »Brüderlichkeit«, doch scheint ihr der Sinn für die »Freiheit« völlig zu fehlen. Die Zukunft der Menschheit hängt jedoch vom Verständnis und Einlösen des *ganzen* Textes ab. Wenn sie das Klassenziel nicht erreicht, dann allerdings besteht die Gefahr, daß die Bombe ihr eine letzte blutige Lektion erteilt und den ganzen Text ex negativo an ihr exekutiert: als »Befreiung« von aller Zivilisation, als »gleiches« Schicksal und »brüderliches« Einswerden im Untergang.

Die Atombedrohung stellt die zivilisierte Welt, auch ihre jeweiligen Machteliten, vor die unbedingte Alternative: entweder blindlings ihrem eigenen Untergang zuzusteuern oder aber die ökonomischen, politischen, ethischen, moralischen und seelischen Grundlagen ihres bisherigen Zusammen-*Lebens* sowie das Verhältnis der Völker zueinander, vor allem das der westlichen Industrienationen zu den Ländern der Dritten Welt, von Grund auf zu verändern und zu erneuern. Die unter dem Gesetz Mephistos stehende Industriezivilisation wird heute zu einem radikaleren Umdenken gezwungen als je zuvor in der Geschichte. So gesehen, könnte sich die Atomdrohung als Schrittmacher der Weltgeschichte erweisen, mit dem verglichen alle bisherigen sozialen, politischen und geistesgeschichtlichen Umwälzungen nur Trippelschritte gewesen sind. Christa Wolf: »Ein bundesdeutscher Politiker meint, im letzten Jahrzehnt habe sich ein allgemeiner Bewußtseinswandel vollzogen, der mit dem der Renaissance vergleichbar sei. – Was wäre der Inhalt eines solchen Wandels? Vielleicht ein Verzicht? Ein Verzicht auf die Beherrschung und Unterwerfung der Natur, Verzicht auf die Kolonialisierung anderer Völker und Erdteile, aber auch auf die Kolonialisierung der Frau durch den Mann? Es ist eine Lust zu leben – vorausgesetzt man ist nicht Herr der Welt und strebt auch nicht an, es zu sein?«

1 Vgl. Günter Anders' Preisrede zur Verleihung des Theodor Adorno-Preises der Stadt Frankfurt am Main 1983
2 Zitiert nach *Frankfurter Rundschau*, April 1983.
3 Udo Rabsch, *Julius oder der schwarze Sommer*, Konkursbuch-Verlag 1983
4 Matthias Horx, *Glückliche Reise*, Berlin 1983
5 Anton Andreas Guha, *Ende, Tagebuch aus dem 3. Weltkrieg*, Königstein/Ts. 1983
6 Hans Magnus Enzensberger, *Zwei Randbemerkungen zum Weltuntergang*, in: H. M. E., *Politische Brosamen*, Frankfurt am Main 1983, S. 230/231
7 Vgl. hierzu Sigmund Freud, *Die Traumdeutung*, Frankfurt am Main 1961, S. 141 und S. 454
8 Joachim Schumacher, *Die Angst vor dem Chaos. Über die falsche Apokalypse des Bürgertums*, Frankfurt am Main 1972, S. 15
9 J. Schumacher, a. a. O., S. 38
10 J. Schumacher, a. a. O., S. 59
11 Vgl. Hans Henny Jahnn, *Der Mensch im Atomzeitalter*, in: H. H. J., *Werke und Tagebücher in sieben Bänden*, Bd 7, Hamburg 1974
12 Vgl. hierzu das Erfolgsstück *Strafmündig* von Gerd Heidenreich, Fischer-Theaterverlag, Frankfurt am Main 1983
13 Zitiert nach *Frankfurter Rundschau* vom 1. 11. 1983
14 J. Schumacher, a. a. O., S. 48 und S. 144
15 Ulrich Horstmann, *Das Untier – Konturen einer Philosophie der Menschenflucht*, Medusa-Verlag, 1983
16 Vgl. Ulrich Greiners Eloge auf Horstmanns Buch in der *Zeit* vom 17. Juni 1983, Nr. 25
17 Vgl. hierzu *Der Spiegel*, Nr. 15, 11. 4. 1983
18 Vgl. hierzu Anton Andreas Guha, *Rüstung und Rüstungsexport*, in: Brzoska/Guha/Wellmann, *Das Geschäft mit dem Tod*, Frankfurt am Main 1982
19 Vgl. hierzu Anton Andreas Guha, *Der Tod in der Grauzone. Ist Europa noch zu verteidigen?*, S. 67
20 Franz Alt, *Frieden ist möglich*, München 1983
21 Michael Brzoska, *Die bundesdeutsche Rüstungsindustrie*, in: Brzoska/Guha/Wellmann, *Das Geschäft mit dem Tod*, a. a. O. S. 38
22 Ulrich Greiner, *Der Krieg in uns. Über einige Naivitäten in der Friedensdiskussion*, in der *Zeit*, Nr. 25, 17. 6. 1983
23 Nach Angaben von A. A. Guha, *Rüstung und Rüstungsexport*, a. a. O., S. 91
24 Nach Angaben von A. A. Guha, a. a. O., S. 53
25 Vgl. hierzu Michael Brzoska, *Die bundesdeutsche Rüstungsindustrie*
26 Nach Angaben von A. A. Guha, *Rüstung und Rüstungsexport*, a. a. O., S. 91
27 Christa Wolf, *Kassandra*, Erzählung und Poetik-Vorlesungen, Büchergilde Gutenberg, Frankfurt a. Main 1984, S. 325

Gerade Schreibweise verweist auf die in der Ausstellung
gezeigten Werke, *kursive* auf Vergleichsabbildungen